Vesi

Kari Artio

Vesireittejä

Kustantaja: BoD – Books on Demand, Helsinki, Suomi
Valmistaja: BoD – Books on Demand, Norderstedt, Saksa
ISBN: 978-952-80-2277-0

Lainatut runokatkelmat:

s.30   Ilias 23, 112-119 ja 9, 309-313
s.103   Ilias 9, 308-313
s.129   Ilias 7, 84-90
s.171   Ilias 24, 504-506
s.174   Odysseia 5, 299-302
s.189   Ilias 24, 451-455
s.190   Ilias 12, 323-329
s.257   Ilias 24, 451-455
s.279   Ilias 23, 826-829
s.354   Odysseia 11, 489-491
s.387   Ilias 13, 17-19

Suomennokset O. Manninen

s.130   Beowulf 18, 5-19

Suomennos O. Pekonen

s.111   Kalevala 39, 185-194
s.130   Kalevala 49, 121-122
s.271   Kalevala 9, 238-244
s.273   Kalevala 47, 67-244

s.328   Hector, Yhtenä iltana

Vieras, sulle ma sanon sen selvälleen:
Kuvull' ilman konsa on Helios korkeimmillaan,
Meren aaltojen alta silloin nousee tuo todentietäjä, aavojen äijä,
tummaan piiloutuin kareläikkyyn, läntisen tuomaan,
nousee maalle ja nukkumahan käy onkaloluolaan,
keskeen hylkehien; suku tuo merentyttären sorjan
Harmaalt' ui ulapalta ja rantaan sulloutuneena
nukkuu hengittäin monisyöverisen meren-aavan tuoksua raakaa.

(Odysseia IV, 398-436)

1. Hiittisten kommuuni, Kesäkuu

Pr soitti että Elsa on kuollut. Korvani menivät lukkoon, siltä se kuulosti. Väitin vastaan, sanoin ei, mutta hän katkaisi puhelun.

Myrsky oli nousemassa ja mietin uskallanko lähteä kaupunkiin. Seisoin rantavedessä ja käänsin katseeni syvemmällä kohti lauttoja kahlaavista pojista ylös nopeasti lounaasta tummenevalle taivaalle ja sitten puhelimen sääohjelmaan. -En ymmärrä, sanoin.

-Mitä sinä nyt et muka ymmärrä, Timo sanoi nostamatta katsettaan kirjastaan kalliolla. Hän ei antanut minkään häiritä pientä teeskenneltyä nautinnon hetkeään vaikka märän graniitin oli pakko olla kylmä hänen kylkeään vasten. Oli satanut koko aamupäivän ja Timon kolmeksi ohueksi palmikoksi punottu parta väpätti kylmästä ja kai nälästäkin.

Katsoin taas pilviä. Ehkä menisin niiden mukana, saisin niistä vauhtia ja suojaa. Kysyin: -Miksi myrskyn noustessa näyttää kuin nuo tummat pilvet syöksyisivät nopeammin eteenpäin kuin tuo alle jäävä hyvä sää ehtii väistää? Mihin se katoaa?

-Se nousee matalan kiilaamana ylöspäin, se kylmenee noustessaan ja sen kosteus alkaa tiivistyä. Se mikä sinusta näyttää myrskyn nopealta lähestymiseltä onkin hyvän ilman muuttumista huonoksi, lämpimän ilman nousemista, kylmenemistä ja pilveentymistä.

-Onko tuo totta vai tarua?

-Mitä tarkoitat?

-Onko tuo tiedettä? Virallinen tulkinta?

-On se muistaakseni. Arvaat että ilmat tekee kaikkea mitä ne pystyy kun ne pyörii tuolla ylhäällä eikä kukaan estä ja kiellä. Ne käsittää helposti väärin täältä pohjalta kun katsoo.

Puhuimme Timon kanssa aina säästä, katsoimme taivaalle kuten matalilla kalliosaarilla oli tapana. Se oli kuin ontto rukous; emme toivoneet parempaa, säätä tai mitään, mutta odotimme sitä silti. Osasin ilman sääohjelmaakin ennustaa kuukausien päähän mitä taivaalta oli tulossa: Pilvistä, sadetta, tuulta ja harmaata loputtomissa yhdistelmissään.

Mutta sitten suustani pääsi:

-Oho.

-Mitä oho? Timo sanoi ja käänsi vihdoin päänsä. Teki mieleni sanoa hänelle: Ei muinaiset ihmiset maanneet kalliolla olematonta aurinkoa ottamassa mutta olin hiljaa sillä merenpinnan kohdalla oli punainen huutomerkki jota ei ollut yli vuoteen näkynyt. Jotkut olivat jo uskaltaneet toivoa että tulvahuippu olisi saavutettu mutta ei. Sanoin aihetta iloisemmalla äänellä:

-Tulee tuulta tukutonta, Tanskan suurista salmista. Vesi nousee puoli metriä huomiseksi. Minun täytyy lähteä kaupunkiin.

-Kyllä se ilman sinuakin osaa upota.

-Minulla jää asunto kohta veden alle. Täytyy hakea pari paperia talteen.

-Eikö Elsa voi hakea niitä?

-Me emme ole olleet yhdessä vähään aikaan, sanoin ja käänsin pääni pois. En halunnut sanoa Timolle mitään tarkempaa. En ennen kuin se olisi varmaa.

-Ai. Miten sulla paperilla mitään arvokasta on? Timo kysyi, sulki vihdoin kirjansa ja kääntyi istumaan minuun päin.

-Kysyy muinaisleikkien leikkijä.

-Modernilta ihmiseltä.

-No moderni ihminenhän saa leikkiä mitä leikkii, sanoin ja ojensin kättäni Timoa kohti rannettani pyöräyttäen ja syvään hovikumartaen.

-Eli minäkin olen nyt sitten moderni ihminen? Timo kysyi ärtyneenä.

-Olet totta kai. Pelkkää itsetehostusta tuo hiljentyminen ja hidastuminen. Ei tämä ole aitoa tai totta tämä teidän muinaiskommuuninne. Ei muutama vuosi mitään todista. Ei nuo kutisevat villakalsarit mitään todista. Sattuman armosta elätte vielä täällä jumalan selän takana. Ei ole paha silmä osunut kohdalle, nähnyt teitä vielä.

Näin ikäviä me emme yleensä puhelleet, mutta oli minulla jonkinlainen lieventävä irve naamallani. Vanhoina ystävinä meidän jos kenen piti kestää toistemme pahaa puhetta mutta pilat olivat alkaneet vihdoin takertua kuivuviin kurkkuihimme.

Timo hamusi ohuita rantaheiniä, katkoi ja laittoi monta varrenpäätä kerralla suuhunsa. Selvästi häntä ärsytti. Hän sanoi:

-Ai pelkkää leikkiä. Vaikka henki menisi?

-Vaikka henki menisi. Minun leikkini ei edes ole leikkiä, karttoja pystyy katsomaan paremmin paperilla. Unohdan vaan siirtää niihin merkkaamani tiedot koneelle ja olen aina jäljessä ja sekaisin. Mutta mitäs herra saarelainen sanoo siitä puolesta metristä? Mitä entisaikojen ihmiset olisivat tehneet? Luulen että ne olisivat häipyneet jo ajat sitten, ja kauas.

-Ei puoli metriä paljon ole. Ei jää yhtään taloa alle, Timo sanoi kännykänsä tulvasovellusta hypistellen. -Lähelle tulee Saria ja Pekkaa kyllä. Siinä on onneksi betonisokkeli. Me ollaan siirretty tänä keväänä jo kolme taloa ylemmäs. Ei jaksaisi enää yhtään.

-Se puoli metriä on arvio. Voi se olla enemmänkin. Teiltä loppuu kohta saari alta, sanoin ja kurotuin katsomaan Timon ruutua mutta hän vetäisi sen äkkiä pois. Ehdin nähdä että meri oli täynnä katkoviivoja, veneiden ja laivojen reittejä.

-Älä tunge siinä! Timo ärähti ja näpelsi laitettaan kiinni.

-Mitä siinä niin vakavaa oli? Mikä kansainvaellus siellä oli menossa?

-Siinä on meidän veneiden kaikki reitit. Niistä näkee kalapaikat.

-Ja niitäkö ei saa minulle näyttää? Nauroin. Timo ei koskaan puhunut minulle synkemmistä puuhistaan joita heidän yhteisönsä harjoitti hallitsemillaan vesialueilla enkä minä koskaan kysynyt, sellainen oli sopimus. Mutta jos nyt jotain asiatonta vähän vilahti ei siitä noin olisi täytynyt suuttua. Timo jatkoi ärtyneenä:

-Pitäisköhän sun nyt lähteä. Jos et kerran ole jäämässä auttamaan.

-Kyllä minä olen lähdössä, sanoin ja mietin että olikin jo korkea aika häipyä täältä. Muistelin päässäni mitä lähtemiseen kuului, oliko akut täynnä, oliko mikään rikki, oliko jäsenissä voimaa, mitkä olivat aallonkorkeus ja tuulennopeus hetki hetkeltä yön yli. Kysyin vaikka tiesin vastauksen:

-Pystytkö maksamaan ennakkoa tästä?

-En nyt mitenkään. On ollut kaikenlaista.. Mites toi jätkien homma? Timo sanoi ja viittasi rannassa ja lautalla keilaussauvojen kanssa hosuviin poikiin joiden mittaustyö oli juuri muuttumassa keppitappeluksi.

-Et sorki sitä hylkyä täällä yksin. Odotat että tulen takaisin niin ei ehkä täyty rikoksen tunnusmerkit. Siis sinun rikoksesi minua kohtaan. Pojat voivat jatkaa kartoitusta hylyn ympäriltä kauemmas. Tästä lahdesta löytyy varmasti muutakin. Keilaatte, otatte kuvia, lähetätte minulle. Ja usko jo että meidän on lähes mahdotonta nostaa sitä sieltä mitenkään järkevästi. Koeta tyytyä siihen, siihen mitä saadaan kuvattua.

-Moni muu täällä kyllä luuli että se nimenomaan nostetaan sieltä.

-Joko se maksaa niin että te kuolette nälkään tai sitten se tulee millin palasina.

-Koko touhuhan on aivan naurettava, Timo puuskahti.

-Miten niin naurettava?

-Että tuo hylky makasi ensin rantavedessä tuhat vuotta ja nyt me yritämme saada sitä tuolta syvältä hirveällä vaivalla.

-Parempi se on nyt tutkia talteen kun on vielä joku jota asia kiinnostaa. Se on se tärkein asia tässä.

-Niin, Timo sanoi ja nousi ähkäisten kalliolta. Hänen selkänsä jäi kyyryyn mutta hän ei yrittänytkään oikaista sitä. Ei se enää oiennut.

Olimme hetken hiljaa ja haistelimme ilmaa ja kovenevaa tuulta. Aallot nousivat, niiden päiden läpi kuulsi aavistus vihreää kuin toisesta maailmasta.

Kysyin: -Millaista siellä kaupungissa nyt on?

-Kannattaa siellä olla varovainen. Marko asuu Annankadun kommuunissa, voit mennä sinne jos ei muuta ole. Ai niin, Elsan äitihän on siellä. Sillä on varmaan joku linna siellä.

-Montakin. Se muistaa minut vielä, paremmin kuin Elsa. Se minulle äsken soitti.

-Eihän sinulla sitten ole hätää, Timo sanoi.

-Tai kahta suurempi! Se ihminen ei huvikseen soittele. Vaan kai sekin on kohta enti-nen.

-Harvoin kaikki kohdalleen sattuu kun naisista on kyse.

-Tai ihmisistä.

-Tai maailmasta, Timo sanoi ja heilautti käsiään ympäri merta ja kallioita kuin teatte-rin näyttämöä. Tuuli nousi taas askeleen, meri heräsi ääneen ja eloon. Oli lähdettävä heti. Hengähdin syvään. Tyhmä esittää kovaa itselleen, oman henkensä kaupalla, mutta minkäs teet. Elsa, jos selviän tästä, saat luvan olla elossa. Olkoon tämä matka jokin typerä rukous. Mihin muuhun sitä enää kykenee.

Avasin lantiolle sidotut märkäpuvun hihat ja puin nahkean yläosan päälleni ja kytkin virran päälle. Vedin levähärmän täplittämän läpikuultavan kajakin esiin heinikosta, irro-tin juomapullon kannen nauhoista ja join sen tyhjäksi. Timo oli kävellyt perässäni ja yritti jatkaa kiusoittelua.

-Miksi kajakki on läpinäkyvä mutta pullo ei? Hän kysyi.

-Ettet näkisi miten saastainen se on sisältä.

-No nythän minä näen. Muljaat siellä iänkaikkisessa munahiessäsi. Pesetkö sitä kos-kaan?

-No jos kaadun. En ole kyllä koskaan kaatunut. Mutta te luonnonsuojelijat, te saunotte tämän teidän saarenne paljaaksi muutamassa vuodessa.

-Älä vaihda puheenaihetta. Eikä saunota!

-En vaihtanut puheenaihetta, joka on hygienia. Laske paljonko menee puita kiukaisiin ja muuhun lämmitykseen ja mitä tämä saari näissä nykyhämärissä tuottaa.

-Oletko muka laskenut?

-En ole. Mutta kun tätä saarta lähestyy niin huomaa jo kaukaa mereltä että se on kal-juuntunut.

-Kunhan kiusaat. Itse olet kaljuuntunut.

-En kiusaa, enkä ole kaljuuntunut! Käykää pesuapinat harvemmin saunassa, sanoin ja kävelin kaivolle täyttämään juomapulloni. En kehdannut enää kinuta evästä kun tuli tuolla tavalla mölistyä. Olisi pitänyt saada pari lanttua tai perunaa edes että jaksaisi me-loa kovassa kelissä mutta tiesin ettei täällä ollut ylimääräistä. Olin päättänyt lähteä heti ja matkaa Helsinkiin oli satakaksikymmentä kilometriä, oli kesäkuun neljäs. Hämärää oli hyvin koko yöksi.

Olin lähtenyt kaksi viikkoa sitten Jyväskylästä: Oli tullut kutina, oli tullut tuntu, olin nähnyt merkkejä, oli ollut muutama vaaratilanne. Työ kammottavaa ja ihmiset ärsyttäviä puolituttuja baareista joiden lattiat ja pöydät pestiin päivittäin väljällä kaljalla ja neljän promillen verellä; typeryyden mitta oli täyttynyt. Ja velkaa, eri valuutoissa, liikaa. Työ jonka perässä olin ystäväni vinkkaamana Jyväskylään alun perin lähtenyt oli sulanut työnantajani rikokseen ja katoamiseen ja sen jälkeen olin kierrellyt kaupunkia ja lähiseutuja kuin maankiertäjä, sekatyömies, nostomies, mierolainen talkoolainen ruokapalkalla. Mitään ei jäänyt käteen, kaikki suli paitsi velat. Kaksi vuotta meni humalassa heiluessa kuin muka loukattuna Elsaa unohtamassa, teeskenneltyyn mykkyyteen vajoamassa. Keväällä olin alkanut suunnitella lähtöä heti kun Timo oli soittanut ja kertonut hylyn varmistumisesta, heti kun sää oli sallinut, heti kun olin saanut viimeisen palkkani vartiointiliikkeen uudelta laumalta. Toukokuussa kun oli tullut keikka Mänttään piilotin kokoontaitetun kajakin matkailuauton yläsängyn nuhjuisten peittojen alle ja kun kaverit lähtivät kierrokselleen väitin unohtaneeni lamauttimen ja palasin autolle mutta otinkin kajakin ja kiersin tehtaan takaa Melasjärven rantaan ja lähdin painelemaan alas pitkin vesiä taakseni katsomatta. Ensin Hopunselkää ja Välivettä, sitten Kotaselkää ja Savilahtea pitkin Vilppulan ohi Ruovedelle josta menin Kautun kautta Mommoon. Ohrionselän jälkeen Murolen kanavasta Vankavedelle ja Myyrysselkää Näsijärvelle kahdessa päivässä. Ihmeekseni ruokaa tarjottiin kaksi kertaa kysymättä, sain yöpyä ihmisten kodeissa, minua ei pelätty enkä pelännyt, uskalsin puhua ystävällisesti, oli tietysti pakko. Kyselin aina töitä niin kuin olisin ollut töitä kyselemässä. Tampereella olin pikkuserkkuni luona kaksi yötä. Rakensimme aitan kanoille, söin minkä kykenin ja kehtasin ja jatkoin matkaa. Uitin uistinta veneen perässä ja joskus tuli joku ahven tai illalla laiha kuha, mutta yleensä ei mitään. Söin kalat raakoina tai annoin niille akusta vähän sähköä jos sitä oli kertynyt tarpeeksi talteen, menin kuin ankerias tai nahkiainen alas Kokemäenjokea kohti merta suu täynnä mudan makua. Olin valmis vaikka mihin mutta kaikki meni hyvin, ihmiset eivät vastanneet odotuksiani. Melon Syöstävän patoa maitse kiertäessäni olin kuulevinani metsästä outoa huutoa "Olomii! Olomii!" mutta en jäänyt sitä kuuntelemaan. Porissa en pysähtynyt, olin kuullut huonoja huhuja, sukeltelin ja söin lumpeitten ja ulpukoitten juuria mutta eivät ne pullottaneet kuin kuvissa, kitkeriä olivat ja mahaani väänsi pitkään. Merellä murtauduin viiteen mökkiin kolmena peräkkäisenä yönä ennen kuin löysin riittävästi mätiä muruja kaappien pohjilta että jaksoin viimeisen vedon tänne Hiittisiin. Myötätuuli viimeisellä kahdellakymmenellä kilometrillä oli ensimmäinen koko matkalla ja kolahdin muovikassista tekemälläni myötäpurjeella rantakivikkoon toissa päivänä kuin raato. Antoivat ne silloin minulle yhden kunnon aterian täällä, kolme perunaa ja kourallisen voita. Älkää luulko, se oli paras ateria koskaan.

Markus, yksi kaivausten apupojista, käveli rannasta kaivolle. hän joi ensin ja pesi sitten kuraisia käsiään ja käsienpesun sotkemaa ämpäriä ja lopulta koko kaivoa. Se näytti niin kömpelöltä että tuli puistattava muisto teininä olemisesta, unisten aivojen sohjosta. Kysyin: -Miten menee?

Ei vastausta. Toistin kysymyksen. -Ei mitään, Markus vastasi nytkähtäen ja veti jostakin taskusta ruskean paperipussin ja ojensi sen minulle. -Pirjo lähetti.

-Kiitos, vastasin ja katsoin pussiin. Siellä oli pähkinäpensaan pähkinöitä, pieniä kuin synti. Kysyin: -Etkös sinä ole sen Jääskeläisen Matin poika?

Vastaukseksi tuli kahden millin nyökkäys merelle päin.

-Minulla olisi sinulle tai kaikille pojille pieni pyyntö, jatkoin. -Kertoisitte minulle kun tiedätte mitä Timo ja muut aikovat hylyn kanssa tehdä. Te olette vielä vähän niin kuin työsuhteessa minulle, ymmärrätkö? Teidän velvollisuutenne eivät haihdu ilmaan kun minä lähden täältä. Sen kun vaan kuvaatte sitä, ette tongi, onko selvä? Pidä sinä siitä huoli.

-Me ei siitä kuvasta saada mitään selvää, Markus sanoi selvästi ja kuuluvasti. Se ilmaisi kai ärtymystä komentelustani. Tältä pojalta ei mitään raporttia tulisi. Sanoin silti:

-Nyt se näyttää aalloilta ja kaiuilta ja sekasotkulta. Niistä sadoista luotauksista mitä te olette tehneet kone laskee tarkan kuvan. Näytinhän minä teille jo sitä yhtä ajoa mikä meillä oli viime viikolta.

-Joo, Markus sanoi. Hän oli puuhaavinaan jotain tärkeää pientä mutta mitä voi teini kivisellä rannalla tehdä kuin vain heilua hitaasti puolelta toiselle ja kääntyä milloin mihinkin tyhjään nojaan. Nuorilta täällä saaressa oli kielletty kaikki digitaaliset laitteet ja sehän jo tekee kenestä tahansa murhanhimoisen.

-Siinä oli tarkkuus jotain puolen sentin luokkaa, sanoin. -Kohta se on kolmasosa. Lopettakaa vaan jo ja antakaa tikut Timolle. Se panee koneen raksuttamaan ja huomenna teillä on niin tarkka kuva kuin mitä näillä vehkeillä saa. Katsokaa sitä, älkää koskeko.

-Okei, kuului lihasten pieneksi kuristama ääni syvältä selkärangan ja kylkiluiden suojista kuin maailman alta. Hän kääntyi ja käveli pois polkua pitkin taloja kohti. Tuuli yritti kaataa hänet ja melkein onnistui, heinät hakkasivat hänen paljaita nilkkojaan. Huusin hänen peräänsä:

-Minä yritän keksiä teille jotain palkkaa. Olette tehneet hyvää työtä!

Join vettä, katsoin ulos merelle missä tuuli tarttui veteen kovemmin ja kovemmin. Päätin että aallot ovat minun puolellani. Heitin vettä, join lisää, täytin pullot. Sain helposti Elsan kasvot mieleeni. Siellä ne olivat vielä, nousivat esiin mitenkään manaamatta. En halunnut ajatella mitä tunsin häntä kohtaan, se oli sekavaa kuin merenpinta saarien välissä. Kävelin kajakille ja tarkastin evät ja moottorin, pyyhin kennot puhtaiksi. Makasin hetken tuulensuojassa kajakin vieressä ja söin muutaman kituliaan pähkinän, tiesin katsomattakin että jokaisessa oli madonreikä kuin neulanpisto ja yritin olla maistamatta niiden härskiä makua.

2.

Heti kun lähdin tuuli koveni, se repi vaahtoa irti aaltojen kärjistä kun tuli ulos suojasta niemen takaa. Hetken heiluin ja mietin miten tämä on muka mahdollista mutta pian antauduin ja totuin taas rytmeihin. Korkeammiksi ja korkeammiksi nousevat aallot kantoivat kevyttä kajakkia helposti eikä paha sää tuntunut pahalta kun kääntyi myötään ja meni lujaa sen mukana. Ehtisin Helsinkiin aamuksi jos lepäisin pari pimeintä tuntia jollakin luodolla. Kerran olin ajaa kariin hämärässä mutta kaikuluotain varoitti ja ehdin väistää, toisen kerran mela kolahti kiveen Jussarön matalikolla terävän aaltometelin seassa ja horjahdin mutta sain riuhtaistua kylkeni ylös vedestä. Kajakki totteli kevyesti, se notkui, jousti ja taipui muttei hajonnut. Kölimoottorin gyroskoopilla varustettu vakautin teki surffaamisesta helppoa, maanopeus oli hetkittäin yli 30 kilometriä tunnissa. Lauloin ja huutelin mennessäni, myrsky söi äänet. Ihmettelin miksen pelkää, miksen väsy. Olossani oli ohut kaistale ties mitä valoa.

Keskellä pahinta riehumista tuntikausien aaltoihin keskittymisen ja liukenemisen jälkeen mieleni erkani ja katsoin itseäni muutaman metrin päästä lievän ihmetyksen vallassa. Aallot heittelivät minua mutta olin kädenmitan, askeleenmitan, melanvedon päässä kaikesta, välinpitämättömyyden vallassa, olin koko ajan oikeassa asennossa ilman yrittämistä, kajakki, minä ja meri. Iskin kättäni kannen kiinnikkeeseen ja se vuoti verta, hiersin kylkeäni aukon terävään reunaan, kylmää vettä valui syliini aukkopeitteen vuotavasta saumasta mutta kaikki oli ihanasti kuin kauneimmassa unessa. Annoin ajatusteni holjua vapaasti mutta sitten muistin Elsan ja maailman kaiken menon ja humahdin itseeni niin että olin kaatua silkasta järkytyksestä. Että voi meri pitää äkkiä meteliä! Kuin se kaatuisi, ja niinhän se kaatuikin, koko ajan.

Kaikesta uhosta ja hallinnan tunteesta huolimatta kello kaksi yöllä voimani, juomani ja evääni loppuivat keskelle Porkkalanselkää syvimmän pimeyden hetkellä. Tiesin että oli alle puoli tuntia aikaa ennen kuin tasapaino ja taju menisivät täysin. Mietin miten näin pääsi käymään, en koskaan ollut joutunut todelliseen hätään täällä. Ehkä halusinkin uupua, kaatua ja vajota. Hävetti mennä takaisin nyt kun väsyneenä antoi itsensä ajatella pelottavia ajatuksia.

Ajoin uponneiden Västernin ja Sommarnin yli, ne erotti aaltojen voitonriemusta niiden päällä. Kajakkini raapiutui pimeässä johonkin, merestä nousi kovia vapisevia käsiä jotka hakkasivat ja melkein repivät melan kädestäni; kuolleita männynoksia tunki esiin kuohuista Västernin korkeimmalta kohdalta. Lepäsin ja venyttelin hetken pitäen limaisesta latvuksesta kiinni keskellä kohinaa ja tempoilua eikä se käynyt levosta, aallot repivät ja pyyhkivät kannen yli liian monesta suunnasta. Hamusin syötävää liivini taskujen pohjilta ja viimeisiä pudonneita pähkinöitä penkin alta ja pakaravälistä ja mietin mitä tekisin, sitoisinko itseni puuhun hetkeksi mutta merenkäynti oli liian kova ja jäykistyisin kylmästä kymmenessä minuutissa jos en meloisi koko ajan. Puhelin värisi rintataskussa sydäntäni vasten. Kuka soittaa keskellä yötä? En pystynyt vastaamaan. Päätin meloa saarelle jonka tunsin ja joka oli vielä olemassa ja jonka armelias valo vilkkui suoraan edessäni.

Mäkiluoto ei ollut enää linnakesaari, siitä oli kaksi nyppylää ja puolikas kasarmia enää pinnalla mutta siellä oli yhä merivartioasema ja maihinnousukielto jonka tiukkuudesta olin kuullut tarinoita joissa ihmisiä oli kuollut. Tiesin miten ruokavarastoon pääsi sisään ilman avainta, saarella palvellut kaveri oli kerran retkellä näyttänyt. Siellä voisi nukkua hetken. Tuskin ne yhtä yksinäistä märkää melojaa ampuisi.

Surffasin suoraan saarta kohti murtuvien aaltojen mukana, ajoin lujaa loivan kallion päälle vaikka naarmuja tuli pohjaan. Lensin rajusti kyljelleni ja melkein rikoin melan kun kaavin tukea kallionkoloista etten olisi valunut takaisin mereen kohisten palaavan veden mukana. Tutkat eivät näe melojaa aaltojen seasta mutta rannalla saattaisi olla lämpökameroita ja muita antureita. Vedin kajakin notkelmaan ja kiilasin sen pensaiden väliin ettei tuuli veisi sitä mukanaan. Matelin pitkin kanervikkoa kohti erillistä ruokavarastoa kasarmin länsipuolella. Tuuli oli lähellä kahtakymmentäviittä ja ulina ja ryske oli kova ja pimeys syvä niin etten varonut, olin mustassa märässä märkäpuvussani märän yön värinen. Varaston takaovi aukesi lukon kielekkeen kohdalta veitsellä vääntäen niinkuin pitikin. Hyllyt olivat näky: Kaalia, sipuleita, valtavia kymmenen litran hernekeittotölkkejä, ruokaöljyä, säilykelihaa, kaikenlaista. Kaljatölkkejä! Korkkasin heti yhden ja join tyhjäksi ja lysähdin perunasäkkien päälle huohottaen ja täristen makaamaan.

Heräsin kirkkaisiin valoihin silmissäni. Ääni tuli valosta.
-Mikäs sissi täällä. Valo heilahti hetkeksi kattoon ja näin kaksi varusmiestä osoittamassa minua rynnäkkökivääreillä ja kolmas kirkkaalla taskulampulla. Latausääni. Varmistimen naksahdus. Vastasin liikahtamatta:
-Ihan vaan meloja. Kaaduin tossa pimeessä, karikossa, oli pakko rantautua. Join yhden teidän kaljoista ja taju meni kankaalle. Tämä on tosi.
-Voitais vaikka ampua sinut helposti. Luvat on kunnossa. Metsästyskausi on alkanut. Vitsi vitsi, ei tarvita mitään lupia.

-Ette kai te ihan tosta vaan ihmisiä ammu, sanoin liikuttaen huuliani niin vähän kuin mahdollista.

-Ammutaan. Tollasia nälkiintyneitä menijöitä jotka ei puhetta ymmärrä.

-Perunoita kannata vereen sotkea. Minulla on rahaa. Voin maksaa.

-Saatkin maksaa. No, ei me sua kiusaamaan ruveta. Anna parikymppiä ja syöt mitä syöt.

-Kiitos. Kaivoin paukkuliivin taskusta kännykkäni ja näppäilin lompakkosovellukseen summan jonka se siirsi ketjuun linkitetyltä ties monenneltako vippifirmaltani. Mietin jo selityksiä valmiiksi mutta ihmeekseni se toimi, rahaa oli ja se virtasi, ojensin kännykän lampulliselle sotilaalle joka kuittasi siirron. Tämä sai jännityksen laukeamaan, ilmeet ja asennot pehmenivät, piiput laskivat.

-Haluatko tulla sänkyyn nukkumaan? Sanoi toinen asemiehistä ja napsautti varmistimen päälle.

-Ai sinun viereesi? Houkuttelevaa mutta ei, jatkan matkaa tästä. Mitä kello on?

-Puoli neljä.

-Alkaa kohta kirkastua.

-Joo. Ymmärrät kai, että näistä ollaan tarkkana täällä.

-Tuossa on vielä kymppi. Ottaisin vähän evästä mukaan, sanoin.

-No, markkinahintaan. Ei mitään tukkualennusta. Akiko se on nimi?

-Joo, sanoin päätäni roikottaen.

-Joo, sanoi kolmas varusmies ja katsoi päätettään, kiväärin hän oli laittanut jo selkään.

-Joku merkintä tästä tulee mutta ei me sinua täällä pidätellä.

-Kiitos. Miten te huomasitte minut?

-Lämpökamerat, liiketunnistimet, mitä luulit? Luulit ettei täällä ole mitään? Mehän vartioimme lähinnä näitä ruokia täällä. Kaikki anturit ovat tämän kopin ympärillä. Luuletko että olet ensimmäinen joka yrittää myrskyn siivellä tänne? Hukkuneita poimitaan kuin ajopuita rannalta. Joka yö on tullut tulijoita, eläviä ja kuolleita. Ruumiita ilman veneitä ja veneitä ilman ruumiita. Mikä kansainvaellus nyt on käynnissä?

-En tiedä. Meni kieltämättä vähän urheilun puolelle, sanoin ja ojentelin jäykkiä jäseniäni. -Luulin että jaksaisin Hiittisistä Helsinkiin kertarysäyksellä. En minä teistä enää mitään luullut. Itsestäni luulin vähän liikoja.

-Hiittisistä, keskellä yötä, kajakilla, yksin tuossa myrskyssä? Ei kovin järkevältä kuulosta.

-Tähän asti meni ihan hyvin. Eväät vain loppu kesken.

-Mikä siinä tulee vauhdiksi? Moneltako lähdit?

-Minulla on pieni apumoottori kajakissa. 112 kilometriä, keskinopeus 18 kilometriä tunnissa.

-Ei sinulla ihan kaikki muumit ole laaksossa.

-Ei, ei tietenkään ole, vastasin. Pientä ystävällistä hörähtelyä.

-Se on laantumassa tuuli, jos kiinnostaa, sanoi päätettä katseleva sotilas. Salama välähti, joku otti kuvan.

Sydämeni hakkasi lujaa ja päätäni pyöritti. Sanoin: -Kiitos. Eikös tämä pitänyt jo lakkauttaa tämä linnake?

-Oli se jo lakkautettuna monta vuotta ja monta kertaa. Ei tiedä miksi vaihtoivat mieltä nyt. Ei meitä ole kuin neljä täällä. Metsästetään kai merirosvoja.

-Ootteko saaneet ketään kiinni?

-No sinut, ja niitä ruumiita! Pitäisi saada sikoja tänne ettei mene meriuhrit hukkaan. Siksi sinä selvisit.

-Ai miksi?

-Me ei tarvittu enää yhtään.

-Mitä?

-Uhria! Ruumista.

Varusmies tarjosi puoliksi uponneen kasarmin tuulensuojassa tupakan. En polttanut mutta mitä muutakaan sotilaan kanssa voi tehdä. Poltimme ääneti pimeässä kohinassa. Pimeydestä kallion takaa kuului sähkömoottorin surinaa; varusmies kertoi että ääni tuli vanhasta mekaanisesta kompostorista joka oli kymmenen metriä pitkä ja kaksi leveä kaukolämpöputki jota moottori pyörittää hitaasti itsensä ympäri. Kun täällä linnakkeella oli ollut enemmän väkeä kaikki ruoantähteet oli laitettu sinne ja päälle oli ripoteltu lapionkärjellä vahvaa entsyymiä joka oli saanut maatumisprosessin hullaantumaan. Putki oli vinossa, toisesta päästä tuli höyryävää puolivalmista multaantuvaa massaa ulos jonka saattoi tarvittaessa lapata uudestaan putken yläpäästä sisään jos halusi. Kysyin:

-Sinnekö te ne ruumiit heitätte?

-Ei ne kokonaisina maadu. Ne pitää silputa ensin.

-Oletko tosissasi?

-En, varusmies sanoi vakavalla naamalla merelle katsoen. Liikahdimme, sanoin:

-Kiitos vielä.

-Mikä kiitos.

-Kun olitte kilttejä minulle. En tiedä olisinko itse osannut olla.

Kävelin kulman ympäri avomeren puolelle. Aallot löivät talon seinään, rappaus oli irronnut kasarmin koko päädystä ja sokkeli ja alimman kerroksen seinä olivat murtuneet palasiksi mereen. Kaivoin puhelimen esiin ja katsoin kuka minulle oli soittanut keskellä merta. Elsa. Yritin soittaa numeroon mutta se ei vastannut. Tuuli repi hehkuvia hiutaleita savukkeen päästä, ei tarvinnut karistaa, ei heittää tumppia mihinkään, kun hellitti sen hehku lähti sormien välistä kuin tykin suusta kohti taivaanrantaa. Katsoin sen perään ja näin pientä kajoa meren ja pilven raossa idässä, muuten oli pimeää, lähdin sitä kohti. En sanonut näkemiin, kannoin tuulenrepimän kajakin pimeiden kallioiden yli ja iskin sen

18

korkeinakeikkuvien aaltojen ja kivien väliin suojan puolella. Kun pääsi saaren suojasta tuuli oli kova mutta laantuva ja tasainen, aallot isoja kaarevia maininkeja; meri piti kämmenellään ja työnsi eteenpäin kuin lasta kohti oikeita valintoja. Tuntui kuin ajatukset olisivat selkeitä, mutta sen täytyi olla harhaa.

Hylje tuli Porkkalanniemen kärjessä viereeni uimaan, en ollut nähnyt niitä vuosikausiin kiikarinkantamaa lähempää. Se hypähteli aallon kyljestä ilmaan iloisena, se oli nuori ja tunnisti minut vaarattomaksi hölmöksi. Sille myrsky oli pelkkää hauskanpitoa, se halusi leikkiä, se surffasi minun kanssani samaa aaltoa selällään ja nauroimme molemmat, aivan varmasti se hymyili! Kuvittelin sen vahtivan että selviän. Miten ne meren alla kuolevat, tai rannassa, kalliolla, en tiedä. Olen salaa katsellut miten lokki kuolee, miten se etsii paikkaa ja rauhoittuu. Siivistä loppuvat voimat, ottavat merestä tukea, muutama epäuskon läpsäisy. Kaula kaarelle kylkeä vasten kuin taideteoksessa.

Tuuli kääntyi aamukuudelta lounaasta etelään ja vaimeni, olkapäähän alkoi sattua kunnolla kun pelko väheni. En ollut miettinyt koko matkan aikana Elsaa, en ollut ehtinyt keskellä metelöivää merta, se oli ollut tarkoitus, siksi olin lähtenytkin. Olin selvinnyt inhostani kaupunkia kohtaan, olin tarvinnut kovan syyn ja kovan myrskyn jotka heittivät minut tänne voimalla.

Nyt näin kaukaa kaupungin joka hänet oli syönyt. Helsinki, uponnut helvetti, todeksi muuttunut vitsi. Maisemaa ei tunnistanut kuin väkisin tai teeskentelemällä, muistelemalla muistamatonta aikaa. Ja nyt se oli vajonnut taas vähän enemmän, tulvaennuste oli jälleen kerran pitänyt paikkansa, se näytti 45 senttiä eilisestä, metrin viime Helmikuusta ja kymmenen edellisestä elämästä.

3. Helsinki

Haisi viikko sitten kuolleelta.

Katselin kajakin pohjan läpi kuinka vihreänharmaan mudan peittämä asfaltti lipui alitseni. Kadulla oli vettä yli metri, mietin onko se jo asunnossa. Liu'uin hitaasti meloen muutaman puoliksi uponneen auton ohi ja katsoin kuinka hyviä autoja ne olivat olleet. Ihan hyviä, tämä oli ollut hyvää aluetta, osoite oli Töölönkatu 8, asuimme Elsan kanssa kansallismuseon takana tai siis edessä jos tästä katsoi. Hänellä oli lyhyt työmatka sen hetken kun hän ehti olla siellä. Vielä vuosi sitten museoon oli päässyt veneellä kun portaiden jatkeeksi oli asennettu pätkä betonilaituria, uutiset ilmoittivat ilahtuneina kävijämäärien kasvusta mutta mistä mihin, sitä ei kerrottu. Nyt museo oli ollut suljettuna koko kevään ja se seisoi mykkänä ja hylättynä pienellä saarellaan.

Katu oli tyhjä, missään muuta kuin silmiä selässä pimeistä ikkunoista ja aaltojen kaiut märkivistä julkisivuista. Kierähdin c-rapun graniittiportaille ja pidin eläväistä kajakkia melalla paikoillaan. Kaivoin jo avaimia rintataskustani kun muistin että ulko-oven pitäisi olla auki jos talo oli vähääkään veden alla. Poliisi laittaisi omat lukkonsa ja kieltonsa myöhemmin, mutta eivät ne kaikkia pidätelleet eikä taloja edes enää valvottu, sääntö oli vain yksi kuollut kirjain lisää ennestään jo henkeään haukkovaan lakiin. Oli paljon ihmisiä joiden mielestä oli juhlallista asua kokonaista kivitaloa yksin kuin ruhtinas ja vilkuilla vihellellen ympäriltä mereen pala palalta murenevaa kaupunkia kuin antiikinaikaista tragediaa. Lähes kaikki asuivat laittomasti sillä valvontaa ei ollut eikä montaakaan taloa ollut romahtanut vaikka niin aina peloteltiin. Ovi ei ollut lukossa, kiinnitin sen hakasella auki ja nostin kajakin nojalle portaikkoon ja se alkoi valua vettä lätäköksi perän saumasta. Kuuntelin hetken mutta mitään ei kuulunut.

Asuntomme oli talonmiehen entinen yksiö kellariin johtavan portaikon välitasanteella vähän alempana kuin muut ensimmäisen kerroksen asunnot ja sameanharmaa vesi loiskui sen ovea vasten nilkkojen korkeudella. En ollut käynyt asunnolla pitkään aikaan enkä ollut muistanut tätä, olin vain katsellut merenpinnan korkeustietoja ja kaupungin karttoja tietokoneelta ja ollut tietävinäni että vielä olisi aikaa hakea tavarat pois. Elsa ei ollut soittanut minulle tästä, hän oli asunut muualla jo jonkin aikaa. Piilossa, eristyksissä, minulta ja äidiltään.

Asunnossa oli käyty. Tavarat oli revitty kaapeista ja paiskottu lattialle ja nyt ne lojuivat pehmenneenä rojuna kylmässä vedessä. Pelästyin miten äkkiä pala nousikaan kurkkuuni. Roistoja, vandaaleja, totta kai, muttei kyse ollut siitä. Minun piti löytää täältä muutama naurettava muistiinpano ja kartta jotka olivat naurettavia sekä siksi että ne olivat naurettavia mutta myös siksi että olin unohtanut kuvata ne ja jättänyt ne tänne ja niissä oli hirveä määrä työtä tai miksi sitä kutsuisi, vaivaa, uhoa. Yritin soittaa Elsalle mutta hän ei tietenkään vastannut. Selasin numeroita puhelimessani. Kaisa, Elsan kurssikaveri. Hän oli asunut täällä Elsan kanssa hetken siihen aikaan kun lähdin pois. Pitivät toisiaan kädestä, katsoivat minua vinoon teekuppiensa takaa.

-Kaisa, hei! Minä täällä, Ari.

Hän oli pitkän hetken vaiti. -Hei. Sinä?

-Minä minä, sanoin.

-Oletko käynyt siellä teidän asunnolla? Vesi on noussut.

-Minä olen täällä, täällä on vettä puolisääreen!

-Voi ei, onko siellä mennyt jotain pilalle? Oliko sinulla siellä vielä jotain arvokasta?

-Arvokasta? Minä asuin täällä muistaakseni! Ja muistaakseni asuit sinäkin!

-En minä ole siellä ollut puoleen vuoteen eikä Elsakaan. Me muutettiin sieltä jouluna pois. Oli liian ankeaa. Siellä alkoi haista, silmät pudota päästä. Ethän sinä sinne mitään arvokasta kai jättänyt?

-Minulla oli täällä putkessa karttoja, pahviputki mistä päät oli rytätty, muistatko nähneesi?

-En. Mitä niissä oli?

-Karttoja. Ja muita papereita. Muistiinpanoja.

-Ja ne ovat nyt kadonneet?

-En ole vielä etsinyt, sanoin.

-Ja soitat minulle? Minunko pitäisi tulla etsimään?

-Täällä on kaikki kamat hujan hajan lattialla ja puoli metriä merivettä päällä!

-Siivoaisit joskus! Kaisa huusi ja katkaisi puhelun. Oli kai ollut ihastunut minuun jossain vaiheessa, miten se muuten voisi noin huutaa? Miten pahaa ne olivat minusta puhuneet täällä keskenään. Sain töitä Jyväskylästä, oli pakko mennä ja jättää tytöt tänne. Ei, ei se pakko ollut, oli se pahasti tehty. En muka ymmärtänyt heidän haluttomuuttaan turvautua vanhempiinsa, että yrittivät elellä täällä kahdestaan kunnes lopulta luovuttivat. Mutta koko viikon palkat olisi mennyt tänne matkustamiseen, en suostunut ottamaan Elsalta matkarahoja enää. Se oli joku vaihe. Kaikki olivat armottoman vihaisia kun kävin niin harvoin ja lopulta lopetin tulemisen kokonaan. Nyt ei ole enää paikkaa mihin tulla eikä kai ihmistäkään.

Kyllä, lähdin pakoon, kaikkea. Häpeää omasta turvastani näiden ylivoimaisten naisten rinnalla, katsomassa ikkunasta sämpylä suussa kadulla vaeltavia nälkäisiä laumoja, häpeää omasta muinaismielikuvituksestani jonka hyöty tälle hetkelle oli nolla ja jonka haitat alkoivat silloin rumasti näkyä jo itsellenikin. Olla pois tästä tuhosta monella taval- la ja astua siihen vapaaehtoisesti takaisin eri jalalla, eri kulmasta, hyväksyä vihdoin tämä kaikki kauheus, nähdä siinä toivoa. Se oli tarkoitukseni joka epäonnistui. Ei taipunut maailma milliäkään lapsellisten unelmieni suuntiin.

Elsan moniosainen unelmakalenteri hyllyn päällä kauan sitten mädäntyneen ja ho- mehtuneen omenankaran alla. Avasin raskaaksi vettyneet kannet ja selasin sivuja. Kalenteria oli käytetty vain muutama viikko vuosia sitten, merkinnät vähenivät ja loppuivat nopeasti. Muinaisjäänne hetkestä jolloin kirjat ja muut paperiset asiat yrittivät vielä hetken olla muodikkaita, jokin väkisin yllytetty tuokio ja tyyli. En enää muista mikä vuosi se oli vuosien välissä. Vasemmalla työt ja tapaamiset, oikealla avattavien sii- vekkeiden alla värikkäämpiä ja värikkäämpiä kategorioita kuten toiveet ja unelmat, mitä olen saavuttanut, mistä olen ylpeä, tähtäimeni. Jokaisessa osastossa kirjoitettuna vain yksi sana, minun nimeni. Ehkä se oli vitsi, en tiedä. Käsiala oli vakaa. Ehkä se oli sol- vaus. Ehkä se oli totta. Kylmät väreet pyyhkivät kylkiäni.

Pädi luiskahti kirjojen välistä ja sain napattua sen kiinni juuri ennen vedenpintaa. se alkoi latautua pukuni akusta ja heräsi välähtäen henkiin. Menin kuvagalleriaan, muuta- ma kymmenen kuvaa ja pari videota, se hetki kun kone oli kaivettu paketista ja sitä oli testattu. Kuvaamani lyhyt pätkä Elsasta vessanpöntöllä kiljuen ja kiroten vetämässä vi- haisena ovea kiinni ja toinen jossa kadulla levotonta vettä ja ääneni kameran takaa sano- massa että ei pidä paikkaansa, viemäri on vain tukossa, katuviemäri on vain tukossa, lehdet tukkivat sen aina syksyisin. Verhojen välistä kuvattu nuorten huutavien miesten kulkue pitkin katua autoja hakaten ja potkien.

Vesi oli viisiasteista. Käteni kylmenivät pian kahmoessani lattiaa kuin merenpohjaa kirjahyllyn ympäriltä, komeroista, vetisestä pimeästä vaatekaapista. Laukussa kuollut verinen rotta, suljen kaapin oven. Potkin rojuja neopreenisaappailla sinne ja tänne niin että vesi roiskuu. Mitä karseaa liejua ihmisen typerät romut äkkiä on! En löytänyt mitään, tuskin tunsin mitään mitä näin omakseni. Liejuisia paitoja, kalsareita, ruostunut kattila. Yritin muistella tavaroitani mutta en muistanut edes tätä asuntoa tässä pimeässä kylmässä irveessä. En muistanut miten olimme täällä olleet, missä sänky oli ollut, missä kirjahylly, oliko se muka tuossa? Hellankin joku oli keittiössä repinyt seinästä ja kaatanut, kaapeista oli purkit ja pussit ja tölkit vedetty veteen, haju oli.. itse asiassa ihan olematon. Vesi oli kylmää, mutta silti. Tämä tuho oli tehty ihan äskettäin, pari päivää sitten korkeintaan. Hiutaleita, jauhoa, teetä, ei kai ne haiskeaan märkänä. Mikseivät ne olleet kelvanneet murtautujille? Rouskutin kaapista kuivia makarooneja ja soitin ensin Elsalle ja sitten taas Kaisalle. Taas hän ei vastannut, taas hän vastasi.

-Kaisa, hei, jäi sanomatta että täällä on käynyt joku.

-Ei kai sinne mitään arvokasta jäänyt?

-No ne kartat. Ette te niitä mukaanne ottaneet?

-Käytiinkö me tämä keskustelu jo? Me muutettiin pois jo ajat sitten, jos muistat.

-Joo, mutta oletko käynyt täällä vähään aikaan?

-En ole! Missäs itse olet ollut?

-Pohjassa, sanoin.

-Pohjassa?

-Pohjassa, Hiittisissä, kalassa, merellä, Jyväskylässä, veljen luona mökillä. Sillä on siellä Karjaalla pari lehmää ja lampaita. Perunoita pienelle kylälle. Saa sinne mennä käymään tai vaikka olemaan. Ihan oikeasti.

-Niin, Kaisa sanoi.

-Missä sinä asut nykyään?

-Herttoniemessä. Yhdessä kommuunissa.

-Hyvä. Onko kaikki hyvin?

-Siellä on kaikki ihan okei.

-Milloin sinä olet.. Elsaa viimeksi nähnyt? Onko Elsa myös siellä?

-Hän on kieltänyt kertomasta sinulle mitään.

-Minä olen kuullut että hän olisi kuollut.

-Ei ole kuollut, Kaisa sanoi jäykästi. Kuului miten hän käveli kauemmas ihmisistä jotka olivat äkkiä puhjenneet laulamaan, laulu vaimeni kankaan kahahdukseen. Kuului että hän oli ulkona, mikrofonissa särähti tuuli. Sanoin: -Pitäähän minun saada tietää missä hän on. Saanhan minä sen selville.

-No ota sitten selvää. Ihme olisi jos näkisit sen eteen edes vähän vaivaa.

-Ootko kipeä? Sun ääni on tukkonen.

-Älä jaksa.

-Käy lääkärissä. Nämä nykyflunssat voi vaikka nenän pudottaa.

-Meillä on täällä omat hoidot.

-Missä?

-Täällä. Tämä on iso paikka.

-No ei ne tasan mitään tuberkulooseja pysty hoitamaan! Huusin. Puhelu katkesi.

Kuulin kolahduksen rapusta. Astuin ulos asunnosta, katsoin porraskaiteen yli kerroksiin ja kuuntelin. En tiennyt kuka täällä vielä ehkä asui. Kiipesin kakkoseen, soitin ovikelloja mutta kukaan ei tullut avaamaan. Nimet olivat ovissa. Koko rappu haisi kostealta paitsi Nikulan kohdalla haisi paskalta. Viemäri ei enää toiminut näissä uponneissa taloissa, joku täällä siis vielä asui. Haju sai minut voimaan pahoin, ei niinkään haju itsessään vaan koko ajatus jota aina vältteli ja joka joskus, usein aina hajun kohdalta pääsi livahtamaan sisään ja valtasi koko mielen: kuin vivusta olisi väännetty. Vielä äskettäin asuimme täällä Elsan kanssa, päivät olivat täynnä normaaleja, muinaisia ongelmia.. ja sitten loputonta alamäkeä ja tämä tuhon viimeinen hetki nyt vihdoin minullekin väkisin syötettynä. Olin vältellyt masentumista, olin valinnut pirteyden ja hysterian, mutta nyt minustakin alkoi voima vihdoin loppua kun kuvajainen ja totuus eivät enää yhtään vastaneet toisiaan. Kokeilin rapun valokatkaisijaa vaikka tiesin ettei sähköä ole. Kunhan huvikseni painoin. Samalla tavalla muovi naksahti kuin ennenkin. Yhtäkkiä viereinen ovi aukesi. Ovella oli hallituksen vanha puheenjohtaja Markkanen kalsarit roikkuen ja silmät punaisina.

-Jouni Halonen! Huudahdin iloisena tutun ihmisen näkemisestä ja hänen nimensä muistamisesta.

-Mimmonen kysymys sulla on? Halonen vastasi tukkoisella äänellä.

-Oletko sinä vielä taloyhtiön hallituksessa?

-No jos on yhtiö, niin kai on hallituskin. Paitsi ei me enää kokoustella. Kai se on mielipidekysymys onko yhtiötä. No talo on kuitenkin. Tai kai sekin on mielipidekysymys.

-Eli yhtiötä ei enää ole?

-No on se, mutta se on maksukyvytön ja mitä kaikkea siihen kuuluu, velkaa ja laskuja ainakin talonkorkuinen pino. Sinä olet ollut poissa viime aikoina?

-Joo, nyt vasta tulin ja huomasin että on noussut noin korkealle.. Eihän siellä enää asua voi meillä.

-Ei ole semmoista vakuutusta joka korvaisi sinulle mitään, tai meille. Tai sellaista vakuutusyhtiötä. Voit ruveta minua haukkumaan, jos se vaikka auttaisi, tai haastat hallituksen oikeuteen kun se ei saa asioita hoidettua. Meillä on monta keikkaa rosiksessa kesken, en nyt ole laskenut monestako on mummo kuollut alta pois, voi olla ettei olekaan enää mitään. Että ei suojattu kivijalkaa painemuovittamalla ajoissa, ettei kerrottu ajoissa osakkaille siitä ja tästä ja tuosta maailmanlopusta, ettei palkattu vartijoita, että palkattiin vartijat..

-Te asutte täällä vielä?

-Minä asun. Vaimo ei.

-On ollut raskasta varmaan. Olisi kyllä yksi kysymyskin.

-Ooh, yksi kysymys. Halonen oli humalassa ja nyt se ei enää jaksanut katsoa silmiin, sen pää vajosi.

-No, antaa olla, sanoin.

-No, anna tulla vaan.

-Antaa olla.

-Meidän asunnollamme on käyty.

-Ne on noi yläkerran uudet hipsterit.

Ylhäältä, ylimmästä kuudennesta kerroksesta kuului vaimeaa jumputusta. Jätin Markkasen, se oli tyytyväinen siihen. Hiivin portaita ylös, katsoin tuuletusparvekkeen lasi-

24

oven läpi veden valtaamalle sisäpihalle. Muita ylempänä olevan naapuriyhtiön pihan muurinkulma seisoi kuin naurettavan vahva aallonmurtaja tyynessä talojen sisäjärvessä. Autoja, kuin töistä juuri tulleita. Muutama kumivene siellä täällä ovien pielissä kiinni. Kerrosta ylempänä ensimmäiseen oveen oli piirretty tussilla tägi. Se ei ollut hyvä merkki. Kuuntelin oven takana, basso tuntui jaloissa, aggregaatti säksätti ja hiljeni. Painoin ovikelloa mutta se oli jumissa, löin oveen muutaman kerran lujaa. Musiikki koveni hetkeksi ja vaimeni taas kun joku kulki asunnon sisällä. Ovi aukesi raollen ketjua vasten.

-Niin? Sanoi nuori mies. Hihaton musta paita, tiukat lihakset, taistelulajeja, kepeät, voimakkaat liikkeet. Ehkä virolainen.

-Taidatte olla uusia talossa? Minä olen Ari, tuolta veden alta ykkösestä.

-Me ollaan opiskelijoita. Yliopistolta.

-Ai jaa, miltä laitokselta?

-Paskanjauhamisen laitokselta, kaveri räjähti nauramaan. Hämärässä eteiskäytävässä hänen takanaan näkyi toinen hahmo.

-Minä nimittäin olen historian laitokselta.

-Ala vetää historian laitos.

-Olisin vaan kysynyt.. Joku oli käynyt tuolla meidän asunnossamme. Tiedättekö te siitä mitään?

-Ei mitään.

-kauanko te olette olleet täällä?

-Whatever, kaveri sanoi ja veti oven kiinni edestäni.

Kävelin portaat alas asunnolleni, kahlasin keittiön tiskipöydälle istumaan ja soitin poliisille. Jostain kumman syystä he vastasivat heti.

-Miten mahtaa olla kun asuntoon on murtauduttu. Että tehdäänkö sellaisesta rikosilmoitus.

-Totta kai, poliisi sanoi. Täällä Pasilassa tai netissä.

-Milloin te tulette käymään täällä?

-Ei asuntomurtoja yleensä.. ellei ne varkaat ole vielä siellä.

-Ne asuu tuolla yläkerrassa. Luvattomasti.

-Onko se veden alla se talo? Mikä osoite?

-Töölönkatu 8. On tämä vähän. Nyt tässä myrskyssä mennyt.

-Me ei olla niitä niin tarkasti katsottu, jos ei kerran enää asuta.. ettehän tekään toki siellä enää asuneet?

-Teitä ei tämä asia tämän enempää kiinnosta?

-Voimme käydä siellä kierroksen yhteydessä. Joku päivä ensi viikolla.. enemmän se on teidän ja vakuutusyhtiön välinen asia jos siellä on vahinkoa sattunut.

-Entä ne luvattomat asujat? Ne käy joka asunnon rikkomassa ja paskomassa.

-Katsotaan ne samalla kertaa sitten. Ilmoitan teille tarkemman ajan heti kun tiedän jos haluatte olla paikalla.

-Whatever, sanoin ja suljin puhelimen ja kirosin tyhmyyttäni. Ainoa mitä soitosta seuraisi olisi se että poliisi kirjasi asunnottomuuteni tiedostoihinsa. Helsingin vanha irtolaislaki oli palautettu voimaan ja muistutti lähes tarkalleen 1800-luvun alun aikaista. vailla pysyvää asuinpaikkaa oleva saatettiin karkottaa tai määrätä linnoitustöihin vain yhden rivipoliisin päätöksellä. Ja nyt kun minulla ei ollut enää asuntoa täällä oli välteltävä viranomaisia entistä tarkemmin.

Käytävästä kuului meteliä.

-Ihme vene. Tommoselle voisi olla käyttöä. Me kokeillaan sitä vähän.

Yläkerran kaverit kyykkivät kajakkini ympärillä. Nyt niitä oli kolme. Olisi pitänyt purkaa vehje mutta ei sitä aina jaksa. Yritin vetää oven kiinni mutta joku heistä työnsi jalkansa väliin niin että vesi roiskui. Neljäs.

-Hei tule neuvomaan vähän! Mä haluun kokeilla tätä! Näkymätön vene!

-Varokaa ettei se mene rikki. Minä näytän. Oletteko kokeillut tämmöistä ennen? Tämä on aika kiikkerä.

-Kukaan kokeile sitä! Karjaisi oven ylhäällä avannut mustapaita komentoäänellä, mutta hänen valtansa laumaan ei ollut täydellinen. Muut tarttuivat veneeseeni ja kantoivat sitä riehakkaina ulko-ovea kohti ja pisin heistä huusi: -Älä jaksa jauhaa! Kokeillaan nyt! Melontakurssit! Tone, avaa ovi! He huusivat pojalle joka kantoi melaa. Hän ryntäsi heidän ohitseen ja piti ovea auki kun kaksikko tunki kajakkia portaille. Mustapaita katsoi touhua raivoissaan. Kun yritin lähteä poikien perään, hän tarttui minusta kiinni.

-Anna se puhelin. Et lähde mihinkään.

-Ei ole mukana. Kastuu meloessa.

-Me kuultiin kun sä puhuit tuolla. Anna vai otanko? Voi sattua.

Puhelimessakin oli tärkeitä tietoja. Jos olin jo hukannut kartat en missään nimessä voinut antaa puhelinta. Siellä oli kaikki reitit enkä ollut varma oliko tiedot tallessa missään muualla. Pystyisin niiden avulla piirtämään edes jonkinlaiset kartat kohteista. Menin paniikkiin ja sanoin väärin.

-Tarvitsen muistikortin.

-Mitä maksat siitä?

-Päästä nyt se kaveri tänne! Yksi pojista huusi ja ihme kyllä mustapaita päästi hihastani irti. Kävelimme molemmat ovelle, minä edellä ja hän heti perässäni. Hän halusi kai olla porukkansa luona. Olin häntä päätä pitempi.

Olimme kaikki viisi tiiviisti portaiden ylätasanteella kuin kutistuneella laiturilla. Neljä porrasta, kolme alinta veden alla kadun seurana. Yksi pojista piti kajakkia poikittain paikoillaan vedessä portaiden vieressä, yksi heilutti melaa ja yksi nauroi ja hölötti jotain

mitä en ymmärtänyt. Kai se oli suomea mutta mitä suomea. Poikien omaa venettä ei nä-
kynyt kadulla. Joko heillä ei sellaista ollut tai se oli sisäpihalla tai joku oli sillä jossain.
-No kuka kokeilee?

-Minä! Melaa heilutellut kalju näppylänaama tribaalikäsivarsi hihkaisi ja astui kajakin
aukkoon ennen kuin ehdin tehdä mitään. Tämä oli tietysti vain minun nöyryyttämistäni,
kepeä välisoitto. Kajakki heilahti ja poika olisi kaatunut ellen olisi tarttunut häntä kädes-
tä kiinni. Mustapaita seisoi aivan takanani. Näin että hänellä oli veitsi kädessään paidan
poimussa. Vastapäisen talon kolmannen kerroksen ikkunasta verhon takaa liikahti joku
pois kun katsoin sinne. Valo heijastui vedestä ja kimalteli kauniisti seinillä. Vesi sai ää-
net kaikumaan oudosti, kuulosti kuin meitä olisi ollut suuri iloinen joukko.

-Tule pois sieltä ennen kuin rikot sen, sanoin. -Istu tähän portaalle kajakin aukon vie-
reen ja pidä kajakinpuoleisella kädelläsi melaa poikittain aukon takareunan kohdalla ja
tue toisella kädellä portaasta. Istut ensin tähän aukon takareunan päälle ja ujutat jalkasi
aukkoon ja tiputat sitten pyllysi penkille. Tue melalla rannasta ja kokeile tasapainoa. Se
on kiikkerä kun ei ole paljoa kuormaa, mutta ei se kaadu. Anna sen kallistua ja kokeile
miltä se tuntuu. Melo koko ajan ja ota melalla tukea vedestä. Anna mennä vaan!

Työnsin kajakin kadulle. Poika yritti pitää huojuen tasapainoa ja räpiköi jotenkuten
eteenpäin.

-Ei saatana.. ei saatana, poika voihki ja ketkui kuin putoamaisillaan oleva
nuorallatanssija. Hän liukui hitaasti sinne minne olin hänet tähdännyt, kohti uponnutta
autoa kadun toisella puolella. Kaikki katsoivat poikaa, joku kuvasi.

Mustapaita hermostui ja huusi: -Et mene kauemmas! Käänny ympäri jo!

Hyppäsin pää edellä matalaan veteen. Mustapaita tarttui hihaani mutta hänen otteensa
lipesi irti. Sukelsin pitkään veden alla ja nousin pintaan lähellä kajakkia. Mustapaita oli
hypännyt perässäni veteen mutta kylmä vesi pysäytti hänet haukkomaan henkeä ja hän
palasi takaisin portaille kiroamaan muille ja yritti töniä heitä veteen ja juoksi itse sisälle
rappuun. Kajakissa oleva poika älisi jotakin kun tartuin kajakista ja pyöräytin sen no-
peasti alassuin niin että hän kierähti roiskahtaen veden alle ja luiskahti aukosta irti ve-
teen sätkimään. Poimin melan käteeni ja sukelsin kajakin alle, vääntelehdin jalat edellä
kajakkiin ja tein eskimokäännöksen melalla kadun asfaltista tukien ja äkkiä kauhoinkin
jo kaukana. Mustapaitainen ilmestyi ovelle ase kädessä, hän osoitti sillä perääni mutta ei
ampunut. Kuulin perämoottorin käynnistyvän, ääni kaikui vielä sisäpihalla. Meloin niin
nopeasti kuin pystyin Manalan kulman ympäri Töölönkadulle ja siitä Mannerheimintiel-
le. Pujahdin amfibibussin keula-aaltojen edestä ja musiikkitalon rikkinäisistä kadunpuo-
len ikkunoista sisään, jälkeni katosivat kuohuvien peräaaltojen sekaan. Kumivene tuli
vauhdilla meressä nilkkojaan myöten istuvan Kyösti Kallion patsaan tyhjien silmien ta-
kaa mutta se jatkoi hidastamatta eduskuntatalon portaiden edestä kohti keskustaa kylmät

ja kyyryt pojat kyydissään. Varo, varo, koko ajan varo, hoin päässäni ja kirosin itseäni. Melkein kuolla kotirapussaan.

Kuului hiljaista pianonsoittoa. Meloin suuren konserttisalin viereistä syvää vedentäyttämää käytävää pitkin. Vesi oli ylempien parvien tasolla. G-parven ovi oli auki, meloin sisälle saliin. Konserttisali oli lähes kokonaan veden täyttämä. Meloin katosta roikkuvien äänenheijastimien ja kaiuttimien romujen väleistä kohti keskellä vettä kelluvaa suurta itämaisilla matoilla peiteltyä ponttonilauttaa jolla vanha nainen soitti flyygeliä. Lautta keinui pedaalien polkemisen tahtiin ja lähetti vaimeita aaltoja ympärilleen.

-Kuulostaapa kauniilta! Sanoin kun nainen huomasi minut ja lopetti soittonsa. Hän sanoi: -Täällä onkin aivan loistava akustiikka nyt. Tämä vesi tekee tästä täydellisen.

-Vieläkö täällä on konertteja?

-Silloin tällöin jotakin pientä. Olen Mari Gustafsson, soitan tänään seitsemältä. Ilmainen sisäänpääsy ja kolehti.

-Voisin vaikka tullakin. Vai saako kuunnella nyt?

-Saa, kuka kieltää. Haluatko nähdä jotakin hauskaa? Vähän tunnelmaa. Lars, laitas valot tuonne alas! Nainen sanoi ja alkoi taas soittaa.

Jossain käännettiin katkaisimesta ja valonheittimet syttyivät kaukana veden alla. Katsomon mudanpeittämät tuolirivit loistivat sinivihreänä alapuolellamme kirkkaassa, liikkumattomassa vedessä. Huimasi. Nojasin jättiläislaiturin reunaan kuin kutistunut, makasin puolittain sen päällä ja kuuntelin ihanasti kimmeltävää musiikkia, taisi olla Ravelia tai Debussyä. Milloin olin viimeksi kuullut että joku soittaa jotakin? Itkin, mutta silmistäni ei tullut kyyneliä vaan kipua. Olin kuivumisen rajoilla märkäpuku täynnä tuskanhikistä merivettä. Pyysin juotavaa ja sain. Ihmisen seinät, jumalan taivas ja lattia, tällaisia minä ajattelin kun nukahdin jalat ja märkä takamus kajakissa ja ennestään jo verinen kylki vanerisen sillan terävään reunaan painuen, selkä vinossa rötköttäen. Minua pyydettiin nousemaan mutten noussut, en jaksanut. Tyhjä katsomo katsoi meitä alapuolen liejusta.

28

4.

Meloin ulos musiikkitalon rikotun lasijulkisivun läpi kohti pääkirjastoa. Vedestä nousi sirpaleita kuin kaksiulotteisia jäävuoria, varoin etteivät ne viiltäneet veneen kylkeä auki pujotellessani rikkinäisten heijastusten välistä. Kirjasto oli auki, sen syherö laituri oli tehty irtirevityistä puupinnoitteista ja nyt kun sen rungon ruostunut luuranko paistoi paljaana näki selvästi mikä se oli, silta ei-mistään mihinkään. Muutama soutuvene nuokkui naruissaan. Kirjasto oli kaunis niin kuin rauniot ovat kauniita ja niin oli musiikkitalokin. Miten kauniisti ne heijastuivatkaan laajenneesta Töölönlahdesta, joka jatkui rautatientorin yli ja talojen väleistä Aleksanterinkadun ja Esplanadien kautta puikkelehtien merelle asti. Junaradan takana puuttoman Kaisaniemenselän keskellä yksin jääneet Siltasaaren talot ja kasvitieteellisen kupoli kuolleiden rankojen keskellä.

Helsingistä oli tullut uponneiden kortielien keskeltä nousevien saarien kaupunki: Kruununhaka, kaivopuisto, Kaartinkaupunki ja Katajanokka olivat veden ympäröimiä kuten olivat olleet muutama sata vuotta aiemmin ennen maantäyttöä; uudemmat ja matalammat Munkkisaari, Jätkäsaari ja Ruoholahti olivat täysin uponneet, näillä alueilla talot nousivat suoraan merestä kuin huonot hampaat. Töölö oli viime syksynä katkennut kahtia Linnakoskenkadun kohdalta Meilahdesta Stadionille; täyttömaata ajettiin Topeliuksenkadun pengertiehen aina tarpeen mukaan, mutta pari metriä alempana kulkeva Mannerheimintie oli luovutettu suosiolla merelle. Lauttasaaren sillat suljettiin kun ne vaurioituivat kevätmyrskyssä kymmenen vuotta sitten.

Yksinäinen mätä puistopuu, oksalla musta kenkä kuin naakka. Pari hanhea uimassa ympyrää vanhasta muistista. Kuuntelen korvat hörölläni. Joku huutaa kaukaa, ehkä minulle mutta en käännä päätäni. Kiasman ja postitalon välistä ahtautuva tuuli rypyttää veden sileää pintaa.

Eduskuntatalo seisoo tyynenä ja massiivisena kuin mikään ympäröivä ei koskisi sitä. Se on edelleen toiminnassa mutta lyhennetyllä kaudella ja puoleen vähennetyillä edustajilla ja etäistunnoilla, vesi lipoi sen alimpia graniittiportaita. Yleensä edessä näkyi poliiseja tai muutama sotilas, mutta ei nyt kun niitä olisi kaivannut.

Puhelin soi niin että pelästyin ja kaivoin sen äkkiä esiin paukkuliivini vesitiiviistä rintataskusta. Meloin yhdellä kädellä lähemmäs lasijulkisivun teräksisiä palkkeja ja tartuin

29

reunimmaisesta kiinni ja annoin melan levätä kajakin kantta vasten. Katselin vielä ympärilleni varmistaakseni ettei lähellä ollut muuta kuin vettä ja raunioita. Se oli Elsa kuten olin tuntenut. Hän sanoi, ei, hän lausui:

"Jos kenen toisen peijjaisis´ olisi nämä kiistämökilvat,
Parhaan palkinnon majatalteen mä itse veisin.
Pantu on palkinnot hepourhojen kilvata niistä."

Suuni kuivui. Hengitin syvään ja mietin monta asiaa. Se oli Elsa mutta kuin hunnun takaa, en uskaltanut olla varma että se oli hän. Sen täytyi olla nauhoitus, teelmä, aiemmin tehty. Ja Elsan ääni.. Muistin äkkiä niin monia asioita että suljin hetkeksi silmäni ja painoin pääni alas. Kuka minua kiusaa? Säe oli Iliaksesta mutta kohtaa en tunnistanut. Tarkastin puhelintani ja löysin kiihkeän etsimisen jälkeen valikkojen syövereistä puhelinvastaajan jota en ollut koskaan käyttänyt. Siellä oli ääniviesti, viime yöltä, keskeltä myrskyä:

"Kaiketi täytyy mun lausua mieleni julki
Kuinka ma aattelen itse ja kuink´on käypäkin, ettei
Turhaan kärttävä ois mua toinen teistä ja toinen.
Hadeen portteja niin en viero ma kuin sitä miestä,
toisia mielessään joka hautoo, toisia puhuu."

Elsa, tai Elsan ääni. Ympärillä tyhjät talot nauroivat minulle, teräs ja lasi irvistelivät. Mikä idiootti olinkaan, se valkeni kirkkaana kipuna, suonet pullistuivat ympäri päätä, kaulaani kuristi. Minä olin ajanut hänet hulluuteen, sieltä hän minulle soitti, syvältä tämän menetetyn maailman syövereistä. En saisi häntä enää näkyviin, ja vaikka saisinkin.. minulla ei ollut ollut koskaan antaa hänelle mitään valoa eikä tulisi koskaan olemaankaan. Syyllisyys virtasi suonissani kirkkaana ja paksuna kipuna eikä mahtunut enää sisääni vaan pakeni ulos urinana joka kimpoili kovista, murtuneista julkisivuista.

Kuuntelit viestit uudestaan ja uudestaan, hysteriani haihtui vähitellen ja mietin vaihtoehtoja. Mitä nämä viestit olivat, mitä ne yrittivät sanoa, mitä Elsa yritti niillä sanoa. Säkeitä Iliaksesta. Niissä puhuttiin kuolemasta, se ei miellyttänyt minua. Sankarihautajaisista, uhosta ja ylpeydestä kuoleman edessä. Kuin olisin kuunnellut nuorta järjetöntä itseäni tai toista yhtä järjetöntä joka on juossut minut nyt kiinni.

Me olimme kuin sumussa ensimmäiset vuotemme Elsan kanssa. Höpötimme ja rakastimme yöt ympäri, puhuimme mielemme ikuisiin solmuihin, lihamme olivat iloisia ja täydellisiä, mitään puutteita ei ollut ja nuoren rakkautemme itsevarmasta suojasta katselimme kaikkea kauheaa ympärillämme kuin uusia kausia loputtomasti sylkevää apoka-

30

lyptista televisiosarjaa. Historianopiskelijoiden laajan ja ylevän katseen alla kaupungin ja yhteiskunnan raunioituminen oli mielenkiintoista ja muka ymmärrettävää. Analysoimme innoissamme miten entiset arvoesineet keikkuivat, kallistuivat ja katosivat arvonsa menetettyään pintojen alle, miten kaupungin mukana kokonainen aika vajosi.

Me olimme tulessa, jotainhan oli pakko keksiä mahdottomassa tilanteessa, päämme oli täynnä hulluja suunnitelmia - vai oliko se vain minun pääni? Kiistat joita meillä alkoi olla olivat mielestäni vain pientä kiusoittelua mutta kai Elsa niin kuin nainen alkoi vähitellen miettiä kuukausia ja vuosia eteenpäin mitä meille pitäisi tapahtua että edes pysyisimme hengissä. Olin jonkinlainen kahjo kurssillamme, olin kiinnostunut erikoisemmista teorioista ja kaikista kiistoista joita oli käynnissä ja niistä jotka oli jo kauan sitten lakaistu antiikkimattojen alle. Ärsytin professoreja ja kirjoitin poleemisia tekstejä milloin mistäkin mistä kuvittelin jotain eli kaiken tietäväni. Tämä oli osa roolia jota esitin myös Elsan suuntaan mutta se alkoi ajan kuluessa rakoilla koska sillä ei ollut mitään perusteluja eikä se lopulta johtaisi mihinkään hyvään. Vähenevien voimavarojen laitoksissa oli tarvetta ylläpitoon ja turvaamiseen, ei repimiseen ja riehumiseen. Ja maailmassa oli muitakin poikia kuin minä köyhä kahjo ja Elsa oli varakkaasta perheestä, hän saattoi heilua hetken hupinsa mukaan ja palata sitten turvaan äitinsä helmaan, varsinaiseen maailmaansa. Eikä hän lopulta uskaltanut jäädä minun seuraani, en osannut kasvattaa mielekästä maailmaa ympärillemme, tarjoamani oli huterampi jopa tätä notkuvaa ja höllyvää. Mutta totuus on että tulevaisuus näytti silloin pilkkopimeältä ja tuntui että jotakin ihan muuta oli pakko keksiä enkä ollut ajatuksineni ainoa. Kaikille oli päivänselvää että kaikki muuttuisi tuntemattomilla tavoilla.

Elsan vapaudet piirtyivät ajan pahetessa aina vain karummin esiin ja veivät häntä kiihtyvällä vauhdilla kauemmas ahtaammalle joutuneesta hahmostani. Samalla kun itselleni alkoi vihdoin valjeta idioottimaisten ideoideni järjetön, aggressiivinen ja kohta olematon yleisö Elsa taas kohotti panoksia ja kiinnostui uudestaan uskonnosta joka oli nyt muodissa kuten aina huonoina aikoina ja raivostutti sillä puolestaan minut, kai puoliksi tahallaan.

Aloin olla pelkkä hölmö vaivaannuttava sivuviite Ketolan naisten valtakunnassa. Meitä oli yhdistänyt historia mutta historiaakin oli nyt niin monenlaista ja niin monta tapaa harrastaa sitä ettei se merkinnyt enää mitään, se oli muuttunut hajottavaksi tekijäksi.

Minä olin lapsi kun vesi alkoi nousta nopeammin ja varsinkin länsimaat ajautua ongelmiin. Ei Bangladesh hätkähdä kun uudet satatuhatta kuolee mutta Euroopan kuninkaalliset korkeat maat olivat järkytyksestä lamaantuneita ja jossain vaiheessa kun kukaan ei katsonut ne nuljahtivat nurinpäin. Ne näkivät muutoksen suuruuden ja kaiken minkä he tulisivat ja tulivat menettämään eivätkä kestäneet sitä. Keskellä seisoville kunnon ihmisille ei ollut enää paikkaa, turvaa, virkaa, mitään jalansijaa. Apatiaa, radikalisoitumista, äärimmäisiä liikkeitä mutta myös vastakkaista ääriasiallisuutta ja itsehillinnän eleitä vinolla kannella, kovaäänistä klassista musiikkia meren pauhun alle vajoamassa. Ehkä oli hyvä niin, jotakin tekemistähän pitää ihmisellä aina olla. Puuhaamisen ja puuhakkaiden ajatusten lohtu.

Veden nousemista ei paljailla silmällä nähnyt mutta sen näki paljaana ihmisten silmistä, ihmiset muuttuivat kun lopullinen varmuus kaiken epävarmuudesta oli saatu. En ollut koskaan perehtynyt huonoimpiin aikoihin, en ollut halunnut niin kuin eivät monet muutkaan palata niihin hetkiin jolloin kuin kaikki ihmiset ja koko maa tai maailma oli irvistänyt ja sätkinyt kuin tapettava eläin.. Musta maanantai, Lähiökapina, Turun verisumu, Valtiopäiväöylyt, tällaisia nimiä ja tapahtumia loputtomasti, yhdestä pienestä maasta ja tuhansia muista. Kunnon historioitsijat kirjasivat näitä kaariksi ja tarinoiksi mutta en halunnut lukea niitä, en silloin enkä nyt. Piti lähteä kauemmas että sai edes hieman rauhaa niin ajassa, paikassa kuin ajatuksissaankin. Kaikkea kamalaa lensi vielä nytkin ilmassa niin paljon ettei tarvinnut viihdyttää sillä itseään erikseen, jokin myrskyn lennättämä riekale osuisi omaan päähän kyllä ennemmin tai myöhemmin.

Soitin Pr:lle. Hän vastasi kesken pitkän lauseen jota oli sanomassa jollekulle muulle ja jatkoi puhumista ohitseni kunnes sanoin: -Ari täällä, kuuntele! Olen kaupungissa nyt.

-Minulla on tilaisuus Kallion kirkolla kolmelta. Tule sinne, en ehdi nyt puhua, hän sanoi ja katkaisi puhelun.

Puhelin soi heti uudestaan.

-Ari, Olet hengissä, ja kaupungissa! Se oli professorini joka ei ollut kuusi vuotta sitten hyväksynyt graduani. Siihen opiskeluni ja hermoni olivat käytännössä loppuneet, ja kaikkeen muuhun järjettömyyteen tietysti myös. Pidin kuitenkin hänestä ja hän minusta, en tiedä miksi. Jotakin kieroa siinä oli.

Vastasin: -Hei Panu, ja suoneni laskivat paikoilleen. Nyhjäsin takamustani parempaan asentoon, päästin irti Sanomatalosta ja aloin meloa hitaasti asemalle päin.

-Tulit juuri iloisena päivänä kun kaikki on taas ihan sekaisin, Panu jatkoi. -Vesi nousi puoli metriä ja mikään ei yhtäkkiä taas muka toimi, niin kuin ei olisi vettä koskaan nähty! Kaikki loppu Alkosta ja hintoja heti nostettu!

-No eihän se ole viimeiseen puoleen vuoteen noussut kuin kymmenen senttiä. Siis vesi, minä sanoin. -Ihmiset tottuu äkkiä. Jotkut on jo luulleet että se laskee.

-Kuka niin on luullut? Panu sanoi.

-Ainakin jotkut maksetut säätoimittajat. Meteorologejahan ei ole enää, ne on jo kaikki tapettu.

Panu naurahti kuivasti, yski ja sanoi: -Kuule, tules käymään täällä laitoksella.

-Minäkö? Miksi? Enkö minä ole se viimeinen kaveri viimeisellä listalla.

-No, täällä olisi juuri sinulle eikä kenellekään muulle yksi aika kiinnostava juttu.. Tulit ihmeen sopivasti.

-Mistä hitosta te kaikki tiedätte että minä olen kaupungissa?

-Sinulla on jotkut asetukset päällä. Ota ne pois.

-Mitkä asetukset? Ei ole mitään asetuksia! Missä, minussako, mun päässäkö!

-Ei kun sun puhelimessa, Panu sanoi rauhallisesti.

-Ei ole mitään asetuksia, minulla on perintönä saatu mummon vanha hätäpuhelin!

-Tänne päin näytät olevan valumassa. Ehkä siinä on joku hoivajuttu jäänyt päälle. Että nähdään missä eläkeläinen menee. Sun pärstäs loistaa joka kartalla sellaisena vilkkuvana pallona.

-Jaa. Täytyy vähän tutkia tätä. Mistä jutusta olisi kyse?

-Tule tänne nyt vaan, jutellaan täällä. Sinulta menee mitä, kymmenen minuuttia siitä sanomatalon kulmalta?

Missään ei ollut mitään, missään ei ollut ketään, mikä oli hyvä. Mustapaitojen kumiveneen moottori kuuluisi kaukaa. Ei mitään oli hyvä, nyt ja aina. Meloin omissa oloissani ja Rautatientorin kasvottomat korttelit lipuivat hitaasti ja äänettömästi ohitseni. Menin niin keskeltä kuin pystyin, mahdollisimman kaukana kaikista seinistä. Sininen muovikanisteri Postitalon kulmalla kai verkon, katiskan tai ostoskärryrysän merkkinä. Pyöritin päätäni pitkin taloja melomiseni tahtiin. Kaksi ihmistä Sokoksen katolla, savua Makkaratalon makkaran takaa. Poliisin panssariauto ui nenä juuri pinnan yläpuolella matala anturitorni raukeasti puolelta toiselle pyörähdellen. Se katsoo minua muutaman sekunnin ja kääntyy sitten kohti Kaisaniemeä potkurit kuravettä kuplille pulisuttaen. Keskuskadulla soutuveneessä tyttö ja poika, kirkkaat sadeviitat molemmilla, tyttö soutaa ja poika irrottaa verkosta pieniä kaloja. Ohitan heidät etäältä ja rauhallisesti, yritän olla häiritsemättä niin kuin eläintä ei halua häiritä, heilautan heille kuitenkin kättä ja he vilkuttavat ohuesti hymyillen takaisin, rentoina mutta kyyryt selät jäntevinä.

Suurin osa niistä joilla on ollut mahdollisuus tai syy lähteä ovat muuttanut muualle. Jääneet ovatkin sitten tosi helsinkiläisiä raivostuttavaan änkyryyteen asti. Ongelmia ei myönnetä eikä niistä puhuta, sanotaan vain 'No jos et kestä niin häivy!', ruumiiden annetaan lojua vedessä päiväkausia, minkään ei anneta häiritä minkälie leväteen lipitystä. Olenhan minäkin helsinkiläinen mutta vasta kymmenvuotiaasta, en ole syntynyt täällä, en pelannut futista porttikongin suojassa kun sateet alkoivat. Muutimme tänne koska se oli isän mielestä hyvä sijoitus silloin kun asuntojen hinnat romahtivat. Hän uskoi kuolemaansa asti että vesi pian laskisi ja että voitot vielä korjataan. Senkin pelin hän hävisi.

Missä vaiheessa elämä kävi sietämättömäksi? Kun päivät täyttyivät piripintaan ongelmista, kun kaiken mielivaltaisen kamppailun jälkeen löysi itsesi illalla loputtoman uupuneena eikä ollut ehtinyt tehdä mitään muuta hyödyllistä kuin selvitä hengissä. Ruoka huononi ja kallistui, ystävät vetäytyivät lähimpien läheistensä luo ja katosivat näkyvistä. Viranomaisten hyvä tahto ja kyky esittää auttavaa muuten kuin korulauseissa karisi. Virastojen miehityksissä oli suuria aukkoja, kansalaisiin kohdistettiin lähinnä vain automatisoitua valvontaa ja sanktioita. Tilit tyhjennettiin oikeista rahoista ja kätkettiin virtuaali-valuuttojen yleten karkaileviin spiraaleihin.

Suomi oli selvinnyt paremmin kuin Helsinki. Elämän ankeutumisen väistämättömyyttä lievittivät vanhat elämäntyylit, rintamamiestalot, pienviljely, kesämökit, saunominen, kalastaminen, riittävän kaukaisen menneisyyden ja muinaisuuden harrastaminen. Suomalaisille tämä sopi paremmin kuin monelle, metsään ja rantaan oli joka paikasta lyhyt matka, oli vielä tottumusta matalaan olemiseen. Hyvää sisävettä oli paljon. Kukkapenkit vaihtuivat perunapenkkeihin, nurmikot kasvoivat pitkäksi heinäksi joka syötettiin kanoille ja lampaille. Asfalttikenttiä rouhittiin pelloiksi vielä kun voimaa oli ja kaiken mahdollisen pinnan peitti pian tumman taivaan heikentämä hauras kasvu. Omavaraisuus, huoltovarmuus, nälänhätä. Niitä sanoja toisteltiin paljon, paljon ihmisiä kuoli. Kaikki vesi tyhjeni kaloista, ravuista, toukista. Sinilevää syötiin kun sitä oli saatavilla.

Yltäkylläisyyden aikaan suhtauduttiin kaksijakoisesti, toisaalta haaveillen ja muistellen ja toisaalta sitä katkerasti kiroten ja aktiivisesti, kostonomaisesti unohtaen. Lähes olemattomiin kuivuneissa lehdissä ei ollut enää 'sata vuotta sitten' -palstaa. Kukaan ei olisi kestänyt sitä, kaikkea sitä järjettömyyttä mitä vanhojen lehtien sivut tulvivat: vuosittain vaihtuvia sisustustyylejä, kaukaisten matkakohteiden esittelyjä, autojen kaarreominaisuuksia, seuraavan mallin mukakuumeista odottelua. Teennäistä innostusta väsyneen artistin uudesta levystä, lähiökirjailijan lähiökirjasta. Loputon massa kaikkea tätä ja ärsyttävimpänä loputon puhe ilmastosta kuin suuttuvasta jumalasta ja siihen liittyvät pikku aneet ja aneiden armo.

Melon Aleksanterinkatua. Muinaisten pankkien graniittipalatsit näyttävät ehjiltä, samalta kuin lapsena raitiovaunumatkalla Suomenlinnaan mutta ovat oikeasti jo raunioita ja odottavat enää että vahva ulkokuori vähitellen alkaa muistuttaa sisusta . Elämä ja kihisevä kauppa eivät enää eivätkä koskaan enää virtaa niiden läpi. Vaikka vesi joskus laskisi, niin "hyviä" ihmisiä jotka pistäisivät tämän kaiken kuntoon, sellaisia ei enää ole. Jos tänne joskus tuleekin joitakuita he ovat auttamattomasti muita ja tekevät tästä toisen paikan. Ei heitä kiinnosta mitä täällä on ollut, tämä on kaupungin kuollut raato joka ei vain ole vielä ehtinyt murtua ja mädätä, uudet ihmiset ottavat tästä romukasasta mitä tarvitsevat uuteen elämäänsä. Niin se on aina ollut, kautta aikojen.

5.

Matalassa vedessä yliopiston portaiden edessä kun olen nousemassa kajakista puhelin soi taas. Juuri kun olen kaivanut puhelimen rintataskusta ja nostamassa sitä korvalleni sivuoven syvennyksestä singahtaa köyry huppupäinen mies, nappaa puhelimen kädestäni ja hyppää polvisyvään veteen ja juoksee ylös Fabianinkatua mataloituva vesi korkeammalle ja korkeammalle roiskuen. Pian hän pääsisi pakkoon. -Et vie mun kännykkää! Huudan miehelle ja koikkelehdin korkein kurjenaskelin hänen peräänsä ja saan hänet kiinni kun hän on juuri pääsemässä kuivalle maalle Kirkkokadun kulmassa, tartun häntä takaa kaulasta ja huomautan tässä: Asuntoni oli uponnut, minut oli melkein tapettu kotikadullani, tyttöystäväni oli käsittääkseni kuollut, olin tehnyt juuri idioottimaisen, hengenvaarallisen merimatkan, en ollut syönyt ja nukkunut pitkään aikaan; olin aliravittu. Olin siis hieman hermostunut, ja tämä oli jo liikaa, päässäni naksahti. Kännykässäni, ei missään leijuvassa pilvessä, oli tietoja joita en halunnut menettää.

Jostakin käsittämättömästä syystä mies pysähtyy, irrottaa kännykkäni akun ja heittää sen veteen ja tuijottaa minua tekemättä mitään merkittävää vastarintaa kun isken hänen päänsä voimalla vasten vieressä olevaa betonikaiteen kulmaa, kännykkä lentää asfalttiin hervottomasta kädestä ja hajoaa helähtäen asfaltille. Poimin kännykän ja sen irronneen takakannen ja aion juuri poimia lätäkköön lentäneen akun, kun akku alkaa turvota ja sähistä ja vesi sen ympärillä kiehuu ja höyryää. Kuuluu pieni tussahdus kun se räjähtää, lätäkkö värähtää ja suojaan kasvoni roiskuvalta kuumalta vedeltä ja akun sisuksilta.

-Saatanan tollo, sanon naama lätäkössä makaavalle varkaalle ja mieleeni tulee äkkiä toinen kerta kun akku kastui ja jätin sen kuivumaan melontaseuran pukukopin hyllylle joskus vuosia sitten. Siihenkin liittyi jotain dramatiikkaa, joku liian raju reissu, joku riita. Se voisi olla siellä vieläkin, se täytyy hakea sieltä. Nämä ovat huonoja nämä halvat akut, se oli muistaakseni parempi akku siellä.

En jäänyt syvemmin miettimään mitä tekoni merkitsi. Sydän hakkaa, todennäköisyydet ovat yksinäistä vastaan. Käsiteltäkööt tapausta tallenteiden valossa myöhempänä ajankohtana.

Kahlasin takaisin yliopiston päärakennuksen ovelle ja aloin taitella kajakkiani kasaan kun suuri kumivene syöksyi viereeni ja mustapaitaiset miehet tarttuivat kajakkiin edestä ja takaa. Puhumatta mitään he viskasivat minut kumiveneen pohjalle, repivät heti uudestaan pystyyn, työntelivät ja tutkivat minua kaikkialta ja painoivat takaisin alas. Ryttyinen puoliksi taiteltu kajakki kiinnitettiin kumiveneen perään ja niin jatkettiin puhumattomina matkaa Senaatintorille. Torin itälaidalla valtioneuvoston kanslian laiturissa törötti muita suurempi jahti. Minut nostettiin käsivarsista kevyesti sen uimakannelle. Mustat miehet ohjasivat minut ylös portaita ja lasioven kautta kallispuiseen salonkiin. Olin minäkin mustassa märkäpuvussa, mutta silti, mikä ihmisiä vaivaa? Ei kaikki voi olla mustaa.

Kun silmäni tottuivat hämärään, näin edessäni keski-ikäisen miehen joka oli aivan liian tyylikäs ollakseen suomalainen. Hän siemaisi kahvia pienestä kupistaan ja sanoi puhtaalla englannilla:

-Oletteko Ari Vuormaa, arkeologi?

-Olen. En ole. Siis olen Ari Vuormaa mutta en arkeologi. Ellei se vale sitten vaikuta positiivisesti palkkaan. Entäs te?

-Vaikka Anders. Voit ottaa minuun sillä nimellä yhteyttä jatkossa. Edustan Tanskan hallitusta ja Europolia. Vitsisi on lähempänä totuutta kuin ehkä arvaatkaan. Saako olla kahvia?

-Ei kiitos, sanoin ja katselin kolmea kiiltävää omenaa maljassa keskellä pöytää. -Ovatko ne oikeita?

-Ovat, Anders sanoi. -Ota vaan.

-Mitä pahaa olen teidän mielestänne tehnyt? kysyin ja poimin omenoista isomman käteeni. Se tuntui vahalta mutta tuoksui parfyymiltä.

-Et mitään erityistä. Ja toisaalta vaikka mitä. Lupaan että meillä on voimaa nähdä ja näyttää sinut missä valossa haluamme. Ymmärrättekö?

En vastannut mitään, mutustin omenaani kuin mikäkin eläin. En ollut maistanut mitään niin ihmeellistä vuosikausiin. Tottumattomaan mahaan sattui heti.

-Pyytäisimme teidän apuanne, Anders jatkoi. Olette varmasti kuulleet Pohjoisen liitosta, näistä uusista muinaisinternationalisteista?

-Totta kai, vastasin. -Vääntävät vakavana vanhoja tarinoita saranoiltaan.

-He ovat tällä hetkellä hyvin aktiivisia ja luovat yhteyksiä eri maiden osastojen välille. Tällainen radikaali miljoonien ihmisten joukko pystyy halutessaan horjuttamaan Euroopan tällä hetkellä kovin haurasta tasapainoa.. ja he haluavat horjuttaa sitä. Kyseessä ei ole enää pelkästään kansalliseen turvallisuuteen liittyvä asia.

-No miten se minuun liittyy?

-Suomessa on tuhansien tanskalaisten pakolaisten yhteisö jonka jäsenet ovat tämän Pohjoisen liiton vahvoja kannattajia. Osanhan te olette täällä jo käytännössä internoineet. Ette ole voineet välttyä heidän tempauksiltaan.

-Ei. Mutta heitäkin on monenlaisia, eivät he kaikki hulluja tai pahoja ole. Tunnen muutaman, sanoin ja puhuin totta. Mitä en sanonut oli että minua oli heidän suunnaltaan kosiskeltu ennenkin monta kertaa.

Tanska ja Hollanti olivat matalina maina kärsineet merenpinnan noususta eniten, suorastaan katastrofaalisesti. Patoamisten epäonnistuttua suuri osa maiden asukkaista oli muuttanut Australiaan, Afrikkaan ja kaikkialle ympäri maailmaa Maerskin ilmaisilla kyydeillä, mutta myös Euroopassa oli paljon kotoperäisiä pakolaisia kaikista maista, myös niistä uppoamattomista. Puhuttiin jo uudesta kansainvaellusten ajasta. Kaikki oli sulaa, kaikki liikkui. Oli vaikea saada oikeaa tietoa edes määristä; pakolaisista, elävistä, kuolleista, törkeyksistä joita tapahtui.

-No tiedätte sitten mistä puhun, Anders jatkoi laskien valkoisen espressokupin korkea-kaiteisen mahonkipöydän mukitelineeseen. -Kyse on heidän mystiikastaan ja mytologiastaan. Puolue kehittelee aktiivisesti omaa historiantulkintaansa jota käytetään politiikan tukena ja molemmissa on menty radikaalimpaan suuntaan viime vuosina. He ovat vaihtamassa yleisen todellisuuden omaan kuplaansa ja se tekee heistä vaarallisia. Pakolaisstatus ei tyydytä heitä. He haluavat jonkinlaisia autonomisia alueita ja Saksassa he ovat jo saaneet tahtonsa läpi Bremenissä ja Münchenissä.

Kysyin Andersilta: -Ja mitä minusta halutaan?

-Sinä olet ollut mukana heidän kaivauksillaan.

-En ole!

-Se sinun viikinkilaivan kaivauksesi Hiittisissä on Pohjoisen liiton rahoittama.

-En tiennyt sitä. Enimmäkseen siellä on rähjäisiä ja nälkiintyneitä suomalaisia. Ei näkynyt mitään rahaa, kai sillä olisi sentään ruokaa ostettu?

-Hah! Ainahan te suomalaiset olette osanneet nälkäistä ja köyhää esittää vaikka rahaa olisi taskut täynnä. Se on nykyään yleinen tyyli ja taito. Kieltämättä ihan hyödyllinen.

-Saatana, kirosin. Minuakin ovat huijanneet, helvetin meriroistot, tärisevät, teeskentelevät pujoparrat! silmäni pullistuivat, tunsin miten ne muuttuivat verenkarvaisiksi, raskaiksi kääntää. Näytin kai niin pahalta että Anders oli hetken hiljaa ennen kuin jatkoi:

-Suomalaisia jäseniä on jo tuhansia. Leikkivät viikinkejä tai ties mitä munamanuja ja unelmoivat suuresta menneisyydestä ja vielä suuremmasta tulevaisuudesta. Käytännössä etsivät perusteluja omaehtoiselle voimankäytölle.

-Se viikinkitouhu mitä minä olen nähnyt on aika harmitonta, sanoin ja hain itselleni uuden omenan. Laskin tarkasti nyrimäni omenankaran lakatulle mahonkipöydälle josta mustapukuinen mies haki sen heti pois ja pyyhkäisi pöydän ohuella valkoisella liinalla puhtaaksi. Ilmaan nousi vahva desinfiointiaineen haju.

-Ei se ole enää pelkää viikinkitouhua. He ovat onnistuneesti syventäneet sen poliittiseksi liikkeeksi. Olisi väärin kutsua heitä äärioikeistolaisiksi sillä he eivät ole edes poliittisella kartalla. He eivät yritä muodostaa puoluetta, he eivät osallistu vaaleihin, eivät äänestä. He hallitsevat yhteiskunnan ohi omissa yhteisöissään.

-No sellaistahan se on nykyään. Erilaisia kommuuneja, omia elektronisia valuuttoja, omavaraisuutta, suljettuja kiertoja.. ymmärränhän minä että ylempää virkamiestä vituttaa, sanoin, mutta Andersista ei herunut mitään ärtymisen merkkejä. Hän sanoi:

-Tämä on järjestäytynyt jo miljoonien ihmisten liitoksi. Tämä on aivan eri luokkaa kuin mikään muu. Kymmenen miljoonan jäsenen moottoripyöräjengi. He haluavat jäseniltään nimet paperiin ja paperina on ihmisen oma nahka. Siksi me olemme täällä ja siksi me sinut pyydystimme. Tarvitsisimme jonkun joka voisi liikkua heidän seurassaan luontevasti ja kertoa meille mitä tapahtuu siellä mihin emme näe.

-Minä olen tutkija. Ainakin omasta mielestäni. En mikään vakooja.

-Historiasi Kalevalan hieman liian radikaalina tulkitsijana sopii heidän kuvioonsa. Heillä on pyrkimys liittää kaikki sopiva materiaali suureen ja paisuvaan pohjoisten kansojen tarinaansa. He havittelevat sinua joukkoihinsa. Tukholmasta on saapunut Pohjoisen liiton historiantutkija Helsinkiin ja hän ottaa sinuun pian yhteyttä. Pohjoisen liitolla on Suomessa juuri nyt alkamassa suuri festivaali Toijassa ja arkeologisia kaivauksia joita tämä tutkija on menossa valvomaan. Sinua tullaan pyytämään mukaan. Suostut hänen ehdotukseensa, kaikkiin ehdotuksiin, mihin tahansa.

-Miten tiedätte tämän?

-Se on meidän työmme, Anders sanoi ja nosti omenan käteensä, pyöritteli sitä hetken omituisesti ja laski sen sitten takaisin vatiin. Kysyin: -Mitä muuta te tiedätte? Minä olen elänyt viime vuodet metsissä, ollut ja katsonut pois kaikesta.

-Millä vuosisadalla sinä elät? Ei kukaan ole piilossa missään. Sinun tekemisesi ovat tallentuneet kaikille ketkä ne haluavat tietää. Erityisen kiinnostuneita ollaan ihmisistä jotka yrittävät olla elektromagneettisessa katveessa. Kun teimme haun "kuka on liikkunut Länsi-Suomen pronssikautisilla kohteilla viimeisen kymmenen vuoden aikana" sinun nimesi pompahti esiin kuin huutomerkki. Et sinä missään metsässä ole ollut, ei kukaan ole, jokainen meistä piirtää käyrää koordinaatistoon. Eikä tämä tieto edes maksanut mitään. Kun vielä tiedämme että et ole ollut suoraan tekemisissä Pohjoisen Liiton kanssa dataa ei voinut olla huomaamatta.

-Mihin te minua siis tarvitsette jos kerran tiedätte jo kaiken?

-Tiedättekö pohjoisen Liiton johtajan, Thomas Wisenholzin?

-Olen lukenut hänestä kyllä, sanoin.

-Hän on Uuden Hollannin rikkaimpia miehiä. Suuria monialayrityksiä, verkkokauppaa, monimutkaisia omaisuusjärjestelypalveluja joilla rikkaat yrittävät turvata uppoavat omaisuutensa. Kaikkien omien yritystensä lisäksi hän saa rahoitusta Yhdysvaltojen Asatrulta ja Euroopan ääriliikkeiltä ja ehkä myös Venäjältä. Aikaisemmin hän tuhlasi rahansa jalkapallojoukkueisiin ja kilpahevosiin, mutta nyt suurin osa menee tähän muinaisleikkiin ja politiikkaan. Hän yrittää saada julkisuutta koko Euroopan alueella, tällaisia tilaisuuksia on järjestetty aiemminkin mutta tämä on isoin ja tuotteistetuin. Hänen suosionsa on kasvanut viime vuosina jyrkästi ja ei, suurin osa hänen kannattajistaan ei usko Troijaan Toijassa. Tämä viimeisin idea on herättänyt järjestön sisällä vastustusta ja epäilyjä hänen järjenjuoksustaan. Hänellä oli nuorena monen vuoden meditointikausi kaikkine mahdollisine mausteineen kuten asiaan kuuluu. Palattuaan takaisin Intiasta hän oli hetken aikaa Pommernin suurherttuakunnan jaarli, osti höttöisen arvonimen niin kuin moni siihen aikaan kun Saksa hajosi. Hänestä on loputtomasti tällaisia tarinoita ja valitettavasti suurin osa on totta. Tuollainen mies nopeasti laajenevan organisaation ja monialayrityksen johdossa on aiheuttanut vakavia sisäisiä jännitteitä. Iso raha haluaisi varmistella voittojaan ja ajaa järjestön johtopaikoille omia miehiään. Oikeaa hetkeä mietitään ja valmistellaan mutta en usko että se on ihan lähellä vielä.

-Mikä hetki?

-Thomaksen syrjäyttämisen hetki tai sivuun astumisen hetki. Tai yritysjärjestelyiden hetki, jossa hän jäisi vain puhuvaksi pääksi. Tämä on se varsinainen asia josta haluai- simme lisätietoja. Se on se hetki jolloin heidän voimansa aktualisoituu, tavalla tai toisel- la. Jos pääsette hänen lähelleen.. Ehkä riittää että vain menette sinne ja pidätte silmänne ja korvanne auki.

-Ja minä vain kerron teille mitä näen, sekö on se työ? Ja te olette hyviä ja Pohjoisen Liitto paha?

-Niin voisi sanoa, Anders sanoi ja kääntyi katsomaan veden peittämää Senaatintoria.

Sanoin: -Miten te uskotte että minä asetun teidän puolellenne? Minähän olen sitä sa- maa sekopäiden sakkia. Ja te pyydätte että vaarannan henkeni.. kenen puolesta?

-Euroopan vakauden puolesta. Haluatteko puhua pääministerinne kanssa? Voin soittaa hänelle heti ja sopia tapaamisen. Hän on tuossa seinän takana. Hän kuulee tästä keskus- telusta valittuja katkelmia sisältävän tiivistelmän.

-Ei ole tarpeen. Minulla on oma kotikommunistini, sanoin tuhahtaen.

-Niin, Pirjo-Riitta Ketola, kristillisdemokraattien puheenjohtaja. Hänelle ette kerro tästä. Seurustelitte hänen tyttärensä kanssa, joka on kadonnut.

-Tiedättekö missä hän on tällä hetkellä?

-Saamme sen selville jos lähdet tähän mukaan. Vuorokaudessa, viimeistään kahdessa.

-Hyvä niin, hieno vale, suuntaan tai toiseen. Jos käy ilmi että te olette vastuussa hänen katoamisestaan..

-Niin mitä?

-Tulen vihaiseksi, sanoin kun tajusin koomisuuteni. Anders hymyili ystävällisesti.

Sanoin: -On yksi ongelma. Olen hukannut muistiinpanoni. Ne Pohjoisen Liitto ehkä haluaa. Se tarkempi data niistä pronssikautisista kohteista. En ymmärrä mitä muuta he voisivat minusta haluta.

-Voimme toimittaa karttatiedoston jossa on kaikki liikkeesi viimeisen kymmenen vuoden ajalta. Tai kahdenkymmenen vuoden. Kahden metrin ja viiden sekunnin tarkkuudella. Sellainen löytyy sinusta kuten jokaisesta joka ei sitä varsinkaan vapaaehtoisesti anna.

-Siitä voisi olla hyötyä.. Hyvä, minä suostun, totta kai. Minä menen sinne ja kerron jos näen jotain epämiellyttävää. Siihen minä voin suostua. Kirjoitetaanko tästä jokin sopimus?

-Tämä keskustelu on se sopimus. Voisi sanoa jopa niinkin että tämän sopimuksen sinettinä on se ettei tätä keskustelua tallenneta mihinkään. Se näkyy kuin reikä kankaassa. Minulla on riittävät valtuudet pitää tämä näkymättömänä ja tehdä siitä mikä tästä kenties näkyy taas näkymätöntä.

-Kyllä tällaisella isolla bensavehkeellä päristely näkyy muidenkin taivaisiin, sanoin.

-Tämä on ihan virallinen diplomaattivierailu. Tässähän me olemme juuri astuneina ulos valtioneuvoston linnasta. Asiat ovat asioiden sisällä.

-Onko tämä vene suojattu?

-Ei pelkästään suojattu, se lähettää väärää tietoa. Nuo lasit eivät ole lasit vaan konversioruudut. Jos joku yrittäisi lukea huuliltamme hän saisi tietää että keskustelemme tuulastamisesta. Hyvin hienoa tekniikkaa alkeellisia keinoja vastaan. Tunnetko tämän tärinän? Miksi luulet että tuhansien hevosvoimien moottorit käyvät noin kovilla kierroksilla? Tungemme ilman täyteen kaikkea mitä tungettavissa on, hyvän maun rajoissa tietenkin. Riittävällä teholla ja sopivilla säädöillä saisimme iskettyä elosalamia suoraan tyhjästä ilmasta. Ehkä emme kuitenkaan kokeile sitä nyt. Mutta usko että puhumme rauhassa.

-Tämä on tahallista tämä ylettömyys?

-Kuten jo sanoin, jotenkin meistä jokainen näkyy. Tämä on kohtuullisen mukava tapa. Olkaa hyvä, Anders sanoi ja osoitti lasiovea. Kävelin jo takakannelle kun käännyin ja kysyin:

-Palkasta emme puhuneet.

-Olemme tilanneet teille Mermaid 50 B:n. Tuttu malli?

-Olen nähnyt siitä unia. Saanko valita anturit?

-Siinä on kaikki. Myös Squid.

Huokaisin tahtomattani. Suprajohtava kvanttikenttämagnetometri. Kilometri vettä kuin ilmaa, kymmenen metriä mutaa kuin kirkkainta lasia. Anders sanoi:

-Ei kestä. Sen pitäisi saapua lähipäivinä.

-Miten pidämme yhteyttä?

-Sitä on turha miettiä nyt. Näkemiin.

Sanoin näkemiin. Minut laskettiin kuin keiju veneeseeni.

6.

Rantauduin yliopiston päärakennuksen Senaatintorinpuoleisille portaille. Taitoin kaja-
kin kasaan ja nostin sen selkääni, pilkoin melan kolmeen osaan ja tungin ne kajakista
muodostuneen laukun sisään. Märkäpukuni kuivui osmoottisesti kun se vain sai tarpeek-
si sähköä mutta nyt sitä ei ollut. Puvun akut latautuivat liikkeestä, valosta ja lämmöstä
mutta nyt oli ollut liikaa pulikointia liian tiukalla aikataululla ja jahdin yletön sähkövuo
ei ollut antanut sille pisaraakaan, päinvastoin kaikki akut olivat tyhjiksi imetyt ja siksi
lätistelin ylös portaita kuin mikäkin sammakko.

Käännyin ylätasanteella katsomaan jahtia mutta se oli kadonnut. Katsoin tarkkaan
väreilikö ilma torin toisella laidalla mutta ei se väreillyt vaikka miten katsoin; jahti oli
vain lähtenyt pois tai olin kuvitellut kaiken, vesi oli suorista seinistä kimpoilevaa
hermostuneesti liplattavaa lukukelvotonta aaltoa. Kaikki oli harmaata, kaikki oli
mahdollista, kaikki oli typerää. Käännyin, työnsin jäykän pyöröoven liikkeelle ja pun-
nersin itseni sisään yliopistolle.

Aulassa oli uusi verkkoseinä ja metalliovi jonka takaa turvamies kysyi asiani, otti
henkilötunnisteeni ja tavarani säilytykseen. Kiipesin suuret marmoriportaat ylös toiseen
kerrokseen ja nuuskin ilmaa. Haju oli siedettävä. Vanhat talot sietivät vettä paremmin
kuin uudet. Nousin ylimpään kerrokseen missä työhuoneet olivat. Hiljaista, hyvä. Olin
lähtenyt täältä luikkien ja nytkin melkein hiivin tyhjiä käytäviä Panun huonetta kohti.
Muistot eivät tulvahtaneet mieleeni; kaikki oli liian erilaista vaikka mikään ei ollut
muuttunut. Tunnistin seiniltä muutaman haalistuneen julisteen.

Koputin raollaan olevaan oveen ja astuin sisään. Voisin vannoa että kirja- ja paperipi-
not olivat täsmälleen samoissa paikoissa kuin vuosikymmen sitten, vain entistä
pölyisempinä ja tunkkaisempina. Tämä huone oli normaaleja professorien työhuoneita
suurempi; Panu oli aina kirjavarastossa ja pitkän väsytystaistelun jälkeen hän oli tehnyt
pesänsä tänne.

-Onko täällä ketään? Kysyin kun en nähnyt hämärässä mitään. Tuttu märän vanhan
paperin ja tupakan tympeä sekahaju.

-Täällä ollaan, muttei paljon muuta, kuului vaimennettu samettinen ääni johon oli il-
maantunut käheyttä ja löysyyttä. Kävelin lähemmäs ja siinä oli Panu, vanha professorini,

41

punakkana ja ihmeen iloisena. Hän ei näyttänyt niin rähjäiseltä kuin muistin. Ehkä se johtui siitä että huone hänen ympärillään oli niin notkahtanut. Ojentauduin kättelemään rojujen yli ojentuvaa kättä ja sanoin:

-Miten ihmeessä sinä muistat näinkin kelvottoman opiskelijan vuosikymmenen takaa?

-Niin onhan se ansio että muistetaan oli syyt hyvät tai huonot. Meidän oma Euheme-roksemme! Harmi kaikki mitä kävi. Vilpittömästi voin sanoa että muistan sinut siksi että sinusta olisi voinut ihan oikeasti tulla jotakin.

-Olin levoton tapaus. Sen verran voin pyytää anteeksi.

-Ajat olivat huonot.

-Nytkö ne ovat muka parantuneet?

-kyllä minä tästä apaattisuudesta pidän enemmän kuin siitä hysteriasta kun vesi oli vasta vaivoin senaatintorilla mutta ruumiita oli korkeissa kasoissa tuossa suurkirkon portailla kun mielenosoitukset menivät urakalla pieleen. Sinä et niitä aikoja ehkä muista, olitko minkä ikäinen silloin?

-Milloin?

-Siinä näet, ajat ovat parantuneet! Toki lähinnä siksi että muisti on huonontunut. No missä sinä olit Mustina Öinä? Muistat sinä kai ne, niistä ei niin montaa vuotta ole.

-Olin Jyväskylässä. Töissä.

-Selvisit vähällä.

-Niin, sanoin.

-Oliko siellä silloin mitään?

-Aika rauhallista. Sinne riitti paremmin poliisia ja armeijaa. Ja ruokaa.

-Nyt on paremmat ajat. Usko professoria.

-Eikös historioitsijalle huonot ajat, niin kuin ihmisetkin, ole niitä parhaita?

-Sama kiusahenkikö sinussa aina vain asuu? Ota siitä tuoli jostain, heitä ne kirjat jo-honkin siitä..

Tein kuten Panu käski, istuin alas ja kysyin: -Olisiko sulla kunnon laturia lainata?

-Tuossa, Panu sanoi ja irrotti piuhan puhelimestaan ja ojensi sen minulle. Kiinnitin sen hihaani ja pukuni alkoi heti kuivua, se pusersi veden ulos huokosistaan pintaan, josta se valui lattialle pikku noroina. En tiedä miltä tuo liemi haisi, olin haistellut sitä liian kauan, mutta täälläkin onneksi haisi niin että en hävennyt tuskanhikeni lammikkoa lat-tialla. Kysyin kännykän akkua ja jostakin laatikon pohjalta löytyi kuin löytyikin yksi sopiva mutta se oli ihan kuollut, se ei alkanut ladata, lämmitin sitä käsieni välissä ja iskin sitä pöytää vasten. Sen kanssa räpeltäessäni sanoin:

-Minun kimppuuni käytiin kolme kertaa tänään. Ei taida olla kauhean kiva kaupunki enää tämä.

-Kuka hyökkäsi?

-Osa oli ylhäisiä ja osa alhaisia. Loput oli siltä väliltä.

-Jaa, sinä siis harrastat vielä vanhoja aikoja. Arvoituksia ja sanaleikkejä.

-Harrastukseksi se on jäänyt, kuten kaikki, sanoin.

-Kenelläpä ei, Panu sanoi ja kulautti pikarinsa tyhjäksi. -Sanaleikkejä harrastetaan sen peittämiseksi ettei ole mitään todellista sanottavaa.

Katselin ärtyneenä ympäri huonetta ja sanoin: -Kuvittelenko minä vain vai onko täällä jotenkin saastaisempaa kuin ennen? Kuin nämä kirjapinot olisi liimattu homeella pöytiin kiinni.

-Tämä on historian laitos, ei mikään termodynamiikan laboratorio, Panu ärähti. -Sinä se enemmän olet käsittänyt väärin. Koko ajan minä ohjaan opiskelijoita vaikka vuosi vuodelta ne muistuttavat hölmöydessään enemmän ja enemmän sinua. Tämä, hän sanoi ja levitti kätensä, on vain tavaraa.

-Saatko sinä vielä palkkaa tästä? Kysyin kun Panu kaatoi itselleen paukun kysymättä minulta mitään. Hän joi pienestä tsekkiläisestä sisältä kuparoidusta emalipikarista (muistin sen esittelyn opiskeluajoilta kun ensimmäisen vuosikurssin opiskelijoina olimme osastokierroksemme kauniiksi lopuksi päätyneet hänen laajojen viinavarastojensa ääreen), tyhjensi sen suuhunsa ja nousi sitten ylös etsimään paperi- ja kirjavuoriensa väleistä jotakin joka osittautui toiseksi samanlaiseksi kupiksi. Hän puhalsi sen sisältä pölyt, täytti sen ja ojensi eteeni pöydälle ja sanoi: -Viinarahat just ja just, jos juo näitä venäläisiä akkunesteitä. Prost! Suomen katajanmarjaiselle kansalle!

-Sille! Sanoin ja joimme irvistäen. Jos oikein unelmoi, saattoi kuvitella että juoma oli giniä.

-Tiedät miten tutkimus on huonona, Panu jatkoi.

-Niin, kaksin käsin huononsin sitä omaltakin osaltani.

-Niin. Ja oletko sinä raukka edelleen sitä mieltä että Kalevala on lännestä?

-Olen edelleen sitä mieltä ja täysin varma että sinä olet kehno professori. Eikö tämä mitä nyt teet todista sen vihdoin sinullekin?

-No mikä niin? Mitä minä teen?

-Että lähetät minut kaikista maailman ihmisistä näiden kulttuuri-imperialistien valloitusretkelle matkaoppaaksi.

-Mistä tiesit?

-Pikkulinnut lauloivat. Sinähän kuuluit aikoinaan niihin Historijoitsijoihin ilman rajoja. Onko tämä nyt sitä?

-Älä pilkkaa.

-Miksen pilkkaisi?

-Ei täällä ole enää muuta kuin nämä seinät.

-Olethan sinä siinä, sanoin.

-Olenko?

-En minä tiedä, sanoin ja katsoimme toisiamme silmiin.

-Elämme vaikeita aikoja, ystävä hyvä. tämä mikä nyt tapahtuu on juuri sitä mistä sinua varoitin, miksi sinua aikoinaan estin. kun kaikki vähä raha mitä saamme on lopulta yksityistä on historiakin täysin markkinavoimien hallussa. Ja markkinat, niillä ei nyt liiku raha vaan mielet. Totuus on sen joka eniten maksaa ja keksii historian josta on hyötyä omalle tulevaisuudelleen. Näet ettei sinulle voinut antaa erioikeutta unelmoida haluamaasi menneisyyttä kun isommat pojat osaavat nyt saman paljon törkeämmin ja tarkemmin. Historia on nyt kauppatavaraa. oletko lukenut Klaus Viitalan kirjan Muuttuvat Historiat? oliko hän sinun kurssikaverisi peräti?

-Taisi aloittaa vuotta aiemmin, sanoin.

-Hän tutki, kun oli vielä elossa, miten kansalliset historiat ovat muuttuneet viimeisen sadan vuoden aikana Euroopan eri maissa. Hätkähdyttävää luettavaa. Ja mikä valtava tarve olisi yhdelle historialle eikä näille yksittäisille ylistyslauluille.

-Minä olen juuri siitä syystä aina vihannut virallista historiaa. se on aina paikallinen poliittinen satu, tavalla tai toisella, aina. Et uskonut tai ymmärtänyt että tein graduani juuri tätä laajempaa ajatusta vasten. Kun Suomessa kaikki ajattelu pitää hinkata yhdeksi pyhäksi monoliitiksi ja jota saa lähestyä vain yhdestä sovitusta kulmasta, nöyränä.

-Ei se ole pelkästään historiassa. Niin se on kaikilla muillakin aloilla.

-Pohjoisen Liittohan se nyt tekee sinun toivomaasi ylikansallista historiaa. EU-historiaa.

-Hah! Niinhän se tekee. Näillä puheilla, pakko sinun on myöntää: olethan sinä oikea mies sinne.

-Varoitan että minulla on velvollisuuksia moneen suuntaan, sanoin.

-Niin varmasti. Sinulla on ne omat äärioikeistolaiset ympyräsi, Panu sanoi ja piirsi viimeisen sanan sormellaan ilmaan niin pienenä kuin pystyi.

-Minä en ole koskaan kuulunut mihinkään sellaiseen. Se oli teidän projisionne millä saitte minut ja minun ajatukseni pyyhittyä pois. Kieltämättä jos Kalevalaa tässä maassa nyt tutkii helposti päätyy seurustelemaan sekopäiden kanssa. Mutta minut te tuomitsitte aikoinaan väärin perustein. Sinä virallisen Suomen edustajana et uskaltanut antaa yhtään löysää siimaa vaan pidit kiinni koko kansan Kalevalasta. Se on osa kansallista itsenäistymis- ja demokratiakehitystä, kyllä minä sen ymmärrän. Sanonpahan vaan että jossain vaiheessa on käytävä läpi kaikki matkan varrella kertyneet valheet ja lopettaa vanhojen olkinukkien pystyyn töpöttely.

-Siellähän se Toijassa loppuu, vai?

-Päinvastoin. Lisää vaan tungetaan tuulta pussiin, se on ihan varma.

-Sinne sinä nyt olet kuitenkin matkalla ja siksi minä kehtasin sinullekin soittaa, kun pyysivät, Panu sanoi.

-Kuka pyysi? Käytävältä kuului vaimeita askelia.

-Onko Utrecht Institute for Social Reseach sinulle tuttu?

-Eikö se ole se oikeistolainen kovien arvojen kannattaja? Sen tutkimukset leviävät nykyään tehokkaasti mediaan. Etsivät eriarvoisuudelle tieteellisiä perusteluja.

44

-No. Sieltä ottivat yhteyttä ja sinua kysyivät. Ainoa mikä ihmetyttää on se että eivät he ole ennen muinaisuutta tutkineet. Antropologiaa, rotujen eroja, länsimaalaisten erinomaisuutta, tuloerojen geneettistä määräytyvyyttä, rikkaille sopivia talousoppeja ja sen sellaista. Rahat tulevat amerikkalaisilta ja venäläisiltä äärikonservatiiveilta ja ihan rakenteistakin jo. He ovat ilmeisesti laajentamassa tukemiaan tieteenaloja. He haluavat sinut sinne Toijan muinaisleirille.

-Jaa, sanoin. Minkä ihmeen takia? Ne ikivanhat horinaniko?

-Sinähän harrastit sitä Krohnien kehittämää historiallis-maantieteellistä metodia, jossa runon kaikkia kerättyjä toisintoja vertailemalla yritetään rekonstruoida alkuperäistä, kadonnutta tekstiä unohtamisen, lisäilyn ja muuntumisen lakien mukaan.

-Mikä siinä olikaan niin epätieteellistä, vastausko joka ei ollut sovelias? Minä kivahdin.

-No ne muuntumisen lait ovat lopulta kaikki makuarvioita, niitä ei koskaan ole saatu tieteellisesti lukkoon lyötyä. Ja sinä teit tuota versioiden vertailua myös paikannimillä ja asuinpaikoilla, yritit viedä sitä folkloristiikasta arkeologiaan. Dihlströmin "Kalevala ja meri" taisi olla sinun tärkein ja ainoa lähteesi, sinne taisi liian moni merkkaamaton viite johtaa, vanhan merikapteenin tarinaan. Se ei ollut mitään tiedettä sellainen, se oli yksityisajattelua, toiveajattelua ja vielä väärin toivottu, kuten hyvin tiedät, Panu lateli moneen kertaan kuultua virttä. Minulta meni hermot. Sanoin heikon viinapääni voimalla:

-Suomalainen historiankirjoitus nuolee milloin Venäjää, milloin Ruotsia, milloin Saksaa, milloin Eurooppaa ja tietysti siinä sivussa aina myös omaa hapanta jalkoväliään. Kummallisesti olemme aina siltä suunnalta kotoisin mistä valta ja voima milloinkin haluaa. Äkkiä muutuimme mongoleista puoliarjalaisiksi kun kutsu siihen riviin kuului. Kun aikaa on kulunut historian kallistamiset ja kampeamiset on helppo nähdä mutta kummasti aina juuri tällä hetkellä nämä asiat tapahtuvat kuin takapihoja pitkin lippa silmillä kaatokännissä hortoillen. Ja nyt tämä uusi kampeamisen riemuvoitto!

Olin innoissani ja raivoissani. Mietin: Menen mukaan ja opettelen tämän sävelen ja isken heidän saviset polvensa poikki niin etteivät ne enää koskaan nouse. Näin minä ajattelin ennen yliopistolla yliopistoa vastaan ja kun ajattelen näin nyt taas ymmärrän mihin vihani suuntaa: Valtaa ja voimaa vastaan joka pitää totuutta kynsin ja hampain paikoillaan tai vääntää todellisuutta halumaansa suuntaan uhreista piittaamatta. Viha todellisuuden omistajia kohtaan on viha heidän hännystelijöitänsä kohtaan jotka myyvät hetken selkääntaputtelusta maansa maan alta mineraaleista ja pohjavedestä asti vain mädästä heinästä punotun hattunsa paikallaanpitämään sieluunsa asti pois. Mieleni palkeet täyttyivät ja jatkoin: -Vai pitäiskö jo vihdoin seistä omilla jaloilla, ihan vaan vaikka kokeeksi? Ai niin, kaikki onkin jo loppu. Omia edes savisia jalkoja ei ole, ei omaa päätä kun oikein urakalla vuosisatoja yritetty ettei sitä olisi, ensin muitten toimesta

45

ja sitten ihan itse. Nyt kun yliopiston silmät on painumassa kiinni lopullisesti voi tietenkin olla sinunkaan vaikeata innostua tästä aiheesta, sanoin.

-Mikä se aihe oikein on? Sinun katkeruutesi yliopistoa kohtaan?

-Teidän yliopistonne oli täynnä lievyyden ja loivuuden petosta. turvassa kyyhöttämistä, vallan hierarkioiden iloisennöyrää palvelua, tieteentekemisen teeskentelyä byrokratian käytävillä. Jokainen irtiotto nujerrettiin, jokainen erillinen ajatuksen hippu käännettiin voimavirralla magneettikentän suuntaiseksi.

Panu korotti ääntään. -Sinä laskit lujaa vauhtia sitä äkkiä taas esiinkaivetun suursuomalaisen ajattelun lipevää mäkeä alas. yritin vain pysäyttää sinut mutta liian myöhään. Myönnän ettei kukaan valvonut sinua mutta ei ketään muutakaan valvottu.

-Että tästä laitoksesta ei tule sivistyneitä ihmisiä ulos, että tämä ei ole sivistyslaitos, siis koskaan ollutkaan, että ei ole ollut tarkoituskaan, se on se kammottavin asia. Jonkinlainen korkea ja kallis kasarmi tai siilo niin kuin kaikki Suomen laitokset. Ei jää ikävä!

-Hmm. Ja vielä kerran hmm. Onhan se niinkin. Mutta ei se yhden pojan itkulla suoristu, sen verran pitäisi ymmärtää.

-No niin pitäisi kyllä, sanoin ja katsoin kieroon alaspäin.

-Kyllä kunnon löydöt ja perustelut aina otetaan huomioon. Ei ole mitään salaliittoa. Mutta kai sinä jo ymmärrät ettet voi mitenkään saada kasaan todistusaineistoa Kalevalan läntiselle sijainnille tai Pohjolan Pohjassa olemiselle. Vaikka jotakin merkittäviä löytöjä olisikin, ei niitä saisi taruun mitenkään yhdistettyä. Se jää sinun idolisi, sanojen halkomisen asteelle. Ei voi olla reittiä taruista maan pinnalle, usko se! Niin no, paitsi nykyään tietysti, Panu sanoi ja purskahdimme iloiseen nauruun.

Historian laitoksen opiskelijoissa oli muinaisharrastajien ryhmä jonka aktiivisimpia jäseniä olin. Suurin osa siitä mitä teimme oli ihan järkevää lukemista mutta myös liian innostuneita, rankkoja ja radikaaleja ajatuksia viuhui ilmassa monesta suunnasta ja monen pää irtosi hieman harteiltaan. Ei ollut enää pelkkää oikeaa ja vasenta, ei erikseen opintoja ja opintopolitiikkaa. Miten ratkaiset sen paniikin kun ymmärrät että kaikki mitä sinä ja ystäväsi ja koko tieteenala ja neljä viidesosaa yliopistosta tekee on täysin turhaa ja mahdotonta seuraavat viisikymmentä, sata tai tuhat vuotta? Kunnia oli kadonnut ja sitä etsittiin kissojen ja koirasusien kanssa. Herkällä korvalla kuuntelimme sitä hysteeristä säveltä jota jokaisen herkälle viritetty mieli soi. Tämä maa, tämä maailma tuhoutuu minä hetkenä hyvänsä! Mitä tahansa, mitä tahansa muuta. Ihmisiä kuoli kaikilta. Meitäkin kuoli. Niin, ehkä olinkin tutkimuksissani yrittänyt vain koteloida tätä pelkoa ja hulluutta mikä oli juossut kaduilla jo vuosikymmeniä vapaana. No, minäkin juoksin, huusin ja löin, satunnaisiin suuntiin. Tuntui että jotain oli pakko keksiä; säveltää uudestaan koko maailma. En vain silloin nuorena vielä ymmärtänyt kuinka tarkka yliopisto ja sen laitokset olivat tällaisessa maassa, jossa ei siedetä riitoja ja spekulaatioita ja koetaan että ulospäin täytyy esittää ehjää, selkeää, yhtä ilmettä. On vain aktiivista sisäisen dynamiikan hiljentämistä, kamppailua paikoillaan pysymisestä, saavutettujen etujen turvaamista. Ei voinut olla sellaista ironista historiankirjoitusta kuin minun graduni oli. Tai spekuloivaa kirjoitusta, sävyltään ja nuotiltaan erilaista, ainakaan nuorelta kirjoittajalta. Tai saa olla, mutta sitten sysätään omilleen.

Omillani minä olenkin ollut, tai siis vanhempieni rahojen varassa, mutta nyt nekin vähät olivat lopullisesti loppu, sulaneet huonoon hoitooni ja tämän huonon ajan loputtomiin syövereihin. Sanoin:

-Miten sinä noin hyvin muistat tuollaiset älyttömät yksityiskohdat? Pohjolan Pohjassa, Dihlströmit ja muut?

-Pitäähän tällä alalla muistia olla. Ja kun kaivoin sen sinun pöhkön paperisi juuri esiin.

-Miksi? kysyin levottomana.

-Se on sattunut jonkun silmiin. Jonkun tutun, jos muistat ketä tarkoitan, Panu sanoi katsoen minua iloisesti hymyillen.

-Minä en erityisemmin halua nähdä sitä ärsyttävää naista, sanoin sillä tiesin hyvin ketä hän tarkoitti.

Panu ilme muuttui vinoksi.

-Älä sitten käänny.

Käännyin mutta en nähnyt hämärässä huoneessa mitään. Jostain kuului käheää naurua. Kurkistin hyllyn yli kirjakasan taakse. Sohvalla lojui Lena Lagerhorn, ruotsalainen tutkija ylimittaista hollantilaissätkää mahansa päällä käärien. Iva ja hymy paistoivat hämärässä.

-Oho. Hei Lena, pitkästä aikaa. Hauska nähdä, sanoin ja se oli täysin totta, sillä silmäni viettivät mielellään aikaansa hänessä, ei mistään muusta syystä.

-Ai? Äsken sinä et halunnut nähdä minua lainkaan, hän sanoi lapsellisella äänellä tekoloukkaantunutta esittäen.

-Nyt kun minä näen sinut, niin haluanhan minä sinut nähdä, sanoin ja tunsin kuinka vereni alkoi virrata eri reittejä.

Lena nuoli sätkäänsä kiinni kielenpää terävänä huulien välissä heiluen ja minulle mustien kulmiensa ja pikimustana liekehtivän tukkapehkonsa alta hymyillen. Kun savuke oli valmis hän pomppasi äkkiä pystyyn eteeni ja sanoi: -Minä se todellakin olen! Ja usko tai älä tarjoamassa töitä sinulle. Niin kuin kuulitkin jo.

Hän oli erilainen kuin ennen. Muistamastani etäisyydestä ja viileydestä ei ollut merkkiäkään, hänellä oli koko arsenaali käytössään. Sanoin:

-Kaikista maailman ihmisistä sinä. No, ihmisiä on taas vähemmän kuin sitten viime kerran että onhan se koko ajan todennäköisempää että törmäämme näillä raukoilla rajoilla.

-Viimeksi, tiedätkö missä me tavattiin viimeksi? Onko tulta kellään? Lena sanoi ja katseli ympäri huonetta leuka pystyssä niin kuin huone olisi ollut täynnä ihmisiä ja hänen olisi pitänyt kurottaa heidän ylitseen tai sitten päinvastoin täysin tyhjä eikä meitä kahta olemassakaan. Sanoin:

-Oliko se silloin kun sinä kutsuit minua rasistiksi, sovinistiksi ja siaksi? Ai niin, ja idiootiksi, ja mitä vielä, en osaa jaotella sitä tämän tarkemmin mutta jotenkin se kiertyi siihen että olen suomalainen mies, muistanko oikein?

Lena nappasi Panun heittämät tikut ilmasta kiinni, sytytti ja veti pitkät sauhut järjettömästä tupakastaan ja venytteli samalla kuin kissa. Hän oli niitä ihmisiä, joille kaikki mitä omituisimmat eleyhdistelmät olivat täysin luonnollisia ja kauniita. Hän jatkoi:

-Etkö muista? Se taisi olla muutama vuosi sitten, jollain keskustelupalstalla.. jollakin hyvin ammattimaisella Suomen historian kuvitteellisia kipupisteitä käsittelevällä keskustelupalstalla.. muistatko?

Yritin äkkiä käydä päässäni läpi mitä olin netissä sekoillut ja tajusin kauhuissani:

-Sinä.. olit se norjalainen äijä joka kiusasi minua kuukausia! Se.. Göran Ulvaeus!

Lena nauroi voitonriemuissaan: -Ne meidän mahtavat keskustelut! Haluatko vilkaista niitä joskus, muistin virkistämiseksi?

En tiennyt mitä sanoa, olin raivosta aivan sekaisin. En ollut koskaan ennen nähnyt Lenaa kuin yhdessä seminaarissa kauan sitten ja muuten vain kuvissa ja klipeissä ja nyt hän oli tuossa liian eläväisenä vihattavaksi vaikka syytä olisi ollut. Hän liikkui koko ajan istuessaankin, ojenteli käsiään, suki hiuksiaan, vilkuili sinne ja tänne kuin jotain hyvin mielenkiintoista tämän saastan keskellä huomaten ja tarttui kaikkeen kiinni mitä toisen kasvoilla tai ilmassa liikkui, hänessä ei ollut normaalia kauniin ihmisen etäännyttävää patsasmaista jäykkyyttä väärien ihmisten seurassa joita me molemmat ehdottomasti hänelle olimme. Minun olisi pitänyt olla juuri se kaikkein väärin ihminen mutta siltä se ei nyt vaikuttanut, hän otti meihin ja minuun kontaktia joka solullaan. En tajunnut mistä oli kyse enkä välittänytkään, joku toinen olisi heti huomannut että hän oli aineissa tai että hän vain yritti liikaa ja minun olisi pitänyt epäillä häntä ja kaikkea mitä oli tapahtumassa. Mutta että hän oli siis vaivojaan säästelemättä kuukausien ajan tahallaan ärsyttänyt minua ylemmyydentuntoista muinaisharrastajaa esittäen keskustelussa, joka oli edennyt kansallisista ja henkilökohtaisista solvauksista aina tappouhkauksiin asti. Mitä olin luullut harmittomaksi kaljapäiseksi raivohupailuksi olikin ollut jotain ihan muuta, mutta mitä? Tuskin sentään rakkaudentunnustus, mutta jonkinlainen juoni vähintään, ja olin otettu. Omana ammatillisena itsenään Lena oli tarttunut Kalevalan maantiedettä käsitteleisiin innokkaisiin kirjoituksiini ja olimme riidelleet aiheesta hetken omilla nimillämme ja kasvoillamme mutta sen keskustelun laantumisesta oli kulunut jo vuosikausia.

-Pitikö päästellä vähän paineita, kysyin.

-Pitikö sinunkin.

-No nytkö me ollaan kavereita?

-Mikä ettei. Saat nähdä että maailma on muuttunut mielenkiintoiseksi, se on juossut meidät kiinni.

48

-Niin, sanoi Panu pöytänsä ja pinojensa takaa, -Lena on tullut pyytämään sinua sinne Toijaan.

-Miksi?

Lena jatkoi kiusoitteluaan olemalla hiljaa ja peittämällä koko huoneen harmaankitkerään kessunkatkuun.

Kysyin: -Olet siis sieltä Utrechtin insestituutista? sanoin mielestäni hauskasti, mutta vitsi meni täysin ohi johtuen varmaankin huonosta aksentistani. Lena ei reagoinut vaan käännähti Panun puoleen ja kysyi: -Ojennathan sinä Panu tämän pojan minulle kauniiseen paperiin käärittynä?

-Onko se minun annettavissani. Jospa se ei haluakaan lähteä? Panu sanoi ja katseli minua vino humalainen ilme naamallaan.

Tuijotimme kaikki kolme toisiamme hetken kilpaa ja sitten Lena jatkoi:

-Kai te sentään olette innoissanne molemmat kun tuon hitusen toimeentuloa teille tähän loputtomaan murheenmärkyyteenne, mitä? Ei Tukholman yliopistolla ole mitään ongelmia, mitään.. tällaista, hän sanoi ja katseli ympärilleen käsiä levitellen. -Siellä juodaan maitokahvia ja kävellään selkä suorassa kengänkorot kopisten ja naureskellaan hauskoille pikku jutuille ruokalan jonossa ihan niin kuin aina ennenkin ja raha virtaa ihan kuin ennenkin ylisiä virtojansa pitkin ja jakautuu alas mutkaisiin suistoihinsa kauniin hallitusti. Ja saaristokin alkaa nyt juuri sopivasti heti kaupungin ulkopuolelta eikä kuin teillä suoraan kellarista.

Käännyin vaivoin poispäin Lenasta, istuin pöydänkulmalle ja sanoin Panulle: -Kai tässä on kysymys siitä että minut halutaan sinne yliopiston edustajana vaikken virallisesti sitä voi olla. Että sinulle Panu maksetaan x summa rahaa suostumuksestasi pölmäyttää minut siipesi suojista jollakin hienoltakalskahtavalla assistenttidosenttitittelillä varustettuna niin että mitä tekstejä minuun haluavatkaan siellä karvakasojen leirillä teipata niin ne paremmin pysyisivät kiinni ja vakuuttavammin yleisöön uppoaisivat kun olisin sinun ja laitoksen siunaama.

-Hmm, anteeksi en kuunnellut, Panu sanoi säpsähtäen ja ryysti ryyppyään.

Lena hymyili ja sanoi: -Luulen että tuo on se ajatus pääpiirteissään. Ei sopivia ihmisiä ole pilvin pimein tarjolla. Harvalla on näinä aikoina varaa olla kiinnostunut muusta kuin omasta selviämisestään. Minä olen kovin iloinen teistä kahdesta tässä ja nyt. Totuus on Ari ettei sinulla ole mitään vaihtoehtoja. Sinulla on maksamattomia velkoja, häätöjä, pahoinpitelysyytteitä, mitä vielä? Saat kiittää kaiken surkeutta siitä että olet vielä vapaalla jalalla.

-Tuo on uhkailua ja kiristystä, sanoin. Lena katsoi minua alentuneen hyväntahtoisesti hymyillen. Päätin kostaa hänelle myöhemmin, jotenkin.

-Sinä olet itsesi sellaisten kohteeksi ihan itse omilla teoillasi ja välinpitämättömyydelläsi antautunut, hän jatkoi. -Panu, voitko jättää meidät hetkeksi kahden? Minun pitäisi tehdä tälle kurttuun menneelle pojalle tarjous josta hän ei voi kieltäytyä.

49

-Ei tämä ole mikään turvahuone, Panu protestoi mutta nousi ähkäisten tuolistaan. -
Vanhan miehen pakotatte käytävään! Hän mutisi ja ryysti viinaa mennessään.
-Minä olen skannannut tämän huoneen, Lena sanoi. -Täällä ei ole mitään. Mutta men-
nään silti peiton alle. Minä haluan kuiskutella sinun korviisi sulosanoja, hän sanoi ja hy-
pähti takaisin sohvalle, nosti jalat syliinsä ja heitti peiton päänsä yli nostaen heti peiton
kulmaa ylös ojentaen kätensä pimeydestä, hamusi sormillaan ilmaa välissämme ja sanoi:
-Tule!

-No mitä, sanoin pimeässä jäykkänä kun olin istunut hänen viereensä ja hän oli heittä-
nyt alumiinikalvoja ritisevän villapeiton tiukasti päälleni, mutta hän puhuikin nopeasti ja
asiallisesti:

-Toijan leiri on Pohjoisen Liiton järjestämä. Sillä on poliittinen agenda mutta siellä
tehdään myös arkeologisia kaivauksia ja niihin pitäisi saada joku paikallinen valvoja että
niitä voitaisiin jatkaa edes jotenkin mielekkäästi. Edellinen valvoja kuoli.

En voinut olla nauramatta. -Ja minäkö se olen se uusi valvoja!

-Ei ole ketään muuta, Lena sanoi. Välissämme oli milli kuumaa ilmaa ja hiuslakan,
lian, savun, homeen ja ihanan naisen hajua. Siis minun ylitsevuotavan hikisen neopree-
nilöyhkäni lisäksi.

-Varmasti on joku, väitin vastaan.

-He halusivat sinut. Sinut nimenomaan. Niin kuin arvasit Panu auttaa muotoseikoissa.

Olin hetken hiljaa. Lena tuijotti hölmöä ilmettäni pilkkopimeässä peiton alla. Kuiva
yskäisy. Sanoin: -Mitä muuta?

-Mitä mitä muuta? Et näe nälkää enää koskaan eivätkä vielä syntymättömät lapsesi-
kaan näe. Ai niin, ja pääset Toijaan minun kyydilläni, hän kuiskutti viattomasti korvaani
keuhkotaudin kähentämällä äänellään.

-Jotakin muuta on oltava. Kerro mistä on kysymys. Tiedät tällaiset pelit, sanoin ja hei-
tin haisevan lakanan syrjään, nousin ylös ja kävelin ikkunan ääreen. Lena sanoi:

-Kaunis ajatus on että Pohjoisen Liitto koteloi rasismia ja väkivaltaa korostamalla
kulttuuria ja siirtämällä muinaisfantasiat viikinkiaikoja laajempiin ja hämärämpiin ve-
siin.

-Noin on monet äärijärjestöt omaa toimintaansa perustelleet aiemminkin: että kysees-
sä on ennen kaikkea kulttuurityö ja kaikki myöhempi ikävä kumpuaa omaa erillistä lo-
giikkaansa noudattaen.

-Usko minua. Siellä on paljon kiinnostavampaa kuin voit kuvitellakaan. Mahdollisia
skenaarioita on monta. Jännitteet ovat uskomattoman kovat.

-Mihin tuo nyt liittyy? Mitä sinä yrität sanoa?

-Että Toijan leirissä tulee ratkeamaan liikkeen luonne ja tulevaisuus.

Silloin Panu koputti oveen, astui sisään ja sanoi:
-Joko täällä on pussailut pussailtu?

-On pussailtu, sanoin. Panu käveli tyhjän lasinsa kanssa pullonsa luo kuin koira isäntänsä luo ja jatkoi juomaa lasiin kaataessaan:

-Sen voin ainakin sanoa ettei kukaan yliopistolta halua mennä sinne pilaamaan mainettaan. Mieluummin viljelevät päät pöheiköissä rupisia perunoita mökeillänsä. Sen sinä ymmärrät ja senkin, ettei montakaan mahdollista menijää edes ole. Vaikka oletkin täysin kelvoton akateemisessa mielessä, olet silti sopivin, tai juuri siksi. Et voi aiheuttaa suurempaa vahinkoa itsellesi mitä olet jo aiheuttanut ja mikä hienointa sinusta yliopisto voi pestä kätensä puhtaaksi salamannopeasti.

-Miten sitten voin toimia virallisena valvojana?

-Sinut nimetään valvojaksi ja siinä se, ei kukaan mitään tarkista. Minä tunnen ja vaiennan tarvittaessa kaikki ne kaverit jotka voisivat jotain älähtää.

-Miksi sinä suostut tähän? Rahasta?

-Rahasta ja kai minä jotenkin haluan auttaa sinua kun tuli sinut silloin nuorena poikana jyrättyä nurin niin pahasti. En osaa tätä laittomuutta muuten selittää, ei se pelkällä rahalla selity. En minä sentään joka viikko virkarikoksia tee, kuukausittain korkeintaan. Ja joku sinne on hyvä lähettää. Pitää siellä olla mukana. Siellä tehdään nyt historiaa.

-Todella tehdään, vastasin happamasti.

-Sinä olet tässä välillä kasvanut aikuisemmaksi, olethan? Panu kysyi.

-Jaa, sanoin.

-Oliko tuo kyllä? Lena kysyi.

-Se oli jaa.

-Palkkio on hyvä. Siis todella hyvä, Lena sanoi.

-Se sopii, sanoin. Olen tässä iloisesti kuin lastu laineilla.

-En halua pilata ajopuuteoriaasi, Panu sanoi, mutta olet kyllä oikea mies sinne. Olit hölmöytesi kanssa edellä aikaasi. Nyt aika on saanut sinut kiinni ja sinut on poimittu kuin kypsä marja mukaan siihen hullunmyllyyn. Saat syyttää ja kiittää eniten itseäsi.

Mulkoilin hetken Panua, joka huojui jo kuin tötterö. -No, mitä sinä aiot tehdä rahoillasi jotka tästä saat?

-Alan kuskata veneelläni viinaa Virosta ja juon itseni siinä sivussa vihdoin kunnolla hengiltä, hän sanoi ja tyhjensi taas lasinsa. Katsoin hänen lasittuvia silmiään. Kai tämä oli hänelle rasittavampi tilaisuus kuin mitä hän halusi itselleen myöntää.

-Kuulostaa suunnitelmalta, sanoin onton reippaasti ja nousin ylös. Kävelin ikkunan luo ja katsoin ulos. Vedessä metri torin mutaisen kiveyksen yläpuolella leijui ruumis naama alaspäin. Hänet erotti juuri ja juuri tummissa vaatteissa tummaa vettä vasten. Yritin katsoa tarkemmin oliko se se mies joka oli yrittänyt ryöstää minut talon toisella puolella mutta Lena tuli viereeni, näki ruumiin vedessä ja huusi kauhistuneena: -Tuollahan on ruumis, näetkö!

-Näen, sanoin.

-Etkä sanonut mitään!

-En ehtinyt sanoa.

Katsoin uudestaan mutta en muistamallakaan muistanut mitä miehellä oli ollut pääl-
lään. Ruumis joko oli hän tai sitten ei.

Panu tuli ikkunaan viereemme. -Ei näytä liikkuvan.

-Te tahallaan esitätte välinpitämätöntä, Lena sanoi ja katsoi meitä vuorotellen kasvoi-
hin.

-Jaa, Panu sanoi. -Minä soitan poliisille. Te voitte lähteä.

-Vene on Kämpin edessä, Lena sanoi.

-Minä saatan sinut sinne, sanoin.

-Entä ruumis?

Olin sanomaisillani "Se voi olla ansa" jotain sanoakseni mutta olin hiljaa.

Haimme kajakin vartiokopista Unioninkadun puolelta ja kävelimme takaisin alakerran
aulastojen läpi Fabianinkadulle ja sieltä alas Esplanadille, sillä emme halunneet mennä
ulos Senaatintorin kautta missä ruumis vielä kellui.

Lenan vene oli Kämpin edessä Pohjoisesplanadilla. Veden alle jääneiden jalkakäytä-
vien päälle oli pystytetty rakennustelineistä ja laudoista ramppeja joita nostettiin ja las-
kettiin veden vaihteluiden mukaan. Koko kaupunki näytti olevan julkisivuremontin alla
ehostettavana kuin ennen suurta juhlaa mutta aina kun vesi laski ja paljasti tummuneet,
limaiset ja haisevat seinät tämä harhakuva murentui julmalla tavalla. Kivijalkoihin oli
yritetty ujuttaa bitumia, muovia ja mitä mielikuvituksellisimpia kemikaaleja mutta nii-
den vaikutus oli ollut yleensä huonompi kuin ei minkään. Vesi löysi aina tiensä sinne
minne insinööri oli kieltänyt sitä menemästä ja varsinkin näin mahdottomissa olosuh-
teissa kaikki yritykset olivat epäonnistuneet.

Lenan vene oli ainoa purjevene isojen moottoriveneiden välissä Havis Amandan lai-
turissa. Merenpinta oli viime vuodet vaihdellut patsaan rintojen ja pakaroiden väliä mut-
ta nyt se ylsi kaulaan asti ja hän katsoi meitä pronssinvihreillä silmillään kuin armoa
anoen. Patsaan rehevästä varresta oli muodostunut kuuluisa merenpinnan korkeuden
mittatikku homeisine ja leväisine uima-asuineen j
a siksi sitä ei oltu siirretty turvaan. Joka vappu se yhä lakitettiin ja harjattiin juurihar-
jalla puhtaaksi. Joku vuosi sitten sille maalattiin bikinit myrkkymaalilla mutta nyt ne oli-
vat jo hangattu tai liuenneet pois.

Kämpin ovella oli Valvontakameroiden ja turvamiesten lauma. Oli osa voiman il-
mausta että tämä vallan ja varakkuuden saareke pysyi järkähtämättä täällä tuhon keskel-
lä. Joku halusi että näin oli. Kävelimme ovelle ja katsoimme sisään. Sisältä tuli iso mies
lähelle seisomaan ja sanoi: -mitä te teette siinä?

-Hän on hotellin asiakas, minä sanoin ja osoitin Lenaa.

-Tulkaa sitten sisäpuolelle, vartija sanoi, mutta käänsimme hänelle selkämme ja otimme muutaman askeleen kohti Lenan venettä. Ramppi jatkui pitkin Pohjoisesplanadin reunaa aina Kauppatorinselälle asti, missä Kolera-altaan kohdalta alkoi uusi isompi laituri. Kun Lena hyppäsi veneensä kannelle kysyin:

-Onko tämä oma?

-Joo, isoisältä peritty, veljen ja minun yhteinen. Tätä pystyy hyvin purjehtimaan yksinkin ja menee lujaa. Swanin kopio.

-Se on kai taittokölinen kun mahtuu tässä olemaan, sanoin kun tiesin.

-Joo. Aika paljon helpottaa elämää.

-Pystyykö sillä purjehtimaan köli ylhäällä?

-Pystyy pienessä tuulessa mutta se kallistaa venettä ja sieltä tulee rauta esiin siitä nivelestä ja se hidastaa, pitää se aina laskea purjehtiessa. Ja mieluummin rantautuessa tulla moottorin kanssa, vene valuu ja kääntyy huonosti purjeella sen kanssa.

Katsoin kun hän tarkisti ja kiristi köysiä ja katosi hetkeksi kajuuttaan. Hän näytti todella hyvältä veneensä kanssa, näki että hän osasi kaiken kevyesti, ei miettinyt mitään vaan luikki pitkin kantta kuin näätä.

-Milloin lähdetään? Kysyin kun hän astui hetken kuluttua takaisin laiturille.

-Milloin sinulle sopii?

-Minun pitäisi hoitaa muutama asia tänään. Huomenna, aamulla?

Lena kiersi vapaita köydenpäitä rullille. Hän sanoi:

-Minun pitäisi käydä yhtä ihmistä katsomassa. Luuletko että vene on tässä turvassa?

-Tämä on Helsingin hienoin hotelli, tämä on paras paikka. Tässä maailmantähdet nukkuivat ennen. Missä se sinun kaverisi asuu?

-Jossain Vantaalla. Tikkula?

-Tikkurila. Tarvitsetko apua? Ota taksi, minulla on yhden tutun kuskin numero. Siltä löytyy turvamies mukaan jos haluat.

-Okei, Lena sanoi. Vene oli tasoittanut hänen levottomuutensa, hän hymyili iloisesti eikä esittänyt enää keljua tai ovelaa.

-Voin minäkin lähteä mukaan jos haluat, sanoin.

-Ei, enköhän minä pärjää. Vai?

-Te ruotsalaiset aina pelkäätte täällä idässä, mutta ei täällä sen vaarallisempaa ole. Ja se Vantaahan on jo kovaa maata, siellä on kovan maan lait. Täällä kaupungissa vähän ihmetellään vielä, revitään kupariputkia ja kattopeltejä irti ja lähdetään vähitellen pois mutta aikansa se ottaa. Totutellaan ajatukseen.

-Niin varmaan. Ei kai kukaan halua jättää kotiansa, hylätä kokonaista kaupunkia. Amerikkalaiset osaavat sen paremmin.

-Minkä?

-Kaupunkien hylkäämisen. Juoksuvauhdista, heti kun rullat eivät enää pyöri. Yhdysvalloissa tämä tuho on tuottanut kaikkein vähiten itkua ja eniten uutta taloutta.

-No, täällä puuhataan nyt eduskunnan siirtoa Tampereelle mutta en tiedä mitä siitä tulee. Se olisi aikamoinen kolaus, merkki että on luovutettu. Olen siitä anoppini kanssa samaa mieltä.
-Onko sinulla anoppi?
-Se oli vitsi. Vanha.

Ihailimme vedestä heijastuvien Etelä-Esplanadin tyhjiksi jääneitä pankkien ja vakuutusyhtiöiden julkisivuja. Osoitin Lenalle Helsingin ainoan Venetsialaisarkkitehtuuria edustavan kivilinnan puiston katkottujen puunrunkojen takana. Sanoin:
-Pohjolan Venetsia, tässä se nyt on! Kyllähän me merihenkiset nautimme. Veneellä suoraan kotiovelle!
-Paitsi että ovi on veden alla. Miten Suomen muut rannikkokaupungit on pärjänneet?
-Kuka mitenkin. Huonosti keskimäärin, saaneet vähemmän apua kuin Helsinki eli eivät mitään. Länsirannikolla helpottanut henkisesti se että kaupungit olivat jääneet vuosisatojen aikana tapahtuneen maannousemisen takia joitakin metrejä kuiville, eivät ole uponneet niin paljon, esimerkiksi Pori ja Turku molemmat eivät olleet niin rannassa kuin myöhemmin perustettu ja kertaalleen vielä rannemmaksi siirretty Helsinki. Ja Porin takana Kokemäenjoessa on ketjussa vanhoja aiemmin kuiville jääneitä merenrantakaupunkeja kuin helminauhassa. Ja Suomessa on kakkosasuntoja, kesämökkejä lähes kaikilla ja kaikkialla. Isku ei ollut täällä niin paha kuin muualla. Täällä on lääniä mihin mennä, jos vain pysyy hengissä tässä nuhjussa hämärässä. Hyvät kalapaikat ovat murhan arvoisia taas.

Ruotsi oli profiililtaan Suomea jyrkempi, sen rannat nousivat nopeammin merestä eikä vedenpinnan nousu syönyt niin valtavia alueita kuin alavammissa maissa. Tukholma oli sisämaassa eikä ollut kärsinyt merenpinnan noususta paljoakaan; sen sekä sisämaan että meren puolelle oli rakennettu suhteellisen edullisesti patojärjestelmät joilla Mälaren-järvi oli ainakin toistaiseksi saatu pidettyä makeana ja saadulla sähköllä oli iso rakennustyö maksettu ja perusteltu. Nyt Ruotsissa mietittiin pitikö patoa jälleen korottaa vai päästettäisiinkö suolainen merivesi vihdoin virtaamaan Mälareniin.
-No entäs Tukholma? Minkälaista siellä nyt on? Kysyin.
-Ei ole muuta kuin tietysti pakolaisongelma ja jotain.. en minä tiedä miten vakavaa, tuskin mitään tähän verrattavaa. Ruotsissa osataan nostaa omat pikku ongelmat juuri niin suuriksi ettei tarvitse lähteä muita auttamaan. On niitä tanskalaisia paljon Tukholmassakin, varmaankin lähemmäs satatuhatta.
-Se on paljon.
-Ja he eivät ole mitään nöyriä poikia sielläkään. Niitä minä olen työkseni vahtinut. Poliittista levottomuutta kuten kaikkialla.
-Olet poliisi. Myönnä.

-Ei. Yliopiston tutkimuksia.

-Jotka poliisi on tilannut.

-Ei.

-Eikö poliisi olisi paras vaihtoehto. Muuten minä ajattelen jotain pahempaa. Älä väitä vastaan, sanoin leuka kireänä.

-Ei, Lena sanoi ja hänen aiemmasta puheliaisuudestaan ei ollut äkkiä mitään jäljellä. - Tiedätkö, minä olen aika väsynyt. Taidan mennä ottamaan torkut nyt. Valvoin melkein koko viime yön myrskyn. Minulla on tuolla hotellissa ihana vuode.

-Tulit siinä eilisessä myrskyssä tänne? Yksin?

-Pari kyytiläistä tuli kanssani tänne Helsinkiin. Ei niistä ole pulaa kun tätä väliä kulkee. Loppumatkan vain oli rajumpaa ja yöllä vene oli tuolla ulommassa laiturissa ja heilui pahasti, oli nitinää ja meteliä. Minulle oli maksettu vain tämä yö hotellissa ja veneelle paikka tässä suojaisemmassa laiturissa. Matka meni niin paljon nopeammin kuin olin laskenut.

-Meidän ei ole ehkä viisasta lähteä kahdestaan huomenna Toijaan. Olisi hyvä olla edes muutaman veneen saattue.

-Kauanko sellaisen odottamiseen menee?

-Kyllä huomisaamuksi pitäisi helposti löytyä. Minä laitan haun päälle. Onhan sinne leirille täältä oltava vielä menijöitä, sanoin ja laitoin muutamalle veneilysivustolle ilmoituksen.

Lena pyysi minua illaksi Kämpin ravintolaan mutta kieltäydyin. Olin sopinut meneväni yöksi ystäväni luo. Häpesin epäkohteliaisuuttani ja kirosin menettämiäni mahdollisuuksia. Mutta ystävääni en näkisi enää ehkä koskaan ja meillähän olisi Lenan kanssa yhteinen merimatka edessämme heti aamulla.

Kysyin: -Voinko jättää kajakkini tänne veneeseen?

-Totta kai. Etkö tarvitse sitä?

-En. Menen julkisilla, sanoin ja heitin kajakkisalkun purjeveneen kannelle. Lena katseli sitä kiinnostuneena.

-Läpinäkyvä kajakki, onko siitä muka jotain hyötyä?

-Kalat tulevat ihailemaan kalleuksiani kun melon ilman housuja. Ei vaan, kyllä siitä voi merenpohjaa tarkkailla haarovälistä, matalassa vedessä. Paljon saa hinkata jos sen haluaa pitää puhtaana, suolavesi ja levät härmentävät sen äkkiä.

-Puhutkohan sinä nyt tästä veneestä vai sukupuolielimestäsi? Älä kerro enempää, Lena sanoi ja nauroimme. Sanoin:

-En. Nähdään huomenna, ok? Anteeksi vielä että häivyn. En ole ollut täällä kaupungissa muutamaan vuoteen. Pitää solmia muutama langanpää.

-Ymmärrän. Riidellään me huomenna lisää, Lena sanoi ja pyyhkäisi kädellään kylmää kädenselkääni ja käveli laituria pitkin hotellille ja hänen tuhannesti mitattu lihansa kääntyi vartijoiden välistä yliseen maailmaan.

7.

Rikkaat menivät sinne, missä rikkaana oleminen tuntui hyvältä; niinhän he olivat aina tehneet. He kätkeytyivät jos joutuivat köyhien joukkoon kuten Suomessa oli aina ollut väistämätöntä ja Suomi oli myös ainoa maa joka antoi rikkaille lähes kaiken anteeksi pelkästään tästä vähäpätöisestä köyhäksitekeytymisen eleestä. Mutta nyt oli ollut peräperää liian monia kovia hetkiä jotka erottelivat itsensä ja läheisensä turvaamaan kykenevät niistä jotka jäivät kaiken pahan armoille, hetkiä jotka olivat tuoneet ennen niin tasaiseen jokamiehen maisemaan aitoja, muureja, katkoksia. Uusien rantojen siirrettävät laiturit, hökkelit ja lautaseinät, piikkilangat, elektroniset silmät ja säteet. Oli kaksi samannäköistä ihmistä joista toinen käveli portista ja toinen joka jäi kylmään.

Rikkaat ja kykenevät olivat siirtyneet jo kauan sitten Etelä-Helsingistä Kallioon, siis ne, jotka kuvittelivat vielä tekevänsä jotakin liiketoimintaa tämän kaupungin kustannuksella tai ne joiden ei tarvinnut välittää ja kantaa huolta mistään mitä ympärillä tapahtui. Niitäkin oli aina olivat ajat mitkä tahansa; tuhansien turvien takana lymyävät, tarpeelliset ja korvaamattomat, rahavirtojen ammattipatoajat, salaisten puutarhoiden näkymättömissä puissa roikkujat, loputtoman viinin ja varmuuden pöhöttämät joille tämä vetinen näytelmä jonka uppoava kaupunki tarjosi oli mitä parhainta ajanvietettä. Järkevät, varakkaat ja varovaiset olivat lähteneet jo kauan sitten elämään sisämaan suppeudessa tai kaukomaiden kirkkauksiin.

Ketolat eivät olleet järkeviä, he jäivät tähän kuraantuvaan kaupunkiin kaikkine rahoineen ja rakennusfirmoineen jotka pienen notkahduksen jälkeen kasvoivat raivon ja onnen avulla Suomen suurimmiksi virheellisen arvion tehneiden ja paikaltapaenneiden jälkeensä jättämään tilaan. Kun kaupunki ja valtio alkoi ensi järkytyksen ja tuhon jälkeen nousta jaloilleen tai ainakin polvilleen ja taistella aikaa vastaan Ketolat olivat paikalla ja tekivät paljon työtä, hyvää ja varsinkin rahaa. Kun tutustuin Elsaan, hänen isänsä oli juuri kuollut ja heidän yrityksensä oli vaikeuksien keskellä kun Pr taisteli sen ohjaksista sekä laillisin että laittomin keinoin.

Kaiken keskellä yksinäiseksi jäänyt Elsa putosi syliini yliopiston käytävän notkahtavaa ikkunaa vasten nojatessamme. Kumpikaan ei yrittänyt toistaan, istuimme vain hetken vierekkäin ja se oli siinä, käännyimme toisiamme kohti äkkiä värähtäneen voiman vetäminä. Tuntui kuin ennen täysin tuntematon olisikin välttämätön. Sellainen oli se nopea, kuoleman ympäröimä aika. Oli kiire, elämän säikeet viuhuivat irtonaisina ja vahvoina. Lasi värähti ja astuin kevyesti takaisin etuoikeutettujen maailmaan josta olin omien vanhempieni kuoleman jälkeen hitaasti mutta määrätietoisesti pudonnut. Osasin ja halusin lukea ja elää Ketoloiden elämää riittävän tyylikkäästi ja tarkasti mukaillen että minut hyväksyttiin mukaan, siis Pr hyväksyi. Katsoi minua kerran lasiensa yli, murahti jotain ja nyökäytti päätään millin.

Elsan isän kuvia oli ollut kolme kappaletta Kulosaaren asunnossa: yksi muistopöydällä olohuoneessa merta vahtimassa, yksi aulassa mustan kosteuden halkaiseman pianon päällä ja yksi jääkaappimagneettina keittiössä, iloisena entisessä etelessä. Tukeva, tarkka, mustakulmainen Mies. Tytöt perivät hänen raivopäiset rakennusbisneksensä joita Pr jatkoi menestyksekkäästi suoraan lennosta. Ajattelin että Elsa oli ottanut minut kuin isänsä korvikkeeksi, olin häntä viisi vuotta vanhempi mutta opiskelimme samalla kurssilla, olin sattunut oikealla hetkellä hänen surunsa kohdalle. Ja jos minut oli otettu kuin täyttämään vanhan miehen tyhjäksi jättämää paikkaa oli se paikka ikuiseksi ajateltu kaikista vioistani huolimatta. Olin hölmöllä dynamiikallani kuin klovni hälventämässä ympärillä tiivistyvää kuolleiden pilveä. Tällainen ajatus tuli jo aikaisin mieleeni enkä pitänyt siitä mutta se jäi päähäni pyörimään ja aiheutti syvenevää häpeää. En ollut täällä omilla ansioillani.

Olla köyhänä rikkaiden seurassa on aina esitys ja orjuutta. Joka hetki olin uhan alla, kuin loppuiän kestävällä koeajalla. Jos ei käytä kaikkia kykyjään sopeutumiseen, jatkuvuuden tukemiseen ja oikeisiin ulkoa opeteltuihin rituaalivastauksiin ja koristekuviolliseen, viihteelliseen ja ei-uhkaavaan mukakritiikkiin niin äkkiä poistetaan luokasta. Näennäinen luokattomuus yhteiskunnassa ei tarkoita muuta kuin suurempia teeskentelyn mahdollisuuksia. Totta kai kun aika oli hutera ei selkeää yläluokkaa enää ollut, oli jyrkkiä nousuja ja laskuja, oli onnenonkijoita, oli epäilyksiä mikä olin miehiäni mutta oli myös yllättävää armollisuutta.. kai haisin hyvältä Pr:n nenään myös. Äkkinäinen halaus: minut otettiin heidän perheeseensä nopeasti ja ilman kysymyksiä. Toki yläluokka toimii näin, on hidas prosessi tarkkailla ja tutkia onko kokelas valmis omaksumaan koko kielen ja sen nyanssit ja onko hänessä kykyä ja halua menettää merkittävä osa entisen löysäliikkeisen elämänsä eduista sitoutuessaan korkeaan, jäykkään olemiseen. Osaako hän, kykeneekö hän, haluaako hän, hetkestä hetkeen, jatkuvasti; tuleeko tavoista hänen uusi luontonsa. Näin kaikki arvokeskittymät vahtivat jäseniään, jatkuvasti, joka hetki, mutta vanhoille se oli helpompaa kun sitä oli jo koko ikänsä kuin hengittäen tehnyt. Tässä uudessa, nopeassa hetkessä oli toki epäjatkuvuuksia ja yskähtelyä.

Osasin leikkiä sitä leikkiä sen suuremmin miettimättä mutta kaiken pilasi kasvava tarve olla jotakin, olla joku, jokin muu kuin ovensuussa penkillä armonpaloja kerjäävä mierolainen. Kyllä, kaipuu aitoon arvokkuuteen oli pakottava. Minussa oli vain vähän sitä naisen oikkujen alle alistumisella ylpeilyä ja olisihan se edellyttänyt edes jotakin potentiaalia jota Elsa olisi voinut ottaa haltuun mutta en antanut mitään pääni sisästä, ainoasta paikasta jossa jotakin ehkä oli. Historianopiskelijan tärkeys ja tärkeily - melko vaikea yhtälö, arvaatte varmaan, tänä aikana. Kaikki paine, seinien ohuus. Ystäviä, sukulaisia, puolituttuja ja tuntemattomia silminkantamattomiin takertumassa hylkytavaraan, vajoamassa pyörteisiin. Asiat menivät niin kuin ne menivät. Maailman aggressio virtasi minuun ja täytti minut. Sekosin. Siis toki vain akateemisessa mielessä.

Kävelin Kruununhaan läpi Siltasaaren vesibussille ja katselin miten tämäkin ennen niin vakaa ja kallis alue otti uutta asentoa, miten se nitkahteli ja naksui. Miten katkera olikaan se jonka parhaalla paikalla ollut merenranta-asunto tai kesämökki oli uponnut ja menettänyt arvonsa mutta jättänyt velkansa kellumaan! Sitä järjettömän raivon määrää ilman kunnon kohdetta oli vielä paljon ilmassa vaikka pahin olikin jo takana. Suomessa yksityisten ihmisten lähes kaikki raha oli asunnoissa kiinni ja siksi tämä merivesi oli niin katkeraa. Syyllisiä kaikkeen oli aina helppo keksiä: poliitikot, köyhät, itseä rikkaammat, vasemmat, oikeammat, ylhäisemmät ja alhaisemmat, jo menneet ja vasta tulossa olevat, kapitalistisemmat kuin minä itse; nehän ne tämän maailman upottivat! Se naapuri, se joka vuosi Thaimaaseen lentänyt cityvihreä! Yhteiskunta polarisoitui uskomattomilla tavoilla, rajalinjoja syntyi, ihmiset singahtelivat uusiin suuntiin ja sopimuksiin, samanmieliset painautuivat toisiaan vasten ja vannoivat verivaloja. Miten ihminen ja ihminen sopivat asioista ennen tätä, ennen vuotta nolla, miten se menikään? Turva piti nyt tuottaa läheisistä kun yhteiskunnan telineet rytisivät ympäriltä pois. Vaikka moni asia vielä toimi usko niiden toimintaan oli mennyt eikä epäluottamuksen suuntaa voinut enää muuttaa ja se veti kaikkea mukanaan alaspäin. Yhteiskunta oli hylätty, oli vain ajan kysymys milloin uudet ja vanhat voimat virtasivat täysin vapaina. Veljet, siskot, isät, äidit ja jopa serkut olivat arvokkaampia kuin ilma ja raha, he ottivat byrokratian viemän paikkansa takaisin ja ystäviä olivat ne joihin saattoi turvautua hengenvaarassa ja hengenvaara, se oli täyttä totta. Näin muinaisina aikoina oli varmasti toimittu, luottamus saatiin joka hetki lahjoilla ja vastalahjoilla, palveluksilla ja vastapalveluksilla, koko ajan laskettiin jokaisen kohdalla kuka oli velkaa kenelle ja miten, kuin avoimessa vankilassa, matalalla, luonnollisissa oloissa. Jokaista katsottiin tarkkaan kuin arvoitusta.

Ja uusia alkuja, niitäkin oli. Monet asuivat suljetuissa yhteisöissä jotka lupasivat turvaa jäsenilleen. Kasvavia kommuuneja tuettiin salaa kiertyvällä, aina uutta ja uutta kotia etsivällä vanhalla rahalla. Uskonnolliselta vaikuttavan yhteisön takaa saattoi löytyä ulkomainen sijoitusyhtiö, pankki tai puolue. Suhteet olivat salaisempia kuin koskaan, ihmiset olivat kyyryssä ja kaukainen raha lensi ylhäällä valmiina iskemään jokaiseen tuoton mahdollisuuteen.

Muinaisharrastuksen suosion kasvamista samaa tahtia vedenpinnan nousun kanssa selitettiin eloonjäämisvaiston ilmentymänä, moniasteisesti vapaan modernin ihmisen hätäisenä kääntymisenä kohti jatkuvuutta ja vakautta tilanteessa jossa kivenkovia seiniä nousi kaikkialta ja ympärille muodostui vääjäämätön umpikujien verkosto. Vanhoille rahan ja energian halpuuteen perustuneille löysille ajatuksille ei ollut enää käyttöä. Että jos näillä tuohituokkosilla, haapioilla, hitaasti jankkaavilla runoilla ja verkonmitoilla oli selvitty edelliset kymmenentuhatta vuotta niin kai niillä selvittäisiin seuraavatkin vaikka hammasta purren. Muinaisuuden palvonta oli ratkaisu kunnian krooniseen puutteeseen kunniattomana aikana, tuhoutuneen ja osittain itse tuhon tuoneen kulttuurin tuomioon ja myös lupaus eloonjäämisestä kuoleman ympäröimänä, jatkuvan ja jatkuvasti muotoaan muuttavan uhan alla. Se oli palvontameno, rukous; että jos katseemme nousisi näkemään jokapäiväisiä tuskia laajemmat maisemat se rauhoittuisi tämän vielä kammottavan näyn edessä, äärettömän alamäen edessä. Täytyi vain sitoutua totisesti ja taistella iäisen aatteen puolesta jotta olisi turvassa niin henkisesti kuin fyysisestikin, ja jos ei oma ruumis niin ainakin samanmielisten luoma aatteen ruumis jatkaisi olemistaan. Aate piti vain ensin keksiä ja kyllä niitä keksittiinkin. Oudosti tässä prosessissa sekoittui vasemmistolaisia ja oikeistolaisia äärifantasioita uusiksi makuyhdistelmäksi ja ehkä se oli mitä ihmiset kaipasivatkin: uutta mielen asentoa mutta vanhoista raaka-aineista valmistettuna. Kun peli kovenee, kun ihmisiä kuolee, he alkavat vääjäämättä hakea turvaa toisistaan ja mieluiten vahvasti samanmielisiksi todistetuista; yhteinen mieli tekee joukosta sitä lujemman mitä mielettömämpi aate on. Monia ääriryhmittymiä oli kielletty ja tuhottu mutta tämä muinaisusko nousi kuin varkain kaiken takaa suurimmaksi ja voimakkaimmaksi kai siksi että se sai kätkettyä todelliset poliittiset vaikuttimensa sen kriittisen kasvun hetken kun kukaan ei ymmärtänyt niitä muiden murheidensa vaivaamina esiin kaivaa.

Kallion korkeimmat kohdat olivat hyvin turvassa merenpinnan nousulta. Linjoilta tulisi pääsemään aina sisämaahan, maailmassa ei ollut niin paljon vettä että se nousisi Helsinginkadulle asti. 'Tähän voimme luoda uuden keskustan', Kristillisdemokraatit, Piia-Riitan puolue sanoi ja kannatti Kallion kirkkoa uudeksi eduskunnan kokoontumispaikaksi. Eihän se edes näyttänyt kirkolta vaan kuvitteellisten muinaisten aikojen linnalta kuten suomen kansallisromanttista tyyliä edustavilla rakennuksilla oli tapana. Siirtoideaa oli vatvottu pari vuotta niin kunnallisella kuin valtiollisellakin tasolla ja ensi viikolla asiasta äänestettäisiin kaupunginvaltuustossa. Nyt aiheesta oli puolueen keskustelutilaisuus kirkon puistossa. Ihmisiä oli vähän paikalla mutta tilaisuus lähetettiin suorana kaikkiin kanaviin. Pr puhui ja ihmiset kuuntelivat, minä katsoin suoraa lähetystä vesibussin infonäytöltä matkalla Siltasaarenselän yli:
-Lupaan, että Helsinki pidetään hengissä. Tämä on minun kotikaupunkini, enkä minä ole lähdössä täältä mihinkään! Mutta että Helsinki voisi elää sen täytyy muuttua. Meitä poliitikkoja syytetään saamattomuudesta mutta me mietimme yötä päivää mihin rajalliset ja vääjäämättömästi vähenevät resurssimme riittävät, mikä on mahdollista, mikä jär-

kevää ja milloin on radikaalin muutoksen aika. Itse olen johtanut työryhmää, joka tutkii eduskuntatalon ja koko eduskuntalaitoksen edellytyksiä jatkaa nykymuotoista toimintaansa. Huoltovarmuus nykyisissä tiloissa on laskenut ja Töölön turvallisuustilanne samoin. Olemme ehdottaneet väistötilojen luontia tänne Kallion kirkkoon ja läheisiin kiinteistöihin. Eduskunnallahan on muualla Suomessa valmiita hätätiloja mutta pakoon pötkiminen tässä tilanteessa, luovuttaminen - se ei stadilaisen luonnolle vain sovi, vai mitä? Pr sanoi huutaen muutaman viimeisen sanan ja yllyttäen kuulijat käsielein taputtamaan. Hän jatkoi:

-Taksvärkkitöitä on tänäkin vuonna tehty yli miljoona tuntia, kieltämättä joskus itkien ja hammasta purren, mutta niiden vaikutus on ollut juuri niin hyvä kuin ajattelimmekin: monet evakuoinnit ja infrastruktuurihankkeet kuten Töölön pengertie olisivat olleet mahdottomia kaupallisina projekteina. Taksvärkkeihin osallistuneiden keskuudessa tehtyjen kyselyiden mukaan moni on voinut jäädä Helsinkiin näiden töiden takia ja moni on uskaltanut jäädä Helsinkiin näiden töiden takia. Moni on ymmärtänyt näitä töitä tehdessään tai niitä nähdessään, että ei täältä mihinkään olla lähdössä. Siksi kannatan henkilökohtaisesti eduskunnan muuttoa Kallioon, sillä se on vahva viesti: me taivumme, mutta me emme murru. Helsinki ei ole lähdössä mihinkään, Helsinki ei uppoa! Jumalan siunausta kaikille!

Olin ehtinyt puheen loppuun mennessä nousta maihin ja kävellä Neljännen Linjan ja Siltasaarenkadun kulmaan kun ihmisiä alkoi virrata kirkolta ohitseni Ympyrätalon lauttarantaa kohti. Pian kuulin tutun kovan äänen nousevan muun hälyn yläpuolelle.

-Mitä se PeeÄrrä täällä taas pärisee, sanoin kun hän purjehti kulman takaa esiin lauma turvamiehiä, puolueväkeä ja toimittajia ympärillään.

-Ai hei, Ari, pitkästä aikaa! Kiva kun tulit, kuulitko puheen? Hän sanoi ammattiesiintyjän elein ja äänenpainoin tässä joukkojensa keskellä. Meitä kuvattiin, halasimme nopeasti jäykin niskoin. Toimittajat kyselivät toisiltaan kuka mahdoin olla.

-Kuulin kuulin, sanoin. -No, onnistuuko siirto? Nostaisi mukavasti neliöhintoja täällä sinun Kalliossasi, mitä?

-Älä nyt aloita heti, Pr sanoi ja vilkuili ympärilleen kuunteliko tai nauhoittiko kukaan keskusteluamme. -Hei, minulla menee tässä hetki vielä, mentäiskö sen jälkeen syömään? Voit mennä toimistolle odottamaan. Minun täytyy tervehtiä ensin toimittajia ja puolueväkeä.

Kurkin taaempana käveleviä tavallisia ihmisiä. -Nuo ne menee tästä kai ruokajonoon? Että siksi ne olivat täällä sinua kuuntelemassa, raukat.

-Meillä on täällä tarjoilua. Oletkos sellaisesta kuullut? Puhe, juhlat, tarjoilua. Ihan normaalia elämää.

Turvamiehet päästivät toimittajat irti ja Pr kääntyi heidän puoleensa samalla ohjaten heidät käytävää pitkin Kallion seurakunnan kokoustiloihin. Kävelin puoluetoimistolle, joka oli Kallion kristillisen työväenyhdistyksen vanhoissa tiloissa Torkkelinmäen huipulla pitkässä talossa jossa oli nyt Helsingin kovimmat neliöhinnat. Käytävä ja eteinen olivat täynnä parveilevia ihmisiä, joku tunsi minut ovella ja pääsin livahtamaan sisään. Romautin itseni sohvan nurkkaan ja aloin syödä keksejä kulhosta. Sisustus oli muinainen, mummojen iänkaikkisen ketjun ylläpitämä. Vanhoja ihmisiä, kuivia keksejä, luterilaista perusosaamista. Kurotin nuhjuisen iltapäivälehden pöydältä.

Tappouutinen. Espoolaisessa omakotitalossa oli vietetty lasten syntymäpäiviä. Alempana rinteessä puoliksi uponneen naapuritalon keski-ikäinen omistaja oli riuhtonut märkiä huonekaluja ja muuta roinaa kasaan merenseläksi muuttuneelle pihalleen ja katsonut ylempänä rinteessä kimeänä jatkuvaa juhlintaa. Hän oli palannut juuri sairaalasta, joku oli sanonut sopimattoman sanan tai naurahtanut. Miehellä oli napsahtanut ja hän oli tappanut synttäriperheen isän ja äidin, lapsiin hän ei ollut koskenut. Istui poliisin tullessa keittiön pöydässä sipsejä syöden, lapset olivat paenneet yläkertaan pelaamaan, josta heidät oli löydetty vahingoittumattomina, silmät ruutuun nauliintuneina.

Talousuutinen. Argonaut Engineering saanut kymmeniä tilauksia Euroopasta, aikoo palkata lisää työntekijöitä, lukumäärää ei mainittu. Tekevät asuntolauttoja ja betonilaitureita Kaarinassa.

Sarjakuva. Luurankoperhe istuu aamiaisella. Lapsiluuranko kauhoo muroja suuhunsa mutta ne putoavat leukojen läpi kylkiluille, pöydälle ja lattialle. Lapselta irtoaa hammas, hän huutaa: "Äiti, hammas irtosi!", mihin äiti vastaa huutamalla toiseen huoneeseen: "Isä! Tuo heti pikaliimaa! Keijolta irtosi hammas!"

Kulttuuria. Kirjailija Erika Olisen haastattelu. "En halua kirjojeni sisältävän selkeitä viestejä ja väitteitä. Haluan herättää kysymyksiä siitä mikä on totta. Mikä tekee ihmisestä hyvän tai pahan? Onko minun maailmani sama kuin sinun maailmasi? Olemmeko valmiita näkemään maailman toistemme silmin?"

Urheilua. Jääkiekon SM-liigan oikeudenkäynnit jatkuivat. Punakoita äijiä tiedotustilaisuudessa. Liigaa ei oltu pelattu viiteentoista vuoteen ja nyt sitä yritettiin aloittaa uudestaan, mutta vanhat sotkut estivät jotenkin. Ainoa mitä oli jäljellä, olivat sopimukset mutta ei enää niiden kohdetta, ja puhisevat, vanhat miehet puvuissaan. Taustalla kuvia vanhoista otteluista.

Suomen menestynein start-up, osa tuhat. Vanhoista lasikuitusuksista jalkajousia rakentava Immo Heinänen laajentaa tuotantoaan Baltian maihin. "Kysyntä kasvaa ja valmistusmateriaali on käytännössä ilmaista", Sanoo Heinänen kasvot hohtaen.

Huhut liikuttavat ihmisiä järjettömillä tavoilla: Lofooteille tupsahti keskellä synkintä myrskytalvea kuusisataa maoria, jotka olivat kuulleet varman huhun että Norjassa oli pulaa kalastajista ja paljon kalaa. Vaeltavien ihmisten joukot ylittämässä vartioitua Loirea niin että viikon kuluttua St Laurentin voimala oli suljettava satojen ruumiiden tukkiessa turbiinien vedenottoaukkojen suodattimet uudestaan ja uudestaan.

Yleisönosastokirjoitus jossa paheksuttiin viihdeohjelmien kasvavaa väkivaltaisuutta, niin henkistä kuin fyysistäkin. Katsoin viisi minuuttia sarjaa joka kirjoituksessa oli mainittu, kamppailulajien ja suunnistuksen sekoitusta. Kilpailijat väijyivät toisiaan metsässä ansoja ja salaliittoja viritellen. Moraalinen ja moralisoiva ruuvi oli viihteessä kiristetty äärimmilleen ja enää ei ollut mahdollisuutta kuin ylilyönteihin ja niitä saatiin, toinen toistaan omituisempia. Itse seurasin tv-sarjojen törkeydestä käytyä keskustelua ja oikeudenkäyntejä vertaillen niitä Rooman valtakunnan viihteellistymiseen. Tasaväkisten ja urheilullisten gladiaattoritaistelujen taantuminen sadistisiksi eläinten, orjien ja kristittyjen joukkosurmiksi kesti vajaa kaksisataa vuotta kun maailman ensimmäisen miljoonakaupungin levottomasti vellovaa kansaa yritettiin hallita viihteellä, propagandalla ja ilmaisella leivällä. Ehkä kaikki vain eteni väistämättömiä reittejään, ehkä tehoa ja annoksia piti vähitellen lisätä, ehkä kaikki draama, virallinen ja korkeakin, on aina vain huumetta ja hupia eikä todellisuudessa kanna moninaisissa muodoissaan mitään muuta kuin kulloisenkin uhon höyheniä.

Väsyin lehteen nopeasti. Joka sivulta virtaava ääretön, politiikan ylittävä omahyväinen konservatismi, minkä tahansa tapahtuvan ymmärtävä selittäminen ja pehmentäminen, ruumiskasojen ennakoiva estetisointi, järkytyksen normalisointi, lehdistöön kirjoittavan tai siellä esiintyvän asiantuntijataiteilijan moninkertainen kääriytyminen oman selityskykynsä erinomaisuuteen. En tiedä ärsyttikö enemmän uuden vai vanhan maailman haju ja tämän uuden maailman ihmisistä ne jotka muistelevat mennyttä ja teeskentelivät sen jatkuvan vai ne jotka unelmoivat tulevaa vai ne jotka teeskentelivät ettei mitään rajapintaa ole ja kaikki etenee plastisen luontevasti. Vääntävät asioita vinoon kaikki. Ahdistus kun kaikki se mitä muinaismodernit tulvaa edeltäneet ihmiset saattoivat kevyesti sen tarkemmin seurauksia miettimättä tehdä olikin äkkiä poissa ja tilalla kylmänhämärän maiseman ahtaat seinät ja tieto siitä että mikään polku ei vie mihinkään. Ei enää talouden syvää multaa minkä päällä innovoida kuin iloinen köynnöskasvi kevätauringossa tai maata sen sisässä kuin omahyväinen, ikuisesti-itämätön juures kylkeään kääntäen. Kun mikään, kerta kaikkiaan, sanan varsinaisessa mielessä, ei enää vienyt minnekään. Miljoonat puolipomot ja -päälliköt penkeiltään kuraan kumottuina.

Se mikä varsinaisesti upposi oli ihmisen uho, ja se mitä ihmiset nyt uudelleen rakensivat oli uutta uhoa, rääpivät mistä irti saivat suuruutta ja pätevyyttä, asentoa missä näyttää taas hyvältä ja merkittävältä. Miten mieltä tyynnyttävästi ja kauniisti se olikaan ihmisten kesken ennen pilkottu ja jaettu tasaisesti pienimpiin osasiinsa asti. Hauska oli katsoa miten johtajat kierittävät itseään äärettömien akseliensa ympäri aina uusiin asentoihin katastrofien ja ideologioiden purkaessa ja rakentaessa henkisiä kuivausteiineitä jo moneen kertaan vettyneille ja mätäneville ajatuksille. Pr pahimpana, kuin kaikkien kryptisimpienkin itämaisten taistelulajien zen-mestari putoamassa aina jaloilleen mitä monimutkaisimmista volteista artefaktit hallussaan. Hänen turvassaan minäkin olen metsiä nuohonnut, syvimmistä korvista aina kävelymatka hänen miljooniensa äärelle käsiäni lämmittelemään. Minä taistelin sitä vastaan mutta mitä muuta kuin turvaa me nyt ja aina kaipaamme ja miten harvalla sitä onkaan jaossa. Olin hyvin iloinen hänen soitostaan, näistä kuivista kekseistä ja laihasta mehusta, tästä sohvasta, evankeliumista.

Pr ryntäsi sisään ja melkein huusi. Kaikki kuulivat.

-Aki, minulla on ihania uutisia! Elsa on elossa!

-Sinä sanoit että hän on kuollut. Että sinulla on todisteita.

Olin raivoissani ja kauhuissani. Katsoin hänen esiintymisen vimmauttamia kasvojaan ja yritin miettiä kaikkia vaihtoehtoja, kaikkea mistä oikeasti voisi olla kysymys.

-Minä vähän valehtelin, Pr sanoi yhä hymyillen. -Et sinä olisi muuten tullut. Elsa on kadonnut, se on totta. Mutta minulla on todisteita siitä että hän on hengissä.

-Ja päätit sanoa minulle että hän on kuollut? Ajattelit että se kiinnostaa minua enemmän?

-Ajattelin että tulet varmemmin.. olittehan te jo eroamassa kun kun hän katosi. Ette asuneet yhdessä.

-Ei, kyllä me asuttiin yhdessä eikä me oltu eroamassa. Minä olin töissä siellä Jyväskylässä! Sanoin valheestani kiihtyen.

-Elsa kyllä sanoi niin, Pr sanoi, sytytti yhdellä liikkeellä tupakan ja puhalsi savut voimalla ylös. Kahvipöytää asetteleva mummo katsoi häntä pahasti mutta väistyi äkkiä Pr:n energian tieltä.

-Ei hän ole ainoa joka minulta on kadonnut, sanoin apeana.

-Ei varmaankaan. Mutta et tiedä miten hän sinusta puhui. Miten hän horjui ilman sinua, miten hän vihasi sinua silmät palaen.

-Saattoi hän olla suuttunut. Olin paljon poissa. Onhan se erossa olemista.

-Ei naista saa näinä aikoina jättää yksin, Pr sanoi.

-Se on varmasti totta, eikä ihmistäkään. Sain töitä, oli pakko mennä.

-Olisitte voineet asua minun luonani. Säästää rahaa. Silkkaa pelleilyä!

-Eihän se rahasta ollut kiinni. En minä teidän nurkissanne olisi pärjännyt. Kaksi tuollaista ylienergistä kakoa. Ette kai tekään olisi saman katon alla kauaa kestäneet.

-No, voi olla niinkin. Siitä on kokemuksia, Pr sanoi.

-No. Missä hän nyt sitten on?

-Sain varman tiedon. Hän on ollut kommuunissa Laajasalossa vielä aivan äskettäin. Hän on ilmeisesti tarkoituksella piilotellut meiltä molemmilta.

-Minkälainen kommuuni se on?

-Sieltä radikaalimmasta päästä. En tiedä tarkemmin. Elsan opiskelukaveri Mimmi on siellä myös. Hän minulle soitti.

-Miksi?

-Koska Elsa katosi vähän yli kuukausi sitten sieltä kommuunista eikä palannut. Mutta kaksi viikkoa sitten hän on ollut elossa, Mimmi näytti päivätyn valokuvan. Sinähän tunnet sen tytön, menet juttelemaan sen kanssa. Olen sopinut sen niin.

-Se Mimmi on siellä kommuunissa? Mikset mennyt itse tapaamaan häntä?

-Yritin mutta eivät päästäneet. Väärä naama, väärä puolue.. olenko ehkä ollut heitä vastaan jossain asiassa, en muista. Osoite on Kumianpää 9.

-No se Mimmi on kanssa yks seko, sanoin. Muistin hänet hyvin. Hän oli houkutellut Lenan kommuuniin palopuheillaan.

-Ystävällisesti juttelet sille, Pr sanoi. -Vie sille suklaata tai jotain herkkua, mitä ne hörhöt nykyään syö, kääpiä, heinää? Vanhoja T-paitoja?

-Eikös ne tykkää riisistä? Mistähän sitä saisi?

-Ei kai mistään. Hei Perttuli! Soitatko Stockalle ja kysyt onko niillä riisiä siellä?

-Okei, kuului rauhallinen ääni viereisestä huoneesta. Perttuli oli ollut Pr:n kuljettajana ja turvamiehenä jo yli kymmenen vuotta. -Mitä vaan riisiä? Perttuli tarkensi.

-Ihan mitä vaan, mieluiten tietty jotain itämaista, basmiinia vai jasmiinia, mitä niitä on.

-Ei mitään puuroriisiä? Perttuli tarkensi.

-Jaa. Voisiko olla puuroriisiä, mitä luulet? Pr kysyi minulta.

-Kyllä minun mielestäni voisi olla. Riisi on kovaa kamaa.

-Jaa jaa. Pr katseli hetken ulos ikkunasta ja kääntyi sitten taas puoleeni. -No. Mitäs sinulle kuuluu?

-Ulkoilmaelämää, sanoin.

-Pyörit siellä vesillä aina vaan. onko joku kovakin halu kuolla?

-No ei varsinaisesti.

-Niin kuin ei olisi muutenkin tarpeeksi murhetta ja vaivaa.

-Meri se on ihan sama kuin aina. Ei siellä ole mitään hätää. Rosvotkin on merellä laadukkaampia kuin täällä haisuläävässä.

-Pidä pelastusliivit päällä että saadaan edes ruumis takaisin. Se on nykyään paljon.

-Pidän pidän. siinä on isot taskut, kiviä täynnä. voi siinä vajotessaan miettiä että lau-
kaiseeko liivin vai ei.

-Kiusaat vanhaa anoppias!

-Kiusaisin, vaikket olisikaan. Niin kun et olekaan.

Pr naulasi silmänsä omiini kiinni.

-Nuoret naiset on niin tyhmiä. Minä tiedän, minä olen ollut sellainen. No tietysti tämä
kamala aika on helpompi jos on itse kamala. Elsa ei millään uskonut että pitää varoa
kaikkea koko ajan. Minä olen häntä opettanut ja opettanut. Mutta hän on meitä molem-
pia nuorempi, hän on syntynyt tähän maailmaan, tuhot ja kauhut hierottu syntymästä
heti naamaan kiinni. Tulee erilaista jälkeä siellä sisällä, Pr sanoi otsaansa kopauttaen.

-Elsalla oli aina ihan eri vaihde silmässä, sanoin. -Se melkein pimahti tenttikaudella,
se ei kestänyt sitä että luettiin vierekkäin hiljaa samoja kirjoja. Toivottavasti se on löytä-
nyt jonkun kunnianhimoisen uskovaisen motoristin joka vie sitä seikkailuihin.

-Se kyllä näki että sinä olet lahjakas. Mutta aika pian se näki myös että et ole mikään
motoristi.

-Olenhan minäkin höyrypää jos kuka.

-No olet, mutta sinussa on vääränlaista höyryä, siinä on liian vähän painetta, se on en-
nemminkin sumua, tuossa silmien kohdalla varsinkin.. Pr sanoi ja hosui tupakallaan sil-
mieni edessä.

-Se on tämä aika, vastasin.

-Niin, minä luulen että Elsalla on oikein hauskaa kun se menee tuolla pää kolmantena
jalkana. Kyllä minä sen ymmärrän, sen kiihkon ja kaiken. Joku muu minun pitää kohta
keksiä töitä tekemään.

Perttuli astui keittiösyvennyksestä ja sanoi: -Ei ole riisiä. Spagettia olisi ja monenlais-
ta pastaa.

-En minä spagettia kyllä vie, sanoin Pr:lle. -Se nyt olisi jo naurettavaa. Menen ilman.

-Ota vähän rahaa mukaan.

-Eikös se ole vaan huonoksi, sanoin.

-Ei, ne on siellä aika heikoilla. Siksi se Mimmikin minulle soitti, ruokaa vastaan.

-Oho.

-Ne yrittää viljellä siellä mutta kaikki oli mennyt pieleen tänä keväänä kun satoi niin
paljon ja oli kylmä. Laitan sinulle rahaa mukaan että voit antaa Mimmille. Laitan sinulle
myös, tilille.

-Kiitos, en kieltäydy, vastasin.

-Me heitetään sut sinne. Perttuli! Ota avaimet, heitetään Ari Laajasaloon.

-Okei, sanoi Perttuli ja veti kengät jalkaansa. Hän oli iso ja hyvin rauhallinen mies.
Hän tuli ja kätteli ja sanoi: -Ari, pitkästä aikaa. Onko meri ollut tasainen sinulle?

-On on, ei mitään valittamista. Ja joet, aijai, niin kuin alamäkiä!

-Heh, sehän kuulostaa mukavalta, Perttuli sanoi ja käveli ovesta ulos. Odotin kun Pr jakoi käskyjä mummoille ja sitten menin hänen perässään ulos. Auto, iso mersun maasturi oli ihme kyllä kadulla noin vain, mutta ehkä en vain nähnyt vartijoita. Astuimme kyytiin ja lähdimme ajamaan. Kohta tulikin kadulla portti vastaan, olimme olleet suljetulla alueella. Portti aukesi edessämme ja sulkeutui takanamme.

-Miten sinä voit mennä täällä yksin ilman saattuetta?

-Meillä on maksetut hälyt, mennään suojasta suojaan, pisteeltä toiselle. Pääreitit päivisin ovat täyden tarkkailun alla. Jokainen merkattu mies ristikko otsallaan kun minä menen tästä. Ei se halpaa ole, kaksisataa euroa kilometri.

-Jaha. No miten Suomi makaa? Kysyin Pr:ltä. Politiikan laajat kaaret, niistä hän aina tykkäsi puhua. Mitä eturivissä olijan pitäisi kunakin hetkenä tehdä tai olla tekevinään.

-Aika syvällä. Aika poikittain.

-Miten sen Tampereen kanssa käy?

-Minä en kannata sitä kuten tiedät. Minulta menee tällä hetkellä kaikki aika sen kanssa. Siis sen vastustamisen kanssa.

-Sun kiinteistöjen hinnat laskisi täällä.

-Ei se sitä ole. Jos Helsingistä lähtee hallinto, niin lähtee ihmisetkin ja kohta kaikilta rannoilta. Se on vaan liian iso muutos, vaarallinenkin. Pitää olla jatkuvuutta, pitää olla asennetta vaikka pallit märkänis!

-Miltäs ensi vaalit näyttää?

-Ai meidän, vai minun kannalta? Kyllä minä aina läpi menen.

-Ei kun kokonaiskuvio. Ei sinusta ole mitään epäilystä.

-Kokonaiskuvio on se, ettei ole mitään kokonaiskuviota. Persut päättää ja me kompataan.

-Eikö ne persut ole vähän olleet sekaisin?

-Mitä sinä tarkotat sekaisin? Mitä sinä tarkoitat vähän? Nauroimme molemmat.

-Ei vaan, Pr jatkoi. Persut menee keskeltä kahtia minä hetkenä hyvänsä. Monettako kertaa.

-Teillehän se sopisi.

-No se sopisi varmaan kaikille jollei se sotkisi taas kaikkea. Mitäs tuossa tapahtuu? Pr sanoi ja osoitti Helsinginkadulla kyljellään makaavaa kuollutta hevosta ja vääntynyttä ravikärryä.

-En osaa sanoa, Perttuli sanoi ja kiersi hevosen raitiopysäkin kautta ja jatkoi matkaa kohti Kurvia.

-Näytti ihan hyvältä hevoselta, sanoin.

-No niin näytti. Kuka haaskaa hyvän hevosen. Soita Jantuselle että menee katsomaan sitä.

-Okei, Perttuli vastasi ja tilasi miehen paikalle muutamalla sormen liikkeellä keski-konsolin yllä. Keskikonsoli huomasi tuijotukseni ja avasi jalopuisen kantensa ja antoi motorisoidun juomatelineen tölkkeineen työntyä esiin ja minua kohti.

-Saako tästä ottaa kaljan? Kysyin Pr:ltä.

-Saa ottaa. Riisi voi olla kallista mutta kalja on halpaa. Mikähän siinä on?

-Kun ihmisiä kuoli 1860-luvun nälkävuosina niin on laskettu että jos olisi jätetty kal-jat panematta ja viinat keittämättä ei kukaan olisi Suomessa nälkään kuollut, sanoin ja kaadoin pitkän kylmän kulauksen kurkkuuni niin että korvissani kohisi.

-Historian opetukset, osa neljäkymmentäviisi, Pr sanoi.

-Sekin oli tulivuoren aiheuttama katastrofi, lisäsin, mutta Pr puhui päälleni: -Ai että kuule, on niin montaa juttua ilmassa ettet uskokaan. Onneksi on sentään melkein nälän-hätä nytkin niin että ihmiset edes vähän fokusoi. Me tehdään gallupeja mutta ei ihmisistä saa mitään järkevää ulos enää. Kaikki on ihan hulluja. Minä olen pitänyt itseäni räväkkä-nä muijana joka puhuu kovaa tekstiä, mutta nyt huomaan että olen ihan keskustakonser-vatiivi, ei me saada houkuteltua ihmisiä meidän kuvioihin enää millään kovilla paukuilla vaan ihan päinvastaisilla jutuilla. Maltillisuudella, herra varjelkoon. On vaikea miettiä mitä ihmiset haluavat, tai mitä edes itse haluaa. Rajat kiinni vai auki, siis teoriassa vain tietysti, ei niitä kukaan pysty valvomaan, työvelvollisuuslain kiristykset, välillä niitä kannattaa kaikki ja välillä ei. Verojen kiristämiset ja helpotukset. Milläs sitoutat rikkaat ja kyvykkäät kun ne on jo lähteneet kuin muuttolinnut etelään, millä haavilla niitä pyy-dystelet? Ja toinen puoli sinä mukaan lukien mökeltää tuolla metsissä naama turpeessa eikä puhu eikä pukahda, jotain käsittämätöntä väkivaltaista ähinää ja älämölöä vaan tu-lee ulos kun kysyy mitä tahansa ja ihan sama ystävällisestikö vai nyrkkiä naaman edessä heristäen!

-Rikkaiden keskinäinen kunniantunto.

-Mitä?

-Että olisi jokin toinen syy rikkaiden keskinäiselle kunnialle kuin vain se rikkaus. Se sitouttaisi.

-Älä hölise, Pr tuhahti, veti savua keuhkoihinsa ja jatkoi katkeamatonta puhetulvaan-sa. Katselin auton ikkunasta Itäisen kantakaupungin uponneita kaupunginosia kun sin-gahdimme Kalasataman pilvenpiirtäjien välistä Itäväylälle. Suvilahti, Sompasaari ja kauempana tihkuisen udun takana Arabia kaikki kuin silmät tiukasti kiinni pusertuneina astuttuaan nivusiaan myöten kylmään veteen. Hauraan olemisen jälkiä siellä täällä, ve-neitä, vaatteita kuivumassa parvekkeilla, ohuita savuja, roskaa ja saastaa. Kun valo hei-jastui sopivassa kulmassa näki missä asunnoissa oli pesty ikkunoita, ehkä joka neljän-nessä. Ei töitä, ei kunnon kalaa meressä. Sekavia ja hämäriä kuvioita, levottomuutta ja epävarmuutta, pieneneviä ja huononevia avustuksia, nälkää. Liuennut yhteiskunta joka odotti ja odotti. Odotti mitä kamalaa tapahtuisi seuraavaksi, ja mietti: Muusta maailmasta minkähänlaisia uutisia olisi jos lukisi, ja jätti lukematta. Mustikkamaa, yhdessä yössä pois syödyt Korkeasaaren eläimet.

-Koskas tämä Itäväylä suljetaan? Kysyin Pr:ltä kun aallot iskivät tien reunoihin ja pärskeet lensivät tuulen mukana eteemme asvaltille ja auton tuulilasiin.

-Ei näitä enää suljeta. Kukin ajelkoon omalla vastuullaan miten huvittaa.

-Hajoaako tämä?

-Jotain betonilauttoja tähän on laitettu tueksi vai oliko se Länsiväylällä, miten se oli. Että vesi ei nosta tai paina, siihen se liittyi, mutta miten päin se oli? Minulta alkaa muisti mennä näiden juttujen kanssa, niin monta hätäratkaisun hätäratkaisua olen ollut mukana päättämässä, ja onko niitä edes toteutettu? Valvontahan se vasta olematonta onkin. Olinhan minä siellä Tukholmassakin puoli vuotta, Pohjoismaiden pelleparlamentissa.. Voi luoja minun olisi pitänyt jäädä sinne teeskentelemään eikä palata tänne näiden höyläämättömästä mädästä laudasta kyhättyjen kääpien sekaan.

Pr aloitti kaarrellen oman historiansa taivastelun. Olin kuulut siitä monia versioita, hän lauloi aina saman virren hieman eri sanoin: Minä olen kärsinyt, miten minä olenkaan kärsinyt, miten minut on käsitetty väärin, minun hyvyyteni pahuudeksi maalattu. Katkaisin hänen vuodatuksensa: -Miksi se Mimmi vihaa sinua?

-Hän vei Elsan sinne leiriin kuin jonkun tahdottoman kanin.

-Ei se Elsa jonka minä tunsin ollut tahdoton, sanoin.

-Hän muuttui sellaiseksi kun lähdit.

-Miten se on mahdollista?

-Kai kostoksi.

-Millain kosto se on?

-Suomalainen. Luovuttaminen.

8.

Vanhat myytit jotka olivat kituneet rikkakasveina teknistaloudellisen maailmankatso-
muksen varjoissa röyhähtivät romahduksen jälkeen uudella innolla esiin. Perinteiset us-
konnot, niiden lahkot ja lukemattomat uususkonnot muodostivat henkisten virtojen se-
kaisen pyörteen joka yritti napata taivaan myrskytuuliin karkaavaa ihmistä vauhdista
kiinni ja takaisin kiltiksi. Koska uusissa aatteissa oli niin vahvasti kyse pieniin ensisijai-
sesti henkiinjäämisestään kiinnostuneisiin yksikköihin jakautumisesta, oli jännite mo-
dernin kristillisyyden laajaksi levinneen solidaarisuuden tai ainakin sen esittämisen
kanssa jatkuva ja siksi lahkot radikalisoituivat ja erkanivat toisistaan nopeasti. Filosofi-
sen logiikan mutkat joilla eri leireissä oman edun tavoittelu kaunistellen perusteltiin oli-
vat jatkuvan pilkan kohteena puolin ja toisin. Juuri nyt muodissa oli alkukristillinen
harvainuskonnollisuus; lahkolaisten mielestä kristinuskon aito muoto löytyi puhtaasta
evankelisuudesta ennen kuin Paavali kavereineen kehittivät siitä väkisinlevitettävän tau-
din. Kristinuskon alkua tutkittiin ja siitä esitettiin toinen toistaan villimpiä teorioita,
Tuomaksen ja Juudaksen evankeliumeja vaadittiin osaksi Uutta testamenttia.

Muinaisharrastus taas nosti tasaisesti suosiotaan koska siinä yhdistyivät taantumisen
ja edistyksen, kurjuuden ja herooisuuden, kulttuurin tuhon ja uudelleensynnyn laajat
skaalat maallisessa muodossa. Joka tapauksessa ihmiset joutuivat palaamaan talouden
romahdettua vanhoihin elintapoihin ja tämä pakko johti luontevasti vanhoihin aatteisiin,
antoi tälle surkealle nuhjaukselle ja mutaan uppoamiselle edes pientä hohdetta rääsyjen
rispautuneisiin reunoihin. Kuin muka olisimme itse valinneet tämän estetiikan, nämä
vankilan päällekaatuvat muurit.

Kolmas osa jatkoi kuten ennenkin, etenkin hyväosaiset. Aina oli niitä joille tasainen
jatkumo ja sen muihin pakottaminen oli paras vaihtoehto oli laivan kansi sitten missä
kulmassa tahansa todellisuuteen nähden. Vallan- ja viranpitäjät, varakkaat ja virallinen
propaganda toitottivat normaalin arjen mahdollisuutta. Mikään ei ollut koomisempaa
kun ruumiskasojen raoista vingutut uudenvuodenpuheet ja television katkeamatonta
omahyvää tursuvat keskusteluohjelmat joita oli hauska vertailla pirteään sotapropagand-
aan toisena aikana, toisella kanavalla. Rukousmyllyt pyörivät vinhasti monissa limittäi-
sissä ulottuvuuksissa ja hankautuivat toisiaan vastaan.

Kommuuni oli suuressa valkoisessa kerrostalossa Laajasalon korkeimman kallion päällä. Sisäpihalle oli tuotu multaa ja mutaa merenpohjasta puutarhaa ja laidunta varten ja koko kolhoosi oli ympäröity kaksinkertaisella piikkilanka-aidalla joka luikerteli graniitin yli ja talojen ympäri kauniista käkkärämännyistä tukea ottaen. Paikka näytti vankilan, linnakkeen ja lähiön sekasikiöltä. Kerroin asiani A-rappun ovella seisoville vartijoille ja minut ohjattiin ensin rapun läpi sisäpihan aitaukseen ja sitten talon seinää pitkin kulkevaa piikkilankakäytävää B-rapun ovelle. Ihmisiä haurailla viljelyksillä polvillaan kai rikkaruohoja kitkemässä. He nostivat päänsä ja tuijottivat minua kuin hätkähtynyt peuralauma.

Mimmi odotti käytävässä lasioven takana ja avasi oven lukosta kun näki minut ja sanoi sen raosta: -Hei Ari! Astu sisään.

Tein kuten käskettiin. Mimmi kokeili takanani että ovi oli lukossa, rynkytti pitkästä mustasta kahvasta. Sanoin:

-Mimmi! Pitkästä aikaa. Onpa sinusta tullut aikuinen!

-Semmoista se on. Ja partakin kasvaa vihdoin!

-Jaa niin, minulle! ja sano vaan, että tukka lähtee, mitä siinä vilkuilet.

-Vuodet menee. Omahyväinen hymysikin on vähän laantunut.

-Oliko minulla sellainen?

-Oli.

-No?

-Mitä no?

-No Elsa, missä hän on? Onko hän täällä?

-Minulla ei ole oikeastaan lupaa puhua siitä. Tule, mennään tuonne tapaamishuoneeseen.

Hän ohjasi minut hämärään pyörävarastoon jossa hylättyjen pölyisten pyörien kekojen välissä oli puinen pöytä ja ikiaikaisia valkoisia muovituoleja. Kysyin istuessamme alas:

-Ei ole lupa puhua mistä? Elsasta? Sano suoraan. Hänelle on tapahtunut jotakin. Onko hän kuollut?

-Hän ei ole kuollut.

-Tiedättekö missä hän on?

-En. Mutta voin luvata, että etsimme häntä.

-Te.. lähdette toinen käsi kaapua pidellen tuonne kallioille huhuilemaan häntä, niinkö? Mimmi katsoi minua vihaisesti. Kysyin: -Oletteko antaneet jutun poliisille?

-Emme. Ei ole tapahtunut mitään rikosta.

-Minä haluaisin puhua hänen kanssaan.

-Te olette eronneet. Ei hänellä ole velvollisuuksia sinua kohtaan. Hänen velvollisuutensa ovat nyt täällä.

-Minä näen sinun syyllisestä naamastasi että te olette jotenkin ajaneet hänet ahdinkoon. Olette antaneet hänelle jonkun liian hankalan työn, kiltille ihmiselle.

71

Mimmi painoi katseensa alas. Olin osunut johonkin. Hän nosti entistä vihaisemman ilmeensä ylös.

-Aki, minua hävettää sinun touhusi. Mitä enemmän minä sinua ajattelen.. Tulen juuri Kaarinan luota, muistatko hänet?

-Hän oli teidän koulukavereita. Se pitkä, suoratukkainen, yläilmoja nuuskiva.

-Hänen pikkusiskollaan on tuberkuloosi ja..

-Älä mene sinne. Ihan vaan vinkkinä. Lääkkeet ei tepsi siihen enää.

-Tuota minä juuri tarkoitin. Totta kai menen, he ovat ystäviäni.

-Auta ihmeessä. Mutta aina joku kärsii jossain, jossain on joku sukulainen tai ystävä aina huonossa kunnossa jota pitäisi ajatella yölläkin. Saa auttaa mutta pitää tehdä kaikenlaista muutakin. Kieltämättä minun tekemiseni kuuluvat enimmäkseen tähän joukkoon "muutakin".

-Se on kaikki vain ahneutta. Menit ja teit mitä huvitti, muka jotain tutkimusta vaikka et saanut mitään järkevää aikaiseksi, pelkää melua ja hybristä. Se oli huijausta läheisiäsi, varsinkin Elsaa kohtaan. Ainoa mitä olit olit pois Elsan luota. Se oli ainoa mitä sinä olit, vuosikausia.

-Tuolla metsässä ja merillä tai siis pois täältä minä olisin pystynyt suojelemaan häntä. Minä sanoin sen hänelle monta kertaa. Minä en pystynyt suojelemaan häntä täällä murenevan kaupungin älyttömyydessä, täällä tuollaisten ystävien ja sukulaisten älyttömyydessä!

Mimmi katsoi minua hiljaa raivoissaan. Jatkoin:

-Kun vedenpinta nousee metsä on samaa metsää ja meri on samaa merta, ainoastaan ihmisen tavarat ja tavat uppoavat. Uusia puhkeaa tilalle. Hieno tilaisuus joko kellua tai upota roinan mukana, saa valita. Sinäkin voisit lähteä minun mukaani, vaikka heti. Tuolla on ihan asiallista elämää mitä kauemmaksi täältä menee. Tiedotusvälineet valehtelevat.

-Minä olen täysin turvassa täällä. Miten sinä minusta muka välittäisit, Mimmi tuhahti.

-Minä tunnen väkeä muista kommuuneista. Voisin suositella sinua. Kommuuneista, joissa suurin piirtein saa pitää päänsä, suorassa.

-Tämä paikka on minun kotini. Ja tämä on myös Elsan koti. Me olemme sitoutuneet tähän.

-Muistakaa sitten ettette liikaa poikkea laumanne opeista. Voi olla epäterveellistä. Nyt ihmisten porukat ovat pieniä ja tiiviitä ja niihin on integroitu kaikki, myös väkivaltakoneistot. Etteikö te asu yhdessä, viljelette maata yhdessä, menette keskenänne naimisiin, päätätte kuka on sisäpuolella ja kuka jätetään kylmään..

-Kaikki täällä on syntynyt itsestään, käytännön tarpeista, ruuan tuottamisesta ja turvasta. Sinä liikut niiden muinaisharrastajien vai minkä prätkäjengiläisten piireissä. Onko ne muka enemmän oikeassa sinun mielestäsi? Samanlaisia lahkolaisia nekin on, perustelevat vaan tekonsa maailman pahuudella, se on se varsinainen ero.

-Pärjääkö teidän porukka prätkäporukalle kun törmäätte pimeällä kujalla? Epäilenpä. Ja prätkäporukassa on uskonnonvapaus ja ajattelunvapaus.

-Kilttejä ajatuksia ei varmasti saa ajatella!

-Sinä luulet että tuo kristillisyys ärsyttäisi minua, ja eläinten ja kasvisten paapominen ja palvominen, mutta ei ne ärsytä muuten kuin ajanhukkana, että ette pysty paremmin käyttämään aikaanne, vaikka nyt sitten jumalanne hyödyksi.

-Mikä ihmeen saarna!

-Tämä muuten on saarna, ja arvaa miksi? Ajat huononee vielä tästä, ja ihmiset huononee mukana. Koko ajan on vaikeampi keskittyä mihinkään järkevään. Olisi luullut kun Maailmantalous romahti että ihmiset olisivat rauhoittuneet mutta ei. Tämä tuho on kauheaa ihan muista syistä kuin olisi luullut. Olisi luullut että olisi tullut rauhoittumista ja keskittymistä, aikaa olla, mutta ei. Ei ihmiset lue eikä mieti enempää vaan vähemmän, ja aina vaan tyhmempiä ja tyhmempiä ajatuksia. Se on se varsinainen kauhu ja kammotus!

-Tule joskus katsomaan meidän touhuja. Voisit yllättyä iloisesti, Mimmi sanoi.

-Voi olla. Anteeksi. Te teette varmasti hyvää työtä. Anteeksi tämä humalainen höpötys. Nyt minä olen hiljaa. Join yhden kaljan autossa. En ollenkaan kestä sitä, sanoin.

-Täällä ei saa juoda alkoholia.

-Saako täällä olla kännissä?

Mimmi ei vastannut mitään mutta hänen toinen suupielensä nyki. Jotakin hän tuntui olevan vielä velvollinen minulle sanomaan, muuten hän olisi jo häätänyt minut pois. Jatkoin:

-Tiedätkö tämän paikan historian?

-Setäkö opettaa.

-Voi olla että täällä asiat kerrotaan hieman eri kulmasta. Esimerkiksi niistä väkivaltaisista iskuista mitä teidän jäsenenne tekivät tai että perustajajäsenet olivat anarkokristittyjä.

-Tuo kaikki on tiedossa eikä sitä historiaa täällä häpeillä tai sensuroida, Mimmi sanoi.

-Ai sillä ylpeillään jo? On teidän käsityksenne kristinuskostakin melko poikkeava. Gnostilainen harvainuskonto, kaksi kymmenestätuhannesta ja mitä vielä, Jeesus oli foinikialainen joka vaelsi teininä Goalle ja takaisin? Joko on kolminaisuuden pyhä henki vaihdettu takaisin äidiksi?

-Meillä on tutkijoita, jotka ovat sitä mieltä, kyllä. Ei ne kuitenkaan ole mitään uskonasioita joita pakotetaan meihin, meillä on henkistä liikkumatilaa, me saamme ajatella kaikenlaisia ajatuksia. Tärkeämpää on ihmisten fyysinen yhteisö, hyvä tahto arkipäiväisissä toimissa. Ihan oikeasti yritämme järjestää asiat parhain päin. Sinä et tiedä että meidän tärkeimmät säännöt koskevat johtamista, johdon kiertoa ja järjestelmää itseään. Emme halua mitään johtoryhmää joka kaappaa järjestömme kruunuksi itselleen. Se on se ensimmäinen käsky! Ei me missään tynnyrissä olla täällä. Täältä saa lähteä ja tulla takaisin, kaikkea saa lukea. Sinä olet se jolla taitaa olla niitä harhakuvitelmia. Aiomme syrjäyttää Pluton, Merkuriuksen ja Apollon. "Nainen vaietkoon seurakunnassa." Niin kauan kuin pyhässä kirjassa lukee näin, on se pyhäinhäväistys ja väärä kirja! Mimmi sanoi ääni nousten.

-Karunnäköinen paikka tämä ainakin on, sanoin puheenaihetta vaihtaen. -Askeettista alkukirkollista tyyliä kuten kunnon lähiössä pitääkin. No tämä toimii sitten hyvin? Sanoin ja nousin seisomaan. Kurkin likaisen kapean ikkunan läpi pihalle mitään näkemättä. Kuului kaksi vaimeaa laukausta. Käännyin katsomaan Mimmiin, mutta hän ei reagoinut, ehkä hän ei kuullut niitä. Hän sanoi:

-On jotain ongelmia, mutta aina ne johtuu ihmisistä, yksittäisistä ihmisistä, ihmisistä joilla on liikaa ideoita ja haluja. Totta kai tällaiseen paikkaan päätyy sekalaista sakkia.

-Minkälaiset ovat teidän neulansilmänne joiden läpi kyttäätte tulijoita?

-Tätä voisi pitää maatilana tai osuuskuntana ja uudet ihmiset rekrytoidaan kuin olisivat tulossa töihin meille. Kuulostaa ehkä tylyltä, mutta siihen on täytynyt mennä. Oven takana on satoja ihmisiä koko ajan.

-Tuollako?

-No ei tuolla fyysisesti, vaan ilmoittautuneena. No telttailee siellä nytkin muutamia kymmeniä ihmisiä. Pidämme niistä vähän huolta, jaamme ruokaa.

-Joku sanoi että teillä on täällä huonosti asiat. Siis Pr sanoi.

-Millä tavalla huonosti?

-Että ette pärjää, että viime sato oli huono, rahat loppuneet, kaikenlaista.

-Se on valetta tai väärää tietoa. Meillä menee paremmin kuin koskaan, paljon paremmin kuin ulkopuolella. Se on päivänselvää. Tänä aikana yhteisöllisyys on kaikki kaikessa, ainoa ratkaisu. Tuollaisen rautakangenkin pitäisi se ymmärtää.

-Nythän on poikkeustilanne. Tämä toimii kun kaikki valtiaat ovat heikkoina mutta kun taivas taas selkenee ja raha alkaa virrata nämä ihmiset häipyvät täältä fiksumpiin leikkeihin ja isot pojat laittaa teidät takaisin ruotuun.

Mimmin silmiin syttyi palo ja hän jatkoi kovemmalla äänellä:

-Tästä kasvaa uusi yhteiskunta, se on päivänselvää! Tiedätkö kuinka monta tällaista paikkaa on jo Suomessa, pohjoismaissa, Euroopassa? Kymmeniä, satoja, tuhansia. Suuri osa meidän ajastamme kuluu uusien yhteisöjen opastamisessa ja alkuun auttamisessa. Ja jos kapitalismista unelmoit, voin sanoa että näiden paikkojen kustannustehokkuus on aivan eri luokkaa kuin tuon maailman tuolla ulkona.

-Eihän maailman olekaan tarkoitus olla kustannustehokas. Maahan ei osu auringon valosta kuin kaksi miljardisosaa ja siitä hyödynnetään alle kymmenesmiljoonasosa. Suuri osa kaikesta maailmankaikkeuden energiasta huitelee kenenkään katselemattomana himmeänväpättävänä valoharsona pitkin loputtomia tyhjyyksiä. Hirveää tuhlausta koko maailma. Ja sitten ihminen vielä kuolee, kaikkine kalliilla ja vaivalla hankittuine ajatuksineen ja aatteineen tuosta vaan, kesken höpinän. Tuhlausta alusta loppuun.

-Älä pilaile. Me neuvottelemme viranomaisten kanssa tiettyjen palvelujen tuottamisesta, ruoka-avun jakamisesta, terveyspalveluista ja muusta, monissa maissa. Saatpa nähdä.

-En minä ole teitä tuossa mielessä kritisoinut.

-Tulevaisuuden yhteiskunta tulee järjestymään modulaarisesti. Itsenäiset yksiköt liittyvät vastavuoroisesti toisiinsa ilman pakkoa, toisiaan edistäen ja auttaen. Kaikki liitokset ja rakenteet tulevat olemaan positiivisia ja vapaaehtoisia, Mimmi sanoi ja avusti käsimerkein lauseidensa sisällöt. Hän oli puhunut tällaista puhetta paljon, näki miten luontevasti sana lähti hänen suustaan. Näitä keskusteluja meillä oli Elsankin kanssa kun hänen uskonsa oli alkanut vahvistua, osasin nämä jutut ulkoa. Sanoin: -Jaahas, taas lähtee vanha pylly möyrimään.

-Kristinusko oli yhteiskunnallinen liike alunperin, poliittinen liike, Roomanvastainen liike, kapinaliike. Siksi he taivasten valtakunnasta puhuivat, vastakohtana ja haasteena maalliselle vallalle. Nyt on samanlainen aika. Meihin harvainvalta murtuu. Nyt me onnistumme, meissä ei voi koskaan tulla harvainvaltaa, se on meidän peruskirjamme ensimmäinen lause, ensimmäinen käsky. Älä pidä muita jumalia. Tällä kertaa se otetaan tosissaan! Edes jumala ei saa tulla jumalan paikalle.

-Kristinusko on sisäisesti ristiriitainen järjestelmä ja se tuottaa väkisinkin kaikenlaista järjetöntä liikettä. Niin vain se kommunismikin, kristitty ääriliike, muuttui vastakohdakseen. Jos ette itse tuhoudu teihin tullaan kohdistamaan voimia joita ette pysty hallitsemaan. Vaikka maailman kaikki ihmiset olisivat laitoja myöten täynnä rakkautta toisiaan kohtaan, yhteiskuntajärjestelmät ja varsinkaan firmat joiksi ne unelmoivat muuttuvansa, eivät ole, ne ovat tylyjä vekottimia. Eivät ne salli teidän liiallista menestymistänne silmiensä alla. Ei kilpailu ole vapaata, ole koskaan ollut eikä tule koskaan olemaan. Isot elehtivät isouttaan, teeskentelevät kilttiä sen hetken kun se on hyvää bisnestä. Ja se aikahan meni jo.

-Ymmärrämme että ärsytämme, yritämme olla varovaisia. Emme me ole ainoita, tiedät itsekin että tämä on yleinen trendi. Nyt kaikki tapahtuu. Siksi Elsa lähti sinne Toijan leirille.

Rauhoituimme äkkiä molemmat ja puheemme muuttui hitaammaksi.

-Ai sinnekö hän lähti? Sanoin ja yritin piilotella hymyäni.

-Äh, minun ei pitänyt kertoa. Yllytit minua että höpöttäisin ohi suuni!

-Tätä minä tulin sinulta kysymään.

-Niin, kai minä halusin kertoa sen. Minua neuvottiin.. No, hän lähti jo Toukokuun alussa mutta hänestä ei ole kuulunut mitään kolmeen viikkoon.

-Miksi sinne?

-Ajateltiin, että siellä voisi tehdä ..työtä. Lähetystyötä.

-Lähetystyötä? Niiden fasistien joukossa?

-Katsella alustavasti minkälaista väkeä se on, mikä heihin auttaisi, uppoaisi. Ja Elsahan harrasti tuollaisia muinaisjuttuja.

-"Harrasti muinaisjuttuja", hän on folkloristiikan maisteri!

-Kyllä minä sen tiedän! Älä nyt joka sanaan takerru, Mimmi parahti loukkaantuneena.

-Anteeksi. Minä lähden sinne huomenna.

-Minne?

-Sinne Toijaan.

-Hyvä. Minä olisin pyytänyt sinua.

-Yhtäkkiä monet pyytävät.

-Elsa ja yksi toinen tyttö, Kerttu, saivat komennuksen. Pelkään että he ovat tehneet jotakin tyhmää siellä. Melunneet, paljastuneet tai joutuneet muuten vaaraan. Olen yrittänyt saada lupaa lähteä heidän peräänsä mutta täältä ei muka voi lähettää ketään sinne nyt, ihmisiä on liikaa poissa ja sairaina.

-Onko sinulla jotakin tarkempaa Elsasta?

-Viimeksi kun puhuin hänen kanssaan, hän oli juuri saapunut leirille ja tuntui viihtyvän siellä hyvin. Ei puhunut ollenkaan pahaa siitä, mutta ehkä hänen puhelintaan kuunneltiin, ehkä se iloisuus ja lievyys oli harkittua. Hän oli jotenkin hysteerinen, en tiedä oliko siinä pelkoa seassa vai mitä. En muista tarkasti mitä puhuimme, hän kertoi perustaneensa joidenkin tanskalaisten tyttöjen kanssa kiertävän trubaduuriryhmän, lauloivat vanhoja lauluja, tanssivat labyrinteissä ja säestivät muinaisilla soittimilla, kuulosti mukavalta. Mutta sitten puhelut loppuivat äkkiä.

-Voihan syyt olla tekniset. Puhelin hajonnut tai kadonnut, soitot kielletty tai estetty. Voi olla että siellä on oma suljettu verkko.

-Oli sovittu että hän soittaa tai ottaa muuten yhteyttä joka ilta eikä hän maininnut mitään tuollaista. Tiedät millainen Elsa on, hän pitää sopimuksista kiinni viimeiseen asti. Hän olisi jotenkin jonkun kautta lähettänyt meille viestin, hän olisi keksinyt keinon.

-Lähden sinne aamulla mutta matkaan menee ainakin vuorokausi.

-Miksi niin kauan?

-Menen veneellä. Soita minulle jos kuulet hänestä sitä ennen. Soitan sinulle kun saan selville jotakin.

-Kiitos Ari. Et tiedä miten tämä helpottaa minua ja meitä, Mimmi sanoi ja tarttui minua käsivarresta.

-Anteeksi kun mölisin vähän. Nyt minun täytyy lähteä, Pr odottaa autossa, sanoin ja nousin ylös.

-Elsan äiti? Mimmin silmät laajenivat.

-Hän minut tänne toi. Hänellehän sinä kerroit vähän erilaisen tarinan. Sanoit, että Elsa oli kadonnut jo pari kuukautta sitten.

-En minä ole kertonut hänelle mitään! Elsahan ei ole ollut äitinsä kanssa väleissä viimeiseen vuoteen. En ole Pr:n kanssaan puhunut, en varmasti ole!

Nyt Mimmi melkein itki. Yritin puhua pehmeämmällä äänellä ja sanoin:

-Hmm. Onko täällä muita teidän vanhoja kavereita Kulosaaren ajoilta joihin hän olisi voinut sinut sekoittaa? Sinusta hän minulle kyllä puhui.

-Hän se valehteleva poliitikko on enkä minä! Kysy häneltä, saat varmasti kaikenlaisia vastauksia. En tiedä mistä on kysymys, en todellakaan!

-Okei. Ehkä sillä ei ole väliä. Pääasia että asia etenee, vai mitä?

Mimmi kysyi: -Tarvitsetko rahaa?

-En. Paitsi kun minut lopulta tuomitaan olisi hyvä että taskuissani olisi kaikkien valtakuntien kolikoita. Ehkä se lieventäisi rangaistusta, tai sitä miltä se tuntuu.

-Pah. Ollaan yhteyksissä. Kerro heti kun tiedät jotain.

Nousimme pöydästä ja halasimme puolijäykästi. Mimmi katsoi minua tyytymätöntä esittäen.

-Onpa sinusta tullut kuiva äijä. Luuta ja nahkaa.

-On siellä lihaksiakin seassa. En minä nälkää ole nähnyt. Minä olen sairaan terve.

-Mitä se tarkoittaa?

-Ylikuntoa, rasvaprosenttia nolla. Öisiä sydämentykytyksiä, nivelrikkoja. Ei olisi varaa kyllä mihinkään.

-Meillä on täällä pieni sairaalantapainen. En tiedä mitä kaikkea siellä voidaan tehdä mutta jotain.

-Pitäis varmaan olla jäsen. Tai kaks.

-Pitäis pitäis.

-Uskoakin kai pitäis.

-Vain ihmisen hyvään tahtoon.

-Aijai, aika paha. Saatteko te, tai siis sinä, suositella uusia jäseniä tänne?

-Vain käsiä, ei jalkoja, Mimmi sanoi ja naurahdimme. Katsoimme toisiamme ystävällisesti.

-Hei, oli hauska nähdä, sanoin. -Pysytään samassa maailmassa.

-Pysytään pysytään, Mimmi sanoi. -Se muuten piti, pitää sinusta vielä, jostain syystä.

-Mistä tiedät.

-Näin kuinka se toljotteli tyhjään. Mitä muuta kuin sinut se siellä olisi nähnyt. Tuollaisen tyhjäpään.

Koputin päätäni.

-Ei kai nyt ihan tyhjä. Kevyt kyllä.

-Minulla oli teistä valokuva mitä minä aina katsoin.. Te olitte täydellinen pari. Mitä teille tapahtui?

9.

Kävelin aggressiivisena kohti kulmikasta autoa, joka esitti omaavansa häiveominaisuuksia. Toivottavasti se ampuisi minut tähän paikkaan mutta se avasi liukuovensa ja livahdin sisään sen beigeen ja tummuuteen.

-No?

-Elsa on Toijassa, sanoin upotessani mukautuvaan nahkapenkkiin.

-Siellä leirissä?

-Niin. Lahkonsa lähettämänä.

-Sinä menet sinne. Sinä haet hänet sieltä, Pr sanoi ja tökkäsi minua melkein tupakalla silmään.

-Ensin muutama kysymys ja rakastavan äidin rehellinen vastaus niihin. Mistä sinä olit saanut tietää että Elsa ylipäänsä oli tuolla kommuunissa? Et ole ollut Mimmin kanssa yhteyksissä niin kuin minulle väitit.

-No, minulla oli miehiä selvittämässä asiaa. Tämä Perttuli muun muassa. Sinusta näyttää että hän ajaa autoa mutta hän tekee kaikenlaista muutakin.

-Miksi sanoit että Mimmi soitti sinulle?

-Halusin sinut varmemmin mukaan, Pr sanoi ja tuijotti eteenpäin.

-Se että sinä valehtelet vaikuttaa täsmälleen päinvastoin. Sinulla on jotain koiria haudattuna tässä.

-En tiennyt että Elsa on siellä Toijan leirissä. Miksen olisi sitä sinulle suoraan sanonut?

-Ehkä ajattelit että en olisi vapaaehtoisesti liittynyt sinun epämääräisten agenttiesi ketjuun. Halusit että informaatio kiertää itkuisen tytön kautta.

-No sinä lupasit hänelle meneväsi sinne?

-Tietysti, sanoin ja ojensin käden keskikonsolia kohti. Se työnsi esiin oluen ilman valikoimaa. Sille oli muodostunut minusta jo selkeä profiili.

-No sittenhän kaikki on hyvin. Sinulla on lupaus pidettävänä jota ei edes ärtymyksesi minua kohtaan voi murtaa, aivan loistavaa, kaikki saavat mitä haluavat!

-Niin, tulipa koettua nyt itse miten vedät ihmiset politikointiisi mukaan. Et pystynyt ihan vain pyytämään, sanomaan asiat niin kuin ne on, olisi muuten toiminut. Tässähän on kyse Elsasta. Piti kierteellä vetää tämäkin homma.

-Kyllä sinäkin sinne Toijan leiriin sovit kuin nenä päähän. Miksi et jo ole siellä?

-Minä olen ollut uutispaastossa. No ei, minä olen ollut Keski-Suomessa rakennushommissa, Jyväskylässä ja Äänekoskella. Sisävedet, ihanat vedet! Pysyvät paikoillaan ja virtaavat niin kauniisti alaspäin! Valuttavat lietteensä merien harmeiksi pysyen itse kuulaina ja kirkkaina kuin ylväät neidot.

-Mitkä? Pr kysyi. Hän räpläsi kännykkäänsä eikä oikein kuunnellut.

-No ne vedet! Merethän ne vaan nousee. Mikäs siellä sisämassa ollessa, rannikkopakolaisia palkkaa vastaan pois potkimassa. Ja olin minä rakentamassa kala-altaita Päijänteelle Mokkaan ja Hyrkköön, siellä istutetaan siikaa ja taimenta valtavia määriä. Kuusen nilasta kehitetty niille raukoille uusi ruoka. Pettua kaloille! Se minua kyllä harmittaa kun tykkään merestä enemmän eikä tuohon itämereen saa kalabisnestä nyt millään.

-Miksei saa? Pr ohimennen kysyi ilmeettömällä äänellä. Hän oli pahinta räplääjäsukupolvea.

-On liikaa rannoilta huuhtoutuneita saasteita, irtihötkynyttä elohopeaa ja muita raskasmetalleja ja epämääräistä muuta menijää niin paljon. Uponneiden talojen ja mökkien koluajia. Siellä on liian hyvät oltavat rosvoille nyt. Ei kannata mitään eväskiskoja niille perustaa.

Pr nosti kasvonsa ruudusta minuun ja sanoi:

-Voin kertoa sinulle pikku salaisuuden. Kohta alkaa rantojen puhdistus Suomenlahdella. Poliisit ja armeija ovat saaneet lisää määrärahoja, ovat ostaneet modernia tekniikkaa, väylille on tulossa tehokasta valvontaa. Sisäväylille myös. Lakeja on muutettu. Tiettyä automatiikkaa puuttumiseen. Kohta on homma hoidossa. Samaa tekniikkaa millä täällä kaupungissa pidetään pahat pojat piilossa. Kohta voit palata merelles meloskelemaan.

-Kyllä minä siellä meloskelen jo. Ei ole mitään ihmeellistä näkynyt. Minä olen kai liian pieni maali kenellekään.

-Ehkä sinulla on ollutkin jo jotkut enkelit siellä suojana.. Mitäs pirua? Pr sanoi ja katsoi eteenpäin.

Olimme laskeutuneet Kulosaaresta Itäväylän sillalle mutta silta oli ehtinyt peittyä matkamme aikana veden alle. Kaupunki ja Kalasatama olivat nyt tyynesti muina miehinä aaltoilevan meren takana. Perttuli pysähtyi ja tutki karttasovellusta, zoomasi lähemmäs niin että korkeudet ja syvyydet näkyivät pieninä numeroina. -Pääseekö tästä yli? Pr kysyi huolestuneena, vilkuili välillä merta ja takoi välillä kännykkäänsä. Auto nosti kierroksia ja naksui sieltä täältä.

-Eiköhän, Perttuli sanoi ja ajoi kävelyvauhtia kaiteiden rajaamaan mereen pienten renkaista roiskuvien vesikaarien koristamana.

-Eikö siltaa suljeta? Kysyin ja otin valokuvan tuulilasin läpi.

-Ei. Miten vesi on näin ylös noussut? Pr kysyi.

-Myrskyn jälkeen merellä on tuullut koko ajan kovaa lounaasta, sanoin kun tiesin. -Eiköhän tämä tästä laske kun ilma vähän asettuu. Ne tulee Tanskan yli Atlantin vedet nykyään ihan eri vauhdilla ja voimalla.

-Miltä siellä sisämaassa muuten näyttää, siis verrattuna tähän? Pr sanoi ja levitti silmät kovina kättään ulapan suuntaan.

-Jos en yhtään valehtele niin yllättävän hyvältä. Ehkä alat ostaa kiinteistöjä sieltä.

-Olen minä jo ostanutkin. Äläkä siinä mulkoile.

-Ei kaikkia munia samaan koriin vai?

-Ei. Kyllä minä olen silti Helsingin puolella ihan oikeasti.

-Sinä olet voittajan, ja voittojen puolella, ihan oikeasti.

-Oletpa sinä ilkeällä tuulella tänään.

-Minulla on ikävä tunne tästä, sanoin ja katsoin merta joka alkoi heti lasin takaa.

-Mistä?

-Tästä Elsan katoamisesta.

-Ai?

-Se voi olla jotain monimutkaisempaa. Se on sinun tyttäresi, se on poliitikon tytär. Aina se ajatteli vaikeasti, aina monta rautaa monessa tulessa. Eikä kertonut koskaan puoliakaan mitä mielessään liikkui, niin kuin et sinäkään.

Pr katsoi ikkunasta eikä sanonut vähään aikaan mitään, ja sitten: -Mitä se tuollaiseen pöljään meni ihastumaan.

Tämä oli vanha, toistuva keskustelu. Se oli luonteeltaan hyväksyvä, se tarkoitti: Olisittepa vielä yhdessä, olisipa kaikki mennyt hyvin. En ollut kuitenkaan mitään suurempaa sointua hakemassa ja sanoin:

-Sinä evankelinenhan sen Steinerkoulun hörhögeneraattoriin panit. Minä olin sille kuule liian tylsää seuraa, sekopäisyyteni liian monotonista ja monomaanista, liian epäeurytmistä. Nyt se siellä pomppii jonkun rovion ympärillä huilu suussa nakuna sekalaisten äijien lääpittävänä.

-Onko totta.

-Todennäköistä ainakin. Ei Elsa minua tarvinnut, sillä oli sinä ja sinun rahasi ja turvasi. Se ei koskaan astunut koko keijunpainollaan minun köyhään kyytiini ja miksi olisikaan, sanoin ja naamani tuntui kovalta lasia vasten.

-Kumpi tässä on enemmän syyllinen, Pr sanoi alistunutta esittäen ja ehkä vähän olikin.

-Sano sinä Perttuli, huusin etupenkille.

-Kyllä tästä yli päästään, Perttuli sanoi rauhallisesti, vilkuili välillä karttanäyttöä ja ajeli merta pitkin mersullansa.

Ajattelin Elsaa poissa tästä meidän väliltämme ja ahdistuin. Mitä minä tämän ärsyttävän naisen kanssa tässä teen. Sanoin:

-Kieltämättä se on ollut mahdollista siksi että minäkin olin sinun selkäsi takana turvassa.

-Mikä niin?

-Se että olemme eläneet niin hölmösti, Elsa ja minä, ja minä varsinkin. Sekoillut, mennyt kevyesti.. Ajatus oli varmaankin että jos kaikki menisi pieleen, olisin tullut pyytämään apua ja armoa, alkanut elää sinun sääntöjesi mukaan. Nyt jos Elsaa ei enää ole..

-Älä huoli. Kyllä sinulle aina pari mätää perunaa jostain kaivetaan. En minä hylkää sinua. Minä en oikeastaan edes pidä sinusta, mutta minä luotan sinuun, minä tiedän mikä sinä olet. Miehet joiden kanssa vietän suurimman osan ajastani, kaikki nämä nykyajan korkeat kaverit.. niin. Jos olisi ollut joku muu keneen olisin voinut ottaa yhteyttä, olisin, mutta ketään muuta ei ole. Ketään luotettavaa. Ei ole kuin te kaksi, Pr sanoi ja osoitti tupakalla Perttulia.

-Voi voi, sanoin. Perttuli oli hiljaa ja tähtäili autoa meren yli.

Meissä oli sama määrä töykeyttä ja törkeyttä, Pr:ssä ja minussa, tulimme hyvin juttuun. Oli oikeasti mukava nähdä häntä pitkästä aikaa, ainakin hetken aikaa, oli mukava olla panssariauton kyydissä, katsella kaupunkia turvalasin takaa. Kun Pr taantui räpeltimensä puoleen käänsin katseeni merelle ja mietin. Elsa oli siis vasta eromme jälkeen saanut hitaammin käynnistyneet järjettömyyden rullansa pyörimään. Olla järkevä ja harkitseva.. se tyyli ei kiinnostanut kohta enää ketään, ei edes rikkaita. Kaikki olisi menetetty jos heidän vihoviimeisetkin hillityt jatkumonsa katkeaisivat.

Totta kai minä pelastan hänet. Olen juuri sellainen typerys miksi minut on maalattu, mutta olen ehkä vähän muuttunut, hän on muuttunut, haluan nähdä mikä meidän tilanteemme on nyt, onko meillä mitään toivoa. Olen ollut poissa ja pohjalla ja nyt hän on vihdoin lähtenyt äitinsä piiristä niin kuin hänelle ehdotin milloin sivulauseissa, milloin rumasti suoraan sanoen. Mutta se oli yllätys että hän lähti näin radikaaliin yhteisöön mutta kun mietin asiaa tarkemmin se oli luonnollista monestakin syystä. Monesti nainen valitsee itselleen miehen kuin huutomerkin joka ilmaisee sitä aggressiota ja hulluutta jonka pystyy itse siten jättämään viisaasti vähemmälle tai kokonaan pintansa alle piiloon. Mies menee maailmassa, hulluuden ja aggression maailmassa ja raivaa tietä naiselle joka jakaa ohjeita ja käskyjä turvasta vaununsa verhojen takaa. Ja kun mies luhistuu joskus joku nainen ei valjasta uutta eläintä vaunujensa eteen vaan astuu itse esiin voimaa täynnä. Haluan nähdä mikä on esiin astuneen korkean naisen hulluus verrattuna tämän monesti köyhän ja kolhon miehen hulluuteen, olisivatko ne jostakin kulmasta katsottuna samaa paria. Haluaako hän todella myös tämän tykinruuan osan. No. Kaikki nämä typerät ajatukset köyhyydestä ja rikkaudesta ja miehestä ja naisesta ovat vain pinnan kuohuja jossa pyörin etten vajoaisi hänen uhkaavaan syvyyteensä joka odotti minua kaiken takana.

Auto mateli merenpintaa pitkin kohti kalasataman sirpaleisia torneja. Kaiteet nousivat suoraan merestä ja rajasivat kadonneen tien, oli helppo ajaa niiden välissä. Ei muita autoja. Vettä ei tihkunut läpi ovien tiivisteistä; kalliiden kaupunkimaasturien nykyominaisuuksia.

Aurinko kiilteli pienenä pälvenä kaukana meren pinnalla. Jostain raosta se pääsi alas.
-Onko sinulla parempaa tietoa mitä tuo meri aikoo tehdä? Pr kysyi seuraksi nyt samaan suuntaan katsoen ja puheenaihetta vaihtaen.
-Ei. Ennusteita on laidasta laitaan.
-Olen huomannut! Miksi?
-Niillä tehdään rahaa ja politiikkaa, niin kuin et tietäisi. Niin oli jo ennen vedenpinnan nousua. Jos on taitava ja saa ennusteen tarttumaan päättäjän päähän.. kyse on isoista rahoista. Ja säätä on vaikea ennustaa, vielä kun sen Vjöllheiminkin aktiivisuus vaihtelee. Nopalla sen laantumista lasketaan.
-Tietämättömyydessä purjehtimista, sitähän politiikka aina on, Pr huokasi ylväästi ikkunasta ulos tuijottaen ja sytytti uuden tupakan. Hänellä ei ollut minulle kai enää muuta sanottavaa ja hän vaipui huokailevaan viisausmoodiinsa. En voinut olla kommentoimatta.
-Äänestäjät ovat se tietämättömyyden meri? Ja sinun purjeissasi on tieto ja parempi suunta?
-On pakko vain ottaa oma kurssinsa ja pitää se. Luovia tietysti pitää osata.
-Ja kapinat kukistaa. Ja lankut virittää.
-Ei ole mitään kapinoita nyt kun ruoka riittää paremmin. Rahasta vaan on tiukkaa mutta milloin ei olisi, Pr sanoi.
-Mimmi sanoi että heillä menee hyvin, että kommuunille on annettu yhteiskunnallista vastuuta. Se tarkoittaa kai rahoitusta myös?
-Mitähän se tyttö puhelee. Se on kyllä totta että ihmiset ovat tuolla tavalla hysteerisiä, tai kuka milläkin tavalla. On tässä maassa ja maailmassa huteruutta, mutta suurin osa siitä on ihmisten päiden sisällä. Jos asiallisesti hommat hoidettaisiin ei olisi mitään hätää, mutta kaiken maailman suuntiin tempoilijat.. niitä on nyt liikaa.
-En minäkään niin kuin ei moni muukaan halua että elämä palaa taas tilinauhojen tuijotteluun ja homeisten kamojen kasailuun. Vaikka minullakin on ollut nihkeää ja vaikeaa niin olen saanut mennä ja tehdä mitä huvittaa, vapaana ja iloisena! Ei ole tarvinnut mitään kaavakkeita täytellä, lupia pyydellä ja noudattaa. Ihanasti ottaa koko ajan aivo taivaan kattoon kiinni!

Pr ärtyi pomppimiseeni. -Älä riko autoa! Jos inhoat niin paljon rahojamme, niin missä ovat sinun rahasi? Tuolla sinun mielikuvituksellasi mitään saa kerättyä kasaan, ihme että olet edes hengissä! Negatiivista sisäänpäin uhoamista, itsensä nihkeänhikistä tuhoamista, suomalaisen miehen parasta osaamista. Kummaa kunniaa! En ole sitä koskaan ymmärtänyt. Niin, tarkistin yksi päivä että et ole pahemmin veroja maksellut. Pimeitä töitä tehnyt. Etkö ole edes ruokaseteleitä ottanut?

-En tykkää perunoista, sanoin.

Pr suuttui taas. -Saahan niillä mitä vaan ruokaa ostettua!

-Kokeilepa kerran niin jatketaan sitten tätä keskustelua. Eihän ne sinua koske, sanoin.

-Minä käyn niillä ravintolassa syömässä! Pr puhisi.

-Teidän Kallioillanne on ihan eri ravintolat, ihan eri sopimukset.

Nyt hän suuttui oikein toden teolla. Lounasseteleistä edelleenkehitetyt ruokakupongit olivat hänen omasta mielestään onnistuneimpia ideoitaan eikä hän kestänyt niiden pienintäkään arvostelua. Hänen tarinansa mukaan ne olivat nälänhätien synkimmillä hetkillä pelastaneet ihmishenkiä. Kun ajoimme Fleminginkatua Helsinginkadun yli hän tarttui kuljettajan selkänojaan, veti itsensä ylös upottavan nahkapenkin pohjalta sen reunalle ja komensi: -Perttuli, aja lähimpään ravintolaan!

-Ruokaravintolaan?

-Niin, mistä saa niillä seteleillä ruokaa.

Perttuli katseli kadunvarren paikkoja, käänteli päätään levottomasti.

-Hmm. Ei tässä taida olla.. nämä on näitä kaljapaikkoja tässä enemmän.. Odotas, tuolla Agricolankadulla Karhupuiston vieressä on yksi kiinalainen, mennään sinne, hän sanoi ja käänsi kauniistiniiaavaa neljätuhatkiloista amfibipanssarimersuaan kuin kapteeni laivaansa.

Sinne mentiin ja pöytään istuttiin, kimaltelevien ja kirjailtujen paperilyhtyjen alle. Pr katsoi kahta takaseinän syöjää.

-Niillä on riisiä.

-Niin näkyy olevan, sanoin.

Pr vilkutti seteleitä ohikävelevälle tarjoilijalle: -Voiko näillä maksaa?

Tarjoilija otti setelin käteensä ja katsoi sitä. -Mikä tämä on?

Pr sanoi: -Etkö ole koskaan lounaseteliä nähnyt?

-Minä olen uusi täällä, tyttö vastasi.

-Missä täällä, tässä maassako?

-Tässä ravintolassa.

-Kas kun et maailmassa.

-Mitä sinä tyttöä kiusaat, sanoin. -Usko pois, niiden arvo on mennyt. Monissa ravintoloissa on toinen lista lounasseteleille ja toinen kunnon rahalle.

-Mihin niiden arvo on muka mennyt? Ne ovat käytännössä valtion takaamia lainoja.

-Voisit ehkä niiden arvon alenemisesta laskea milloin tämä maa on lopullisesti maksukyvytön. Milloin valtio ei enää takaa mitään. Ja se päivä taisi olla jo eilen.

-Minä kävelen kotiin. Tunkekaa te jätkät riisit perseisiinne! Pr huusi ja oli jo lähdössä mutta pysähtyi äkkiä ja sanoi läheltä tarjoilijatytölle:

-Miten teillä on muuten riisiä täällä?

-Me tuomme sitä itse maahan.

-Onko se kallista?

-Ei se ole kovin kallista meille.

-Saatanan Stocka! Pr kirosi mennessään ja paukautti oven perässään kiinni.

Perttuli ja minä katsoimme toisiamme, hymyilimme minkä kehtasimme. -Olipas se paha, Perttuli sanoi ja jatkoi: -Onhan sillä vaikeaa. Se ei nuku nykyään enää lainkaan. Menethän sinä sinne Toijaan?

-Menen. Saan kolminkertaista palkkaa sinne menemisestä. Kolmelta eri työnantajalta. Vai mitä ne on.

-Kuulostaa pahalta, Perttuli sanoi tyhjän salaattilautasen ylle kumartuneena. Hän puhui alaspäin, huulet liikkumatta.

-Niin minustakin, vastasin. -Pitäisikö olla huolissaan?

-Pitäisi varmaan olla joo.

-Tarvitsisinko jonkun aseen sinne mukaan?

-Jos asetta tarvitsee on jo mokannut.

-Jos ajattelee tarvitsevansa asetta, onko silloinkin jo mokannut?

-Menee saivarteluksi, Perttuli sanoi ja katsoi ympäri ravintolaa ja sen kolmea muuta asiakasta.

Kysyin: -Ei sinulla olisi siellä ketään tuttua?

-Jos onkin, niin sinun on parempi olla tietämättä siitä mitään. Riisi tulee. Nyt syödään, sanoi Perttuli ja hiljenimme lautastemme ääreen. Söin muutaman haarukallisen mutta kysyin vielä: -kerro minulle mitä et hänen kuullensa voinut sanoa.

-Kaikki on paljon oudompaa kuin kuvittelet.

-Kyllä minä voin sen ihan helposti kuvitella.

-Älä yritä.

-Mitä vihjaat.

-En enempää. Siellä käydään kauppaa muillakin kuin ihmisten sieluilla.

-No mikä sen vakavampaa on.

-Raha.

-Eihän se ole outoa.

-Tämä raha on.

Maha täynnä mieleeni tuli soittaa Lenalle. Hän vastasi. Kysyin: -Miten menee? Onko tylsää?

-Se Vantaan keikka meni pieleen. Kaverini oli joutunut lähtemään jonnekin. Täällä minä makaan ja vedän vuorotellen rauhoittavia ja piristäviä, Lena sanoi valittavaan sävyyn.

-Näinkö on?

-Johan sinä sen näit. Mikset tulisi syömään tänne Kämppiin ilmaisia herkkuja. Piikki on auki aamuun. Kuuntele kuinka samppanja sihisee, Lena sanoi ja tunki lasin kolahtaen kiinni puhelimeen. Kuvittelin kuulevani pientä poreilua.

-Kuulostaa hyvältä mutta olen pahoillani, olen luvannut mennä ystäväni luo yöksi. En pysty enkä halua puhua itseäni siitä ulos mitenkään.

-Minä se kierin täällä leveän sängyn reunasta toiseen ilman kunnon stopparia. Jos putoan lattialle se on sinun syysi!

-Anteeksi jos on yksinäistä. Ehdin minä sitä kautta tulla ja iltakahvit tempaista jos se siitä on kiinni.

-Unohda koko juttu, Lena sanoi ähkäisten ja katkaisi puhelun.

Ehdimme syödä vain lusikalliset jälkiruokaa kun Pr syöksyi ovesta takaisin sisään ja iski kännykkänsä eteeni. Kuvia leiristä, ensin Pr selasi niitä tärisevällä sormellaan minulle ja sitten minä, vaihdoimme kättä ja sormea lennosta ja hänen tärinänsä tarttui minuun. Kauniita muinaisvaatteisiin pukeutuneita nuoria iloisina ja hehkuvina piirissä suurten nuotioiden ääressä kaikilla kasvoillaan sama ylimaallinen hehku. Taputtavia käsiä, tanssia, euforiaa. Kuvia naisista ompelemassa, tappamassa kanoja liioitellun riuskoin ottein, ruoanlaitossa hameissa hajareisin, telttaleirejä pystyttämässä, lapsia imettämässä ja tuudittamassa. Elsa nojaamassa hameenhelmat kurassa luuviuluun partapoikaan ja sitten kahteen. Monta kuvaa yöllisestä tanssiesityksestä suuren kokon ympärillä, juopuneita punaisia silmiä pimeydessä, pellavakaapuja kasoissa, rumpuja ja soittimia, kasveista ja kukista tehtyjä kruunuja alastomilla. Kuvia leirille saapuneista ihmisistä vaihtamassa vaatteitaan, miehiä miekat nostettuina äänetön huuto huulillaan, alaston poika hakkaamassa männynrunkoa kivikirveellä ja sitten äkkiä kuva kuraisesta, poljetusta maasta jossa makasi nainen kuin valkoinen riekale.

-Elsa? Kysyin ja näytin kuvaa Pr:lle.

-Niin se väitti.

-Kuka?

-Yksi niistä sen ryhmän tytöistä lähetti nämä kuvat sieltä juuri äsken.

-En minä häntä tuosta kuvasta kyllä tunnista. Se voi olla joku muu. Ja voihan tämä olla joku.. esitys, sanoin pala kurkussani.

-Siellä on lähikuvia, Pr sanoi.

Selasin kuvia hädissäni kunnes vastaan tuli video ja käynnistin sen. Kuvaaja lähestyi sammaleisessa turveliejussa makaavaa hahmoa samalla vastapäivään jalkojen suunnasta kaartaen. Verinaarmuiset kasvot kiertyivät esiin. Se oli Elsa, hakattu, ehkä kuollut, ehkä tajuton. Veri oli tuoretta, poskissa vielä väriä. Toinen silmä oli aavistuksen raollaan, katse poissa. Ympärillä ihmiset liikkuivat omituisesti, hitaasti. Ehkä se johtui mudasta, hysteriasta, huumeista, kuvauksesta, jälkikäsittelystä, ties mistä.

-Kuka nämä kuvat on ottanut? Näyttää että hänet olisi hakattu joukolla, yhteisymmärryksessä. Ympärillä ei ole mitään riitaa. Kuka ottaa kuvia hakatusta ystävästään kuin jostakin esineestä? Ja tanssii hänen ympärillään kuin ohimennen?

-Sinä hänet sinne kuraan sotkit, Pr sanoi ja kauhistuin hänen äkkiä tuskasta vääntyneitä kasvojaan. -Katso nyt mihin mielipuolten leiriin sinä olet hänet ajanut!

-Minä nimenomaan lähdin, minä nimenomaan hylkäsin hänet että hän olisi tullut takaisin sinun luoksesi, sinun muuriesi ja rahojesi ja kivikovan asenteesi turvaan! Pois minun luotani, sitä minä yritin.

-Sinä olit jo pilannut hänet. Katso nyt! Hän on sanonut jonkin väärän sanan ja tapettu kuin sormea napsauttaen.

-Ei, ei.. Näissä kuvissa on jotakin outoa. Esimerkiksi se, että miksi näytät ne minulle nyt?

-Minä sain ne juuri äsken!

-Mistä sait nämä? Kuka ne lähetti?

-Ei kertonut nimeään, Pr sanoi.

-Muista että tilanne voi olla lavastettu tai digitaalinen. Tai ainakin dramatisoitu, sinua ja minua, tai vain minua varten, sanoin ruma ilme naamallani.

-Että tämä olisi minun tekosiani? Olet hullu!

-Ehkä olet lukenut liikaa pohjoismaista jännityskirjallisuutta nuorista naisita ruumispusseissaan.

-Mitä hevon persettä!

-Älä itse mölise siinä! Mikset halua poliisia sinne?

-Poliisi ei mene Toijaan kuin vasta armeijan kanssa. Pohjoisen Liitolla on sopimus että he hoitavat hallinnoinnin itse leirin ajan.

-Eihän sellaista sopimusta voi olla!

-Voi. Se vapauttaa meidät kaikesta vastuusta ja kaikesta tutkimisesta ja tuomitsemisesta.

-Että maahan voidaan luoda laista vapaita alueita?

-Oslon sopimusta voidaan tulkita siten. Tietyin ehdoin.

-Tietyllä hinnalla?

-Niin. Mutta sinä menet nyt sinne ja tuot hänet pois sieltä. Tai tuot hänen ruumiinsa pois sieltä, Pr parahti. -Se ei saa jäädä niiden hirviöiden haltuun!

-Minä menen, sanoin kuvaa katsoen. -Minä tuon hänet tai hänen ruumiinsa pois, sanoin ja jätin sanomatta: Kostan syylliselle, oli se kuka tahansa, sinä tai minä.

10. Museo

Monia mäkiä alas kierinyt Lore, vanha opiskelijakaverini, soitti ja herätti minut keskellä yötä. Hän huusi käheällä äänellään: -Hei, nukkuva solu! Oletko valmis? Olin unessa enkä tiennyt missä olin. -Ai Lore, terve.. valmis, mihin? -Jännään! Se pikku keikka mistä viimeksi sovittiin. Nyt se tehdään. Nyt on sauma. -Minä jo mietinkin että milloin sinä soitat, vai oletko enää olemassa. -Minä olen katsellut sinun tulemistasi. -Olin kyllä aika humalassa kun viimeksi nähtiin.. siitähän on aikaa, mitä, vaikka miten kauan, miten muistat koko asian? Ei se nyt.. -Se sovittiin ihan selvästi! Onhan siitä puhuttu miten monta kertaa. Et ole kaupungissa kovin usein enää. Nyt mennään sinne. Ketä se haittaa, ei me mitään viedä, ei me mitään rikota. Otetaan muutama kuva. -Onko sulla mitään kunnon vehkeitä. Mistä me tiedetään miten ja missä ne siellä on, ei me löydetä yhtään mitään. Sehän on ollut suljettuna jo kohta viisi vuotta. Se kokoelma on siirretty muualle jo kauan sitten.

Lore vouhkasi: -Nämä ei ole osa sitä, minulla on tietoa! Tutustuin kapakassa yhteen museoviraston työntekijään, yhteen vanhaan muijaan, hoitelin sitä muina miehinä ja juttelin sen kanssa ummet ja lammet. Minulla on tasan tarkka käsitys missä meidän etsimät kivet on hyllynumeroita myöten! Ne on veden alla kellarissa vielä. Minulla on kamat meille molemmille ja vedenpitävä laserskanneri jolla saadaan kaikki kuvattua ja mitattua samantien.

-Onko sulla ne kamat siis nyt?

-Tässä ne on veneessä, istun niiden päällä ja nenä osoittaa sinuun. Nyt mennään. Mä tuun hakemaan sut. Sinä tämän keksit.

-Odota! En ole kotona.

-Joo mä näen et sä oot Karilla. Puoli tuntia, moro!

Katsoin kelloa, se oli kaksi yöllä. Makasin pienellä haisevalla lastenpatjalla kapeassa eteisessä pää kenkien ja kumisaappaiden seassa. Kerroksessa asui kahdessa isossa kommuuniasunnossa parikymmentä ihmistä joista suurimman osan tunsin vuosien varsilta.

Kun tulin illalla tänne sana levisi, muutama tuli tervehtimään minua. Joku sanoi, kuin väsyneenä: sinä täällä. Ihmiset eivät halunneet mitään ylimääräistä, mitään haittaa. -Kuka se oli? Kari kysyi ja raapi muniaan, mahaansa ja selkäänsä laahustaessaan ylitseni keittiöön. Näin makuuhuoneen oviaukon läpi Hannan sinisessä ohuessa yöpuvussa koneen ääressä ohjaamassa jotakin lentävää laitetta, ylhäältä nähty loputon valkohehkuinen infrapunahavumetsä liukui hitaasti kameran ali. -Laita se kiinni, hän sanoi väsyneenä. Työnsin oven kiinni ja sanoin Karille joka tuli takaisin keittiöstä kahvikuppi kädessä: -Se oli Lore. Olen kuulemma sopinut lähteväni varkaisiin sen kanssa.

-Ai, minne? Kari kysyi ja jatkoi raapimista, nyt alaselästä ja takamuksesta. Minuakin alkoi kutittaa kun katselin hänen ankaraa työskentelyään ja asunnon nuhjuisuutta.

-Museoviraston varastoon Kansallismuseolle.

-Oho. Mitäs siellä on?

-Jotkut on joskus väittäneet että siellä olisi riimukiviä joissa on suomen kieltä. Että ne on sinne tahallaan unohdettu.

-Eikö ne olisi helpompi tuhota.

-Kyse on semmoisista joiden tekstiä ei olisi tunnistettu suomeksi ja siksi ne olisivat vahingossa säilyneet. Ja suurin osa olisi tietysti tuhottu jo ajat sitten, jos niitä oikeasti olisi, ruotsinvallan aikana. Mutta en minä enää usko että niitä on ollutkaan. Tai en välitä.

-Olet kuitenkin menossa?

-No tuli luvattua, kai. Monta vuotta sitten, ja joku hullu muistaa tuommoiset jutut.

-Tarvitsetko apua. Jos et halua mennä, Kari kysyi.

-Älä turhaan, eikös sinulla ole nyt tuota työtäkin. Siellä on varmasti kameroita.

-Mites te niistä selviätte?

-Ei meidän tarvitse selvitä.

-Ei ole mitään rikosrekisteriä kertynyt?

-Ei ainakaan kävellyt vastaan.

-Eikö tuo ole vähän liian kevyt tapa hankkia se?

-Kyllä minä haluan käydä siellä. On kaikki muukin menossa hölmömpään suuntaan. Luulen että selviän tästä ilman mitään. Ne kamat on sinne käytännössä hylätty, muista se. Haiseeko täällä muuten home?

-Miksei haisisi. Kysyisit ennemminkin että eikö haise, se olisi järkevämpi kysymys, Kari sanoi ärtynyt ilme naamallaan.

-Sinulla oli se parempi netti?

-Osuuskunnalla on.

-Pitäisi tehdä pari hakua. Maksaako ne per kappale?

-Meillä on kuukausimaksullinen nelostaso, että firmojen ja valtionhallinnon taseita ja semmoisia sieltä ei saa. saan minä nekin yhdeltä kaverilta, siltä saa puolet kakkosesta, mutta kestää hetken jos niitä haluat.

-Pitäisi hakea Elsasta, mitä se on viimeisen kuukauden aikana tehnyt ja missä ollut.

-Okei, Kari sanoi ja avasi makuuhuoneen oven. Hanna ärisi väsyneenä ja yritti ajaa meidät pois. Nyt kuvaruudulla oli hiekkaa ja vuoria ja aurinkoinen päivä jossakin kaukana täältä. Kumarruin lähemmäs ja kysyin: -Mitä sinä nyt lennät? Oot taas ihan eri paikassa.

-Niitä voi vaihtaa, lennosta, Hanna sanoi.

-Saako tuosta hyvää rahaa?

-Enemmän kun pillunlevittelystä.

-Ootko sitä tehny, kysyin hänen olkapäänsä yli.

-En pahemmin. En tykännyt siitä.

-Kun droidit pystyvät hakkaamaan ihmisiä pimeillä kujilla meitä miehiä ei tarvita enää mihinkään, sanoin.

-Väistäkää idiootit, Kari sanoi ja todella työnsi meidät ruudun äärestä sivuun. Ei kestänyt puolta minuuttia kun hän sanoi: -No niin. Täältä statistiikasta iskee silmään.. Hän on tehnyt hakuja.. Pohjoisen Liitosta ja kaikesta siitä ympäriltä. Hän on lukenut niitä, tai siis ne sivustot ovat olleet auki.. Yli 300 tuntia. Hän on perehtynyt siihen.. Miksi?

-Hän on mennyt sinne leiriin ja kadonnut. En tiedä tarkalleen mistä on kyse. Mitä muuta näet?

-Ei ole sinua hakenut kuin muutaman kerran. Viimeksi kaksi kuukautta sitten.

-Ei minusta ole oikein mitään.

-No ei. Valokuvia löytyy muutama tuhat mutta kenestäpä ei.

-Löytyykö Jyväskylästä, viime vuodelta, kysyin.

-Tuolla sinä menet pamppu kädessä. Oletko sinä tuo? Kari sanoi ja osoitti kuvaa ihmisten ryntäävästä massasta.

-Onko siinä kaikki?

-Ei näy että tappaisit ketään. Ei ole punaisella merkittyjä.

-Hyvä, sanoin.

-Tapoitko?

-Voitko näyttää siitä Toijan leiristä jotain materiaalia?

-Sinähän tulit itse juuri äsken siltä suunnalta Hiittisistä. Etkö nähnyt siellä mitään ihmeellistä? Porukkaa on mennyt sadoittain laivoilla siitä ohitse. Tuhansia ihmisiä.

-En. Oli huono näkyvyys, kovaa tuulta ja myrsky, ehkä silloin ei kukaan liikkunut. Ai niin, näin minä Timon plotterissa laivoja.

-Eikä Timo sanonut mitään?

-Ei. Se yritti valehdella niistä.

-Se on vähän outoa. Varmasti siellä niiden kommuunissa on käynyt niitä tulijoita, se on ihan reitillä. Timo ihan varmasti tiesi siitä ja oli menossa itsekin sinne Toijaan. Sinä et lue enää lehtiäkään?

-Ei niissä lehdissä mitä minä luen ole ollut mitään koko jutusta.

-No mitä lehtiä sinä sitten luet?

-No, Hesaria, sanoin.

-Hesarissa on ollut vaikka miten monta juttua tuosta tapahtumasta!

-Miksei minun silmiini ole sattunut.

-Ehkä sinulla on jotkut estot päällä, Kari sanoi.

-Ai täällä? Sanoin ja kopautin sormella ohimoani. -Että kun näen jotakin historiaan liittyvää niin silmäni hyppäävät sen yli?

-Ei, kun että sinun digivirrassasi on sellaiset asetukset ettet näe tuollaisia uutisia. Olet tietysti voinut laittaa säädöt päälle joskus aikoinaan kun se tuntui mielekkäältä ja sitten unohtanut sen.

-Hmm, en muistaakseni ole mutta saattaahan se niinkin olla, sanoin. Katsoin vielä Elsan tilastoja palkkeina ja piirakkoina. Pronssikausi, jatulintarhat, Troija ja niin edelleen. Ehkä meillä oli vielä toivoa. Tämä ei ollut enää alkukristillisyyttä eikä gnostilaisuutta, tämä oli selvää liikettä minun suuntaani. Korvani kuumenivat omia aikojaan.

Miksikö en ollut kiinnittänyt enempää huomiota Pohjoisen Liiton toimintaan? Yksi selitys on, että tällaisia asioita oli nyt ilma sumuksi asti täynnä ja minulla oli ollut vilpitöntä halua pitää pääni erillään kaikesta tästä.. kehkeytymisestä. Olin ollut edellä aikaani ja nämä nyt kasvavat muinaismassat olivat silmissäni sivistymätöntä jälkijoukkoa. Katsoin vastenmielisenä kuinka hulluus sai enemmän ja enemmän osattomia valtaansa ja inhoni oli suureksi osaksi itseinhoa, olin ollut tuossa asennossa, minulla ei olisi ollut oikeutta valittaa vaikka valitinkin. Mieluummin käännyin vain pois niin kuin olin kääntynytkin.

Muinaisharrastuksen räjähdysmäinen suosio selitettiin kahta päättelyketjua pitkin: Toisen mukaan talouden romahtaminen oli tehnyt yhteiskunnasta monella tapaa muinaisen, yksinkertaisen ja kovan. Toisen mukaan oli hypätty muinaisuuteen koska ei haluttu muistella äskeistä tuhon aikakautta eikä varsinkaan sitä edeltänyttä laimeaa ylellisyyttä, nykyajan näkökulmasta nimenomaan laimeutensa ja mahdollisuuksiensa haaskauksen vuoksi tuomittavaa ja siksi kuin kostoksi unohdettavaa. Oli muisteltava jotakin muuta, oli samaistuttava johonkin toiseen aikaan ja osittain sattumalta juuri nämä muinaistarinat olivat päätyneet huomion keskelle. Niissä yhdistyivät heimojen, kansojen ja ylikulttuurien (esimerkiksi Euroopan) suuruusfantasiat ja kaipaus pysyvyyteen, ikiaikaisuuteen ja vakauteen. Ne olivat kulttuurin ääripiste, tietämisen ääripiste, jota muinaisuudesta taiottiin näyksi syklisen maailmankuvan paluusta. Kukaan ei tiennyt mistä suunnasta seuraava isku oli tulossa ja olisiko se jo lopullinen. Otettiin tukeva asento, laskettiin painopistettä, painuttiin lähemmäs maata ja muinaisia ja yritettiin kuunnella mitä ne kuiskivat.

Kumivene tuli pimeänä kadunkulman takaa, kuului vain julkisivujen kaikujen voimistamaa sähkömoottorin surinaa ja keula-aaltojen pientä lipinää. Vene kaartoi ikkunan alle. Tumppasin Karilta pummaamani typerän sekosavukkeen seinään ja pudottauduin kyytiin rojukasan päälle. Kumivene niiasi, aalto muljahti ja levisi raukeana kaupungin pimeyteen.

-Varo ettei vehkeet hajoa! Lore huusi kuiskaten.

-Olisin minä voinut ovestakin tulla! Vastasin ja kaivon rojun sekaan itselleni paremman paikan. Kumivene lähti lipumaan pitkin Uudenmaankatua.

-Onkohan tämä nyt ollenkaan hyvä idea? Sanoin.

Lore tähysti eteenpäin ja rouskutti kuivaa patonginpätkää. Hän sanoi:

-Myönnät siis että tämä on idea?

Oli pilkkopimeää ja Dianapuiston kulmassa oli lahoja autoja sikin sokin märkä risteys täynnä. Lore kai muisti niiden paikat ulkoa, hän puikkelehti autojen välistä hipaisemattakaan niitä ja kääntyi Yrjönkadulle kohti Ruttopuistoa. Ajoimme korttelinpätkän Bulevardia Mannerheimintielle kiertäen Erottajansaaren vasemmalta.

-Mikset ollut siellä Töölönkadulla? Olisi ollut lyhyt matka museolle. Ei täällä ole kiva ajella tähän aikaan.

-Siellä oli jotain sakkia. Meinasi käydä kömpelösti.

-Kuinka monta?

-Kolme. Ehkä enemmänkin. Melkein tuntui kuin olisivat olleet siellä minua kyttäämässä.

-Jos ne oli niitä Hagelstamin vampyyrejä. Käyvät tyhjiä kämppiä läpi. On niitä siellä seassa vielä muutamia koskemattomia joista voi jotain arvokasta löytyä. Haluatko antaa niille vähän takaisin? Käydä huomenna katsomassa porukalla?

En oikein uskaltanut sanoa Lorelle vastaan mistään. Olin hänelle velkaa, ja hän kykeni olemaan väkivaltainen ja suoraviivainen. Sanoin: -Käydään vaan, mikäs siinä. Onko ollut mitään sukellushommia viime aikoina?

-Ei mitään kunnollista. Autojen nostoja, uponneissa asunnoissa käyntejä, olemattomien kätköjen etsimisiä. Siitä ei paljon käteen jää, alkaa olla niin mennyttä kaikki. Ei sinne niin paljon jäänyt kuin ihmiset kuvittelee, ei tuolla niin paljon mitään ole, koskaan ollutkaan, Lore sanoi ja kuin kuvainnollisesti kurkkasi kumiveneen laidan yli.

-Moni unelmoi jostakin rajantakaisesta, toispuoleisesta, vedenalaisesta, sanoin.

-En minä. Olen nähnyt että se on kuraa kaikki.

-Eikö sitten tämäkin?

-Tämä on ainoa mikä ei ole kuraa, Lore sanoi. Olimme hetken matkaa vaiti. Jotain sanoakseni sanoin: -Lähdetkö minun kanssani Toijaan huomenna? Olisi venekyyti. Voin maksaakin jotain. Viikko siellä suunnilleen ehkä menisi.

-Jos pystyisit maksamaan etukäteen että voisin antaa Marjalle vähän niin se päästäisi minut.

-Nyt ei ole rahaa mutta ihan lähiaikoina pitäisi tulla.

-Kyllä se varmaan voisi onnistua, Lore sanoi.

-Hienoa. Kolmas olisi veneessä hyvä, sanoin vaikka ei se ihan niinkään ollut kun tarkemmin ajattelin. Hitto miten tyhmä möläytys, kun tarkemmin ajattelin.

Äkkinäinen mädän haju sai niskan jäykistymään. Hetken miettii olemmeko menossa hajua kohti ja onko se ihmisestä. Ihmisen hajun erottaa yleensä helposti eläimistä mutta tämä oli vain etäinen häivähdys jostakin sivukadulta ja pian kun kumivene lipui eteenpäin kaupungin oma tuoksu valtasi takaisin tilansa ja tuntui hetken jopa raikkaalta. Kumpikaan meistä ei sanonut mitään, olimme korostuneen rentoja. Näinhän me öisen kaupungin läpi ajamme kuin ei mitään. Ihminen se aina vaan jaksaa esittää itseään miten matalalla ja pimeässä hän meneekään.

-Niillä on joku ihme droonibisnes Karilla ja Hannalla, sanoin.

-Se mitä sinä luulit näkeväsi että Hanna tekee ei ollut sitä mitä Hanna tekee. Se ei lennä mitään asiattomia hommia, Lore sanoi äkkiä.

-Okei, sanoin.

-Se on mukana sellaisessa osuuskunnassa joka tekee poliisille keikkaa lähinnä valvonnassa ja saattueissa. Marja on siinä myös. Kaikki isot jakofirmat yrittää tuhota niiden vehkeitä koko ajan.

-Miksi?

-Ne haluaa kaikki muut pois taivaalta. "Vapaa kilpailu on luusereita varten". Niin se slogani nykyään menee.

-Onhan siellä taivaalla muittenkin koneita, Amazonin ja Googlen, eihän ne niitä voi häiritä, mitä?

-Muistatko kun Marja ajoi taksia, tai siis oli etäapukuskina? Kun keinoälylle tuli paha paikka se otti yhteyden Sofiaan joka neuvoi miten vaikka tietöiden sotkemasta ruuhkaisesta risteyksestä selviää, ajoi sen paikan ohi ja antoi ohjat takaisin ai:lle. Tällaisia neuvontatilanteita tuli minuutin välein ympäri maailmaa ja niitä sitten piti setviä sekunneissa.

-Kuulostaa stressaavalta. Kuin joltain peliltä.

-Sitä se olikin. Minimipalkkainen ihminen teeskentelee keinoälyä, joka teeskentelee olevansa ihminen. Mutta toinen peli syntyy siitä että se miten ihminen auttaa etänä tekoälyä voidaan myös korvata tekoälyllä vaikkei se tietenkään ole sallittua. Asensimme botit hoitamaan myös sen ihmisen osan joka oli lailla säädetty, meillä oli hyvät systeemit siinä välissä ja kesti pitkään ennen kuin se selvisi niille ja hommat meni jäihin ja puihin. Parhaimmillaan meillä oli tuhat sopimusta, me tehtiin todella hyvin rahaa muutama kuukausi.

-Siinä saattoi joku jo kuollakin, sanoin. Lore kohautti olkiaan tai ehkä näin väärin. Sanoin: -Miten tämä liittyy siihen nykyiseen työhön?

-Meille jäi kontakteja yhteen keinoälyn kehittelijään. Me tallennamme hänelle meidän lentomme. Hän käyttää sitä dataa kehitystyössä.

-Se se vasta taitaakin olla laitonta, että poliisilentoja kuvaatte sisältä.

-Tietenkin on. Mutta pääsee edes jonkinlaiselle tuntipalkalle. Ja siitä ei voi mitenkään jäädä kiinni kun se tehdään manuaalisesti.

-Miten te olette saaneet poliisilta hommia jos te olette jääneet jo aiemmin laittomuuksista kiinni?

-Se oli googlen homma se taksihomma. Ei poliisi pidä niiden kusetusta minään rikoksena. Ja me ollaan osuuskunnassa. Me ei näytä suoraan mihinkään.

-Aha, sanoin. Olette vaihtaneet pimeältä puolelta voiman puolelle.

-Ja nyt minä vaihdoin sinun puolellesi, muista se. Minkä värinen ja miten valaistu sinä sitten oletkaan.

-Me voidaan vielä palata kotiin, sanoin.

-Mihin kotiin? Ne kivet katsotaan nyt.

Elsakin oli tutkinut jonkin aikaa riimuja minun innostamanani ja yllyttämänäni; niin skandinaavisia, erilaisia eurooppalaisia, Unkarin Rovas-riimuja, foinikialaisten ensimmäisiksi aakkosiksi kutsuttuja joilla homeeriset runot ensi kertaa muistiin kirjattiin ja paikoilleen lukittiin; Islannista löydettyjä saamenkielisiä kuin myös ikikalentereina käytettyjä suomalaisia riimutikkujakin. Olin raivonnut kuinka kaikki riimuissa tulkittiin germaanisilla kielillä ja kaikki tulkitsemattomat sanat selitettiin erisnimiksi. Ja miten ruotsalaisen Bengt Holmströmin tutkimus riimujen suomenkielestä oli kadonnut digitaalisesti näkymättömiin täystyrmäyksensä jälkeen. Pian Elsa kyllästyi vääntämiseeni ja vaihtoi tutkimusaihettaan kristinuskon ilmenemiseen varhaisissa pohjoismaisissa teksteissä ja liukui hallitusti pois vaikutuspiiristäni. Hänen eleensä tarkoituksena oli rauhoittaa välejämme mutta se myös kylmensi niitä. Mikä olisikaan ollut ihanampaa kuin jakaa toisen kanssa kaikki, elämä, työ, mielenkiinto, intohimo? Näin minä luulin mutta Elsa ei ollut samaa mieltä, hän halusi oman kohtansa. Hän ei pitänyt minun henkisestä tunkeilustani ja ylivallan yrityksistäni. Kai dominoin häntä tässä suhteessa, tässä rajatussa mielessä, vaahto lensi suustani, väitin että riimutikut olivat paljon vanhempia kuin luultiin, että riimut olivat alunperin Suomesta ja että tänne ne olivat tulleet kierteellä Sumerin nuolenpääkirjoituksesta, tätä ajatusta minä hänelle tuputin, se oli se kirjokansi, kirja, kirjoitus, se minkä suomen herrat maailmalle ja germaaneille sillä kertaa ilmaiseksi myivät, se oli ajatukseni Sammosta siinä keuhkoamisen vaiheessa. Tutkin Po-joen laakson pohjoisesta tulleiden meripihkakauppiaiden tuntematonta kieltä ja etruskien tunnistamattomia kirjoituksia ja väitin niitä suomensukuisiksi kuten kanadalais-eestiläinen Andres Pääbo sata vuotta sitten ja luin Mario Alinein tekstejä jotka tulkitsivat etruskia unkarin kielen avulla. Puolustuksekseni voin sanoa että tuohon aikaan yliopistolla meni jo todella huonosti eikä kukaan katsonut perääni eikä vahtinut kuumaa yläpäätäni. Jotain puolivirallista tukea ajatuksille oli; emeritusprofessori Asko Parpola väitti aikoinaan että suomella ja sumerilla on yhteistä sanastoa tuhannen sanan verran, mutta väitteeseen ei kukaan tarttunut tosissaan, siis siihen että sumer oli hänen mielestään peräti aglumoiva ugrilainen kieli. Ja kun riimut ilmestyivät nopeasti skandinaavien käyttöön eikä niiden etelästä kulkeutumista oltu vakuuttavasti perusteltu niin harrastin hieman liian luovaa unelmointia ja väitin sitä tutkimukseksi. Aikaa on kulunut ja olen nykyään vanhempi ja viisaampi, se tarkoittaa lähinnä: yritän pitää suuni kiinni ettei pehmeä aivoni paljastuisi. Minulla on valitettavasti vielä näitä opiskeluaikaisia ystäviä jotka ottivat vaahtosuiset juttuni vakavasti ja jatkoivat hyvällä sykkeellä sitä minkä olin jo luullut lopettaneeni aikaa sitten. Osa heistä oli varmasti jo syvällä Pohjoisen Liitossa.

-Kysyin tutkimusaikaa varastolle yli-indententiltä, Lore sanoi kun kumivene lipui pilkkopimeää Mannerheimintietä Vanhan Stockmannin ohi pohjoiseen. Tavaratalo oli siirtynyt vuosia sitten Kallioon mutta rakennuksesta näkyi pieniä valonkajastuksia sieltä täältä sen umpimielisistä kerroksista, ehkä pieniä nuotioita, ehkä himmeitä kuvaruutuja, laittomia asukkaita elämässä hiljaista elämäänsä.

-Päästään varmaan niillä tunnuksilla ovesta sisään, ei tarvitse rikkoa mitään.

-Sinähän paljastut sitten heti, minä sanoin. Makasin selälläni varustesäkkien sekaan kaivautuneena ja katselin ohivirtaavien talojen pikimustia katonrajoja sinimustaa taivasta vasten.

-Eiköhän me paljastuta muutenkin. Mutta en usko että kukaan niistä vanhoista romuista jaksaa enää hermostua. Nehän on sinne unohtamalla unohdettu. Hakkilan varastopalosta säilyneitä mustuneita kivenkappaleita takaisin kansallismuseon kellariin siirrettyjä.

Minua pelotti ja harmitti koko juttu. Pelkästään tämä yöllä kaupungin läpi veneily oli uhkarohkeaa, se oli kiellettyä ja vaarallista. Aina kun liiketunnistimella varustettu valo välähti palamaan ja kumiveneemme oli kuin näyttelijä tyhjällä lavalla säpsähdin ja kuuntelin seinistä heijastuvia kaikuja ja yritin nähdä ympärillämme ailahdellen kimaltelevia öljykalvoisia aaltoja pitkin syvemmälle pimeyteen.

Kadulla ei ollut onneksi ketään, hiljaisuus oli syvä ja pimeys näytti palattuaan täydelliseltä. Lore ohjasi kumiveneen Kiasman ja Sanomatalon välistä koska halusi kiertää eduskuntatalon hieman kauempaa. Valvonta oli sen ympärillä kovempi mutta tälläinen piilottelu oli teeskentelyä, kyllä me molemmat sen tiesimme. Minun pelkoni kasvoi ja kasvoi kuin pahinta aavistellen. Kun kansalaistoria ylittäessämme vesi allamme syveni, minun oli pakko ruveta voihkimaan: -Mitä me teemme täällä? Mitä tämä on?

-Mikä?

-Tämä että me ollaan täällä, keskellä yötä, kuin tehtäisiin jotain järjellistä.

-Mitä, mitä hittoa? Lore sanoi eikä lähtenyt yhtään mukaani.

-Että me toisemme näin hölmöiksi olemme yllyttäneet, hyvät kaverit! Se loru mitä minä sinulle niistä riimuista laskettelin oli ihan muutaman höyrypään kehitelmää.

-Höyrypään?

-Minä olin yksi niistä. Minä mätien paperieni kanssa yllyttämässä teitä hyväuskoisia.

-Saisit varoa mitä puhelet. Tässä sitä nimittäin mennään jos et ole sattunut huomaamaan, Lore sanoi ja hidasti kun lähestyimme kansallismuseon laituria.

-Voihan veneen vielä kääntää, minä yritin mutta tunsin miten Loren niska jäykistyi pimeässä.

-Minä olen tämän eteen jo aika hölmöjä tehnyt, ei tämä tästä enää paljon hölmöne. Tämä vene, nämä vehkeet, mitä luulet? Olenko rahalla vai perseellä hankkinut?

-Perseellä?

-No, velaksi, velaksi tulevaisuuden Lorelta, väärennetyillä luottokorteilla, kalasteluohjelmilla, kaikella typerällä millä vain sain herumaan. Kun Marja saa kuulla.. Mitä luulet? Minulla on tässä kiinni, mitä, elämä, puoli elämää? Ja sinä.. sinun pitäisi nämä tutkia ja analysoida ja nyt sinä puhut, niin mitä? Pilkkaatko sinä minua, uskallatko, saatana, täällä keskellä ei yhtään mitään? Onko sinusta tullut pelkuri?

-Niin kai sitten. Yksi syy miksi häivyin täältä kaupungista oli se että lähdin teitä karkuun. Sinua, Jounia, Timoa ja Rikhardia.. siis teidän, meidän näitä järjettömiä touhuja karkuun. Ympäri kaupunkia riehutaan kuin..

-Minä lyön jos sanot vielä yhdenkin sanan.

-No olen sitten hiljaa, sanoin lyyhistyneenä.

-Kuuntele tarkkaan: Me tiedetään että sinä olet myymässä Kalevaa niille roistoille.

-Mitä?

-Ei muuta. Ole tarkkana, ymmärrätkö? Nyt tehdään tämä juttu. Ole hyvä, Lore sanoi ja ojensi kätensä kohti museota kun vene töpsähti jäykkänä ja peloissaan portaisiin Castrenin nenättömäksi hakatun rintapatsaan edessä.

Raahatessamme varusteita museon keskusaulan halki Lore heilauttaa taskulampun valokiilan kosteudessa rapistuneita ja homeisia Gallen-Kallelan kattofreskoja kohti mutta kumpikaan meistä ei edes hymähdä. Kuusi askelmaa pääportaita kohti kellaria ja musta vesi tulee äkkiä vastaan kuin vaakasuora seinä. Istumme alas varpaat vedessä ja laitamme sukelluslaitteitamme puhumattomina valmiiksi. Pienet elektrolyyttiset umpikiertopullot eivät paljoa paina mutta vanha laserkeilain ja varsinkin sen jalusta ovat hyvin järeää tekoa. Minulla on oma märkäpukuni kuten aina päälläni, riisun vain tuulitakin ja nuljautan lainaräpylät paikoilleen ja olen valmis. Tutkin laserkeilainta ja kysyn Lorelta:

-Mistä sinä nämä varastit, jostain työmaalta? Vähän turhan järeät.

-Älä, ne on vedenpitävät ja tarkat eikä ne tuolla vedessä mitään paina.

-Onko tuolla ovia? Kysyn ja katson veden mustaa pintaa.

-Kaikkien pitäisi olla auki. Siis ei lukossa. No niin, ota sinä jalusta niin mennään, Lore sanoo, laittaa suukappaleen suuhunsa ja töpsäyttelee istualtaan pitkin liukkaita portaita askelma kerrallaan veden alle. Vesi on ensin kirkasta mutta askeleemme nostavat portaista mutapilviä ja lampun hohde himmenee, liu'un nopeasti hänen peräänsä että en jää jälkeen ja eksy sameisiin käytäviin. Normaalisti yhteysköyttä käytettäisiin, olin nähnyt sen kumiveneessä, mutta lore oli kai niin ärtynyt minuun että unohti sen tahallaan sinne.

Vesi on kuusiasteista. Märkäpuvuissamme on sähkölämmitys mutta olemme sopineet että sukellusaika on korkeintaan kaksikymmentä minuuttia koska akut, happi, kylmyys, mahdolliset vartijat ja jo lauenneet hälytykset. Lore ui edelläni määrätietoisesti, hän tietää mihin on menossa, vanhalle luolasukeltajalle tämä on helposti hahmotettava paikka. Lorella ei ole pohjapiirrosta mukana, hän painaa kartat mieleensä vaivaa säästämättä, mutta kulman takana hän pysähtyy. Kaksi metalliovea vierekkäin ja hän epäröi hetken niiden edessä ja saan uitua hänet kiinni. Lore tarttuu oikeanpuoleisen pitkään kiertokahvaan ja alkaa vääntää, mutta kun kahva ei heti liiku menen auttamaan.

Vedämme ovea kaikin voimin ja se liukuu hitaasti veden vastustamana auki, iso kupla pullahtaa muljahtaen ylöspäin päästyään pimeydestä. En ensin ymmärrä mitä näen. Liejua ja möhnää leijuu oven avauksen aiheuttaman pyörteen mukana, vaaleanharmaata liejua jota on ollut oven takana kekona. Kun lieju romahtaa ja leviää ja hälvenee näen kasan luita, ihmisen luita. Pääkallo kierähtää hitaasti pöllähdellen jalkoihimme. Kauhukseni näen että niitä on loputtomasti lisää pimeässä huoneessa. Veden alla ei voi eikä saa huutaa, mutta näen miten suonet ja silmät pullistuvat Loren sukelluslasien sisällä ja niin varmasti minunkin, yritän hallita lihaksiani, sydäntäni ja hengitystäni kaikin voimin. Ne eivät ole mitään muinaisia luita tai minkä nyt muinaiseksi laskee. Veden alla suljetussa huoneessa anaerobiset bakteerit ovat saaneet rauhassa tehdä työtään, valtava kupla ei ollut ilmaa vaan metaania ja muita hajoamiskaasuja. Onneksi meillä ei ole mikrofoneja, on vain pakko hengittää rauhallisesti vaikka se sattuu.

Tämä vesi on tänne päästetty näiden ruumiiden kätkemiseksi. En yritä arvailla katastrofia ja sen nimeä tai vuotta sen tarkemmin. Yritämme sulkea ovea mutta romahtaneet luut ovat tiellä ja jätämme sen auki ja uimme läpi ihmisten tomun sakeuttaman veden, bakteerien iloisen hetken vaaleanharmaat jäänteet pyörteinä ympärillämme. Avaamme oikean vasemmanpuoleisen oven. Lamppujen kirkkaus heijastuu vaaleana häikäisynä läheltä tässä jääkylmässä hilseilevässä sumussa ja vasta vähitellen metri metriltä pääsemme puhtaampaan, pimeämpään veteen. A4, A5, näemme ovien numerot vihdoin. Emme katso toisiamme, olemme yksin kauhuinemme, murramme oikean oven sorkkaraudalla kun se ei heti tottele.

Uponneilla hyllyillä hylätyt muinaismuistot muoviin käärittyinä. Olen raivoissani tästä piittaamattomuudesta, perustelen oman törkeyteni tällä törkeydellä jolla kaikki tämä on tänne jätetty ja uskon taas täysin kuin silloin ennen että kaikki tämä on tahallista.

Lore näyttää oikean hyllyn, revin suojamuoveja auki mattoveitsellä piittaamatta naarmuista joita vanhat kalkkikivet saavat ja nostelen ne vuorotellen pöydälle laserkeilaimen eteen, pyöritän kivet muutamaan eri kulmaan keilausten välähdysten välissä että saamme varmasti täydellisen mallin. Kaksitoista pienempää ja isompaa kiveä salamannopeasti heiluvan punaisen säteen valaisemana uponneen museon kylmässä pilkkopimeydessä. Kivien riimut ovat epäselviä, aivan liian rapautuneita, näen sen selvästi. Nämä eivät ole todiste mistään. Pyyhin joidenkin kivien kylkiä raskaalla sukellushanskalla ja niistä irtoaa murunauhoja veteen.

Muistin kuinka olimme nuorempina Loren ja Elsan kanssa tutkineet riimujen tekstejä kiihkon vallassa ja riidelleet loputtomien tulkintojen aiheuttaman turhautumisen ja uskon ja raivon välimaastoissa, miten olin jo luullut lopettaneemme tämän hölmöyden viimeisen välikohtauksen jälkeen ja miten olin kai katumusharjoituksena ja ystävyyden osoituksena taas toissa syksynä Loren pitkästä aikaa tavatessani puhunut innoissani näistä kätketyistä kivistä ratkaisuna ongelmaan. Tarvitsisimme vain parempia näytekappaleita niin väitteet suomen kielestä riimuissa selviäisi. Tätä olin hokenut ja saanut hänet vakuutettua nyt omaksi kuolemaahipovaksi harmikseni.

Sydämeni kiihtyi kaiken järjettömyyden ajattelemisesta, poluista jotka olivat minut tähän typeryyteen tuoneet. Yritin hengittää rauhallisemmin mutta liian nopea kivien nostelu, ties minkä Mustan Maanantain kätketyt uhrit.. tämä kaikki raskas pimeys, loputtomat huonot historiat ja mätä leijuva lieju ympärillämme.. yhtäkkinen itseinhon puuska sai paniikin tulvahtamaan sisääni. Hengitykseni nopeutui enkä saanut enää tarpeeksi ilmaa suukappaleen läpi. Sylkäisin sen ulos suustani ja hörppäsin sisääni murhattujen sameaa pölyä. Muutama hätäinen potku kohti raollaan olevaa varaston ovea, käytävää, portaita ja pintaa, sätkin ja rimpuilin ja vedin lopulta vettä keuhkoihini ja pimeys alkoi pimetä, kylmyys laantua. Ehdin ajatella: Näinkö siis veden alla kuollaan. Rintaan sattui, vesi tuntui keuhkojen etukamareissa jäiseltä ja likaiselta, kylmänkankeat lihakset kamppailivat minkä kykenivät puolesta ja vastaan. Melko laimeaa olisi ollut ilman tätä kammottavaa typeryyden kehystä.

Lore hajareisin päälläni juuri ja juuri erottuen mustana märkänä kumina pimeää pilvitaivasta vasten. Makaan museon portailla yskien. En ole kai kuollut, päähän sattuu, käsiä palelee, jalkoja ei tunnu, oksettaa, oksennan. Katselen vauhkona ympärilleni näkemättä mitään ja yskin lisää limaa minkä jaksan. Tähtiä luomien sisäpuolella.

-Miten menee? Lore kysyy kuiskaten korvaani ja jatkaa: -Älä liiku, ole hiljaa. Täällä on joku, tuli häly. Pystytkö ryömimään veneelle? Seuraa minua.

Lore lähti matelemaan nurmikkoa pitkin ja konttaan hänen peräänsä, olen aivan sekaisin ja voimaton, konttaamista kummempaa en pystyisi edes tekemään. Yskin limaa keuhkoistani niin äänettömästi kuin pystyn mutta ei se äänetöntä ole, likainen vesi on ärsyttänyt keuhkojani, sattuu, on pakko yskiä ja yskiä. Mitään tavaroita meillä ei enää ole,

vain kaksi matelevaa liskoa pimeydessä. Olen sanomassa Lorelle ettei täällä mitään ole kun jostain tulee luoti hiljaa viuhahtaen ja Loren selässä töpsähtää ja hän ähkäisee vaimeasti. Polun hiekka ropisee osumista mutta laukauksia ei kuulu enkä näe mitään. Lore jatkaa ryömimistä änisten kunnes häneen osuu taas. Kierimme portaat alas kumiveneelle, olemme kai katveessa koska luoteja ei tule enempää.
-Mitä helvettiä? Mihin sinua osui? Kysyn.
-Selkään ja jalkaan. Ei satu oikein yhtään, miksi? Mitä se oli?
-En tiedä. Ei ollut mikään iso ase. Mikä on olo?
-En tiedä. Olen ihan puutunut. Ehkä se on jotain.. ehkä paikannin.. nonytväsyttää..
Ota, Lore sanoo ja kaivaa rintataskustaan laserkeilaimen muistikortin. -Tämmöstä se on kun on porvarihallitus, Lore sanoo pidellen toisella kädellä kylkeään, sulkee silmänsä, painaa päänsä sepeliin ja hiljenee.

Haron graniittiportaita kunnes löydän pudonneen kortin, kuuntelen Loren hidasta ja tasaista hengitystä. Uskottelen että kyse on nukkumisesta, että kaikki on olosuhteisiin nähden hyvin ja hylkään hänet siihen.

Irrottaessani kumivenettä poliisiamfibi tulee Mannerheimintietä pitkin vesi korkeissa kaarissa roiskuen, vilkut välkkyen ja valokiilat ja laserit heiluen. Kierähdän graniittimuurin kulman taakse Töölönkadulle ja kun en muuta keksi kahlaan kohti asuntoa. Odotan luotisadetta selkääni mutta sitä ei tule, kahlaan pimeää katua kylmyydestä ja väsymyksestä täristen, yskin hiljaa itsekseni kuraa keuhkoistani. Muistan kuinka kuljin tätä katua öisin kun se oli vielä kuiva sata vuotta sitten, kun olin tulossa baarista humalassa kotiin avaimia kaivellen samalla yrittäen hillitä humalaista horjumistani niin kuin nyt kuoleman horkkaa. Miten Jaskan grilli nousi pitkin Arbiksen rinnettä kuin jättiläisetana kunnes paloi soihtuna pois.

Sytytän rapussa pukuni lampun ja peitän sen kädelläni että vain vähän valoa pääsee maailmaan. Asunto on pengottu ja rikottu niin ettei oveakaan enää ole. Kaikki murskana vedessä, jopa umpikipsiset väliseinät palasiksi hakattuina. Ovenkarmit kirveillä tai moukareilla pirstottuna siellä ja täällä tikkukasoina, kaapit murskattu reikäisiksi levykeoiksi. On purettu raivoa ja ehkä etsitty jotain. Ainoa ehjä kohta on keittiön sirpaleiden peittämä tiskipöytä. Nostan hellan takaisin pystyyn niin hiljaa kuin pystyn ja asetan kuivaksi puristamani sohvatyynyn sen päälle ja käyn makaamaan kyljelleni tiskipöydälle takamus tiskialtaassa ja kylkiluut kipeästi altaan reunaa vasten. Tärisen kylmästä ja nälästä, nukahtelen yön läpi tässä viheliäisessä nälkärauniossa, kuuntelen risahduksia rapusta, yritän haistaa märästä tyynystä jotakin tuttua kun yskin sitä vasten. Oletan että Lore on poliisin hoivissa, en ajattele häntä ja koko asiaa että saisin edes vähän nukuttua.

11. Kartta

Herään aamuhämärässä tiskipöydältä sätkien kuin kylmä kala. Sattuu kaikkeen. Pudottaudun liejuiseen veteen ja kahlaan vielä viimeisen kerran kuin hyvästiksi ympäri asuntoa. Itkin kaikista syistä; pelon ja jännityksen laukeamisesta, kylmästä ja nälästä, surusta ja kaipauksesta, uhosta ja häpeästä. Yritin etsiä, yritin etsiä mitä tahansa, karttaa, karttaa pois tästä maailmasta. Löysin kaapista kipulääkepurkin, sen sisällä oli möhnöä massaa. Pyyhkäisin sen suuhuni, sideaineessa oli muutama kalori.

Laahustin Nervanderinkadulta Museokadulle ja kahlasin sitä pitkin äänettömän ja värittömän Töölön läpi suorinta tietä kohti merta. Olin yrittänyt ensin mennä Temppeliaukion kautta mutta mäelle johtava tie oli suljettu korkealla verkkoaidalla seinästä seinään ilman porttia tai mitään. Mietin ettei minusta olisi mitään hyötyä ilman karttaa, sitä Pohjoisen Liiton oli pakko havitella, mitä muutakaan. Ilman sitä olin tyhjä kortti. Vaikka saisinkin paikkatietoni Tanskan Andersilta minulta kestäisi kuukausia kyhäillä kokoon edes murto-osa löydöistä kartalle pöheiköissä hortoilemalla piirtämieni harakanvarpaiden merkityksiä arvaillen. Kaikki muu oli vain löysää puhetta ja ilman sitä en kauaa heidän seassaan keikkuisi.

Regatan huoltamolautta oli luojan kiitos auki. Piti käännellä päätä hetken että sen sai hapuaviin silmiinsä, se oli siirretty uuteen paikkaan, kallioon soutustadionin takana. Kaikki veneet ja hökkelit olivat taas siirtyneet monta sataa metriä pohjoiseen ja koilliseen. Muuttuva maisema tuhoaa jotenkin muistin, olin siitä varma, sain puistatustärinöitä. En muistellut enää asuntoa, sillä ei ollut enää mitään arvoa, se meni tässä samalla. Ei ollut enää yhtään tuttua nurkkaa. Ajattelin eteenpäin ruokaa, rahaa ja Lenaa. En yrittänyt etsiä silmilläni osuuskunnan vartijoita joita oli aina vähintään muutama lähistöllä, yleensä veneissä piilossa tai kalastamassa, aina löyhässä kehässä puolella silmällä toisiaan suojaamassa.

Huoltamon tuttu myyjä Karri lupasi antaa minulle palan vanhaa leipää kun näki naamani mutta sitten päähäni välähti tarkistaa tilini ja sinne oli ilmestynyt rahaa vaikka miten paljon, tuhansia. Katsoimme toisiamme luikuin silmin ja sitten nauroimme. En kertonut mistä rahat olivat eikä Karri kauaa tivannut. Tilasin kananmunia ja sämpylöitä ja kahviketta ja vaihdoin tuoreet akut kajakkiin ja maksoin vanhat velkani pois korkojen kera. Söin mahani kipeäksi ja tarjosin Karrille joka myös söi iloisesti. En ollut nukkunut kunnolla moneen yöhön, tuijotin sumuista Seurasaarenselkää ja Seurasaarenkareja silmieni hämärän läpi. Lenan venettä ei vielä näkynyt, olin tunnin etuajassa. Muistin puhelimen räjähtäneen akun ja ostin sellaisen. Hymyilin leveästi Karrille kassan takana, hän räpelsi minulle akkua vetolaatikosta kun söin posket punaisina suklaapatukkaa sokeri- ja rasvahumalassa tiskiin nojaten. Karri puhui ruoka suussa:

-Ei niitten kyllä pitäisi räjähtää. Niissä on säätöelektroniikkaa, ne kestää vettä, en ole sellaisesta kuullut pitkään aikaan. Oletko huonosti lataillut.

-No kajakin kennoilla.

-Onko se sitä uutta Kepexin kennoa?

-Ei kun vanhaa.

-No sitten. Jos olet suoraan kytkenyt niihin, niin pilallehan ne menee. Pitäisi olla muunnin välissä, niissä oli sellainen mallivika että virta vaihtelee liikaa. saako nuo vaihdettua uusiin helposti?

-Ei kai se ihan halpaa ole kun ne on integroitu. Integroitu, kaikki saatana!

-Mitä sä riehut?

-Anteeksi, liikaa ruokaa. On tuo mermaidi vaihtumassa parempaan, auttaisiko se siihen akkuun?

-Mikä malli sinulle on tulossa?

-Semmoinen 50 ultra.

-Oho.

-Ja siihen tulee pari moduulia mukaan jotka maksavat kivitalon verran.

-Helsinkiläisen vai Tamperelaisen kivitalon?

-Tamperelaisen.

-Tuleeko siinä turvamiehet kaupan päälle?

-Eipä taida. Päinvastoin.

-Meinaat selvitä sen kanssa tuolla.

-Ei siitä kukaan mitään tiedä paitsi sinä ja Amazon eli puoli maailmaa. Se on veden alla piilossa koko ajan. Äkkiä se rumenee kuin kaikki.

-Minun serkkuni voi ootrata sen näyttämään uppotukilta. Nyt kun sulla on rahaa.

-Miksi kajakin pohjassa olisi uppotukki kiinni?

-No olisihan se outoa. Muinaismuisto matkalla museoon isäntänsä kanssa?

Laitoin akun puhelimeen ja virrat päälle. Se heräsi. Kolme viestiä, kaikki tuntemattomista numeroista. Sanoin Karrille anteeksi ja käännyin sivuttain kohti lasiseinää ja merta. Ensimmäinen luki: "Olen ok. Luodeissa unilääkettä ja rotanmyrkkyä, helvetillinen pääkipu, sakkoja 3600, maksat puolet tai kuolet. Jutellaan myöh. V:n Idiootti. L." Lore oli siis kunnossa. Toinen luki: "Olen vähän myöhässä, vartin yli. Lena." Siihen oli puoli tuntia aikaa. Ja Kolmas, ääniviesti, kuului:

100

"Kaiketi täytyy mun lausua mieleni julki
kuinka ma aattelen itse ja kuink'on käypäkin, ettei
turhaan kärttävä ois mua toinen teistä ja toinen.
Hadeen portteja niin en viero ma kuin sitä miestä,
toisia mielessään joka hautoo, toisia puhuu."

Se oli lainaus jota kukaan muu kuin Elsa ei olisi osannut valita, se oli solvaus suoraan minulle. Jalkani menivät veteliksi nivusiin asti ja lysähdin puutarhatuoliin haljenneen lasiseinän nurkkaan ja tuijotin viestiä hölmönä. Nostin katseeni ja katsoin itseäni pienestä koristepeilistä ruostuneen metallipöydän takana. Silmäni seisoivat kuin joku eläin olisi juossut metsästä valoihin. En pystynyt istumaan paikoillani, lähdin mitään sanomatta kilahtavasta lasiovesta.

Merimelojien betonilautat keikkuivat nyt Pauligin palaneen huvilanraunion ja Sibeliusmonumentin välisessä kallionpainanteessa mereltä suojassa. Kauempana pohjoisessa näkyi Ilmattaren ja Sotkan patsas pikku nyppylällä joka oli nyt myrskyssä kuroutunut irti mantereesta. Raskasta graniittijalustaista pronssimonumenttia oltiin siirtämässä turvaan mutta työ oli kesken, patsas keikkui liian pienelle lautalleen nostettuna vinossa ilmattaren katse kohotettuna yläviistoon kuin hän taas unelmoisi maailman uudelleen luomisesta. Jalustassa luki totuudenmukaisesti: "Tuuli neittä tuuitteli". Jotakinhan pitää palavasta talosta ja uppoavasta laivasta pelastaa edes eleenä mutta surkealta yritys näytti. Missään ei ollut ketään, kello oli vähän tähän aikaan.

Melontaseura oli nykyään käytännössä veneseura tai tarkemmin purjehdusseura. Folkkarit ja muut pienet kevytkulkuiset ja helppohoitoiset purjeveneet olivat kaikista suosituimpia nykyään. Niillä mentiin kalaan ja tehtiin matkaa kun taas satamien syöppöjä moottoriveneitä käytettiin asuntoina ja niitä siirrettiin tarpeen mukaan uusiin paikkoihin. Kukaan ei melonut pitkää matkaa niin kuin minä koska siinä kului liikaa energiaa ja tuli nälkä, olisi pitänyt saada kunnon ateria aina melontapäivän jälkeen. Nälästä heikko jaksoi purjehtia mutta melojalle se oli hengenvaarallista. Siksi kalastin aina kun olin vesillä: yöksi laskin verkon ja joskus jopa tuulastin tai sukelsin lampun ja kaikuluotaimen kanssa vastentahtoisia kaloja kivenkoloista tonkien ja kampeloita pohjan mudasta. Kolmianturisen kaiun tarkan kuvan avulla ujutin hätäraketeista tekemiäni pieniä mittanaruun kiinnitettyjä syvyyspommeja isojen kalojen kylkiin ja yritin sukeltaa ne talteen ennen kuin ne ehtivät virota pökerryksistään. Osa oli kokeilua ja leikkiä, verkko ja erilaiset onget olivat tietysti parhaat tavat mutta joskus nälkä sai keksimään ja yrittämään mitä tahansa.

Vajat olivat lukossa. Koputtelin peltisiä liukuovia ja kuulin sisältä askelia notkuvilla lankuilla. Nainen avasi pilkkopimeän oven nyytti sylissään. Tunsin hänet hyvin. Kai hän oli nähnyt minut ennalta. Kuiskasin:

-Hei Mirja. Sinulla on lapsi!

-Niin kuin näkyy. Se on Selja, Mirja sanoi ja avasi nyytin kulmaa. Unisenärtynyt lapsenpää kääntyili hitaasti irvistellen kuin talviunestaan herätetty lepakko.

-Sieltä sitä vaan pimeästä tullaan, vai valostako, voi sentään, sanoin ja tuijotin lasta läheltä oviaukon raossa. Yritin olla ystävällinen mutta näytin kai huonolta, haisin ehkä pahalta, Mirja nyrpisti nenäänsä.

-Lapsia syntyy minne syntyy, hökkeleihin ja huvijahtien kansille, hän sanoi ärtyneenä.

-Niin varmaan. Oletko melomaan päässyt?

-Verkot viedään veneellä. Mitä sitä huvikseen tuolla kukaan nykyään viuhtoo kuin sinä.

-Saa verkot kajakillakin katsottua. Oletko yksin?

-Joo. Minä hoitelen Markon ja parin muunkin vuorot aina kun ne on kalassa niin kuin nytkin. Ja varsinkin kun näin että sinä olet tulossa.

-Ai näit vai? Miten sinä sen näit, unessa? Onko sinulla jotakin asiaa minulle sitten?

-Ei, ei oikeastaan. Ei sellaista mitä voisi sanoa. Kunhan halusin nähdä sinut.

-Miksi?

-Että miltä näytät, silmiesi ympäriltä. Tuolla olisi sauna puolilämpimänä jos kiinnostaa.

-Mahtavaa! Tuletko sinä?

-Jos Selja päästää, Mirja sanoi ja katsoi nyt nukkuvaa lastaan. Hän kääntyi ja kävelin hänen perässään ovesta sisään ja hämärien kajakkirivistöjen välistä kalteri-ikkunaiseen pukuhuoneeseen majan takaosassa. Kaikki oli niin kuin ennen paitsi että tämä kaunis hämärä oli kaksisataa metriä idempänä nyt.

-Onko sinulla vielä kaappi täällä? Mirja kysyi peitellessään lasta katosta roikkuvaan kapaloon. Lapsi oli nyt tiukka nyytti, nukkuvat pyöreät kasvot levolliset kuin patsas ikkunan valkoisessa kajossa, kuin toisessa maailmassa, toisen maailman koordinaateissa hitaasti keinuen.

-Joo mutta hukkasin avaimen ajat sitten, sanoin ja käännyin hipelöimään pientä munalukkoa lommolle hakatussa peltiovessa. Väänsin sitä jos se hajoaisi silkkaa turhuuttaan.

Mirja avasi pöytälaatikon, poimi esiin vasaran ja ojensi sen minulle. Muutama kampaisu ja oven kieleke antoi periksi. Selja inahti mutta vaikeni änisten. Kaapissa roikkui hiirensyömä märkäpuku ja pari homehtunutta aluspaitaa. Ylähyllyllä oli kasa tyhjiä muovisia vesipulloja ja harmaata tahnaa sisuksistaan pursuttanut akku jota olin turhaan muistellut. Kopin pohjalla oli neopreenitossut ja rytyssä olevia kuivasäkkejä, lisää tyhjiä juomapulloja ja muuta roinaa. Vanhentunutta pahaa hajua.

-Ei täällä taida olla mitään järkevää, sanoin ja työnsin käteni kaapin perälle ja sormeni osuivat ranteenpaksuiseen putkeen. Vedin kosteuden pehmentämän pahvirullan esiin.

-Mikä se on? Mirja kysyi.

-Minun kadonneet paperini, sanoin hölmistyneenä ja avasin putken kokoontaitetun pään ja hytkytin sisällä olevan kartan esiin ja levitin kosteanlötkeän paperin auki syliini. Tuhruisia lyijykynärasteja ja muita merkkejä siellä täällä pitkin eteläistä Suomea ja numeroita ja kirjoitusta kartan reunoilla ja tarralapuilla. -Et ehkä usko mutta joku maksaa tästä kovaa rahaa.

Katselin karttaa hetken ja kiersin sen sitten takaisin rullalle ja työnsin takaisin putkeen. Riisuiduimme äänettä. -Et sitten katsele minua, etkä sano mitään, hän sanoi alastomana edessäni, silmät silmiini naulittuina, vakavana.

-Osaanhan minä, puhumatta ja huutamatta, sanoin ja livahdin hänen perässään saunaan.

Puhelin soi lattialla lojuvan märkäpuvun taskussa ja heräsin. Mirja oli antanut minun syödä ja olin nukahtanut pukuhuoneen penkille äkkiä niin kuin oli tullut tavaksi.

-Missä olet? Lena kysyi ärtyneenä. Tuuli puhalsi hänen puhelimensa mikrofoniin.

-Missä sovittiin. Tai lähellä.

-En näe sinua.

-Olen siinä minuutissa, sanoin ja nousin.

12.

Astuin ulos vajalta ja kävelin pahvirullaa kädessäni pyöritellen kohti rantaa. Lenan vene kääntyili hitaasti irtovedessä laiturin edustalla. Kuului pientä kallista servomootto-rien sykkivää ininää veneen pysytellessä purjeet alhaalla paikoillaan takatuulta vasten. En kyennyt pidättelemään hymyäni. Iloinen polku naiselta naiselle! Ihana olla vietävänä kuin sylilapsi kärryissä, tärkeänä. Miten tärkeänä? Sen selviäminen teki tästä kaikesta vielä hauskempaa. En ottanut itseäni vakavasti mutta joku otti! Ja Lena, kaunis skandinaavi hymyili minulle, kyykistyi hetkeksi partaan taakse piiloon ja nousi esiin nostaen samalla korkealle päänsä yläpuolelle suuren vihreän lasipullon ja huusi minulle silmät suurina kuin muka hädissään:

-Äkkiä kyytiin! Samppanja jäähtyy!

Hän oli varastanut Kämpistä samppanjapullon ja ajatellut että juomme sen yhdessä matkamme kunniaksi. Nauran ääneen kun loikkaan keulatikkailta laivaan, olen otettu. Hän on ajatellut yhteistä matkaamme kuin juhlaa ja niin olen minäkin, molemminpuoli-nen hysteria ja levottomuus on täyttä totta tai ainakin uskottavasti esitettävissä. Pum-maan häneltä tupakan, hän käärii sen minulle. Katson lumottuna miten kääriminen ta-pahtuu keikkuvassa veneessä jota automaatio rauhoittaa, unohdan kaiken muun, muuta-ma puru pyörii tupakkapussin tuulipyörteessä ja lentää matkoihinsa. Kysyn:

-Missä kajakki on?

-Nostin sen sisälle kajuuttaan. Haluatko tarkistaa?

-Ei tarvitse. Hei, sanon heti etten unohda: tämä on mahtavaa.

-Mikä? Lena kysyi ja sytytti savukkeet huuliensa välissä ja ojentaa toisen minulle. Tu-pakka ei halua irrota, huuli venyy hetken perässä, hän ynähtää, nauramme. Pieni kostea jälki paperissa. Tämä hetki jos mikä tarvitsee nämä rituaaliset merkit. Ei puutu kuin San-ta Muerten patsas jonka päälle puhaltaa nämä pyhät savut. Nyt höngin ja yskin ne tai-vaalle ja sanoin:

-Tämä, sinun kanssasi, ensimmäinen kevätretki, koululaisten luokkaretki, opiskelijoi-den ekskursio täynnä odotuksia. Tuntuu kuin olisi jonkin uuden äärellä, herranjumala, kuin pitäisi olla oppivinaan jotakin!

-Älä lataa tähän liikaa odotuksia, Lena sanoi matalalla äänellä ja latasi minua kohti ihanimman ilmeensä, vitsinä tietysti, ja me nauroimme taas.

Vene kääntyy napin painalluksesta kohti Lauttasaarta ja väylää. Lena sysää pullon avattavaksi ja käy nostamassa purjeet ja palaa sitten viereeni takatuhdolle, säätää hetken plotteria ja autopilottia.

Korkki lentää pamahtaen taivaalle ja putoaa mereen, kallis neste kuohuu yli, ryystämme vaahtoa pullonsuusta vuorotellen ja yhtäaikaa ja nauramme petturien ja salaliittolaisten ja alkoholistien naurua, sille ei tule loppua. Olo on kevyt, sen on pakko olla. Katsomme toisiamme hetken sileästi kuin esineitä. Sanon:

-Pääsisi sinne Toijaan maatakin pitkin. Muutamassa tunnissa, bussisaattueessa. Tarkistin ettei se reitti ole enää niin paha kuin luulin.

-Minulla on tämä vene tässä. Ja haluan poiskin sieltä, silloin kun haluan. Pelottaako sinua?

-Joo, ettei vaan menisi liian intiimiksi.

-Mitä tarkoitat?

-Mietin että miten kaikki on suunniteltu. Sinut siihen keikistelemään.

-Harvoin se on ketään haitannut, Lena sanoi ilmeettömänä.

-Kyllä se ajattelua haittaa. Haittaa ajatella kaikkea tätä.

-Mitä kaikkea?

-Lastia. Etkö sinä pelkää että heitän sinut mereen ja vien veneesi? Se on paras idea mitä minulla nyt on.

-En pelkää. Minulle on muodostunut sinusta hyvin oikeudenmukainen ja rehellinen kuva.

-Minä *voisin* heittää sinut laidan yli. Ei enää mitään hauskaa lärväämistä. Puhut asiat tästä lähtien niin kuin ne ovat, sanoin kova ilme naamallani.

Hän uskoi minua, yhtäkkiä kihisin raivosta kun muistelin hänen eilistä käytöstään yliopistolla. En tiedä oliko vihani hallittu, sellaiseksi sen selitin. Epäilin tätä naista, epäilin itseäni, epäilin maailmaa. Oma epärehellisyyteni teki minusta arvaamattoman jopa itselleni.

-No, mitä haluat tietää? Lenan silmissä oli huvittuneen kiinnostunut ilme, ehkä pelkoakin vähän. Hän käytti aineita tai lääkkeitä, sen näki selvästi. Hänen mielialansa vaihtelivat, hän hallinnoi niitä ties millä pillerivalikolla. No niin vaihtuivat minunkin, tunsin miten adrenaliini irtosi koteloistaan ja sai aivoni teräviksi mutta oli jotakin muutakin.. Leijuin syvässä hyvänolon tunteessa, pahin teräni tylsyi äkkiä ja luonnottomasti. Mitä hän tähän ympärillemme sumutti, ehkä samppanjassa oli jotakin? No, merituuli puhaltaisi pian myrkyt pois meistä. Kysyin:

-Miksi minut on sinne leiriin saatava? Ette te ole ainoita pyytäjiä.

-Ai? Kuka muu on pyytänyt?

-Kaikki ketkä tunnen miinus yksi.

-No. Minulta kysyttiin kuka suomalainen voisi sinne sopia ja sinä tulit mieleen. Jos totta puhutaan en tunne ketään muuta, Lena sanoi ja päästi irti pullosta jota olimme koko ajan yhdessä puristaneet kuin mitäkin lasta välissämme. Kysyin:

-Sinä et tiedä mitä olen viime aikoina tehnyt?

-En, Lena sanoi. -Ihan niiden vanhojen kontaktiemme perusteella ehdotin sinua. Profiilisi mukaan olet aggressiivinen mutta et mikään murhamies.

-Kai se teidän papereissanne lukisi, jos olisin, eikö muka? Mitäs jos olenkin?

-No oletko?

En vastannut. Olin hakannut hetken aikaa ihmisiä työkseni mutta tietääkseni kukaan ei ollut kuollut. Lena kaivoi repustaan jotakin. Kaksi lasia.

-Varastit nuokin sieltä Kämpistä?

-Otin vain niin kuin sen samppanjankin. Onko se varkaus? Eiköhän ne ole jo firman tililtä vähennetty, Lena sanoi ja nosti lasit silmieni eteen. -Ole hyvä ja kaada. Kuolla nyt merellä janoon!

-Minulla voi olla käsissäni edellisen naisen hajua. Ettei se vaan tartu ja pilaa tätä juomaa sinulta?

-Hyppää järveen. Miksi kiusaat noin törkeästi? Miksi haluat pilata tämän?

-En minä kiusaa, sanoin. -Siksi minä myöhässä olin.

Kaadoin, joimme mulkoillen toisiamme. Lena haisteli lasiaan.

-Oletko törkeä vai hullu. Sinun pahan hajusi alta mitään muuta erota.

-Huonoa huumoria. Anteeksi.

Saimme suunnan kohti Porkkalanniemen kärkeä ja hetkeksi kohonnut jännitys välillämme muuttui taas merielämän iloksi kun tulimme avoimeen ja vene kallistui tuulessa, sen vauhti kasvoi ja kokka alkoi kohista iloisesti. Oli hoidettava venettä, katsottava ympärille, mietittävä maisemaa, tuulta ja vettä ja reittiä iltaan asti. Lauttasaaren ja Hernesaaren merirauniot tuijottivat menoamme tyhjät ja pimeät silmänsä täynnä kateutta. Oli aina hyvä jättää homehtunut Helsinki taakseen ja miettiä muuta, mitä tahansa muuta. Esittelin rantojen kammottavimpia näkyjä ja kerroin kauhutarinoita Westendin seonneista rikkaista, Suvisaaristosta, joka pahimman anarkian aikaan räjäytti siltansa mutta josta ei enää näkynyt kuin kolme kanervienkarvoittamaa puolikaljua luotoa. Osoittelin kaikkea mitä silmiemme ohi sumentuneilla rannoilla lipui kunnes Lena keskeytti:

-Sinä kerrot vain rikkaiden tuhosta, vahingoniloisesti. Mitäs köyhille kävi?

-No mitäs köyhille aina käy. Huonommin, ja ilman tarinaa. Ei ole mitään kerrottavaa.

Olimme hetken hiljaa. Lena kysyi: -Ei sitten tullut muita veneitä meille kaveriksi?

-Haku oli päällä mutta ketään ei löytynyt. Omituista. Luulisi että sinne leirille olisi vaikka miten menijöitä. Matkaseuraa on tästä länteen aina helposti saanut, sanoin ja tarkistin vielä kerran ettei vastauksia kyselyyni ollut tullut. -Huomisaamuksi olisi yksi ryhmä kasassa.

-Me molemmat osallistumme festivaalin ohjelmaan. Meidän pitää olla siellä viimeistään huomenillalla.

-Minkähänlainen on minun osani?

-Osallistut paneelikeskusteluun. Ei mitään ylivoimaista, Lena sanoi.

-Haluaisin valmistautua. Ja ehkä tietää aiheen.

-Kyllä se aihe on ne sinun tutkimuksesi, se sinun yksi julkaistu paperisi, blogipörinäsi, mitä muuta se voisi olla, ja kaunis vakava naamasi. Kalevalan maantiede Varsinaisessa Suomessa. Meillä on tekstejä jotka lähentelevät sitä. Saat lukea ne että osaat hieman kommentoida. Muutama kymmenen sivua. Säädetään sinun osasi sopivaksi, harjoitellaan vähän tässä.

-Kuuluuko materiaaliin myös ne meidän muinaiset keskustelumme netissä? Kerro minulle mistä niissä oikein oli kyse.

-Minä sanon sinulle yhden asian. Me emme riitele tässä veneessä, onko selvä? Merillä ei riidellä. Tästä ei pääse pakoon.

-Kiellätkö sinä minua kysymästä siitä?

-Et saa hermostua, Lena sanoi.

Hän pelkäsi minua sileän kuorensa alla, näin miten hän pani kaiken viehätysvoimansa peliin ja se oli samalla ihanaa ja rumaa. Saisin hänet tai häntä, se oli varmaa, se oli naurettavaa koska se oli kuin luvattu tai tuomittu meidän osaksemme. En piitannut tästä typeryydestä; olin rennompi ja kevyempi kuin koskaan, mieleni meni kuin tämä vino vene hyvässä tuulessa iloisesti keinuen. Sanoin:

-Nyt ollaan veneessä ja nyt puhutaan totta. Niin päin se menee. Melanveto ja olen poissa. Tai askel ja sinä olet. Kenen naama se oli.

-Mikä?

-Se Ben Ulveus joka aina silloin tällöin, niin kuin juuri nytkin, aineellistuu kauniiden kasvojesi tilalle.

-Jonkun kuolleen naamaa lainasin. Niitähän riittää.

-Taidan tarkistaa kuka se oli. Väärällä identiteetillä esiintyminen on rikos.

-Ja mistä lähtien?

-Vuodesta nolla lähtien!

-Ei se ketään kiinnosta. Ja se tehtiin luvan kanssa. Et saa siitä mitään nalkkia aikaiseksi. Ja miksi pitäisikään?

-Ihan vain tasapuolisuuden vuoksi. Teillä on vaikka mitä minua vastaan, sanoin.

-Ei pitäisi tehdä niin paljon pahoja.

-En minä ole enää niin paha kuin ennen.

-Et sinä näytäkään pahalta, minun silmääni, Lena sanoi lepytellen.

-Saako ihmistä noin uhkailla.

-Enemmänhän minä sinua hunajalla houkuttelen, jos olet huomannut. Välillä keppiä, välillä piiskaa. Saat tottua, Lena sanoi ja painoi käden rintaani vasten. Hänen silmänsä olivat tutkimattomat, ne eivät koskaan ratkeaisi, se oli selvää.

Nousin alta pois, säädin purjetta kireämmälle ja sidoin muutaman solmun niin nopeasti kuin osasin, ohimennen. Lena huomasi sen.

-Ai sinä väität ettet tiedä mitään purjehtimisesta?

-Kyllä minä purjehtia osaan. Mutta en osaa enkä halua osata sitä teidän sanastoanne, teidän rituaalejanne. Maksaa hintojanne. Olen kuitenkin meloja ja soutaja. Ne ovat matalamman väen hommaa. Enemmän merta vähemmällä rahalla.

Lena närkästyi heti. -Niin, poseeraat köyhää. Ja milloin viimeksi purjehtiminen on ollut etuoikeutettujen touhua?

-Viimeksi aina! Golfit ja tennikset voi tulla ja mennä mutta hevoset ja purjehtiminen ovat ne missä mitataan iänkaikkisesti lompakon pohja ja kaveripiirit ja niin se tulee aina olemaan oli aika mikä tahansa. Sen näkee miten koko ajan tiukemmin takki auki rikkaat tarpovat aidatuilla laitureillaan, toppaliivitepot pusertavat otsa hiessä väkisin rentouttaan esiin. Hah! Ilmeistäsi näkee että olet sellaisilta laitureilta kotoisin.

Lena veivasi etupurjetta kireämmälle ja sanoi plotteria säätäessään:

-Purjeveneet ovat käyttötavaraa nykyään, siksi niiden hinnat ovat nousseet pilviin. Purjehtiminen on välttämätöntä! Mutta onhan se tottakin: Mieleeni tuli hauska paperi "Argonautit Pohjanmerellä" ajalta ennen näitä meidän teorioitamme jossa aavistellaan Britannialaisiin laivalöytöihin perustuen pronssikautisten venekuntien dynamiikkaa. Tutkimuksen mukaan pohjoisten venekansojen ylimykset saivat kunniansa ja asemansa pitkiltä veneretkiltä tuomiensa harvinaisten kauppatavaroiden välityksellä. Heidän ylemmyytensä ja sen suoma oikeutus tarinankerrontaan piti perustella konkretialla, vaikkapa sinisillä apsulikoppakuoriaisilla Egyptistä, joita on löytynyt Tanskasta asti.

-Mitä tarkoitat?

-Että paras tarina on uskottavimman ja fantastisimman risteyskohdassa. Pisimpiä matkoja tehneillä oli erikoisimmat saaliit niin todellisuudessa kuin tarinoissakin. Tuontitavaroita voitiin käyttää ylemmyyden perusteluun niin itselle kuin rahvaallekin. Konkretian ja tarinoiden tukipilarit, molemmat tarvittiin.

-Nykyajan rikkaiden ei onneksi tarvitse moiseen enää alentua!

-Ai mihin?

-Todistelemaan rahvaalle tarpeellisuuttaan, sanoin.

-No. Ylimysten, käytännössä laivojen rakentajien ja yhteisomistajien ja purjehtijoiden etäisyys purjehtimattomaan paikalliseen ja jopa todennäköisesti erikulttuuriseen rahvaaseen oli todellinen ja sitä pidettiin aktiivisesti yllä. Se mitä myöhemmin kutsuttiin talonpoikaispurjehdukseksi oli muinoin ylimyksille rajattu.

-Ai ne argonautitkin olivat pohjoisesta vai? No kaipa jos joku klassinen tarina oli niin kaikki muukin oli, selvähän se, samaan pataan vaan kaikki.

-Oletko lukenut sen? Jasonin ja Argonauttien tarinan?

-Olen. En muista siitä mitään. Viisikymmentä soutajaa?

-Viisikymmentä soutajaa Tanumin kalliopiirroksissa ja kaikkialla muuallakin skandinaviassa, Stavangerin ja Skjebergin pronssikautisissa piirroksissa. Ei niitä kukaan ennen ole todesta ottanut. On pidetty liioitteluna soutajia markkeeravien viivojen määrää. Mutta nuo Doverin pronssikautiset laivalöydöt olivat kolmenkymmenen soutajan ja niin olivat myös Hjortspringin laivat Tanskasta. Eikä kaikkea ole vielä löydetty.

-Lausuin kun muistin sopivasti:

"Muut purret, pahatki purret,
ne aina sotia käyvät,
tappeloita tallustavat;
kolme kertoa kesässä
tuovat täytensä rahoja,
alustansa aartehia.
Minä, veistämä venonen,
satalauta laaittama,
tässä lahon lastuillani,
venyn veistännäisilläni."

-Ei tätäkään sotapurren valitusta ole täydestä todesta otettu. Sotapurret kirkkoveneiksi nimetty. Lauta tarkoittaa tässä lapaa eli airoa, sanoin.

-Ja entäs kuvakset liikkuvista saarista, ne voisivat olla jäävuoria tai Suomen soillahan on joskus sellaisia liikkuvia turpeisia mätässaaria, eikö olekin? Varsinaisesti uskotaan että ne Argonauttien kohtaamat liikkuvat kivet olisivat olleet veden alle vähitellen jääneen Pohjanmeren matalikon, Doggerlandin merenkäynnin liikuttamia jäännöksiä, hiekkasärkkiä jotka myrskyissä vaelsivat ja melkein jopa tukkivat Englannin kanaalin 3000 eKr. Tällaisista suurten maa-ainesten liikkeistä on havaintoja Alankomaiden rannikolta vielä keskiajalta kun myrskyt upottivat kokonaisia kaupunkeja, hautasivat ne liejuun ja tappoivat ihmisiä kymmenin tuhansin. Ja tiedät mitä siellä nyt on käynyt kun vallit ovat pettäneet vihdoin. Miten maa vaeltaa taas. Ymmärtää synkkiä hollantilaisia ja heidän muistojensa muuttuvan muodon.

Minä puolestani ymmärsin että aivojani haluttiin asettaa uuteen asentoon ja että tämä tapa, tämä meriretki oli todettu siihen soveliaaksi. Halusin silti kaiken uhallakin, riidan uhalla, kauniin lihan menetyksen uhalla ärsyttää tätä naista niin että näkyisi mistä hänet oli tehty. Sanoin:

-Kerro nyt minulle oi muusa mitä minun pitää ajatella.

-No esimerkiksi tätä: Miksi muinaiset ihmiset eivät minkään aikaisemman historian mukaan ole koskaan lähteneet vaeltamaan pimeästä pohjolasta suurin joukoin etelään? Että asutuksen virtaussuunta on ollut aina pohjoiseen ja länteen vailla pienintäkään akanvirtaa? Eikö se ole outoa? Säät ovat huonontuneet monet kerrat sekä esihistoriallisella että historiallisella ajalla niin pahasti että täältä on ollut pakko paeta monta kertaa ihan vain jos on halunnut elää. Kuitenkin tämä päivänselvä mahdollisuus on rajoitettu kahteen kiistattomaan historialliseen tapahtumaan, kansainvaelluksiin ja viikinkeihin. Pronssikauden merikansojen, doorialaisten ja mykeneläisten pohjoisuuden hämärtämiseen ja kieltämiseen sen sijaan on käytetty paljon aikaa ja energiaa.

-Täällä on niin ihanaa, että ymmärtäähän sen, sanoin nenä kylmästä punaisena. -Kuka täältä nyt pois koskaan lähtisi.

-Varsinkin varakkaat ihmiset ovat laumoittain paenneet kehnoja oloja kykyjensä mukaan milloin mihinkin suuntaan ja tietysti nyt viime aikoina erityisellä innolla. Etteikö sellainen olisi ollut mahdollista ja jopa todennäköistä myös rajattomassa muinaisuudessa ja varsinkin pronssikauden lopussa todennetun pitkään jatkuneen erittäin kylmän jakson aikana jolloin holoseenin lämpökausi päättyi ja esimerkiksi tammen levinneisyysraja putosi Skandinaviassa lähes tuhat kilometriä etelään?

-Tuollaiset etelään suuntautuneet vaellukset eivät ole virallista historiankirjoitusta. Ne ovat absoluuttinen tabu.

-Hyvä, sinä vahdit virallisuutta. Alat ottaa rooliasi. Nyt vain kallistat vähän pääteäsi meidän puoleemme, Lena sanoi ja väänsi samalla päätäni puoleensa. Riuhdoin itseäni ylös ja sanoin:

-Mietin vain millaisessa kehyksessä te olette. Käyttekö te jotakin väittelyä virallisen tieteen kanssa vai oletteko siitä täysin irrallaan.

-Meillä on suodattimia välissä.

-Eli haluatte luoda kuvan kuin olisitte tiedettä, kuin keskustelisitte, kuin teidät olisi virallisesti hyväksytty tai teidät oltaisiin aivan kohta hyväksymäisillään. Palkkaatte tällaisia hylkiöitä kuin minä ja maalaatte meidät virallisiksi. Ja sinäkö siis uskot tämän kaiken nyt, sinä joka vietit ison osan aikaasi solvaten ja epärohkaisten minua kaikin mahdollisin keinoin pois muinaisuuteen liittyvästä fantasioinnista oletkin nyt äkkiä altaan syvimmässä päässä ja huhuilet minua luoksesi kuin mikäkin seireeni?

Lena oli pitkään hiljaa ennen kuin puhui pää painuksissa: -Minä.. pyydän sinulta anteeksi kaikkea mitä olen sinulle aiemmin tehnyt, kiusaamista ja haastamista, hyväksikäyttöä. Tein sitä silloisen virkani puolesta. Meidän pitää nyt yrittää toimia järkevästi yhteistyössä..

Keskeytin Lenan oudon virallisen vuodatuksen. -Mikä sellainen virka on jossa solvataan ja haukutaan ihmisiä maan rakoon?

Lena puhui vaikeasti. Oli vaikea arvioida hänen esityksensä aitoutta. Hän oli täysin symmetrinen ja kaunis kaikessa laskelmoidusti romahtavassa draamassaankin. Hän jatkoi:

-Olin valmistumiseni jälkeen mukana laajassa projektissa jossa tutkittiin mahdollisuuksia vaikuttaa proaktiivisesti äärioikeistolaiseen ajatteluun. Olin avustajana kartoittamassa radikalisoitumista muinaisharrastajien keskuudessa. Ei se sen kummempaa ollut, sinä olit materiaalia tutkimukseen. Voin kaivaa sen paperin esiin jos haluat.

-Sano uudestaan, sanoin.

-Kehitimme menetelmiä keskustelupalstojen mentaliteettien määrittämiseksi ja kategorisoimiseksi. Automatisoiduilla tekstianalyyseillä päästään hyvin pitkälle mutta otimme myös osaa keskusteluihin ja yritimme tutkia miten erilainen argumentointi vaikutti teihin uskonsotureihin lyhyemmällä ja pidemmällä aikavälillä. Meillä oli ohjeet mitä kysyä ja miten ohjata väittelyä niin että teidän logiikkanne olisi kvantifioitavissa ja kvalifikoitavissa keskusteluidemme pohjalta.

-Eihän tuo ole tutkimusta jos ihmisiä tahallaan ärsytetään!

-Kyllä jos se pystytään tilastollisesti kvalifioimaan.

-Ai vittuilu, kvalifioimaan? Enkä minä ole mikään äärioikeistolainen, sanoin.

-No, viralliset viisarit osoittivat kovasti siihen suuntaan, Lena sanoi ja siemaisi samppanjaansa ja känsi ruoria plotterin ruutua silmäillen. Ärryin tai esitin ärtynyttä, joskushan se on niin, ei tiedä esittääkö vai onko tosissaan, molemmat ajavat asiansa, myös itselle. Katsoin häntä enkä ollut oikeasti yhtään vihainen vaan ihailin ja ihmettelin häntä ja hänessäkin olevaa skandinaisen ääretöntä vakautta ja oikeutta määrittää todellisuus ja taivuttaa se tahtoonsa ilman epäilyksen häivääkään ja miten tämä oikeassa olo seurasi tarkasti miten tahansa jyrkästi ja äkkinäisesti vaihtuvia maailmankatsomuksia. Miten tuollainen nainen näyttää hyvältä kaikista kulmista, miten hän putoaa helvettiinkin jaloilleen. Tuo turvassaolijoiden ilme josta he ovat saaneet nauttia vuosisatojen ajan ja josta he eivät anna milliäkään periksi vieläkään. Mutta aistin myös jotakin muuta, jonkin maun tässä hänen luultavasti osittain rakennetussa mielentilassaan, jonkinlaisen vilpittömän ystävällisyyden korkean sirinän. En osannut vielä sanoa oliko hän oikeasti peloissaan ja pelkäsikö hän minua vai jotain muuta, mikä oli hänen varsinainen hierarkiansa, toteemi mitä hän salassa kumarsi, oliko hän saanut pinoittain huomenlahjoja kuten minäkin; Lena saattoi olla muutakin kuin se Interpolin mainitsema henkilö. Sitä oli turha kuitenkaan ajatella nyt, mitään siihen viittaavaa micttiä, mitään siitä kertovaa huomata niin että se kasvoiltani näkyisi. Hän katsoi minua suoraan kovilla silmillään enkä tiennyt mikä oli se puoli mitä hän esitti ja mikä oli se mitä hän oikeasti oli mutta ihmiset olivat nykyään niin huteria ettei heidän varaansa voinut kuitenkaan mitään perustaa. Sanoin:

-Minä luulen että teidän viisarinne oli viritetty niin ettei minulla ollut mitään mahdollisuuksia. Ja mitä te sitten saitte ärsyttämisestäni selville? Että radikalisoidunko vai liennyinkö, ajan funktiona? Minkälainen käyrä siitä tuli?

111

-Lopulta sinä rauhoituit ja luovutit.

-Se johtui ihan muista syistä. Omista syistäni.

-Mistä sen voi tietää?

-Aivan, ei tietenkään mistään! Tuollainen viritetty tutkimus, siinä näet, on nykyään hyvin tyypillistä virallisenkin tieteen puolella. Oikealle maailmankatsomukselle haetaan perusteluja vaikka väkisin, tutkimukset taipuvat totuuden suuntaisiksi. Minä lopetin historian koska näin miten se alkoi romahtaa joka suunnalta eikä vähiten itseni sisältä. Historiantutkimusta alettiin integroida politiikan käyttövoimaksi niin oikealla kuin vasemmallakin ja keskelläkin, yliopistolla. Tämä teidän ja meidän yhteisprojektimme on piste hyvin pitkän ja vanhan i:n päällä. Esimerkkejä aikaisemmilta ajoilta on vaikka kuinka paljon. Saksasta, Unkarista, Venäjältä, Yhdysvalloista, hitto soikoon Rooman valtakunnasta, aina ja kaikkialta! Me luemme edelleen Rooman demonisoimaa Karthagon historiaa kuin totuutta koska muuta ei ole jäljellä. Myös nämä alkuperäiset muinaiset tarinat, Iliakset ja Kalevalat ja muut, ovat varsinaisena elinaikanaan, aktiivisen käyttönsä aikana, olleet politiikan välineitä, nimenomaan yläluokan ylistämiseksi ja vallan pönkittämiseksi kerrottuja. Niin kuin sanoit.

-Sinä sanoit "lopetin historian".

-Ah, pieni freudilainen lipsahdus.

-Erään psykoanalyyttisen teorian mukaan Akilleksen isä Peleus tilasi Iliaksen tarinat runolaulajilta puhdistaakseen teltassa pelokkaana makailevan ylimyspoikansa ja sukunsa ryvettyneen maineen. Mutta ei pidä unohtaa että ne olivat myös parhaita tarinoita mitä aikanaan oli olemassa! On lohdullista ajatella että vallan saa parhaan tarinan kertoja, aina, kaikkina aikoina.

-Siinä onkin ehkä ainoa etäinen häivähdys demokratiaa mitä meillä on koskaan ollutkaan! Poliitikot runonlaulajina, miksei. Anglosaksisen viihteen yhä edelleen jatkuva hegemonia todistaa juuri tätä että tarinat virtaavat vallan ytimestä ja ihmiset alistuvat niihin ja niiden maailmankuvaan lauhkeina kuin lampaat ja vallassa alemmas valuneet väärän kulttuurin ylimykset valittavat tarinoidensa epäsuosiota kuten ranskalaiset kovaan ääneen yhä tekevät ja maailmanvallan nousukkaat kuten kiinalaiset yrittävät tunkea tarinansa väkisin ja suurella rahalla kaikkien katsottaviksi, ostavat kalleimmat Hollywoodin tähdet Kiinan muurille sotisovissa koikkelehtimaan. Ja rahvaalla on outo tyhmä halu kuunnella vallanpitäjien tarinoita ja ojentaa aivonsa alttiisti niiden suuntaisiksi. Nyt kun elämme aikaa jolloin koko kuvasto, koko draaman laitteisto on siirretty kärjistettynä politiikkaan ja väkivalta virtaa kaduilla pitkin luonnollisia reittejään kuka muka pystyisi keksimään hurjempia tarinoita, terävämpiä sanoja, tunteisiinvetoavampaa vakuuttelua kuin mitä katu sanoo ja väittää? On otettava tosissaan väkivalta, myös puheissa, jos haluaa siihen vaikuttaa.

-Tietenkin pelkkää pelottelua ja puhujanlahjoja koko totuus. Muutamalla mujevalla lohkaisulla perustettu kokonaisia kansanliikkeitä ja puolueita, tapettu vähempiä kansoja pois maisemaa pilaamasta. Näin on ollut aina, Lena sylki suustaan kauniimpana kuin koskaan, tummana sinisenharmaita pilviä ja merta vasten. Olin hämmästynyt, olimme puhuneet hetken kuin samalla suulla. Ehkä hän halusi yhteispuheellamme houkutella suustani rankempia sammakoita esiin. Sanoin:

-No teillä indogermaaniskandinaaveilla on aina ollut ylimielinen ja yliajallinen aggressio muita kohtaan mitä nyt välissä silloin tällöin lyhyinä rauhan ja lempeyden kausina pientä kilttinä poseeraamista silloin kun omista tuotteista saa hyvän korvauksen ja mineraalit muilta ryöstettyä pilkkahintaan. Kuten nyt Pohjoisen Liitto, täällä ja tänään, uutta tarinaa kehkeyttämässä ylemmälle Euroopalle kun raha ei enää virtaakaan tasaisen vuolaana konservatiivisten kotikylienne ohi. Turha luulla että kuvittelisin teidän olevan täällä muuten kuin pahat mielessä, muiden pahat ja omat hyvänne. Ainoa selvitettävä asia on sen pahan tarkka luonne tällä kertaa. Mitä ihmettä te olette täältä raukoilta rajoilta tällä kertaa varastamassa? Suomi, tyhjä kuin palje. Mitä täällä on voitettavaa?

-Kyllähän sinä sen tiedät. Kalevala. Siitä saadaan yksi tukijalka.

-Natsithan sitä jo yrittivät, mutta luovuttivat. Muistatko miksi?

-Heillä oli kireämmät aikataulut. Meillä taas on nyt kaikki aika.

-Ja minäkö olen se joka ojentaa sen teille?

-Kauniissa kääreessä johon olemme sen yhdessä paketoineet. Ei mitään valehtelua vaan ihan puhdasta asiaa.

-Iltapäivälehtihistoriaa.

-Niin, mistä tulikin mieleeni! Lena sanoi kasvot kirkastuen ja singahti kannen alle ja palasi pian muutaman värikkään paperivihkosen kanssa ja työnsi ne käteeni. Äkkiä katsottuina ne näyttivät Jehovien iänkaikkisilta Vartiotorneilta mutta sitten enemmän kevyttieteellisiltä kuvalehdiltä kukertavan täyteenahdettuine kansineen. Lehden nimi oli *Vesireitti* ja alaotsikkona *Uusi Historia*. Räikeiden nostojen alla muinaiset sotajoukot iskivät yhteen romantiikan ajan paljaslihaisissa öljymaalauksissa.

-Tähän Pohjoisen liiton lehteen olisi tarkoitus saada iso artikkeli Kalevalan suhteesta Iliakseen ja Odysseiaan. Mahdollisimman konkreettisia esimerkkejä jotka sitovat kirjat maahan ja maisemaan, pohjoiseen maisemaan. Yleisen tason henkistä vatvomista emme enää kaipaa, sitä meillä on jo rekkalasteittain, myös Kalevalasta. Sovellat Krohnien suomalaista metodia, sen asiantuntijaa meillä ei ole ollut.

Tämä saattoi olla se varsinainen asia. Lena huomasi toljottavan ilmeeni ja keskeytti venepuuhansa ja painautui minua vasten. Hänen silmänsä ja hymynsä olivat tutkimattomat ja hän muistutti pysähtymättömässä dynamiikassaan tätä maailmaa parhaimmillaan. Sanoin silti:

-Iliakseen? Minunhan pitäisi tutkia sitä vuosia ja vuosia että saisin siitä mitään selvää ja sitten vielä vuosia ja vuosia että saisin itsestäni mitään mielekästä ulos.

-No tutki! On lyhyempiä ja pitempiä projekteja.

-Mikä on se lyhin, Toijassa? Olenko minä tullut korvaamaan jotakuta kesken kieltäytynyttä tai kuollutta? Oletatte aika äkkinäistä rykäisyä.

-Kaikki tieteen kriteerit ei tässä tietenkään täyty. Sinun täytyy suhtautua tähän rennosti. Meillä on jotakin valmista mitä saat katsoa läpi ja muokata jos haluat. Haluamme kauniit kasvosi hymyilevinä ja innokkaina tuon lehden seuraavan numeron kanteen. Me tarvitsemme jotakin Suomesta ja sinä olet sopivin ja mahdollisin.

-Petturuutta te haluatte, sanoin ja heitin lehdet vastapäiselle tuhdolle mistä ne valahtivat kannelle jalkoihimme. Lena nosti ne ylös ja taitteli siistiin pinoon väliimme.

-Höpö höpö. Työtä ja palkkaa. Näkyvyyttä. Ties miten hienon uran, tästä eteenpäin.

Olin hetken hiljaa. Mietin miten kaikki asiat vyöryivät samaan suuntaan. Totta kai ymmärsin että kyseessä oli huijaus mutta en ymmärtänyt tarkasti minkälainen. Ehkä en halunnut ymmärtää, en halunnut tai jaksanut ajatella. Olin tuhoutunut jo muutaman kerran tämän elämän aikana. Yksi lisää, sinne tai tänne. Ja jos naisia oli täkyinä rannat täynnä niin mikäpä siinä; kuolleita tai eläviä, se ja sama.

-Lena, sanoin. Hän hymyili minulle lempeän ylivoimaisena, pää viisi astetta kallellaan, niska kuin ei elävästä olennosta.

-Niin?

-Tiedän että olen matkalla teuraaksi. Ehkä uhraus tapahtuu jonkinlaisella alttarilla yleisön edessä ja halpa sieluni saa siitä hetken iloa. Ymmärrän että minulle käy väistämättä huonosti ja varoitan että se tekee minut kevyemmäksi ja vastuuttomammaksi kuin mitä edes te haluatte. Tunnen jo nyt miten mieleni kevenee ja tuuli puhaltaa latvuksen ja läpi. Mihin minä kirjoitan nimeni? Mihin suutelen sinua?

-Et mihinkään, Lena sanoi nauraen.

-En pilaile. Mihin suutelen sinua?

Hänen ilmeensä kiristyi eikä hän vastannut. Sanoin: -Olen juuri luopunut yhdestä vakaumuksesta enkä ole toista juuri nyt omaksumassa. En ole luotettava kumppani. Te tiedätte sen ja teillä on minua vastaan varmasti kaikenlaista. Kuten esimerkiksi Elsa Ketola. Onko nimi tuttu?

-Ei, Lena sanoi, enkä osannut sanoa oliko vastaus totta vai ei.

-Sinä olet ensimmäinen nimi minun listallani, ymmärrätkö? Ei mikään Tomas Wisenholz tai Gerhard Baumgartner vaan sinä. Sinut minä laitan vastuuseen kaikesta vastaantulevasta.

-Tiedän että seurustelitte pitkään. Tiedän että hän on leirissä, en muuta, Lena sanoi ja katsoi poispäin merelle.

-Minulle kerrottiin, että hän saattaa olla kuollut. Minulle näytettiin kuvia hänen pahoinpitelystään. Ne kuvat saattoivat olla manipuloituja mutta vaivaa joku oli nähnyt.

-En tiedä mitään siitä, Lena sanoi.

114

-Ota sitten selvää. Nyt heti, sanoin.

-Minä yritän, Lena sanoi. -En ole niin korkealla kuin kuvittelet.

-Kuvittelen että sinä kerrot juuri sen mikä minulle sopii.

-Miksi sitten kysyt jos et kuitenkaan usko minua, Lena sanoi kuin loukkaantunut lapsi.

-Katson ihaillen miten nenänpääsi nypyttää kun valehtelet, sanoin ja koskin sitä. Hän vetäytyi ärtyneen näköisenä kauemmas. -Sinusta saa kylmän kuvan, hän sanoi. - Sinusta oikein tihkuu katkeruutta ja vihaa. Naisvihaa. Niinkö kamala hän oli?

-Ei. Kaikkihan me kamalia olemme. Miehiä edes kannata vihata! Jonkun pitää etsiä hänet ja se joku olen minä, sanoin viimeisen lauseen hiljaa hiljaa.

-Miksi?

-Miksen heitä sinua mereen ja varasta tätä venettä? Möisin pois ja eläisin kymmenen vuotta mukavasti. Ei kukaan saisi minua kiinni.

-Okei. Älä hermostu. Ja sinut muuten saataisiin kiinni.

-Se oli vain esimerkki. En tietenkään tee niin, ja tietenkin etsin Elsan. Kukaan muu ei sitä tee tai pysty. Kuvittelen niin tai niin on puolestani kuviteltu.

-Ymmärrän mitä yrität sanoa.

-Anteeksi.

Olimme hetken hiljaa, säädimme purjetta ja suuntaa. Vauhti oli hyvä, vene purjehti puoliksi itse. Jatkoin ihan muusta:

-Aina kun olen ollut vaarassa merillä on se johtunut ihmisistä jotka ovat halunneet uhota sitä vasten. Meri yllättää varsinkin ne jotka luulevat siitä jotain tietävänsä. Yksin on paljon turvallisempaa, silloin ei ole taipumusta esittää taitavampaa kuin on, saa pelätä rauhassa omia pelkojaan. Jos tekee virheen kukaan muu ei joudu vaaraan ja jos onnistun jossakin uhkarohkeassa en saa siitä palkintoa ja se jää yleensä tekemättä. Jos sää tai oma kunto näyttää sopimattomalta voin aina ilman häpeää jäädä rantaan mutta jos on useampi hyvä ihminen matkassa niin aina on joku aikataulu sovittuna, suunnitelma toteutettavana, kunnia puolustettavana. Siinä tulee raatoja, kiireessä kun ollaan merellä, tai miksei rannallakin, ihmisten kanssa, mukana arvokkaiden ihmisten tärkeissä projekteissa.

-Niinhän se Agamemnonkin uhrasi Auliksessa tyttärensä parempaa säätä saadakseen kun oli pyhän hirven surmalla ensin suututtanut Artemiksen. Hän ei kestänyt odotella hermostuvan, sairastuvan, hajoavan ja nälkiintyvän sotajoukon edessä joka ei päässyt ylittämään merta väärien tuulien takia.

-Noin juuri väärät päätökset syntyvät, sanoin.

-Noin alkaa Ilias. Siinä on muuten heti yksi kohta joka ei sovi välimerelliseen sijaintiin. Dardannelin lahti Kreikan ja Turkin välissä, aikaisemmalta nimeltään Hellespontos, joka Iliaksessa on aina laajaksi mainittu, on niin kapea että sen ylittämiseen ei minkään tuulen suunnan vaihtumista tarvitse odottaa varsinkaan isojen sotalaivojen kanssa. Itse asiassa sen ylittämiseen ei edes tarvita mitään laivastoa! Kun Kserkses hyökkäsi Kreikkaan vuonna 480 ekr. Hän rakensi sillan Hellespontoksen yli ja aina siitä on menty helposti yli suuntaan tai toiseen tarpeen mukaan. Kreikan Aulis on toki kauempana Hellespontokselta, mutta siinä ylityksessä ei ole silti mitään ylittämätöntä ongelmaa, siis Välimerellisessä sijainnissa, suojaisia vaihtoehtoisia reittejä olisi ollut monia. Kohtauksen dramatiikka on Kreikassa teennäinen ellei dramatiikaksi laske sitä, että sikäläisen Auliksen satamaan ja lahteen ei Strabon mukaan mahtunut kuin 50 alusta.

-Kenen Strabon?

-Kreikkalaisen historioitsijan ja maantieteilijän, joka ihaili Homerosta yli kaiken ja piti tätä ensimmäisenä maantieteilijänä. Strabo näki paljon vaivaa selittääkseen parhain päin Homeerisen maantieteen virheellisyyksiä ja epätarkkuuksia ja oli ensimmäinen joka päätyi sijoittamaan osan eeposten tapahtumista Atlantille.

-No missä se pohjoinen Aulis sitten oli?

-Se on Norrtäljenlahti Kappelskärin pohjoispuolella, siis ei Strabon vaan Felice Vincin mukaan, joka keksi ehdottaa Troijaa Toijaan. Onhan siinä Ruotsin puolella niitä muitakin mahdollisia lahtia missä kerätä joukot odottamaan Ahvenanmeren ylitystä, joka on noin 5 meripenikulmaa vailla suojaa ja usein tuulinen paikka. Kohtuullinen ylitys pronssikauden laivoille pohjoisessa.

-Harvoin täällä Itämerellä idästä tuulee kovin pitkään yhtäjaksoisesti.

-Eikö?

-Ei. Vallitseva tuulensuunta on lounaasta kesäisin.

-Jaa.

-Niin että se siitä detaljista, sanoin.

-Kyllä etelä- tai pohjoistuulikin olisi haitannut ylitystä. Ja voihan täällä idästäkin tuulla. Ja detaljeja on loputtomasti. On sekin tätä sijoitusta tukeva huomio laivaluettelosta, Iliaksen kuuluisasta listasta Akhajien puolella Troijan sotaan lähteneistä joukoista. Välimerellä lista poukkoilee ympäri Peloponnesosta jättäen oleellisia kaupunkeja mainitsematta mutta täällä se kiertää harmonisesti Itämeren ja Pohjanmeren rannat, vastapäivään kuten pronssikaudella asioilla oli tapana kiertää. On myös selvää..

-Helppohan sen listan on kiertää harmonisesti kun te olette sen jälkikäteen halliten harmonisoineet! Säesommittelu voi olla yksi mieleen tuleva syy miksi joukko-osastot luetellaan maantieteellisessä epäjärjestyksessä, ja moni muukin asia. Ja sinä siis kannatat tätä teoriaa? Sinä puhut niin innostuneesti kaikista näistä.. *todisteista*.

-No, minulle maksetaan siitä. En voi ihan takakenossakaan olla enkä suosittele sitä sinullekaan. Voit esittää kritiikkiä kun olet vielä ulkopuolinen, mutta jos jäät näihin kuvioihin niin voin vannoa että aika pian sinulta odotetaan linjan mukaista ajattelua.

-Sinun työsi on myydä tämä tarina minulle, sanoin.

-Niin. Ajaa se järjestelmääsi. Kepeästi kertoilla sinulle sitä yleistä logiikkaa ja mehevimpiä yksityiskohtia joilla koko Homeerista maailmaa yritetään tänne siirtää.

-Miksi?

-Että alat unelmoida siitä sinun tietojesi ja taitojesi kanssa. Että miltä maastossa kerää-mäsi data näyttää tässä uudesta kulmasta loistavassa ikiaikaisessa valossa. Totuus on että Troijan sijoitus Suomeen on hutera ja sinä olet se jolla voisi olla jotakin annettavaa tä-hän yhtälöön. Et ole myöskään kiinni vanhassa tai missään rakenteessa, olet radikaali joka nauttii tällaisesta paradigman muutoksesta. Sinusta on kaikki ajot ajettu, totta kai, ja tämä sopii sinulle kuin nenä päähän. Mitä luulet? Pystytkö uskomaan tähän, näin äkkiä? Lena kysyi vinosti hymyillen.

-Miksen. Niin kuin kuka tahansa puolipomo irvehymy naamallaan uskoo yrityksensä näennäisfilosofian siinä silmänräpäyksessä kun hinta on oikea. Niinhän se menee. Minä kyllä epäilen että teidän algoritminne ovat liian yksinkertaisia, siis minun suhteeni, mut-ta toisaalta, minä olen ollut nälässä, monta kertaa, ihan äskettäinkin. Johan minä jotain tililleni sain ja ruokaa mahaani. Eikö jo se ole sopimuksen allekirjoittamista jos mikä.

-Ei tämä ole aivan päinvastaista verrattuna siihen mitä ennen ajattelit ja teit, Lena sa-noi pehmeimmällä äänellään, kuin lohduttaen.

Katsoin hänen olkansa yli plotterille ilmestyneitä uusia pisteitä ja sanoin: -Kauempaa katsottuna kaikki mitä ihmiset tekevät on kovin samanlaista. Turhaa. Sano vain mitä mi-nulle maksetaan vai etkö muka tiedä tai saa kertoa?

-Tiedän ja saan, mutta en neuvotella, Lena sanoi. Hän kirjoitti kynällä kämmeneensä numeroita ja pani kätensä nyrkkiin ja ojensi sen silmieni eteen. -Siinä on summa, hän sa-noi ja avasi nyrkin.

-Oho, sanoin. Se vastasi kolmen vuoden palkkaani vartijana.

-Se on kuukaudesta, Lena sanoi.

-Oho, sanoin taas. Tuuli hulmutti hiuksiani.

-Ja siinä on jonkinlainen kertymä myös, eräänlainen optio mutta sen saadakseen ei tar-vitse tehdä mitään.

-Ihan normaali optio siis, sanoin. Eikä mitään tarvitse osata.

-Idea on kannustaa sinua jäämään ja sitoutumaan.

-Summat ovat liian isoja, eivät ne sitouta minua. Muutaman kuun palkalla elän loppu-elämäni.

-Työsopimuksessa jonka allekirjoitat leirissä on maksuehto. Siinä tulee olemaan viive.

-No se vasta sitouttaakin. Ja sinun silmäsi, sanoin ja katsoin suoraan Lenaan. Hän hy-myili, olimme aivan vierekkäin vinolla penkillä, suutelimme ohimennen kuin kaksi van-haa tuttua, meri kohisi korviemme juurissa. Joimme lasit tyhjiksi ja heitimme ne olkiem-me yli mereen, ensin minä ja sitten hän, lähes yhtä aikaa. Ele yritti kai merkitä piittaa-mattomuutta ja huolettomuutta mutta oli tyhjä ja typerä, olimme jo niin piittaamattomia ja olemattomia ettei sitä voinut korostaa. Mietin pyörivässä päässäni miten vähän petos joka tästä hetkestä alkoi ja sitä vääjäämättömästi myöhemmin seuraava tuho haittasivat minua. Tunteeni oli päinvastoin riemukas. Johonkin pöytään on ihmisen pelimerkkinsä

117

iskettävä ja tässä oli nyt minun pöytäni, eteeni valmiiksi katettu, kallis ja korea. Ei tänä aikana monelle tällaista tarjottu. Ehkä onnistuisin kävelemään elossa ulos tästä kaikesta, ehkä en. Kunhan vain saan Elsan ensin ulos leiristä.

Irtauduimme ja katsoimme toisiamme, Lenalla oli se ilkikurisen himokkuuden ja teeskennellyn ujouden sekailme jonka naiset niin kauniisti osaavat ottaa miestä viedessään. Pidin kättäni hänen kätensä numeroiden päällä ja kysyin: -Onko sinulla samanlainen?

-Suurin piirtein.

-Mitä sinun pitää sen eteen valehdella?

-En minä mitään valehtele. Minä olen ollut näissä piireissä jo pitkään, hän sanoi ja veti kätensä pois kädestäni, söhräsi numerot toisen kätensä peukalolla ja jäi katsomaan merelle. Kysyin:

-Oliko se valetta kun sanoit että Tukholmassa on vielä yliopisto, ja kahvia.

-Minulle ei ole, Lena sanoi.

-Ai.

-Osaan minä muidenkin kanssa riidellä kuin sinun, hän sanoi. Tuijotimme toisiamme.

-Pitääkö minun varoa puheitani?

-Mitä tarkoitat?

-Minulla oli epäilys, ja epäilen vieläkin, että sinut on lähetetty minua tarkkailemaan, sanoin. -Enkä tiedä kuka oikeasti on takanasi. Kuka sinä oikeasti olet. Voit olla hyvienkin puolella. Jatkat yliopistollisia tutkimuksiasi, tässä ja nyt. Ja yliopistot, niitä on nykyään monenlaisia.

-Minä taas tiedän että sinua on varoitettu minusta. Mutta tässä ollaan ja myötään mennään.

-Se on siis totta? Meidän työmme on vahtia toisiamme?

-Eikö ole ihana työ! Älä ota sitä niin vakavasti, tai, ota vaan, Lena sanoi ja painautui syvemmälle kainaloni teeskenneltyyn lämpimään.

-Minä olen aina epäillyt naisia salajuonista. Nyt kun se on vedenpitävästi todistettu olen levollinen ja tyytyväinen. Tyytyväinen että se olet juuri sinä, Anders.

-Ole hiljaa, Lena sanoi hymyillen leikisti vihaisena ja löi minua kevyesti nyrkillä rintaan.

-No onko sinulla antaa minulle jotakin materiaalia millä pääsisin nopeasti kiinni tähän teidän Troijaanne? Tässähän tätä aikaa olisi kun on liian kalsa tehdä muuta kuin vain katsoa ja himoita sinua.

-Lue ensin tämä, siinä ei kauan mene, Lena sanoi ja poimi ja iski poisheittämäni vihkoset takaisin käteeni. Lehteilin kiltisti värikkäitä tiiviistitaitettuja aukeamia joilla esiteltiin arkeologisia löytöjä, teoriaa havainnollistavia karttoja ja erilaisia todistelevia rinnastuksia: Thrinacian saari jossa Lampetia hoiti vuoden kiertoa symboloivaa Helioksen karjaa olikin Trenykenin kolmihuippuinen saari napapiirillä Lofooteilla ja jonka luolamaa-

118

laukset olivat Odysseuksen tekemiä tägejä joissa oli selvästi tunnistettavissa kyklooppi, seiväs ja talja ja johon liittyvä kuuluisa sanonta "Täällä uneton paimen voi ansaita kaksinkertaisen palkan" vihjasi selvästi yöttömään yöhön; Vuoroveden muodostama maailman vahvin meripyörre Moskstraumen olikin Odysseian Charybdis, jonka nimi löytyikin oikealta paikaltaan Lofoottien eteläpuolelta vanhoista Skandinavian kartoista vielä keskiajalla; Oli Euroopan kartta jolla esiteltiin monia muita säkeitä Iliaksesta ja Odysseiasta jotka eivät sopineet välimerelle mutta pohjanmerelle ja itämerelle kylläkin: tunnetun maailman ympäröivä Okeanos eli merijoki Golfvirraksi tulkittuna, muutama säe sen ja sen vastavirtojen käytöstä matkanteon apuna Odysseiassa ja viikinkien saagoissa. Aukeama Iliaksen kylmästä säästä, lumisateista ja paksusta pukeutumisesta keskellä kesää, ilman villakolttua yöllä sissihyökkäykseen lähteneen Eumaeuksen paleltumisvaarasta, toinen hirsirakentamisesta ja kolmas lihapitoisista ruoista ja riistaeläinten pohjoisesta kirjosta; kaikkien sankarien moneen kertaan mainitut siniset silmät ja vaaleat hiukset; vuorovedet, jatkuvat sumut ja toistuva kuvaus 'viinintumma meri', kaikki tämä pohjoiseen viittaava todistusten vyöry pienin maalatuin kuvin ja lyhyin tekstein vyöryi terävin iskuin ja nostoin sivu sivun jälkeen, vihko vihon jälkeen, ilmeisesti kymmenin numeroin, sillä kyseessä oli kahdeksas vuosikerta. Olin vaikuttunut miten pitkälle kaikki tämä oli viety ja tuotteistettu, kuvat olivat sitä klassista vaivalloista käsinmaalattua tyyliä jolla jo kauan sitten sementoituja totuuksia oli tapana myydä vastahankaisille lapsille ja nuorille. Se ei ollut enää sekopäisten mukatutkijoiden väännelmä vaan kaikilla mahdollisilla markkinointitekniikoilla sileän plastiseksi hioutunut särötön Totuus.

Lena puhui puhelimessa ruoriin nojaten ja silloin tällöin samppanjaa naukkaillen joten jatkoin lukemista tarkistettuani ensin plotterilta perässämme roikkuvan pisteen liikkeitä. Se oli pysynyt täsmälleen samalla etäisyydellä jo puoli tuntia ja se oli epäilyttävää. Mietin voiko rosvot olla niin tyhmiä vai halusivatko he tahallaan tulla nähdyiksi tai sitten meitä seurasi joku muu joka halusi meidän tietävän että meitä seurattiin. Meriroistot hyökkäsivät kauempana kaupungista, yleensä vasta Porkkalanniemen takana ja yöllä joten meillä ei ollut vielä hätää muutamaan tuntiin. Laitoin plotterin valikosta päälle Tapahtumat Ilmatilassa. Kolme ohilentoa alle kilometrissä ja ylempänä useita vakaita pisteitä. Kartta täyttyi viuhuvista siimoista joiden aiheuttamia todellisia kohteita ei matalien pilvien läpi nähnyt. Nämä olivat purjeveneen tutkahavaintoja; kohteita ei oltu identifioitu, niitä ei ehkä saanut tunnistaa. En ollut pitkään aikaan katsellut tällaista dataa enkä osannut arvioida sen merkitystä, oliko tässä mitään poikkeuksellista. Huikkasin Lenalle:

-Mitä jos muuttaisimme kurssia vähän? Näkisi seurataanko meitä.

-Mikä meitä seuraa?

-Yksi piste. Ja muutama muu.

-Seurataanko meitä? Hän huudahti pitäen kättä puhelimen päällä.

-Ehkä. Tietysti.

-Mitä hyötyä siitä kääntymisestä olisi?

-Näkisimme kääntyykö se peräämme. Voisimme hälyttää apua.

-Yritän ottaa yhteyden siihen.

-Mihin?

-Siihen laivaan joka seuraa meitä! Jos se menee ilman tunnistetta ja se ei vastaa niin tehdään sitten ilmoitus, Lena sanoi, katkaisi puhelun ja alkoi täppäillä puhelintaan keskittyneesti.

-Haluatko odottaa huomisaamuun tämän menemisen kanssa? Voimme palata vielä Helsinkiin jos käännymme nyt ennen Porkkalanniemen kärkeä. Saattue lähtisi kuudelta huomenaamulla.

-Ei, nyt mennään, Lena sanoi kasvot jäykkänä kuin patsaat.

Ojensin plotterin Lenalle, hän otti laivan tiedot ylös ja näppäili ne puhelimeensa ja jäi säätämään sen kanssa. Varmasti se olisi onnistunut suoraan plotteristakin mutta en kehdannut sanoa mitään vaan jatkoin lukemista. Aukeaman otsikko oli Historiallinen Troija: Suomen Toija, Englannin Gog Magog, Turkin Hisarlik vai Ranskan Troyes? Pieniin palloihin sivun yläkulmiin taitetut hymyilevät matemaatikko ja kielitieteilijä esittelivät nimiklustereita ja kielenmuuntumisen teorioita muutamilla napakoilla lauseilla. Kartalle oli sijoitettu Suomalaisia paikannimiä Toijan lähistöltä kuten Äijälä = Aigalos, Tenala = Tenos, Kalliokolone = Kallionkolo ja niin edelleen, ja tutkijoiden vakuuttelu miten muutama samankaltainen sana ei merkitse mitään mutta kun niitä on yli sata puhutaan jo merkittävästä korrelaatiosta. Tutkijat kiistelivät kevyesti Troijan eri pohjoisten sijoitusten välillä ja jouduin kohottamaan kulmakarvojani kieltämättä tähän mennessä vahvimman nimilistan äärellä (jos se siis oli totta): Troijan lähistöltä Iliaksessa lueteltujen yhdeksän pienen joen nimet täsmäsivät hyvin Cambridgen ympäristön jokinimistöön: Cam ja Scamander, Rhee ja Rheesus, Roding ja Rhodius, Granta ja Granicus, Iso ja Pieni Ouse olivat Simois ja Satniois, Lark oli Larisa, Colne oli Callicolone, Chillesford oli Cilla ja tietysti mielenkiintoisimpana Englannin Troijasta hieman kauempana sijainnut mutta useasti mainittu Temese joka oli Thames-joen nimi vielä keskiajalla ja että Lontoon alkuperäinen nimi Troia Newydd olisi roomalaisikin, kaupungin virallisia perustajia, vanhempi.

Seuraavalla aukeamalla oli lyhyt selvitys nimistä yleensä. Kuten tiedetään vesistöjen nimet säilyvät vuosituhansien halki paremmin kuin mitkään muut ja aihetta tutkii hydronymia. Se oli minulle tuttua, olin etsinyt suomalaisugrilaisia vesistöjen nimiä varsinkin Ruotsista, Puolasta Vistulan suistosta ja Latviasta Väinäjoen vesistöstä ja olin kirjoittanut vihaisen blogin Suomen kaikkien Kirkkojärvien alkuperäisten nimien palauttamisen puolesta ja hieman humoristisemman Kalingradin Pissa-joesta joka virtaa Gusevin kaupungin läpi. Omituista teorian kannalta oli että Iliaksen vesistöjen nimet täsmäsivät paremmin Englannissa kun taas paikannimet Suomessa. Tämän esitteen hämmästyneet tutkijat suuret kysymysmerkit päidensä päällä keikkuen selittivät siten että Suomeen pronssikaudella Etelä-Skandinaavista tullut vasarakirveskansa olisi tuonut nimiklusterin mukanaan mutta vesistöjen nimet jotka eivät siis helpolla muutu olisivat säilyttäneet aiempien asukkaiden antamat nimensä. Että täällä olisi ollut Troija numero 2, Turkissa numero 3 ja Troija 1 olisi ollut Englannissa josta löytyy myös ainoa pronssikautisen suursodan syy, pronssin kriittinen ainesosa tina. Suomen Toija näyttäytyi siis "tutkimuksen" sivuhaarana jota jostain syystä nyt haluttiin korostaa. Katsoin kantta, lehti oli neljä vuotta vanha. Ehkä se oli jo vanhentunutta historiaa.

Seuraava vihko käsitteli useiden artikkelien voimin miten nämä tarinat olisivat Keski-Euroopan uurnakenttäkulttuurin alueelta Kreikkaan vaeltaneet. 1200 eKr. tapahtunut merikansojen aiheuttama massiivinen tuho Välimeren korkeakulttuureissa on historiallinen tosiasia mutta heidän alkuperänsä oli yhä epäselvä ja kiistanalainen. Aukeamalla esiteltiin arkeologisia yhtymäkohtia Pohjois-Euroopan ja välimeren väillä, todisteita pitkistä ja vakaista kauppareiteistä sekä Atlantin että Euroopan sisävesireittien, Dnjeperin, Veikselin, Elben, Tonavan, Rhônen ja Po-jokien kautta. Kuvia Mykenen raunioista löytyneestä meripihkasta jonka löydökset vähenivät jyrkästi vuodesta 1200 eaa. Eteenpäin. Kartta naue 2 -tyypin särmäkahvamiekoista, joissa tapahtui muutos pronssista rautaan ja joka merkitsi samalla sekä merkittävää sotilaallista ylivoimaa että ylimyksellisen pronssitalouden ja -kulttuurin samanaikaista romahtamista. Kartalla kyseisiä miekkoja löytyi harvalti Keski-Euroopasta ja runsaimmin Tanskasta ja Kreikasta, varsinkin Peloponnesokselta. Vertailevat kuvat Mykenen leijonaportista ja Skoonen Kivikin kuninkaanhaudasta, kaavioita Mykenen megaroneista ja viikinkikuninkaiden saleista. Iklainan savitaulusta oli kuva mutta ei selitetty mitä se todisti, sanottiin vain että se on vanhin Euroopasta löydetty jäänne kirjoituksesta ja edelsi huomattavasti virallista kirjoitustaidon saapumisen ajankohtaa. Lukijan oli kai tarkoitus laittaa kaikki esitetyt todistelmat samaan kasaan päässään ja nyökytellen hölskiä detaljit kohdilleen. Näiden jälkeen oli kuva uurnakenttäkulttuurin leviämisestä idän aroilta Keski-Eurooppaan ja sen kohtaamisesta Atlanttisen kulttuurin kanssa. Kun nämä kulttuurit olivat kukoistaneet Jääkauden jälkeen Pohjois-Euroopassa vallinneen lämpökauden lopulla, oli saapunut kylmempi kausi yhdessä tulivuoritoiminnan aiheuttaman lyhytkestoisemman mutta ankaran kylmenemisen kanssa pakottanut kansat vaeltamaan kohti etelää ja Välimeren aluetta, joka oli saman suursäätyypin aiheuttaman pitkäaikaisen kuivuuden ja nälänhätien heikentämä. Ilmastonheikkenemisen yhteen pusertamat ja pitkän rauhallisen pronssikauden kukoistuksen kasvattamat Euroopan senaikaiset heimot törmäsivät toisiinsa voimalla jota on kutsuttu myös Maailmansota Nollaksi. Näitä vaeltavia ihmisiä on kutsuttu nimellä merikansat ja he tuhosivat ja muuttivat koko itäisen välimeren kulttuurin. Lainaus Bertrand Russelin Länsimaisen filosofian historiasta, lainaus Strabolta, lainaus Vinciltä. Kuinka mykeneläisten DNA:sta 5-16% oli pohjoisesta, aroilta ja osin jopa Siperiasta, toisin kuin esimerkiksi Kreetan minolaisten. Täten kirjoittajien mielestä pohjoinen teoria oli todistettu, pohjoisesta oli tullut ylimyskansaa joka levisi välimerelle samoin reitein ja metodein kuin kansainvaellusten ajan moninaiset kansat kaksi tuhatta vuotta myöhemmin.

Nostin pääni tekstistä ja sanoin välikommenttina Lenalle: -Tämä kaikki oli samaa mitä natsit ja heitä edeltäneet Saksan suuruudesta jo 1800-luvulta asti unelmoineet historioitsijat ja rotuteorioitsijat jauhoivat. Jakob Fallmerayerin kreikan slaavilaistumisen teoriat tukenaan natsisaksa kykeni kohdistamaan "taantuneisiin" kreikkalaisiin kohtuutonta väkivaltaa, samaa jolla he myöhemmin tuhosivat venäläisiä siviilejä miljoonittain, mutta Lena oli yhä puhelimessa eikä kuunnellut vaan osoitti kädellään minut olemaan hiljaa. Jatkoin lukemista.

Sään monista kylmenemisistä esitettiin todisteita Skandinaviasta. Miten tammi oli kasvanut Oulun korkeudella asti ja lämpökauden loputtua enää vaivoin eteläisillä rannoilla. Siitepölylöydöistä piirtyvä käyrä holoseenin lämpöromahduksesta ja siinä olevista terävistä piikeistä pronssikaudella. Piirroskuva ilmastopakolaisiksi esitetyistä Akhaijeista lähtemässä Dnjeperiä pitkin etelään mukanaan kaikki maallinen omaisuutensa, tarinansa, tarunsa, jumalansa ja paikannimensä. Kartta Yhdysvaltojen Troijista, Pariiseista, uusista Yorkeista. Ja miten kauniisti perusteltiin pitkäikäisten tarustojen parempiin mahdollisuuksiin selvitä pohjoisessa, syrjässä etelän väkivallan valtaväyliltä. Miten kylmyys väistämättä edisti yhteistyöhön perustuvia kulttuureja ja miten pimeä lisäsi tarvetta eepoksille joita laulaa tuhansien talvien loputtoman pimeyden yli.

Nopea kahlaus tämän spekulatiivisen materiaalin halki innosti minua nolon paljon. Tämäntapaista olin Kalevalan suhteen aikoinani itsekin tehnyt ja juuri siitä minut oli tuomittu. En aikoinani myöntänyt että minulla oli vahvaa poliittista agendaa mutta toki kaikkeen väittämiseen liittyy arvoja vaikkei niitä kykenisikään itselleen selväsanaisesti ääneen ääntämään. Ymmärsin nyt hyvin mistä minulle maksettaisiin. Rudolf Dihlstömin kirjassa "Kalevala ja Meri" esitettiin nimiklustereita Länsi-Suomesta, jotka todistivat mielestäni hyvin yksinkertaisesti Kalevalan Varsinais-Suomalaisen jollei lähtökohdan niin ainakin yhden sen elon ajoista. Muurinkaltainen kielto jonka nämä mielestäni kohtuullisen asialliseen dataan perustuneet väitteet kohtasivat yliopistolla kerta toisensa jälkeen olivat mielestäni poliittisia luonteeltaan: Kalevala haluttiin esittää koko Suomen kansallisena myyttinä ja pelättiin että jos länsi tai itä omisi sen Suomi halkeaisi ja tuhoutuisi voimien välivedossa. Tämä oli varmasti järkevää kulttuuripolitiikkaa autonomian herkkänä hetkenä kun Suomea taiottiin rippeistä kasaan, mutta mielestäni olisi jo montakin kertaa ehtinyt olla se aika kun aihetta olisi voinut tarkastella laajemmin ja plastisemmin, ja varsinkin kevyemmin. Miten paljon joka hetki hukataan unelmointia ja fantasiaa! Olen varma että tämä oli se asia, josta Snellman Lönnrotia ohjeisti vanhan ja uuden Kalevalan julkaisujen välissä: maantieteen ja kaiken paikallisen poisliudentamisesta niin ettei kansallinen herkkä yhtenäisyys kärsisi.

Hain artikkelin pallopäisistä kirjoittajista tietoja ja he vaikuttivat asiallisilta: Per Laukard ja Alek Vinter, molemmilta löytyi useita tutkimuksia joissa nopeasti katsottuna ei ollut huomautettavaa. Kaikki saattoi toki olla taikinasta kokoon taputeltua; oli kai niin että tähän työhön oli haalittu työttömiä, auliita tutkijoita ympäri Eurooppaa jo vuosien ajan, ei sen ymmärtämiseen mitään aivoja tarvittu. Jos on rahaa, ihmisiä ja suunnitelma, vain taivas on rajana, eikä sekään, niin se on aina ollut. Totuutta vääristelttiin aina, joka hetki, sen senhetkisen aatteen suuntaan joka kulloinkin kauniimmin ihmisten mielissä helisi. Ja nyt kun selaisin esitettä huomasin pelästyen mitä se Vartiotornin lisäksi muistutti: Ikean kuvastoa, varsinkin lopustaan, jossa myytiin muinaispukuja, vanhojen mallien mukaan tehtyjä koruja, auroja, miekkoja ja muita uusvanhan elämän tarvekaluja. Valikoimat olivat suuret ja laadukkaat, tilausajat lyhyitä. Helyjä, kaapuja, luureja kuin elämän edellytyksiä. Kylmät väreet menivät pitkin selkääni. Nämä tyypit olivat tosissaan.

Aloin kiinnostua asiasta vaikka olin sille vuosia naureskellut. Nyt kun minulle maksettiin teoriaan tutustumisesta ajattelin tutustua siihen niin kuin siihen voisi uskoa, ei se minulle mahdotonta ollut. Olin tietysti tunnistanut tämän ja omien hysterioideni samankaltaisuudet jo kauan sitten mutta olin torjunut ne aiemmin jyrkästi ja ylpeästi, olin tuhahdellut ja katsonut toiseen suuntaan vetämättä johtopäätöksiä mutta nyt: Yksi hullunmylly sinne tai tänne, vähän eri vaihde silmään, mikä ettei? Ei minulla ollut mitään missään kiinni, ja jos olikin, ne olivat kaikki asiat joka tapauksessa tuolla Toijassa juuri nyt. Tuuli yritti repiä lehtiä käsistäni, oli vaikea lukea, teksti värisi, paperin kulma lepatti, silmiin sattui, kumarruin lähemmäs että saisin sanoista selvää. Lena vilkuili lukemistani.

Vilkaisin vielä viimeiset sivut uusimmasta leirierikoisnumerosta jos löytäisin sieltä jonkin paljastavan loppunostatuksen tai yhteenvedon mutta ainoa lause, jonka saattoi sellaiseksi kuvitella oli: "Kun näin vuosituhansien jälkeen ihmiskunnan muinaisuuden suurimmat sankaritarinat ja länsimaisen sivistyksen perusteokset ovat vihdoin palanneet alkuperäiselle kotiseudulleen voimme huokaista helpotuksesta saadessamme ratkaisuja ja selityksiä Eurooppaa pitkään vaivanneeseen heikkouteen ja päämäärättömyyteen. Euroopan aito sydän on jälleen paikallaan ja olemme täynnä voimaa ja intoa tarttua pyhään työhömme palauttaa Eurooppa oikeutettuun muinaiseen suuruuteensa!"
Nostin katseeni vihkoista, löin ne läsähtäen kiinni ja huikkasin Lenalle:
-No, mikä sinun arviosi on, milloin alkaa veri taas virtaamaan?
-Mitä? Mikä veri? Lena sanoi ja nosti kasvonsa muistiinpanoistaan.
-Tämä veri. Kun Euroopan sydän on taas paikoillaan ja terve. Ja muutkin sisäelimet.
-Ai, se ihana vihkonen. Ei tässä ole enää kyse verestä. Sehän nyt virtaa yrittämättäkin. Luitko sen että venekansojen venekuntien mukana tuli myös demokratia pohjoisesta välimerelle? Viikienkien altingit ja muinaisgermaanien tingit todistetaan samaksi kuin foinikialainen alkeisdemokratia ja kreikan kaupunkivaltioiden kansankokoukset niin su-

lavasti että heikompaa hirvittää. Se on se isoin väite siellä, se on sitä varsinaista pystytettävää selkärankaa. Että nimenomaan kaikki rakenteellisesti arvokas on täältä pohjoisesta. On ollut ja tulee olemaan.

-Missä se lukee? Sanoin ja kääntelin ohutpaperisen lehdykän sivuja.

-Ei se lue siellä, minä sanoin sen. Jos sinä todella haluat tutkia tarkemmin noita väitteitä niin löytyy minulta asiallisempiakin kirjoja, Lena sanoi.

-No anna joku.

-Ei niitä tässä nyt ole! Ja noissa vihkoissa on ihan se sama asia. Lue niitä vain. Pääset jyvälle. Tiedätkö mikä ero on klassisessa taideteoksessa ja mädässä kalassa?

-Sinä sen minulle kerrot, sanoin.

-Klassikko haisee ikuisesti, ei lakkaa koskaan ärsyttämästä hermoja. Vaatiihan se toki sopivat hermot että sen ikuisen hajun haistaa. Olin melko vanha kun luin Iliaksen ensi kerran. Ensin se oli vaikeaa ja turhaa, ja sitten vielä senkin jälkeen se oli pitkään vaikeaa ja turhaa, mutta lopulta minulle kävi niin kuin monelle, minä "rakastuin maailmaan" kuten lukukokemusta on kuvattu. En tiedä kuka sanoi sen ensin mutta se on yleinen luonnehdinta siitä mitä ihmiselle tapahtuu kun saa yhteyden näin suureen eepokseen, sen aikajänteeseen, kokonaiseen toiseen maailmaan ja sen avulla kiertoteitse uudestaan taas tähän varsinaiseen. Versio Stendhalin syndroomasta, versio Wagneriaanisesta hysteriasta. Katharttinen taidekokemus tai kuin uskonnollinen herääminen ilman uskontoa. Yliajallisuus..

-Olet saavuttanut omia teitäsi kansallissosialismin ja miksei myös kommunismin puhtaan ytimen, jotka molemmat olivat uskontoja ilman uskontoa. Luterilaisuuden edistyneitä muotoja muuten molemmat, sanoin irvaillen.

-Minulla on kuten monella tämän piirin henkilöllä pitkä kehityskulku monien aatteiden ja ismien kautta. Pitkään jatkunut henkinen levottomuus joka ratkesi vasta tähän, tai ehkä minusta tuli vain vanha tämän kohdalla, väsyin ja satuin pysähtymään tähän.

-Mikä on tähän?

-Kuten yritin sanoa ennen kuin keskeytit minut: Ylihistoriallinen ulottuvuus, yritys tavoittaa ihmisyys kaikkina aikoina. Hylätä politiikka ja hetken itsekäs peli. Yritys tavoittaa muut ihmiset tämän sonnan läpi jossa kauhomme nyt. Päästä yhteyteen ja merkitykseen, niin, en minä sitä häpeä sanoa. Laajempi käsitys ihmisen hyvistä pyrkimyksistä. Tai pyrkimyksistä.

-Minä en oikein usko sinua, sanoin.

-Mikset?

-Sinä olet tuollainen.. miten sen nyt sanoisi suoraan.. hyvin kaunis nainen. Sinua eivät koske tavallisten ihmisten vaivat. Sen kun poimit parhaan miehen mikä vastaan tulee ja vaihdat sitten taas parempaan niin kauan kuin pystyt tai tyynnyt tai saat riittävän hyvän sopimuksen lukkoon. Hyppelet tämän maailman rantakiviä kevyesti kuin pitkäjalkainen

124

lintu joka lehahtaa ilmaan milloin haluaa, sillä sekunnilla kun tapetin kuosi alkaa kyllästyttää. Saako kysyä yhtä asiaa?

-No mitä ikävää nyt vielä, Lena sanoi epäilevänä.

-Miksi missään ei ole kuvausta mitä kaunis nainen ajattelee. Kun hän kävelee maailman läpi tuomioita jaellen kuin jumala. Ei missään kirjallisuudessa, ei runoudessa, missään. Ei mitään selkokielistä, ei mitään mikä ei olisi näennäisten pikkuongelmien kätkemää. Eikö ole mitään kerrottavaa, onko se kaikki todella vain pelkää poimua ja paulaa?

-Mitä sinä siis kaipaat?

-Rehellistä kuvausta miltä se ylivalta tuntuu, miten sen varaan rakennetaan, miten hauras ja epävarma se ehkä on, mitä sillä voi tehdä tai luulla tekevänsä. Sillä kauniiden ja kyvykkäiden naisten kehä luo maullaan ja valinnoillaan kulttuurin ja muut tulevat vikisten perästä imitoiden omien resurssiensa rajoissa näiden ylevien olentojen oikkuja. Kun ette kerro mitä päänne sisällä liikkuu on oikein että joudutte kuvatuksi kuin mitkäkin saaliseläimet. Kun naisen kauneus on todistetusti kallein ja myös katoavin asia tässä maailmassa niin on se kumma ettei sieltä sisäpuolelta ole mitään tarkkaa kuvausta, sen käytöstä. Aina vaan sivulauseita.

-Miten niin kallein asia! Näytänkö minä kalliilta tässä haalarissa?

-Näytät vaaralliselta. Että jokin on pielessä tässä. Kuin jokin suurempi kauppa tässä olisi käynnissä kuin mistä on puhe.

-Helena on se kuvaus jota kaipaat. Hän vältti kaikkien muiden ryöstettyjen naisten orjuuden, säilytti etäisyytensä, säilytti henkensä ja kunniansa tilanteessa jossa sen pitäisi olla mahdotonta: tuotteena, miesten himojen kohteena kuin hevoset, pronssi ja kulta. Hänen kauneutensa nostaa hänet jumalien rinnalle, hänen kauneutensa syöksee Troijan naiset orjuuteen kärsimään sen kirot hänen puolestaan. Helena ylpeänä nauttii kymmenvuotisen sodan verisestä näystä jalkojensa juuressa kuten kuka tahansa täysivaltainen sodanjumala. Myöhemmin hän kokee katumusta mutta vasta kun Troija on häviämässä, kun tuntuu järkevämmältä palata takaisin Menelaosin luo ja ottaa vastaan vanha asento ja hänen oudosti annetaan ottaa se. Äärettömän kauneuden ääretön petollisuus tai sen ylivoimainen mutta passiivinen voitontahto ja ainainen oikeus voittoon vailla moraalia, siinä se on kerrottu. Kyky valita kaikista silmistä haluamansa ja tulla niiden anteeksiantamiksi.

-Kerro sinä kaunotar oma versiosi, kerro miten petät minut. Olette analysoineet minut tuhannesti tarkemmin kuin mitä itse viitsin tai koskaan edes kykenen. Enkä edes tiedä kuka on te. Vihjaat että jokin henkinen ominaisuuteni, syyllisyyden juonne tekee minusta helposti ohjailtavan nuken? En epäile sitä. Jokainen meistä unelmoi uhriksi, pelinappulaksi joutumisesta kunhan tarina on riittävän suuri ja juhlava. Kunpa sielussamme olisi kahva ja joku tarttuisi siihen!

Lena kääntyi pois ja sanoi merelle:

-Ehkä minua selittää se että tielleni on sattunut liikaa huonoja miehiä. En ole ollut mikään seinällä roikkuva koriste. Minulla on ollut muutama kultainen mies, mutta ne muuttuivat kaikki sontakasoiksi tai kuolivat. Mitä luulet että rikas tai mikä tahansa mies voi nykyään tehdä? Mitä vain. Ihan mitä vain, ja ne miehet jotka minulle sattuivat, tekivät. Törkeyden kulttuuri joka laimeana aikana eli katveissa ja varjoissa on nyt purskahtanut voimalla esiin ja seisoo hajareisin keskilattialla. Kulttuuri joka näytti pinnalta kiltiltä olikin todellisuudessa törkeä, elätti virtuaalisten törkeyksien kasvavaa kirjoa jotka ovat nyt ilmestyksenomaisesti aktualisoituneet. Sinä näet minut ahneena, näet että olen pilannut itseni monella huonolla aineella ja asialla. Ei se ihan niin ole. Tarkempi ilmaus on, että minä olen elänyt. Minä haluan olla maailmassa mukana ja olen! Tässä mikä nyt lujaa matalalla menee.

Hänen kasvonsa oli kova kuin patsas taivaan harmaassa valossa, hän jotenkin poseerasi ja oli aito samalle hetkellä. Kysyin:

-Mitä sinä teet tässä veneessä minun kanssani?

-Minun piti hakea sinut. Tavalla tai toisella.

-Minulla ei ole muuta rahaa kuin sinun antamasi, sanoin katkerasti.

-Se on ihan hyvää rahaa.

-Sinun silmissäsi olen laiha poika lappalainen. Ei mitään todellisia mahdollisuuksia. Palkkasotilas, orja matkalla myllyyn jauhettavaksi.

-Niin. Ei ole selvää mitä sinulle tapahtuu. Tai minulle, tai meille kenellekään. Ei mitään ylevää nyt. Päivä kerrallaan. Tämä on ollut kuitenkin hyvä päivä ja hyvä retki, vai mitä?

Heilutin vihkoa ilmassa ja sanoin: -Tämä oli kyllä piristävää luettavaa!

-Eikö olekin vakuuttava. Oma tiedelehtemme. Niitä on lisää.

-Tämä on virheistä ja väärinkäsityksistä rakennettu.

-Sano yksi esimerkki. Avaa vihko ja poimi sieltä, Lena iski yllättäen takaisin.

-Sinä puolustelet tätä?

-Ja sinä myös, kai tajuat. Kerronko sinulle kaikista vakuuttavimmat pohjoista tukevat detaljit? Vai mitä näemme tästä takatuhdolta, juuri nyt?

-Kerro mitä haluat, sanoin.

Lena avasi peräpenkin kannen, kaivoi kiikarin esiin pelastusliivien ja köysien seasta ja tähysti rannikolle etsien jotakin. Olimme ohittaneet Porkkalanniemen ja Upinniemen ja ylitimme nyt Upinniemenselkää Kirkkonummen kohdalla. Takaoikealla näkyi Mäkiluodon linnake uponneine kasarmeineen ja ruostuneine tykkeineen. Jäin katselemaan sitä hetken kunnes Lena koputti minua olkaan.

-Katso tuonne kalliolle. Sieltä mistä nousee savu. Se on yksi hienoimmista pronssikautisista hautakummuista Suomenlahdella. Näetkö tulen? Sitä pidetään nyt yötä päivää palamassa. Meillä on siellä vartio.

Katsoin kiikarien läpi. Kostea ilma teki kaikesta harmaata ja löysin oranssin liekin ja savun helposti linsseihin.

-Kantvikin Kasaberget, sanoin. -Ei kai tuo tuli vain ole siinä itse kummussa? Kivethän halkeaa!

-Ei luulisi, Lena sanoi, mutta minusta siltä kyllä näytti pahasti. En vängännyt asiasta, kaikki oli nyt käyttötavaraa. Sanoin:

-Mielenkiintoista. Ympäröivän kallion huippu on raivattu esiin melko äskettäin. Hauta ei ole ennen näkynyt näin hyvin merelle metsän seasta. Olen käynyt siellä muutaman kerran. Sieltä aukeaa upea maisema kuten kaikilta pronssikautisilta hautakummuilta.

-Kuinka paljon näitä on Suomessa?

-Satoja, tuhansia. Erään arvion mukaan niitä olisi ollut kymmeniä tuhansia. Enemmän kuin missään muualla. Mikähän olisi tarkka luku? Monia on tuhottu mutta silti niitä on yhä valtavasti. Köyhälöytöisen kivikasan iän määritteleminen on vaikeaa mutta kyllä niistä merkittävä osa on pronssikaudelta.

-Iliaksessa on niistä monta mainintaa, Lena sanoi ja lausui:

"Vainajan laitan minä laivain luo tasalaitain,
jotta akhaijit saa hiuskaunon haudata urhon,
laajan Hellesponton luo hänet sulkea kumpuun.
Silloin virkkaavat lie entisetkin ihmiset vielä,
merta he tummaa kun moniteljoin kulkevat haaksin:
'Tuossapa miehen kumpu on ammoin kuollehen, kuulun,
loistava Hektor jonka urotöiltään sorteli surmaan"

Kuuntelin hänen kaunista lausuntaansa, siinä oli sama tarkka, ylväs poljento kuin El-san viesteissäkin, sama asialle omistautuminen ja uhrautuneisuus, mutta olin näkevinäni hänen silmissään pienen epävarmuuden liikahduksen lisän. Sanoin:

-Onhan maailma täynnä mitä ihmeellisimpiä kumpuja, ja vilkaisin samalla piloillani hänen rintojaan. Hän jätti typeryyteni huomiotta ja jatkoi:

-Ei tällaisia pronssikautisia. Ei kymmenin tuhansin kuin Skandinaviassa ja erityisesti Suomessa ja vielä erityisemmin Varsinaisessa Suomessa. Ei meren yli nousevilla lounai-silla kallioilla, juuri kuin tuossa runossa on kuvattu. Aurinkoon suunnattuja aina. Ei murto-osaakaan tästä määrästä Kreikan kapean Hellespontoksen rannoilla.

-Eikö Atlantin rannikolta löydy megaliittikulttuurin kumpuja vaikka kuinka paljon?

-Meidän teoriamme mukaisesti homeeriset runot olisivat juuri tämän läntisen mega-liittikulttuurin runoja ja nämä suomalaiset hiidenkiukaat olisivat sen kulttuurin itäisim-piä ilmentymiä. Läntinen korkeakulttuuri joka vallitsi koko Euroopassa tuhansia vuosia ja jonka suuruutta virallinen historia on aktiivisesti häivyttänyt ja painanut alas, jakanut sen paikallisiin osiin. Me väitämme että homeeriset runot ovat sen kulttuurin luomus ja jälki. Se mitä druidit eivät saaneet muistiin kirjoittaa mutta joka sitten kirjoitettiin talteen Kreikassa foinikialaisten, merikansojen perillisten aakkosilla.

-Se muuttaisi kaiken historian.

-Totta kai. Miksi muuten tämä hulluus.

-Sepä sopii tähän hetkeen nyt kun kaikki muukin on sekaisin pohjiaan myöten, sanoin.

-Niin sopii, Lena sanoi silmät hehkuen. Hän innostui nähdessään ajatuksen valtaavan mieleni, hänen silmänsä laajenivat.

-Sellainen "sopiminen" puhuu vahvasti teoriaa vastaan, sanoin.

-Puhukoot jos mahtaa!

Pudistelin päätäni. -Minä näen nyt teidän kuvionne järkyttävän valtavuuden verrattuna oman kansallis-yliopistollisen kihinäni pienuuteen. Ja minä näen miten se sopii tähän ai-kaan joka etsii, etsii.. oikeastaan mitä tahansa. Mitä tahansa perustelua mille tahansa mikä antaisi ihmisille takaisin voiman tunteen. Hitto!

Kohensin asentoani pystymmäksi, nostin kädet yläviistoon eteeni ja lausuin koomisen mahtipontisesti kääntyillen ja elehtien:

"Jo näkyvi Pohjan portit,
paistavi pahat veräjät,
kivikummut kuumottavi.."

-Hautakummut, vielä kuumat, joissa korkeat vainajat poltettu. Siinä on yhteys! Ja tuo oli näkymä mereltä, Pohjaa lähestyttäessä? Kuinka kaukana se on tästä?

-Kolmekymmentä kilometriä länteen. Menemme siitä kohta ohi. Siitä ei ole kuin kym-menen kilometriä teidän Aijalan leiriinne, sanoin.

-Sinähän alat vastata palkkaasi heti, Lena sanoi ja pyyhkäisi pädistä kirjoitusohjelman esiin ja alkoi näppäillä ja puhui samalla innokkaasti: -Beowulfissa kummuista sanotaan näin:

"Itkevät uroot kohottivat ruhtinaan,
rakkaan herransa keskelle kekoa.
Soturit alkoivat virittää tulta,
sytyttää kalliolle peijaiskokoista suurinta.
Musta savu kohosi liekkien ylle,
nuotion rätinään sekoittui valitusta.
Tuulispäät vaikenivat, kunnes luutalo mureni
kuumuuden kuluttamana.
Säägoottien kansa möyhensi kalliolle
muhkean multakummun, jonka merenkulkijat
näkivät kaukaa kohoavan ylväänä;

he rakensivat roukkion kymmenessä päivässä
sotasankarin muistoksi."

Käännyin pois sanomatta mitään ja katsoin merta ja metsää meren takana. Tavoittelin Kasabergetin savua mutta en saanut sitä enää meriudun takaa silmiini. Sanoin: -Ei minulla ole mitään siitä mitä haluatte. Ahneutenne on ylimaallista. Kai minulle voi luvata korkean palkan kun en tule montaa päivää keitossanne kestämään.

-Turha pelätä. Miten noin mitätöntä kuin sinä kukaan vaivautuisi uhkaamaan tai varomaan. Älä ole hullu, älä luule itsestäsi liikoja, Lena sanoi ja pyyhkäisi plotterin takaisin kirjoitustensa päälle ja napsautti ruudun kiinni telineeseensä. Kysyin:

-Mikä sinun asemasi on Pohjoisen Liitossa?

-Minä olen tieteellinen neuvonantaja, Lena sanoi äänessään peitettyä ylpeyttä. Ylpeyttä jota juuri yritti ajaa minusta pois. Asiatonta käytöstä, tahallista ärsytystä taas. Sanoin:

-Kuinka lähellä olet Thomasia?

-Miten lähellä haluan, Lena sanoi ja nosti taas millin leukaansa.

-Hän siis kerää edelleen naisia kuin kärpäsiä. Mitä hän niillä enää tekee, vanha raato.

-Päinvastoin! Tulet näkemään suhteemme laajuuden. Hänhän elää rocktähden elämää.

-Ai aiot testailla äijää minulla, että kohottaako karvojaan. Etkö sinä ole jo liian vanha sellaiseen leikkiin. Ovatko ne tarinat totta mitä hänestä kerrotaan? Että hän osti lentotukialuksen ja on tulossa sillä Toijaan? Tai että hän pitää haaremia Attilan mallin mukaisesti?

-Ei hänen sängyssään ollut, silloin kun minä siinä olin, muita lentotukialuksia kuin minä, Lena sanoi ja nauroimme taas.

-Pelkkää turhamaisuutta, menestyksen merkkausta, halpaa mainosta, laskelmoitua julkisuuspeliä. Teitä naisia on hänen ympärillään riveissä ja kehissä, olet varmaan huomannut. Laulatte hoosiannaa, kovaa ja korkealta.

-Hän hallinnoi ja ohjaa meitä kuin koreografi tanssijoita, kyllä. Mikään riitti tai rituaalinen yhteisö minkä keskiössä ei ole nuoria kauniita naisia on mieletön. Tai eepos, tai sota. Samalla tavalla sinä siinä silmiäsi muljaat kuin mikäkin sankari kaikilla maailman oikeuksilla vaan niinpä vaan lähdit mukaani kuin pärekori torikauppiaan tiskistä! Jäi käyttämättä kaikki ihanat keinot.

-Saa niitä vieläkin käyttää. Niitä pitää käyttää, sanoin ja kiedoin käteni väkisin hänen vyötärölleen.

-On vähän liian vinoa ja kylmää nyt, Lena sanoi jäykistyen.

-Jaksan minä iltaan odottaa, sanoin ja päästin irti. -Minä olen helppo ihminen. Mutta sinun on pakko antaa minulle. Minä vaadin, ihan periaatteesta. Kostoksi tästä kaikesta typeryydestä. Muuten minä lähden.

Lenan katseessa vilahti silmänräpäyksen ajan pidäteltyä vihaa. Olimme hetken vaiti. Pitää puhe kevyenä, se vasta olisikin taito. Uhkailla yksinäistä naista, keskellä merta,

129

kieltämättä hiton tyylikästä. Mutta tämä koko vaivalloinen lavastus.. yritin vain saada hänestä edes jotain totuutta ulos. Sanoin:

-Anteeksi, unohda mitä sanoin. Se oli huonoa huumoria.

-Sitä se todella oli. Näkee että kuvittelet liikoja.

-No, mitä sinä sanot tästä meidän matkastamme? Onhan tämä aivan naurettava leikki. Kuka tämän suunnitteli?

-Kulttuuri on suurelta ja parhaimmalta osaltaan, ellei jopa kokonaan, leikkiä. Huizinga sanoi niin.

-Kuka Huizinga? Ei sano mitään.

-Johan Huizinga. Homo ludens.

-No nyt sanoo joo.

-Se on tämän ajan oppi kun ollaan pudottu niin kauas taakse. Kunnia on saatava jos-tain tolkuttomasta, kokonaan uudesta maailmankatsomuksesta. Tämä maailma on taas kuin teini, hylkää vanhat pelit ja vehkeet, jättää kaiken vanhan mätänemään ja hautautu-maan sedimenttien alle, unohtaa ne tahallaan ja väsää jotain muuta vaikka kuolemansa uhalla. Niin kuin tätä ikivanhaa nyt, ehkä ihan vain edesmenneiden kiusaksi.

-Niin se on. Olla suostumatta sovittuihin leikkeihin.. minulle se on ollut kuin vaisto. Mennä mentaaliseen korpeen, siihen suuntaan missä on vähemmän ihmisiä ja heidän ajatustensa kaikuvaa hälyä. Mutta nyt sieltä oksien ja lehvästöjen takaa tupsahtaakin eteeni kokonainen veriturpaisten lahkolaisten tömisevä ylikansa ja kantaa väkisin mu-kaan kinkereihinsä. Lievästi sanottuna häiritsevää.

-Olisit iloinen että joku ehkä kuuntelee hölinääsi vihdoin.

-Mistä tulikin mieleeni: kuunnellaanko meitä nyt ja tässä, kaukana kaikesta, keskellä merta? Ehkä se selittää miksen saa sinusta mitään muuta dramaattista ulos kuin noita lo-puttomia silmänmuljaisuja.

-Pilvissä on drooneja. Meidän huuliemme liikkeet voi lukea infrapunalaserilla kilo-metrien päästä. Tämä kaikki on julkista koko ajan. Toisinnettavaa, todistettavaa. Ei tar-vitse kirjoittaa mitään alle, pilvet allekirjoittavat, Lena sanoi huterasti, hänen silmänsä lurpahtivat. Kai shampanjan alamäki oli alkamassa.

-Pitäisikö mennä kannen alle? Jos olisikin vakavaa sanottavaa.

-Samalla laserilla voi kuulla puheemme veneen rungon värähtelystä.

-Ajattelin että lihamme puhuisivat, sanoin vaikka en tarkoittanut sitä.

Lena tuhahti väsyneesti. Kysyin: -Kuka meitä kuuntelee?

-Kaikki. Tai joku kuuntelee ja myy tietonsa muille, moneen kertaan, kenelle vain ketä kiinnostaa.

Tartuin Lenaa ranteesta, puristin lujaa ja pakotin hänet paikoilleen. Sanoin: -Kuuntele. Minä en ole minkään arvoinen. Minä voin tehdä mitä tahansa. Minä haluan varoittaa si-nua, teidän rahanne menevät hukkaan.

Käänsin pääni taivaalle ja huusin: -Teidän rahanne menevät hukkaan!

130

-Eivät mene, Lena sanoi, veti minut alas ja suuteli suoraan suulleni kuin viemärin tul-paksi. Kylmä, väkinäinen suudelma. Helvetti! Miksei tämä maistu paremmalta.

Kaadoin viimeiset tipat jaloissamme kolisevasta pullosta Lenan laidan alta kaivamaan rikkikahvaiseen mukiin ja heitin pullon laidan yli mereen. Aalto heilautti venettä ja Lena jähmettyi muki huulillaan tasapainotelemaan veneen liikkeitä vastaan ettei kallis neste olisi läikkynyt. -On niin pitkä aika kun olen viimeksi maistanut samppanjaa etten tiedä onko tässä maussa joku virhe vai onko se minun suuni joka maistuu väärältä vai tämä mukiko se on. Mitä olen syönyt, jotakin sopimatonta tietenkin. Huono hammas tai kielen sammas. Olisi pitänyt nauttia kun oli nauttimisen aika. Pitää nauttia kun on nauttimisen aika. Skool, hän sanoi pää kallellaan ja joi.

-Ei riidellä enää.

-Ei.

Nojasimme toisiimme. Oli vaikea sanoa oliko lämmin vai kylmä. Pukuni sai sähköä veneen akuista ja piti minut käsivarren päässä kaikesta, lämmitti ja kuivatti minut. Jos-kus ihoni puutui puvun alla, siinä oli pieni sähköjännite, ehkä se ja jatkuva pieni mär-kyys ja suolaisuus oli pilannut ihoni tunnon lopullisesti. Nyt kaikille aisteille olisi käyt-töä, olisi herättävä jotenkin, piristyttävä, päästävä tämän pelin päälle. Vene liikkui vähin elein eikä Lena kiinnittänyt siihen juuri huomiota. Olin hetken turta ja tyytyväinen, mie-tin riisuisinko pukuni mutta sitten plotteri vinkaisi rumasti.

13.

Lena zoomasi karttanäkymää kauemmaksi. Takanamme noin kilometrin päässä oli oranssi välkkyvä piste. Kysyin hänen olkansa yli:

-Onko se häly?

-Kyllä. Mutta se on herkälle viritetty, tämä ei ehkä merkitse mitään. Oranssi väri tar-koittaa että vene on seurannut meitä samalla etäisyydellä tietyn aikaa ja on ollut ohjel-man tarkkailussa. Tämä on se sama vene josta tein sen kyselyn. Siihen ei tuullut vastaus-ta eli pimeänä menee. Nyt se on alkanut lähestyä meitä. Hetkinen, piste kahdentuu, niitä onkin kaksi. Tulivat kylki kyljessä lähelle! Pitäisikö meidän ilmoittaa asiasta jonnekin?

-Kenelle, sanoin.

-Eikö täällä ole merivartiostoa?

-Kaikki vähäinen voima on keskitetty lähemmäs Helsinkiä. Eikö sinulla ei ole mitään maksettua palvelua, meriturvaa?

-Ei.

-Miten se on mahdollista? Onko tämä joku sinun juonesi?

-Mikä? Ai kuolla tänne merelle, ei!

-Onko sinulla asetta?

-On. Revolveri, kajuutassa, patjan alla.

-Hyvä. Hae se. Katso tuota, sanoin ja osoitin äkkiä ilmestynyttä uutta kolmatta pistettä edessämme. Lena kysyi huolestuneena:

-Mikä se on?

Katsoin kiikareilla kohti Ramsjösundetin kapeikkoa, jota kohti olimme menossa.

-Siellä on kaatunut vene ja mies veden varassa.

Käännyin katsomaan takaa lähestyviä veneitä. Kuvio oli selvä.

-Niillä on Mothit, pienet kantosiipipurjeveneet joilla tulevat parhaimmillaan kolmea-kymmentä solmua silmänräpäyksessä laivan luo ja vievät kaiken kevyen, vähintäänkin hengen. Ja sitten niillä on tuollaisia kavereita kuin tuo tuolla edessämme, luodoilla tai jopa reitillä muka merihädässä veden varaan joutuneena ja kun heidät merilain velvoitta-mana nostetaan varomattomaan veneeseen niin vene jatkaa kurssin muuttumatta matkaa ja kukaan ei edes elektroniikka huomaa mitään mutta miehistö onkin vaihtunut uuteen ja vanha matkalla enää meren pohjaan. Niillä on anturit pitkin Porkkalanniemeä ja kamerat Helsingissäkin, meidät on jo täysin analysoitu ajat sitten ja päätös hyökkäyksestä tehty.

Kaikki kuvamateriaali vuodesta yksi ja kaksi lähtien käyty läpi ja tarkistettu kuka tässä veneessä on, mitä aseita, mitkä järjestelmät. Se patjasi alla oleva revolveri on voinut jo pelastaa meidät. Eivät uskalla tulla ihan suoraan kylkeen kiinni.

-Tämän kaiken sinä sanot nyt!

-Kai sinä nämä vaarat purjehtijana tiedät. Kyllä meidät on herkuksi päätelty kun edestä ja takaa tullaan yhtä aikaa.

-Ja tuoko on merirosvo? Ei hänellä ole mitään suojapukua päällään. Hän kuolee hypotermiaan minuuteissa! Meidän on pelastettava hänet. Sinä kuvittelet kaiken, Lena sanoi ja yritti tuijottaa keikkuvilla kiikareilla eteenpäin. Hän ojensi ne minulle ja tuijotin veden varassa nousevaa ja laskevaa hahmoa.

-Ei. Hän on kuorinut puvun päältään, se roikkuu hänen vyötäröllään, sanoin ja ojensin kiikarin Lenalle. -Kun isompi aalto heittää häntä, puku näkyy varjona vedessä, näet miten hihat heilahtavat aallon huipulla esiin, hän ei ole sitonut sitä kunnolla tai se on irronnut. Katso miten hän yrittää peitellä sitä. Hän ei uskalla riisua sitä kokonaan, koska se merkitsisi varmaa kuolemaa, hän ei saisi sitä kohmeisena enää päälleen.

Lena katseli aaltojen heittelemää miestä. -Näen märkäpuvun, hän sanoi hiljaa.

-Kaikki viralliset pelastustoimet kuitataan digitaalisesti. Jos kartalla ei ole merivartioston antamaa hälyä, se on merirosvo ja se jätetään sinne jäähtymään oman onnensa nojaan.

-Aika kovaa.

-Se on juuri niin kovaa. Me olisimme kuolleita sillä hetkellä kun me ojentaisimme kätemme häntä kohti. Tämän tempun nämä kaverit ovat säästäneet ulkomaisille aluksille, täällä se on käytetty jo loppuun ja kaikkien tiedossa.

-Ei ole Ruotsissa tällaista vielä.

-Suomessa innovoidaan kuule! Paitsi että tämä on tanskalaisten koplien jekku. Ohjaa riittävän kaukaa. Hän on onneksi valunut kapeikosta jo vähän avoimemmalle, voit vetää ihan reilusti vasemmalle tästä, sanoin ja näytin Lenalle plotterista reitin karien väistä.

-Paapuuriin, Lena korjasi ja käänsi ruoria ja katsoi plotteria silmä kovana.

-Kunhan vedät. Vähintään viisikymmentä metriä etäisyyttä väliin. Voi olla että hän ei olisi tappanut meitä vaan ehkä ajatus oli että perässä tuleva alus olisi saanut meidät kiinni pysähtyessämme nostamaan tätä veijaria ja olisivat sitten ylivoimalla hoidelleet meidät. Hei, hei! Huusin lujaa uimarille, joka heilutti molempia käsiään laajassa kaaressa. Vieno hätäpillin ääni soi.

-Oletko varma tästä? Tämähän on rikos, Lena sanoi.

-En, mutta: veneet perässämme, puoliksi riisuttu märkäpuku, ei hälytystä, kohta jossa näitä väijytyksiä on sattunut ennenkin, kaikki täsmää. Jos olemme väärässä niin viaton kalamies kuolee, mutta niin se nyt vain on. Näet kohta kartalta miten perässämme tule-

133

vat alukset poimivat kaverin kyytiin ja yrittävät uhkailla ja kiristää meitä tallenteillaan seuraavassa satamassa.

-Minä olen tämän laivan kapteeni. Minä määrään että me pysähdymme ja poimimme hänet ylös, Lena sanoi äkkiä.

-Hän ajelehtii viidessätoista minuutissa tuohon Stenkloppenille, sanoin ja osoitin ulompana kaakossa olevaa matalaa luotoa. Ei hänellä ole hätää.

-Ainakin autamme hänet rantaan.

-Veneet saavat meidät silloin kiinni.

-Nostetaan hänet nopeasti ylös ja jatkamme samantien matkaa.

-Jos hänet pelastetaan, se tehdään minun tavallani, onko selvä?

-Miksi sinä saat päättää? Minä olen kapteeni.

-Tiedän tempun. Poimimme hänet vauhdista ylös. Köysilenkillä.

-Okei.

-Kun hän tarttuu siihen hän ei pysty käyttämään asetta. Hinaamme hänet lähemmäs rantaa pysähtymättä ja sanomme hei. Sopiiko?

-Hyvä on. Minä ohjaan ja sinä heität köyden.

Kun lähestyimme poikaa katsoin koko ajan hänen kasvojaan kiikarilla. Yritin katsoa oliko ehkä näytellyn uupumuksen alla muita ilmeitä, tarkkoja katseita, pieniä vilkaisuja. Hän oli hyvä, mitään minkä olisi voinut miksikään tulkita ei näkynyt. Laskin kiikarin ja tartuin köyteen ja olin valmiina heittämään sen pojalle kun Lena huudahti:

-Hänen kätensä on poikki! Hän ei pysty tarttumaan köyteen!

-Kerjäläisten temppuja! Juuri tuollainen jalalla polkemalla jo lapsena katkaistu kerjuukäsi. Sinun on uskottava minua! Kukaan oikeasti loukkaantunut ojentele äskenkatkennutta kättään ilmaan!

-Purjeet alas! Me pysähdymme! Lena sanoi ja koukkasi veneellä vasemmalta niin että lähestyimme poikaa suoraan vastatuuleen, purjeet alkoivat paukkua löysinä ja vauhti hyytyi juuri hänen kohdalleen. Kirosin mielessäni mutta kyyristyin köyden kanssa aivan kylkeä pitkin lipuvan pojan puoleen.

-Viemme sinut rantaan, saat vaihtovaatteita, ymmärrätkö?

Ei vastausta. Ohjasin köysilenkin hänen käsiensä alta ja hinasin hänet laitaa pitkin kohti perää mistä nyppäsin hänet kertatempaisulla perätuhdolle. Heikolta ja kylmettyneeltä hän näytti mutta sitten huomasin vaseliinit hänen hiusrajassaan. Kopeloin pojan kovakouraisesti läpi, hän yritti vastustella mutta tempaisin mattoveitsen esiin hänen pakaravaostaan ja nostin sen ylös taakse hänen ulottumattomiin ja näytin sitä Lenalle:

-Katso mitä täältä löytyi. Olisi laskenut meistä veret hukkaan.

Löin poikaa nenään niin että verta alkoi valua.

-Tämä on minun työtäni, poika vastasi ilmeettömänä kuin lyöntini olisi ollut puheenvuoro. Me molemmat märkäpukuiset märät miehet. Minun pukuni kalliimpi ja kuluneempi. Ihmettelin hänen kempuraa kättään, se oli jokin vanha vamma. Sidoin hänen kätensä selän taakse köydellä ja sanoin: -Siinä on riskinsä, hyggepoika.

Hänen ilmeensä ei nöyrtynyt vaan koveni. Kiedoin narun vielä hänen kaulansa ympäri ja potkaisin hänet laidan yli takaisin mereen.

Lena kiljaisi ja ryntäsi katsomaan pojan jättämän loiskahduksen ja pinnan alle painuvan köyden perään. -Mitä sinä teit! Hänhän hukkuu!

-Hänet voi vetää narusta ylös. Haluan vain että hän puhuu totta. Vahdi sinä niitä takaa tulevia veneitä.. ehdin sanoa kun tunsin potkun selässäni ja lensin pää edellä mereen aivan pojan viereen läsähtäen. Olin huolissani hänen puolestaan, olin ollut juuri aikeissa vetää hänet pinnalle mutta mitä nyt kävisi? Lena kiskoi köydestä ja sai pojan pään pinnalle mutta aikoiko hän nosta pojan takaisin veneeseen ja olisiko hänellä voimaa siihen? Kyllä oli, poika nousi veneeseen helposti.

Lena seisoi hajareisin kyyryssä makaavan pojan yläpuolella ase kädessään. Ase osoitti minua. Hän sanoi kuin kiroten:

-Luuletko tulevasi takaisin.

En sanonut mitään, uin asetta kohti ja tartuin uimatason reunaan. Katsoimme toisiamme sekunnin. Lena sanoi:

-Jos tulet, olet hiljaa. Sinä et tee täällä enää mitään päätöksiä.

-Okei, mutta ammu heti ilmaan! Huusin Lenalle ja hän katsoi ylitseni taaksemme, nosti revolverin kohti taivasta ja laukaisi.

Ponkaisin itseni pojan viereen uimatasolle. Nousin seisomaan ja tähystin motheja jotka olivat jo kääntyneet ja menivät nyt lujaa vauhtia kohti itää. Kysyin pojalta:

-Miksi nuo sinun kaverisi kääntyivät pois?

-Ei ole minun kavereita.

-Älä valehtele, sanoin.

-Miten sinun pukusi on heti kuiva?

-Elektroninen osmoosi.

-Ei ole mikään halpa.

-Lahjaksi saatu.

-Ei saa köyhät tuollaisia lahjoja.

-Näet että se on kulunut ja rikki. Kohta hajoaa.

-Ei vielä läheskään. Vähintään tonnin arvoinen.

-Ai siksikö vaan minut olisi sopinut sinun mielestäsi tappaa. Mitä sinun kädellesi tapahtui?

-Polio.

-Polio?

-Ei. Tipuin lapsena kalliolta. Ehti luutua vinoon. Kukaan osannut tehdä mitään.

-Miksi sanoit että polio?

-Sitä on tullut jossain käytettyä. Hakemuksissa.

-Okei. Oletko sinä tanskalaisten porukoissa?

-Meillä on oma porukka. Minä en tiedä ketä noissa veneissä oli. Ne oli jotain muita. Minut tänne käskettiin, tällä kellonlyömällä. Muuta en tiedä. Kallis puku, kantosiipialukset.. näenhän minä mutta en minä mieti muiden juonia.

Käännyin Lenan puoleen. Viha oli noussut pintaan ja hän oikein uhkui sitä, hänellä oli ase vielä kädessä ja hän tärisi kauttaaltaan. Sanoin:

-Kai laskemme hänet pois?

Kun Lena ei raivoltaan saanut vastattua, sanoin pojalle:

-Mihin haluat?

-Vene pitää kääntää ja tyhjentää, hän sanoi ja osoitti Stenkloppenin rantaa jossa vene kolisi jo kiviä vasten.

-Tarvitsetko apua siinä?

-Tuolla on pensaassa pari kaveria.

-Onko niillä aseita?

-Minä laitan niille viestiä.

14.

Sade yltyi iltaa kohti ja pysäytti tuulen. Viimeiseen viiden kilometrin liukuun kohti Inkoon rantaa kului koko valoisa aika. Laskimme ankkurin pilvien pimeässä, sade ropisi suorana alas kanteen ja purjeeseen kun märkinä käärimme sitä puomille. Alhaalla hytissä riisuimme hiljaa märät vaatteemme ja hiivimme etukajuuttaan väsyneinä ja kylmissämme. Makasimme vierekkäin puhumattomina, maailma makasi raskaana päällämme. Päivä oli mennyt solmuun. Yritin ajatella meidät joksikin muiksi mutta se ei onnistunut. Laskin käteni hetkeksi hänen selälleen ja otin sen pois. Sanoin:
-Menen takahyttiin nukkumaan.
-No mene.
-Totuus on tämä.
-Olen samaa mieltä.
Hiivin pahoillani pois.

Yöllä Lena koputti hytin oveen.
-En saa yksin unta, hän sanoi.
-Nytkö minä kelpaan.
-Nyt. On kylmä.
Kävelin kyyryssä hänen perässään pimeän kajuutan kapeaa pöytää kiertäen. Näin valkoisten pikkuhousujen kajastavan pimeässä edessäni, koskin niitä kuin tukea hakien.
-Idiootti, hän sähähti. -Miten idiootti voi ihminen olla?
-Anteeksi.

Makasimme vierekkäin ja puhuimme. Olimme lämpimiä nyt vihdoin keskellä yötä. Lena piti kättään vatsallani, minä hänen kaulallaan. Sanoin: -Kaikki tutut luodot ovat kadonneet.. Niitä minä eniten suren. Ja kun hetkeksi tottuu uuteen maisemaan, uusiin poukamiin ja rantakallioihin ne katoavat taas. Olen ollut enemmän sisämaassa viime vuosina osittain kai siksi että merien rantoja on ollut niin ikävä katsella. Miten tutut leiripaikat katoavat yksi kerrallaan, miten ihmiset katsovat merta vihainen ilme silmissään ja kääntyvät pois, miten rannat ovat muuttuneet haiseviksi rämeiksi, lahdet vellovaksi kuraksi ja liejuksi, kuolleiden puiden sekaviksi lahokentiksi.. Mutta tästä pirun touhusta alkaa vihdoin olla iloakin!

-Mitä iloa?

-Veden korkeus nyt. Se mittaa muinaisuutta.

-Mitä?

-Etkö muka tiedä että tämä koko maa on noussut jääkauden jälkeen veden alta esiin kuin negatiivinen Atlantis?

-No ei kai koko maa! Lena hihkui ja siirsi kätensä vyötärölleni.

-No tietysti ensin tultiin esiin jään alta mutta heti jääkauden jälkeen nykyisestä pintaalasta kolme neljäsosaa oli veden alla, käytännössä koko napapiirin eteläpuolinen Suomi.

-Niinkö paljon?

-Jääkausi painoi maankuorta pahimmillaan puoli kilometriä alaspäin ja nykyään se oikenee muutaman millin vuodessa. Tanskassa vaikutus oli lähes olematon ja Ruotsin alueella se oli merkittävää ainoastaan pohjanlahden rannikolla johtuen Ruotsin jyrkemmästä topografiasta. Mutta meillä täällä Suomassa tämä on periaatteessa tuttu juttu että kuravesi velloo saappaanvarsista sisään ja ulos miten haluaa. Ettei maa, äärimmäisessä niukkuudessaan, ole edes yhtään vakaa, ole koskaan ollutkaan. Ihmettelen minä silti ettet tiedä tätä, sanoin.

Nyt Lena irrotti itsensä minusta kokonaan, kierähti ympäri ja tunki jalkapohjansa naamani eteen ja sanoi: -Hieropa jalkojani siinä samalla kun jauhat. Ja totta kai minä tiedän maannousemisesta! En vain tiennyt tuosta veden alla olemisesta, ja puolesta kilometristä. Tai muistanut.

-Onko niin että me luemme omissa maissamme ihan eri tieteitä? Ovatko painotukset niin erilaisia että meillä on erilaiset historiat ja ajatukset sen takia?

-Älä nyt aloita mitään, Lena sanoi tympeänä.

-Minähän olen paljonkin ihmetellyt Ruotsalaista historiankirjoitusta, tietysti lähinnä suhteessa Suomeen. Se mitä ruotsalaiset ja suomalaiset muistelevat ja kirjoittavat ovat kaksi hyvin eri asiaa. Ruotsissa muistellaan vain 1600-luvun suuruuden aikoja ja meritaisteluita, vaikka Ruotsinsalmen taistelua josta taas Suomessa ei kukaan mitään tiedä tai ainakaan piittaa vaikka suuri osa osallistujista oli suomalaisia ja se tapahtui Suomen alueella. No silloisen Ruotsin alueella mutta kuitenkin. Se ei vain kuulu meidän kaanoniimme niin kuin se kuuluu Ruotsin tarinaan. Tällaisia esimerkkejä on vaikka kuinka paljon Suomen ja Ruotsin välillä ja loputtomasti kaikkien muidenkin maiden väliltä. Kaikki maat kaunistelevat menneisyyden virheitään ja kertovat itsestään muokattua tarinaa. Mitä isompi ja voimakkaampi valtio sitä tehokkaampaa aidon puhumisen välttely ja vääristely on. Venäjä on meille suomalaisille tuttu esimerkki mutta esimerkiksi Unkarihan vaihtoi historiansa toiseen.

-Miten?

-Päätti esimerkiksi ettei unkarin kieli olekaan sukua suomalais-ugrilaisille kielille ja haki historiansa uuden suunnan arojen hunneista. Tämä tapahtui jo kauan sitten. Sillä tiellä ovat iloisesti jatkaneet, kuten tiedät, jauhavat esimerkiksi sitä kielisukulaisuutta Sumeriin ja Etruskeihin. Näiden sankarillisten yhteyksien kautta he ovat taas muuttuneet suopeammiksi unkarin ugrilaisille suhteille ja monenmoisille turanismeille. Eräs varhainen valtiollinen versio tästä teidän sekoilustanne.

-Tarinahan se on, historia. Eikö me se hyvin tiedetä molemmat. Painotuksia ja painopisteitä muuttamalla sen voi muuttaa aivan toiseksi.

-Mutta että hyvänä järkevänä aikana, kirkkaassa päivänvalossa, vieri vieressä kerrotaan ihan mitä huvittaa. Että nämä meidän nykyiset hulluutemme olivat jo monella iloisella idulla sata vuotta sitten.

-Maailma muuttuu ja ihmiset tarvitsevat uudet tarinat. Tai vanhat herätetään henkiin, hädän hetkellä, ne todelliset muinaiset voimatarinat. Ja kun sää on nykyään huono tämä tarina merikansoista kylmyyden ja nälän liikkeelle ajamina pohjoisen ylimyskansoina ja muinaistarujen eteläänviejinä on iskenyt lujaa varsinkin Keski-Eurooppalaisiin pakolaispopulaatioihin jotka eivät minään nöyrinä mierolaisina ole liikkeelle lähteneet. Ja tämä aikojen ylittävä kohtalonyhteyden kaari, se ilahduttaa ja lohduttaa nyt kun tulevaisuus on pikimusta, Lena sanoi ja sitten hänen silmänsä suurenivat. -Nyt minä muistan tuon vedenpinnan korkeuden! Että veden korkeus täällä Suomessa on nyt lähes sama kuin pronssikaudella. Sillähän Thomas idean Suomen retkestä alun perin rahoittajilleen myi. Se oli iso osa tännetulemisen tarinaa. Siis siinä markkinointivaiheessa muutama vuosi sitten.

-No minä jo ihmettelinkin.

-En siihen ole kovin hyvin perehtynyt. Thomas väitti että ranta oli pronssikaudella juuri siinä missä se nyt on, että täkäläinen Aigalos, Aijala, on lähes meren rannalla nyt. Muistelen että siinä oli jotakin ongelmia. Teknisiä ongelmia. Etteivät sitten asettuneetkaan ne merenpinnat ihan niin kuin oli toivottu. Siitä on vähemmän ja vähemmän puhuttu.

-Ehkä siksi että kyse ei ole pelkästään maan nousemista vaan myös sen kallistumisesta ja notkahduksen suoraksi pullistumisesta jotka näillä aikaväleillä ovat jo merkittäviä. Kallistuminen on vaikuttanut varsinkin vesistöjen virtaumiin ja on hyvin tarkka ja vaikea asia tietää milloin mikäkin virta on kääntynyt uusiin uomiin, milloin mikäkin kannas on puhjennut, milloin mikäkin uoma kuivunut.

-Onko sinulla sitä tietoa?

-Minulla on sitä tietoa nimenomaan, sanoin vakuuttavimmalla äänensävylläni ja suutelin hänen polveaan.

Hän kävi vessassa, söi jotain ja tuli takaisin taas muuttuneena. Ei ylieläväksi vaan kaikkialle vaakasuoraan tunkeutuvaksi, mustaksi linnuksi joka käänteli päätään ja näki ja muisti kaiken, alkoi muistella minua kuin lukemaansa huonoa kirjaa.

-Niin, Elsa Ketola, Lena sanoi kuin alustuksena. Kierähdin sivuun kun hän laskeutui viereeni. Sanoin:

-Entinen tyttöystäväni, avovaimoni - makuasia: hän on kadonnut siellä leirillä, tai sieltä leiristä. Siksi minä tässä sinuun nojaan.

-Mitä tarkoittaa kadonnut?

-Häneen ei saa yhteyttä.

-Leiri on suljettu. Kentät on katkaistu.

-Ai. Onko se luvallista?

-En tiedä. On tai ei ole.

-Minulla on melko varmaa tietoa että hänelle on käynyt jotakin siellä. Ikävää siis, sanoin, ja katsoin seinään ettei Lena voisi arvuutella silmistäni mitään.

-Tässä ja nyt se asia ei selviä, hän sanoi ilmeettömästi.

-Etkö voi ottaa yhteyttä keneenkään siellä?

-Kuten sanoin, siellä ei ole kenttää.

-Mikä järki siinä on.

-Että tuntuisi muinaisemmalta. Pianhan me siellä olemme, Lena sanoi ja katsoi minua liikkumattomilla silmillään ja jatkoi: -Minkähänlainen nainen tuollaisella miehellä on.

-Ai minkälaisella?

-Vaikea sanoa. Annat niin vähän merkkejä ulos. Melkein kuin niitä asioita jotka voisivat vahingossa ilmentyä ei edes olisi. Miten voit olla noin arka? Ihan varmasti kun käteni lähestyy kylkeäsi siihen painautuu kartteleva kuoppa. Kuin haluaisit olla jossakin muualla kuin tässä. Outoa. Koko mielesi on kai muodostunut pakenevista poimuista jotka eivät ota todellisuuden iskuja suoraan vastaan vaan imevät ja vaimentavat ne loputtomasti taipuvien syöveriensä äänettömyyksiin. Muinaisuus osa sitä pakenemista. Ei mitenkään miehekästä. Petoksen ja arkuuden kehiä mielesi sisällä. Pinnalla pientä luihua uhoa, hän sanoi ja veti etusormeaan hitaasti pitkin kasvojani.

-Miten minä tuollaista väitettä kommentoisin. En mitenkään, vastasin.

-No katso nyt kun sormeni lähestyy mahaasi miten se pakenee! Lena sanoi ja kutitti minua ja toden totta, ihoni vetäytyi ihmeellisesti alta pois minun itseni sitä sen kummemmin yrittämättä. Olla lähellä, olla etäisyyden päässä, samanaikaisesti, se kai oli idea. Sanoin: -Ei minulla kestä hermo puhua hänestä tässä.

-En minä näe että et kestäisi. Ei ilmeen ilmettä kun puhumme hänestä.

-No sinulta tuota ilmettä valuu kuin räkää naamasta, sanoin puolustautuakseni kasvot niin liikkumattomana kuin pystyin, mutta sitten oli pakko vähän hymyillä ja lopulta repesin nauruun kun Lena selvästi suuttui ja jatkoin: -Niin moni asia on pelkkää rituaalia, tämä ilmeettömyys, tuo ilmeikkyys. Luulen että ne ovat sopimuksia, joita vain on vaikea purkaa.

-Sopimuksia miehenä ja naisena olemisesta?

-Niin, ja kaikkena muunakin. Me niitä rituaaleja toisiimme ja itseemme pakotamme joka hetki. Ja ilmeet, ne vasta peittävätkin, kun ne osaa. Et sinäkään ole itsestäsi mitään kertonut!

-Oletko itse. Miksi väität ettet enää ole niissä muinaispiireissä kun meillä on ihan selvät todisteet siitä?

-Kun tämä hullu meteli alkoi koveta pauhuksi.. Minulla oli ystäviä jotka eivät ole enää pitkään aikaan olleet terveellistä seuraa. Tämä naarmu tässä, ei se tullut jalkapallo-ottelussa vaan kansallismuseon kellarissa, sanoin ja näytin veristä kuhmua ohimollani.

-Mitä siellä?

-Suomalaisia riimuja keilaamassa.

-Se on ihan satua, niitä äärimmäisten äärihullujen satuja! Sanoitko eilen? No et ole sitten vielä rauhoittunut, et ole luovuttanut. Helvetti, käyrät taisivatkin valehdella laimenemisestasi.

-Olin luvannut vuosia sitten yllyttämilleni ystävilleni lähteä mukaan tuohon keikkaan. Lupaukset on tapana pitää.

-Suomalaista rehellisyyttä, urpouteen asti?

-Vaikka niin. Muistanko oikein että olit alun perin tanskalainen?

-Isäni oli tanskalainen ja äiti ruotsalainen. Muutimme Kööpenhaminasta Tukholmaan kun olin ihan pieni. En muista mitään Tanskan ajoista. Olen tietysti jälkeenpäin lukenut minkälaista se oli ja parempi kai niin.

-Miten paljon tanskalaisia nyt olikaan ja missä?

-Ruotsissa, Norjassa ja Saksassa yli puolet ja loput ympäri maailmaa. Maerskin laivat veivät ilmaiseksi kaikki minne kukakin halusi. Uuteen Seelantiin ja Australiaan lähti paljon, Pohjoiseen ja Eteläiseen Amerikkaan, Afrikkaan. Kyllähän Tanskalaiset on hyvin otettu vastaan.

-Kun olette tulleet rahatukku kädessä.

-Paitsi Suomessa.

-Mitä Suomessa?

-On ollut eniten välikohtauksia.

-Tarkoitat rasistista syrjintää?

-No mikä on oikea nimi. Teillä on siihen perinteitä.

-Puolin ja toisin, minä sanoisin, jos historiaa katsotaan. Ja aika pientä se on ollut, maailman mittakaavassa. Eivätkä tanskalaiset pakolaiset ole olleet mitään kyyryssä hyyräilijöitä. Ne ovat niin suurella metelillä vaatineet milloin mitäkin erityiskohtelua että on ollutkin aihetta hermostua. Me olemme hieman herkkiä sellaiselle, sattuneesta syystä. Ovat tulleet tänne kuin kuninkaalliset, sitä paljasta skandinaavista ylemmyyttä täynnä josta olemme saaneet vuosisatoja nauttia. Mikään ei ole heille kelvannut. Tilanteessa jossa pelkkä hengissä selviäminen pitäisi kelvata!

-Näettekö te meidät skandinaavit aina jotenkin naurettavan monarkistisina?

-Ehdottomasti! Te arvostatte yli kaiken sellaista rituaalista olemista jossa aito riippumattomuus ja vapaus ojennetaan hoviniiausten saattelemana vapaaehtoisesti pois. Rituaalisen nöyrtymisen prosessissa saatte aseman hierarkiassa, mutta hintana on täydellinen sopeutuminen sen kieleen ja sen jakamiin symbolisiin palkintoihin. Sitoutuminen on käytännössä yhtä luja kuin keskiaikaisen aateliston verivalassa. Toki kaikkialla missä on ihmisiä on samantyyppisiä sitouttamisjärjestelmiä käytössä pienin variaatioin. Meillä Suomessa elää yhä harhaluulo että edes osa hengestämme olisi byrokratian ulkopuolella metsässä ja ehkä onkin mutta se on vain yksi monijalkaisen henkihyönteisen raaja, pelkkä sätkivä, voimaton näky jota ylläpidetään kuin lohtuna. Suurin osa siitä luonnossa olemisesta on kuitenkin onttoa teeskentely-koikkelehtimista, minulla myös.

-Mitä sinä muka Ruotsista teidät.

-En tiedäkään, vaan arvaan. No menikö oikein?

-Sinnepäin tietysti. Onhan se nähtävissä. Kuningashuone on Ruotsissa hyvin tärkeä henkisesti. On väitetty että kuningashuoneiden alasajot Norjassa ja Tanskassa ovat osaltaan yllyttäneet tätä muinaisliikehdintää.

-Ehkä oli olemassa laskukaava ja logiikka jolla kuningashuone on kannattava juuri siinä miten se tekee ihmisistä iloisesti sitoutuvia, siis edullisesti, ja Tanska ja Norja unohtivat sen. Toki Suomessa yhteiskunnallisen estetiikan alkeellisuus ja mataluus mahdollistavat samat hyödyt paljon halvemmalla. Suomalaista virkamiestä ei palkita kultaisilla telineillä vaan näkymättömyydellä ja vastuuvapaudella ja se riittää useimmille. Päästä kevyin kantamuksin mökille kaljaa juomaan, pois kaikesta edes hetkeksi tai edes unelmissaan, se on ollut tärkeintä yhteiskuntaluokasta ja varallisuudesta riippumatta täällä aina. No mites se Tukholman hoviväki ja kaikki muut siistit sisätyöläiset pärjäävät huononevissa oloissa?

-No se väki on tietysti vähentynyt, osa on liuennut muille maille, etelän kirkkauksiin, tiedät miten hyviä ruotsalaiset ovat aina olleet matkailemaan ja kätkemään rahaa.. kuka kynnelle on kyennyt niin on mennyt, kaikki kenellä yhteyksiä on korkeisiin ja koviin maihin. Norja on auttanut paljon ja pitää muistaa että ihan hyvin Ruotsissa kuitenkin menee. Samanlaista on kuin täälläkin: monilla on maapaikkoja minne mennä ja kokeilla kasvaako peruna. Turvaa haetaan mistä kyetään, mielet muljahtelevat, tottakai. Kovuus on koko ajan lähempänä, kädenmitan päässä. Tämä peli kasvattaa suosiotaan kaikissa yhteiskuntaluokissa.

-No kasvaako peruna? Tässä hämärässä, näitten jumalan pilvien alla?

-Kasvihuoneita rakennetaan valtavasti ja niitä valaistaan kaikella sähköllä millä kehdataan. Niitä halpoja ydinvoimaloita on useampia tekeillä eikä kukaan enää vastustele..

Uusia vähävaloisia lajikkeita kehitellään, siirtomaita ostetaan.. no onhan EU:llakin omansa, mites Suomella?

-No Suomi on siististi EU:n siivellä siellä Afrikassa. Tulee sieltä kai jo puolet viljoista. Kuka tietää mitä sielläkään tapahtuu. Voi voi.

-Mitä?

-Kaikki on ihan kamalaa. Kaikki on pois paikoiltaan.

-Minkä sille mahtaa.

-Mutta kun ihan kaikki! Sitä minä en ole halunnut ajatella mutta nyt se ajatus taas iski niin kuin se joskus iskee. Kaikki tekeminen on menettänyt merkityksensä, kaikki ajatukset ovat menettäneet merkityksensä! Vanhat asiat ennen paisumusta tekisi mieli vain unohtaa, mahdotonta lukea niitä kirjoja ja katsoa niitä tarinoita, tai edes ajatukset joita silloin ajateltiin, en halua tietää niitä! Inhottaa ne ihmiset! Minkälaista nautiskelua ne kysymykset ovat olleet, miten mukavaa se kaikki myyrämäinen tuhina ja räpellys loputtomien mielivaltaisten aiheiden ja harrasteiden äärellä, tuumailla työkseen jonkun eroahdistuneen mielenliikkeitä, tuumailla työkseen jonkun kuvitteellisen tyypin suhteen soveliaisuutta toiseen kuvitteelliseen tyyppiin, voi jeesus! No vanhaa musiikkia sentään kestää kuunnella. Sellaista missä ei ole sanoja.

-Miten sinä sitten omat sankarilliset muistelusi oikeutat? Kunniantunnosta ja uhoamisesta sekin on tehty.

-Kyllä uhoamisen ja pätemisen liikkeelle sysäämä voi saada jotakin positiivista aikaiseksi, kuin ohimennen tai vahingossa, jakojäännöksenä. Onhan se tietysti pahinta uhoamista että väittää jotain tietävänsä, niinkuin kaikki väittävät.

-Totuus on enimmäkseen aika kamala. Ihmiset haluavat elää, eivät kärsiä. On vain mentävä eteenpäin ja antaa vanhojen asioiden maatua, antaa lahosienten kasvattaa rihmastonsa. Kevyesti astella eteenpäin, kantaa sen mitä jaksaa.

-Vaihtoehtoisten historioiden arvo on juuri siinä että ne antavat ajattelulle toisen tukipisteen ja vanhat kätköt voivat uudesta kulmasta paljastua. Ei ole väliä onko se totta vai valetta jos se paljastaa vallalla olevan totuuden tarinankaltaisuudet, sileiksi hinkatut epärehdit pinnat. Mutta sano nyt suoraan mitä se Thomas täältä hakee? Ei täällä ole mitään otettavaa. Onko se vaan että tänne voi tulla, että täällä on vähemmän voimaa vastassa?

-Minä olen ollut vasta puoli vuotta Pohjoisen Liiton palveluksessa. Tiedän melko vähän todellisista voimista. Se on selvää että he saavat paljon rahaa jostakin. Eivät he ihan sätkynukkeja ole mutta klovneja kyllä.

-Tuleeko se raha Amerikasta?

-Ainakin suuri osa. Mutta voi olla että tämä Toijan touhu on mitä on, pelkkä hassu kesäretki, pelkkä pr-tapahtuma. Positiivista mainosta, Lena sanoi.

-Minä mietin sinua tässä koko ajan kun me puhumme näistä asioista. Kuka sinä olet ja kenen puolella?

-Kyllä minä heidän laulujaan laulan. Ei minulla ole mitään muuta työtä Ruotsissa tai Tanskassa, minä valehtelin. Alan töitä ei ole kuten hyvin tiedät, minkään akateemisen alan, oikeasti, missään. Minulla oli perhehuolia, isän ja äidin kanssa olin tiiviisti pari vuotta kun oli pahimmat ajat. Veli kuoli, oli varmaan niin kuin sota-aikana vaikka ei ollut sotaa, painauduttiin läheisiä vasten ja kaikki korkea unohtui kun piti vain selvitä pelkillä armojauhoilla vuosikausia. Hoidin vanhemmilleni ruokaa miten kykenin. Kun palasin yliopistolle oli siellä tuuli sekoittanut ja sade kastellut paperit. En ollut osannut tehdä itsestäni altista oikealla hetkellä; etten ollut akateemisesti altis joka hetki, ja oli niin kuin sinäkin sanoit että se että en ollut joka hetki jonossa nöyränä odottamassa vuoroani oli jo syy epäillä ja hylätä minut. Ei kai se ole erilaista sinullakaan ollut.

-Ei. Siksi minä olen mennyt tuolla metsissä ja rannoilla kuin joku mäyrä, mennyt ihan pohjia myöten, tehnyt sitä ja tätä ja törkeitäkin ja siinä sivussa vähän jotain tieteen-tapaistakin ettei ihan olisi mieli pohjaan palanut. Jotenkin itseni väkisin pirteänä pitä-mistä on minulla ollut meno. Minulta isä ja äiti kuoli jo vähän aiemmin, olin silloin pari-kymppinen, sitä meni siinä vähän huteraksi myös. Onneksi oli rahaa silloin vielä. Ei ole enää.

-No tämä keikkahan tuli sitten sopivasti, Lena sanoi ja silitti minua.

-Näin voi sanoa. En minä mitään epäile ja kysele, antaa mennä vaan. Kiitos kun kai-voit minut esiin.

-En se minä ollut. Kyllä se oli Thomas joka sinun nimesi tiesi.

-Mitä? Minä käsitin että se olit sinä nimenomaan. Panuhan sanoi laitoksella..

-Ei. Kyllä se oli Thomas. En minä sitä Panulle kertonut tietenkään, hän olisi saattanut suhtautua negatiivisemmin pyyntöömme. Pieni hajuraon teeskentely.

-Oho. No, kiinnostavaa kuulla mistä tässä on kysymys.

-Jotain sinä olet tehnyt, jotenkin sinä olet näkynyt.

-No kai se selviää, sanoin.

-Ainakin Hän tiesi että olet tutkinut pronssikautisia kohteita Varsinais-Suomessa, Läntisellä Uudellamaalla ja Satakunnassa. Hän haluaa tietoja kartoituksistasi ja mahdol-lisista löydöistäsi ja teorioistasi. Tarkoitus on löytää yhteyksiä Iliaksen ja Kalevalan väliltä, lähinnä maantieteeseen liittyviä. Mytologiat hänellä on jo pinoihin halottuina. Mutta mitään konkreettista heillä ei ole; kaikki on vain kuumaa ilmaa.

-En ole pitkään aikaan tehnyt mitään asiaan liittyvää. Vain melonut vesiä ja vähän kal-lioita katsellut sillä silmällä. Mutta en ole oikeastaan enää mitään ajatellut, mennyt vain vanhan pääni painolla. Minun vehkeetkin on mökillä.

-Mitkä vehkeet?

-Varavehkeet, sanoin ja hieroin lanteitani hänen takamustaan vasten. -Odota, minä näytän, sanoin ja laitoin kännykkäni heijastamaan kuvan hytin matalaan kattoon metri yläpuolellamme. Hain hetken tiedostoista oikeaa karttaa ja säädin tarkkuuden kohdal-leen.

-Mitä nuo ovat? Lena kysyi kylkeeni painautuen.

-Tässä on toinen puoli muistiinpanoistani. Olen tehnyt ne niiden virtuaalilasien kanssa meloessani mistä kerroin. Tehokkaampaa loveen lankeamista ei ole.

-Missä toinen puoli on? Siinä rullalla mikä oli mukanasi? Lena kysyi huolettomasti mutta mietin hetken mitä vastasin. Halusin olla itsekin huoleton ja sanoin: -Siinä. Mutta ne ovat aika sotku myös. Tarvitsette minua niiden puhtaaksi piirtämiseen.

-Ai että me ne olisi haluttu? Tuommoiset paperit? Niinkö luulet?

-Mistä sitä tietää, sanoin.

-Ja mitä, tapettu sinut?

-Mistä sen tietää.

-Aika vaiva me on nähty sinun takiasi! Viety kuin herraa!

-Niin, eikä sinua kovempaa houkutuslintua ole! Mitä ihme piruetteja.

-Sinua yritettiin tavoittaa muitakin teitä.

-Minulla saattoi olla jotain estoja päällä joo. Olen kai semmoinen mitä kutsutaan ny-kyään tylsästi vain avuttomaksi, niin kuin uusavuttoman vastakohta.

-Ai digikieltäytyjä? Se on kyllä tosi ankeaa. Siellä niitä on leiri täynnä. Pesevät pyyk-kiä käsin, rakentavat hirsimökkejä, kitkevät kituliaita kasvimaita aamusta iltaan hullun-kiilto silmissään.

-En ole mikään kieltäytyjä. Pikemminkin välinpitämätön. Käytänhän minä kaikkea mitä tarvitsee ja on pakko, sanoin ja osoitin karttaa kajuutan katossa.

-Mitkä ne digilasit sitten on?

-Ne näyttävät maiseman ja vedenpinnan tason minä muinaisuuden hetkenä tahansa, reaaliajassa siinä kun melon tai kävelen maastossa, varjokuvana oikean maiseman päälle projisoituna. Sormella osoitan potentiaaliset asuinpaikat suoraan sinne näreikköön ja ko-neeseen. Etsin tietysti uusia paikkoja joita ei ole vielä löydetty, vertailen spekulatiivista dataa todennettuihin löytöihin ja maisemaan. Minä olen tällä tavalla nuuskinut kaikki eteläsuomen rantojen hiekkaiset etelärinteet läpi.

-Oletko keskittynyt joihinkin tiettyihin aikoihin?

-Minä uskoin vielä silloin kun tein tuota kartoitusta että Kalevalan keskeiset tarinat olivat myöhäiseltä pronssikaudelta ja uudemmat rautakaudelta ja että ne sijoittuivat Var-sinaiseen Suomeen. Sillä silmällä minä maisemaa katsoin, en millään asiallisella tiede-miehen katseella. Se oli sen jälkeen kun sukset menivät lopullisesti ristiin tiedekunnan kanssa, kun sisuunnuin ja rupesin tähän oikein tosissani, kai vain jotakin tehdäkseni kun kuitenkin tykkäsin mennä tuolla pitkin metsiä. On näissä tietysti ihan asiaa nämä mer-kinnät vaikkei ehkä se lajempi ajatus siinä takana. Olen muutamia satoja paikkoja tutki-nut erilaisilla etsimillä pintapuolisesti ja löytöjä oli heti noin kolmanneksessa kohteista. On se hyvä suhde ihan vain tälläisellä elektronisella loveen lankeamisella kun oli vielä ihan vanhat romut lasit, veli ohjelmoi sen softan siihen.

-Sinun veljesi osaa sellaista?

-Hän ohjelmoi ihan mitä vaan. Se tienaa tosi hyvin sillä. Tai en tiedä miten hyvin, mutta sellaista kuvaa se ylläpitää.

-Tekeekö hän ulkomaille myös?

-Mihin vaan, kenelle vaan kuka maksaa, en tiedä mihin viime aikoina. Sen virtuaali-softan hän muokkasi jostakin olemassa olevasta ohjelmasta ja GTK:n ja minun karttada-toistani muutamassa päivässä. Muistaakseni hän myi senkin hyvään hintaan eteenpäin. Mutta siitä on jo siis vuosikausia. Nyt hänellä on ihan muut rullat pyörimässä.

-Se sinun veljesi ei näitä muinaisjuttuja harrasta?

-Ei. Hän on moneen kertaan haukkunut minut ja minun pääni. Hän teki minulle toi-senkin data-analyysiohjelman, mutta en oikein osannut käyttää sitä tai ehkä en vain hy-väksynyt niitä tuloksia mitä se antoi. Ohjelmalle saattoi syöttää mitä tahansa dataa, mitä tahansa pisteitä koordinaatistossa ja se ohjelma kertoi mikä kaava ne pisteet toteuttaa. Se itse käytti sitä epäsolmujen ratkomiseen.

-Epäsolmujen?

-Tehdään matemaattinen vyyhti ja yritetään ratkaista, onko se oikea solmu vai epäsol-mu, siis pelkkä rengas, oikeneeko se, onko sotku vain katsojan silmässä.

-Jotain sinäkin siitä ymmärrät.

-Olen näitä juttuja joutunut kuuntelemaan. Kyse on matematiikan perusongelmasta, siitä että mitä ylipäänsä pystytään laskemaan.. Ihan tieteellistä tutkimusta siis, tietojen-käsittelytiedettä. Mitä koneelle voi antaa laskettavaksi, miten saada kone itse varomaan ja huomaamaan laskuja uhkaavat äärettömyyden kehät. Mutta hän tekee rahatöitä myös, tai toivon että hän tekee, sillä rahaa hänellä tuntuu olevan. Olen yrittänyt selvittää mistä se kaikki tulee mutta hän on siinä kohtaa kovin liukas ja mykkä kuin kivi. Nyt aion sel-vittää asian koska meillä on myös vanhempiimme liittyvä epäselvyyksiä, siis rahaan, pe-rintöön liittyviä. Toivon todella että hänellä on oikeita töitä eikä hän ole ryöstänyt mi-nua.

-Miten se olisi mahdollista?

-Vanhempamme kuolivat Pietarissa Elokuun vallankumouksen sekasotkuissa viisitoista vuotta sitten. Isä toimi verojuristina suomessa toimiville venäläisille liikemiehille ja teki ainakin puheidensa mukaan valtavaa tiliä mutta kaikki katosi, mitään ei löytynyt. Venäjältä oli silloin mahdotonta mennä hakemaan mitään, vaatia mitään, löytää mitään, edes ruumiita. Mutta uskoimme isämme puheita ja vihjeitä että ainakin osa heidän omaisuudestaan olisi ollut turvassa jossakin Suomessa. Mitään vain ei ole löytynyt.

-Epäilet että veljesi on pettänyt sinua? Löytänyt rahat?

-Niin, hän on asunut vuosia vanhemmiltamme jääneellä rintamamiesmökillämme Kar-jaalla. Jos jotakin on sen on oltava kätkettynä siellä. Mutta nyt kun on näitä muita asioita niin paljon että ehkä en ala häntä tästä asiasta taas haastamaan.

Lena katsoi karttaa, tarkensi niin lähelle kuin tarkkuutta riitti. -Mitä nämä ruudut tässä kartassa ovat?

-Laskettavissa olevan ruudun koko on nykyään pienentynyt alle metriin. Jokaiselle on määritetty potentiaalinen asutustodennäköisyys maaperän, kaltevuuden, ajan ja siihen liittyvän rannansiirtymän, etäisyyden rannasta, korkeuden merenpinnasta, jo lähistöltä tehtyjen löytöjen, saalisalueiden ja minkä tahansa muidenkin haluamieni tietojen perusteella. Tällaista valmista karttadataa on jo olemassa mutta uusia ajoja voi tehdä helposti omilla painotuksillaan. Nämä lasketut ruudut projisoin värikoodattuina maiseman päälle ja katselen ennustetta todellisessa ympäristössä ja arvioin todennäköisyyksiä ja mahdollisia kaivamisen tarkkoja kohtia maanpinnan muotojen mukaan.

-Tämähän on arvokas ohjelmisto, Lena sanoi.

-Niin! Ja tämä osaa yhdistää samaan kuvaan kaikki maiden ja vesien muutokset, ei pelkkää nousemaa vaan tarkalleen oikein kaikki kallistumat ja pullistumat myös jotka vaikuttavat varsinkin vesistöjen virtaumiin, muinaisten koskien ja elämisen paikkoihin. Kenelläkään muulla ei ole tätä dataa. Minä käyn sen teille hakemassa, kuin uhrilahjan. Eikö se ole hyvä idea? Ehkä maksatte siitä hieman ylimääräistä?

-Selvä, voin kysyä, Lena sanoi, mutta hänen ilmeensä ei ollut selvä, hän mietti lujaa katse kaukana miten tämä matkan mutka pitäisi hallinnoida. Minulla ei ollut tässä mitään salajuonta, kaikki oli niin kuin sanoin. Halusin vain että minulla olisi enemmän henkivakuutuksia matkassani.

Näin puhuimme, ja sitten nukuimme.

Heräsin puhelimen värinään aikaisin aamulla. Se oli Hiittisten Timo. Hölinän jälkeen kysyin: -No nousiko se vesi siellä sinä yönä kun minä lähdin?

-No kai se nousi saman verran kuin sielläkin missä sinä nyt oletkaan, Helsingissä, ai jaa oletkin Inkoossa jossain. Oletko tännepäin tulossa?

-En nyt. Mistä te kaikki aina näette hitto minun kalsarien kuviotkin?

-Sinä et ole ollenkaan suojannut tietojasi.

-Luulin että olen. Yritin säätää tätä vekotinta, sanoin.

-No et ole. Sulla on Björn Borgin kalsarit. Senkin täältä tiedoista näkee.

-Eikä näe!

Avasin märkäpuvun vetoketjun ja kiersin kireää pukua alas niin että kalsarit tulivat näkyviin. -Ei jumalauta, niin onkin! Miten sä ton teit?

-Kato yläpilvessä on kaikki.

-En usko! Sinä arvasit.

-Ei, googlasin vaan Arin kalsarit.

-Ei voi pitää paikkaansa. Onko totta, sanoin ihmeissäni.

Timo ei voinut enää pidätellä nauruaan ja käkätti puhelimeen kuin mielipuoli.

147

-Näin sun kalsarit kun oltiin täällä saunassa viime torstaina! Ja minä tiedän että et kovin usein niitä vaihda. Ihan vanhanaikaista tiedonkeruuta, ha ha! Onko samat vielä, onko?

-Minulla ei ole kuin nämä yhdet. Nämä on semmoiset hengittävät. Et levittele tätä.

-Sori meni jo, tällä puheella.

-Minulla on nyt naisseuraa täällä, sanoin.

-No vaihda nyt ihmeessä ne kalsarit nyt!

-Ei minulla ole kun yhdet!

-No heitä ne menemään, polta ne ennen kuin se näkee ne, äkkiä! Ei sulla ole mitään mahdollisuuksia. Ei ole mikään ihme että naiset sinulta katoaa.

-Mistä sinä tiedät että Elsa on kadonnut?

-Onko se kadonnut? En tiennyt. Viittasin teidän eroonne, en katoamiseen.

-Jos salailet jotain, jos tiedät jotain mitä et kerro.. paukautan kallosi halki, kuuletko?

-No mikä nainen sinulla siellä nyt sitten on? Se se epäilyttävä on, on pakko olla, katso vähän tarkemmin sitä.

-Se on kyllä epäilyttävä. Oletteko hylkyä keilannut?

-Ollaan me vähän. Kyläkokouksessa oli siitä eilen puhetta.

-Haluavat kai nostaa sen, sanoin.

-Niin.

-No mitä sinä sanoit?

-No puhelin sinun puheitasi. Tulisit tänne nyt, Timo sanoi. Hänen äänensä oli vaikea.

-Milloin?

-No nyt olisi tosi hyvä aika. Just nyt.

-Sitä jo siellä nostetaan?

-No huomenna. Aikovat, tai aiotaan nostaa yksi kaari ja katsoa mikä sen kunto on ja miten se homma onnistuu ja sitten päättää jatkosta, että nostetaanko koko runko.

-Tuohan kuulostaa ihan suunnitelmalta, sanoin.

-Sopii sinulle?

-Mikä minulle ei sopisi.

-Et suutu tästä? Sinähän sen laivan löysit.

-Tämmöinen on Suomen arkeologian tila nyt. Ei se ole mikään salaisuus. Hyvä että on aktiivisia, siis elossa olevia harrastajia. Osaathan sinä hoitaa sen niin kuin pitää? Kirjaat kaiken ylös, otat näytteitä talteen koko ajan, kuvaat ja niin pois päin.

-Minä luen täällä just alan kirjallisuutta niin että räkä lentää.

-Hyvä. Minä tulen heti kun pääsen. Olen joutunut vähän outoihin kuvioihin. Teidän touhut on ihan järkeviä kuule.

-Ai olet sinäkin sitten Toijaan menossa? Sinne on kertynyt väkeä ties mistä asti.

-Onko teikäläisiäkin lähtenyt?

-On totta kai, ja täällä on yöpynyt festivaaleille menijöitä. Minä luulen että tämä veneennostokin haluttiin meillä siksi tehdä nyt pikaisesti.. että..

-Pitipä arvata, tuhahdin vihaisena.

-Ajattelin että on ikävä aihe sinulle.

-Miten niin?

-Siltä se jotenkin vaikuttaa.

-Et kertonut mitään tästä kun olin siellä. Et nimenomaan kertonut!

-Ajattelin että suuttuisit.

-Mikähän on totuus.

-Näin se vaan menee.

-Älkää tehkö mitään tyhmää.

-Sinäkö päätät mikä on tyhmää.

-Minä päätän, sanoin ja katkaisin puhelun.

Tungin kalsarit syvälle reppuun ja kävin alasti uimassa. Herätin Lenan etukajuutasta. Hän halasi minua, ja halasi enemmän. Joimme jonkinlaista aamukahvia. Lena yski. Kysyin:

-Miksi tanskalaiset ovat täällä?

-Heidän maansa on uponnut.

-Ei kun täällä kaivamassa. Eivät he mitään unelmiensa Troijaa Suomelle ojenna.

-He haluavat tehdä olonsa mukavammaksi. Ihmisillä täytyy olla aina jokin tarina johon tukeutua. Kun katastrofit liikuttavat ihmisiä tutuilta paikoilta he tarvitsevat uudet tarinat tai ainakin vanhat tarinat täytyy sopeuttaa uusiin olosuhteisiin. Ihmiset ilman tarinaa tai ihmiset joilla on väärä tai väljähtynyt kertomus ovat levottomia ja vaarallisia kunnes heidän tarinansa on jälleen mielekäs tai vähintäänkin kerrottava, jatkuvasti kerrottava, jatkumoa tuottava, päivästä toiseen. Exodukset aktivoivat ja rankistavat tarinankerronnan ja toisinpäin, myös uusi mytologia voi laukaista kansainvaelluksen. Ja sodan.

-Mutta onhan kaikki mennyt historiassa aina sekaisin, kansat sekoittuneet, liuenneet, tarinat unohtuneet..

-Ehkä entisaikojen muunnoksissa säilyneet kansat ovat olleet niitä joilla on ollut vahvin ja plastisin tarina. Sellainen joka on tehnyt muutoksesta mahdollisen. Uusia entistä parempia tarinoita on omaksuttu tarpeen mukaan ja ne ovat ohjanneet tai suorastaan pakottaneet muutokseen kuten neutronipommin lailla iskenyt kristinusko. Ihmiset ovat itse todenneet että jahas, tämä onkin parempi tarina jonka varaan tukeutua ja koko maisema on muokattu uuden uskon mukaiseksi, uudet tarinat ovat tuhonneet vanhat jotka merkityksensä menettäneinä katosivat kuin Rooma jota kannattelevaan henkiseen konstruktioon ei enää uskottu ja jonka siksi annettiin tuhoutua ja miten koko Euroopasta piti kaikki kristinuskoa edeltänyt kansanperinne niin käsittämättömän tarkasti kitkeä pois. Joka hetki uusi tekniikka ja sen vaatima aika ja ajattelu tuhoaa vanhoja perinteitä, tarinoita ja sanoja ja ne väistyvät palatakseen jos tarvetta taas joskus on. Eräs tähän meidän teoriaamme liittyvä ajatus on että merikansat olisivat onnistuneet valloituksissaan nimenomaan integroimalla Välimeren valtakuntien köyhät ja orjat paremmilla sopimuksilla ja paremmilla tarinoilla organisaatioihinsa ja tämä kulttuuriero, pieni häivähdys venekuntien väistämätöntä demokratiaa olisi ollut se joka olisi varsinaisesti tuhonnut elitististen palatsivaltakuntien jäykät hierarkiat. Ja tietysti uusi tehokkaampi kaupankäyntinsä joka korvasi aiemman.

-Tai ehkä Euroopan nykyinen henkinen hektisyys johtuu näiden meidän vanhojen tarinoidemme levottomuudesta. Ei muualla maailmassa ole tällaisia hysteerisiä tuhon pyörteitä kehitteillä. Ihmiset Aasiassa ovat ottaneet paljon tyynemmin luonnontuhot vastaan.

-Voi se olla niinkin. Tarinat synnyttävät oikeutuksen vihaan ja väkivaltaan.

-Mutta anna kun minä kysyn vielä. Miksi he ovat täällä Toijassa eivätkä siellä Englannissa?

-Se johtuu siitä että suurin osa aktiivisimpia kannattajiamme tulee Itämeren ympärysvalloista ja heille tämä on mieluisampi oletus. Ei tätä teoriaa tietenkään Alppien eteläpuolella kannateta, päinvastoin.

-Siitäkö nyt pannaan Eurooppaa puoliksi, alppien alta?

-No. Täällä Suomessa on myös vähemmän ihmisiä panemassa vastaan, enemmän tilaa heilua. Sen kun anoo kaivoslupaa mutta jättää kaiken kaivamatta niin saa neliökilometreittäin maata vapaasti möyrittäväksi ja vielä muutamia kymmeniä miljoonia leikkirahaa päälle. Ei Englantiin näin suurta leiriä olisi saatu perustaa, näin ylenpalttisen ihanilla ehdoilla. Pohjoinen oli myös natsien mytologian suunta, fasismin suunta. Yltiönationalismi ja rotupuhtauden opithan olivat ruotsalaisia ideoita 1800-luvulta. Täältä haetaan mytologis-poliittista iskuvoimaa vaikka sitä ei suoraan uskalleta sanoa. Ja Suomessa on valmiina tuhansia aiemmin saapuneita radikaaleja tanskalaisia pakolaisia, jotka ovat jo vuosikymmeniä muokanneet maaperää otolliseksi. Tätä aatetta levitetään kaikkiin mahdollisiin suuntiin mutta tänne pohjoiseen se näyttää leviävän iloisimmin. Mutta en tiedä kaikkea mitä tässä takana on enkä sitäkään kaikkea minkä tiedän sinulle tietenkään ääneen sano. Sen kai ymmärrät.

-Kai sinä puolestasi ymmärrät että yritän haarukoida mihin olen mukaan menossa. Että tämä on fasististen ja kansallisten aatteiden nousun aikaa, sille me emme mahda mitään. Ohentuneet ihmiset todella etsivät perusteluita toistensa tappamiseen, varustautuvat henkisesti, kyyristyvät, painautuvat. Maa on köyhtynyt, maa ei jaksa elättää kaikkia ihmisiä, askelmia on otettu alaspäin ja portaikko jatkuu, näinhän ihmiset ajattelevat. Ensimmäinen aalto oli kauhua ja sattumaa mutta seuraavassa jo laskelmoidaan. Jollakin kaavalla ihmisiä tullaan vielä jakamaan ja vähentämään. Kaikki ovat peloissaan ja peloissaan keksitään toinen toistaan törkeämpiä maailmankatsomuksia joihin kuuluu oikeus muiden tuhoamiseen iloisena ja ylpeänä vailla omantunnontuskia. Tiedät että ihmiset pystyivät hyvin nopeasti kehittelemään tällaisia aatteita jo siihen aikaan kun todel-

150

lista uhkaa ei ollut niin entäpä sitten nyt. Aika keksii tai kaivaa kivien alta itselleen sopivat tarinat ja niitä tarinoita te ja nyt sitten minäkin olemme pelokkaille ojentamassa, sanoin.

-Pystyvätkö valtiot pitämään valtansa näitä voimia vastaan? Se on se varsinainen asia. Kaikki on heitetty ilmaan ja ihmiset ovat jännittyneet katsomaan miten päin nopat putoavat. Valtiot katsovat mikä osa tästä on otettava tosissaan.

-Onneksi Venäjällä on muuta tekemistä.

-Se on onni. Kiina, Intia.. me ihanasti saamme leikkiä näitä tärkeitä pikku leikkejämme vielä tämän lyhyen hetken täällä heidän selkiensä takana, sanoin ja suutelin Lenan olkapäätä. En tiedä mikä minuun meni kun aloin jauhaa kuin vanhalta levyltä:

-Minulle ei koskaan selvinnyt miksi jokainen sanan lainaus on aina suomen suuntaan germaanisista kielistä eikä koskaan toiseen suuntaan, esimerkiksi vanhin esine jossa on futhark-riimukirjoitusta on Tanskasta löytynyt kampa jossa lukee riimukirjaimilla "harja" mutta se on vääjäämättömästi erisnimeksi tulkittu, tai että riimujen muinaisnorjalainen nimi on *runo* tai että Vettebergetin hiidenkiuas Göteborgin lähellä on nimeltään "Kuballe vette"?

-Mitä yrität jankuttaa?

-Sitä että koskaan tulkinta ei voi olla niin päin että jotakin on virrannut pohjoisesta etelään tai ugreilta indogermaaneille, että on vain yksi oikea virran suunta, vallan ja voiman suunta. Kristillisen ajan historiassa kaikki virtasi Jerusalemista ja kaikki historia toisti tätä virtaussuuntaa, kaikki muut liikkeet olivat harhaoppisia, ja aina on vain yksi Jerusalem kerrallaan. Aina on jokin valtajärjestelmä johon tieto sidotaan ja joka hallinnoi sen mielekkyyttä ja annostelee hokemilla perusteltua totuuttaan. 1600-luvulla ruotsalaiset laajenevassa mahdintunnossaan keksivät näitä maailmanselityksiä joissa Ruotsi oli muinainen Atlantis ja Egyptin emämaa ja osansa tästä unelmoinnista ja historian suurentelusta sai Suomikin, kuuluisimpana historioitsijat Johannes Messenius ja kuvittaja Elias Brenner, jota epäillään Suomen kronikan kirjoittajaksi. Tätä jatkumoa tämä Thomasinkin karuselli on.

-Onko sinulle Rudebeckin Atlantica tuttu? Hänhän ensimmäisten joukossa ehdotti että Troija ja Atlantis ovat Pohjolassa ja että kaikki antiikin sankarit olivat täältä kotoisin ja oikeastaan kaikki muukin mytologia..

-Eikös se ollut Petter Rudebeck joka sitä Troijaa ehdotti Smolantiin?

-Niin, hän jatkoi setänsä sekoiluja vielä pitemmälle. Ja mehän kierrämme ruuvit vielä kireämmälle, Lena sanoi ja nauroimme. Sanoin:

-Tiedätkö mistä sampotarina ensimmäisen kerran kirjattiin ylös? Taalainmaan metsäsuomalaiselta Maija Turpiaiselta. Viime tingassa sieltäkin, metsäsuomalaisethan ajettiin hajalle ja heidän kulttuurinsa tuhottiin juuri silloin kun Gottlund kiersi heidän keskuudessaan 1810-luvulla. Uskon sitä paitsi että ne metsäsuomalaiset olivat alueen alkuperäisasukkaita, että suomalaisia keksittiin siirtää Savosta Ruotsin takametsiin siksi että heitä oli jo alun perin siellä, viimeisiä elonjääneitä germaanien pohjoiseen laajentumisesta syvissä rajakorvissa selvinneitä. Että kun heidät kaasutettiin hengiltä voitiin sanoa että mehän vaan kaasutimme näitä Suomesta tuotuja kesäkissoja.

-Tuohan on ihan keksittyä. On selvät dokumentit siirtokäskystä. Miten savolaiset saivat kaskeamisluvan ja miten se otettiin heiltä myöhemmin pois.

-Siirron tarkoitus oli peittää alueen alkuperäiskansa alleen ja mahdollistaa sen täydellinen poispyyhintä. Niin minä uskon.

-Sinulla ei ole mitään todisteita.

-Ei. Poispyyhintä onnistui. Ainoat jäljet ovat hydronymiassa, jota teillä Ruotsissa ei harrasteta, kas kummaa, yhtään. Se ainoa kirja joka Skandinavian suomenkielisestä hydronymiasta on tehty, on kadonnut ihmeenomaisesti kaikista tietokannoista. Ja Pohjanlahden ruotsinpuoleisen jokinimistön vääjäämätön saamenkielisyys on aktiivisesti poishäivytetty.

-Ei tunnu todelliselta että nukuin yöni vieressäsi, tuollaisen hullun, Lena sanoi, yskäisi ja käänsi selkänsä minuun päin.

-Tässä maailmassa on hulluja korkeissa pinossa. Ainoa mitä pitää varoa että ei ota sitä lytyssä olevaa alinta vaan sen iloisen päällimmäisen. Itse olet minut taas tähän mongerrukseen yllyttänyt! Saat luvan sietää.

Lena ei reagoinut mitenkään. Kai kuhertelumme oli nyt lopullisesti lopussa, puheemme tyrehtyi, liha ja mielet huokuivat harmaata. Äkkiä vaihtuvat säät tässäkin ladossa. Kierähdin ylös sängystä ja suljin kapean oven perässäni.

Keräsin reppuun pari korppua ja vesipullon. Sama valmistautumisen vaiva oli matkaa sata metriä tai kilometriä. Kun olin vehdannut itseni valmiiksi koputin kajuutan oveen. Elsa makasi yhä peiton alla. Hän sanoi olevansa sairas ja näytti sairaalta, oli kalpea ja hikoili. Koskin hänen kuumaa, kaarevaa, ohuensileää otsaansa. Äkkiäpä nousi tauti. Kysyin:

-Mikä on?

-Sainkohan jonkun pöpön Helsingistä, sinusta tai jostain ruoasta.

-Ihan mahdollista. Kylmäketjut ovat katkenneet. Paljon vääriä viimeisiä päivämääriä, astioissa ei sitä mitä kannessa luvataan.

-Joo. Taitaa olla kuumettakin. Eikä laivaa voi jättää yksin. En uskalla eilisen jälkeen.

-Mitä sinä sen kanssa kenellekään mitään mahdat.

-Ai kenen kanssa?

-Tämän laivan kanssa. Jos joku tulee, ne tulee porukalla. Pahat tunnistaa siitä että niitä on enemmän.

-Minä ajan johonkin ihmisten ilmoille, tai ulapalle, sano sinä mikä täällä on turvallista.

-Tulet minun mukaani, sanoin.

152

-En jaksa. Kokeile minun kuumettani. Ja minun pitää käydä vielä esitykseni läpi.

-Meidän talolle on tästä metsän läpi viitisen kilometriä. Olet oikeassa, ei kannata tuossa kunnossa lähteä. Minä ehdin takaisin iltapäiväksi. Pidä ase valmiina. Tämä on turvallista seutua, täällä ei ole ollut veneiden ryöstelyä. Katso tässä, sanoin ja näytin kännykkääni Lenalle. -Se on turvallisuuskartta viime viikolta. Ollaan vihreällä alueella.

-Helsinki on tulipunainen.

-Niin on Göteborgkin ja Malmö. Ja Tukholma, ei sekään vihreä ole vaan oranssi.

-On siinä häivähdys vihreää vielä jos oikein katsoo.

-No jaa, suunta on selvä kuitenkin. Mutta täällä sinulla on hyvä olla, tuonnepäin vähän matkan päässä tuon niemen takana on pari maatilaa, asiallisia ihmisiä, tuossa on niiden numerot jos apua tarvitset, sanoin ja kopautin puhelimeni tiedot hänelle. Onko sinulla mitään lääkkeitä?

-Otin jo. Kyllä minä pärjään, heikottaa vaan.

-Muista juoda paljon. Ehkä kannattaa keittää vesi varmuuden vuoksi. Jos minua ei näy iltakuuteen mennessä niin soitellaan.

-Ole varovainen.

-Vahdi minun omaisuuttani.

-Ajattelin kyllä nukkua.

-Nuku, se oli vitsi. En pussaa sinua kun olet saastainen. Ei kun pussaan kuitenkin. Mitäs sinä sitten teet jos yhtäkkiä paranetkin?

-Aion lukea joka tapauksessa vielä. Pitää valmistautua huomiseen ohjelmaan leirissä.

-Mikä sinun aiheesi on?

-Et halua kuulla.

-Tietysti haluan.

-Se on menneisyydenhallinta.

-Ei ole suuren yleisön aihe.

-Ei, minun esitykseni on johtoryhmälle.

-Johtajien johtaja, sanoin ja suutelin hänen nilkkaansa.

Lena heilautti kättään voipuneesti nuhjun kukkapeiton alta, hätisti minut pois.

Irrotin kajakin köysistä ja kannoin sen purjeveneen perään. Haju aukolla oli paha nyt kun olin viettänyt puhtaana puolitoista päivää.

Meloin kohti rantaa, otin vauhtia ja kajakki liukui syvälle kaislikon sisään ja kiilautui vinkuen kiinni ruokoihin. Asettelin melalla kaisloja kajakin takaa paikoilleen niin että mereltä päin vene oli täysin kätkössä. Heilahdin kuolleita kaislanpätkiä rutisevaan pohjaan ja jätin veneen keskelle pohjasta nousevaa mätää hajua. Kaislikko ei ollut ehtinyt kasvaa vielä rantaan kiinni, se loppui kaksi metriä ennen uuden vedennousun luomaa neitseellisen vehreää sammalrantaa, joka nousi kauniisti kirkkaan vedenpinnan alta.

Kävellessäni metsän läpi mietin löytäisikö Lena moottoritilaan piilottamani kartan. Mietin, oliko sillä merkitystä. Mietin.. Hänen silmiään, lantiotaan, kuten oli tarkoitettu.

15.

Häpeän ja huonojen muistojen takia en ollut kehdannut änkeä veljeni taakaksi tänne. Harvoilla käynneilläni oli aina nopeasti tullut tuntu että mitä oikein täällä teen ja käyntien välit olivat kasvaneet ja viimeisestä oli jo yli kaksi vuotta. Jalat kulkivat itsestään oikeaan suuntaan sammalten yli. Keskityin katselemaan kaikkea. Metsässä on helppo painaa loputtomat ketjut matkoja muistiinsa vailla mitään vaivaa; jokainen metsän kohta on erilainen, jokainen sekametsän sotku viettää omasti kumpuillen joka suuntiinsa, puut ovat vinoja ja epäsymmetrisiä omassa olemisessaan. Tietenkään metsää ei ole järkevä muistaa liian tarkkaan, se ei ole enää sama kun palaat sinne, se liikkuu, se muuttuu koko ajan, mutta kun menee kuin mitä tahansa metsästäen voi jokin äkkiä ohivilkaistu kohta paljastaa piilevän luonteensa. Tasainen kohta keskellä rytöä josta nousee kymmenen viivaswwwwuoraa honkaa kuin patsasta: kävelet puiden keskelle ja hiuksesi nousevat pystyyn tietämättä miksi. Voit kuvitella syitä mutta kohtien ja paikkojen plastisen loputtomuuden edessä on pakko luovuttaa: vaikutelmia on liikaa, hermot ovat sulaneet metsän sekaan ja jokainen pyörteilevä tuulenvire latvustossa liikuttaa mielesi lehvästöjä niin kuin liikuttaakin. Niin kuin minulla oli taipumus liueta maisemaan niin veljeni katosi laskuihinsa. Näin ajattelen hänen päänsä humisevan kuin tämä lepikko.

Mietin mitä Lena oli sanonut Sammosta. Hän luki Kalevalaa uskonnollisena ja aatteellisena teoksena kun taas minä pragmaattisena ja tahallisen tyhmäntaktisena suomalaisena miehenä etsien muinaisista laitteista pudonneita ruuveja ja muttereita, johtolankoja mekanismeista, talouden vieraista kierteistä, ajoista, paikoista. Erilaisia avaimia sovitettiin kilpaa ajan korroosion runtelemiin lukkoihin ja yritettiin saada muinaisuus puhumaan. Ruotsiksi sambo tarkoitti avoparia, asuinkumppania, sopimusta yhdessäolosta ja rauhanomaisesta rinnakkaiselosta, rauhansopimuksesta joka naimakaupoin tai panttivangein aina muinoin vahvistettiin. Se oli kaunis ja koominen selitys Sammolle, rantagermaanien pragmaattisen rauhankaupan väärinkäsittäminen mekaaniseksi laitteeksi, suomalaisen miehen unelmaksi ultimaalisesta koneesta joka pitäisi kaiken vaikuttavan vähintään käsivarren mitan päässä itsestä. Puhdasta noloutta vuosituhansien takaa siis. Se voisi hyvinkin olla totta, unohtamisen arvoista.

Talon takaa laskeutui loiva rinne etelään pakettipellolle jonka reunaa nyt kävelin taloa kohti metsästä päästyäni. Pelto kasvoi harmaaseen taitettua heinää jota lampaat söivät, vähän piti rehua tuoda muualta. Rantakaisloja olin ollut leikkaamassa muutamana vuonna kun veljeni eläintenhoito oli ollut hajamielisimmillään. Joskus taas hän touhusi niiden kanssa vimmoissaan kuin anteeksi pyytäen, siivosi sotkuun menneitä paikkoja, tasoitti ja levitti maatuneita jätekasoja, hoivasi hetken eläimen tulehtunutta silmää kunnes upposi ajatusten vallassa takaisin koneisiinsa.

Tulin pihaan. Talo oli tyhjä, työvälineet oudoissa paikoissa. Tikapuut, lapio, kottikärryt. Niillä olisi ikiaikaiset paikkansa vajan seinustalla, mutta nyt ne lojuivat sikin sokin pitkin sammaloitunutta nurmea. Ja kuistin kukkaruukuista joihin emme olleet koskeneet vuosikausiin yksi lojui haljenneena portaan vieressä ja toinen oli kadonnut. Vaikka veljeni oli epäsiisti ja joskus levoton eivät nämä olleet hänen tekosiaan. Karmissa oli sorkkaraudalla vääntämisen jälki; ovi oli niin väljä ja lukon kieleke niin matala että se oli auennut murtumatta.

Sitten melkein sattumalta huomasin oven vuorilaudassa himmeänhuteran jäljen kuin ohimennen avaimella raavitun: se saattoi olla viesti veljeltäni, se oli "lagu", järven riimu, yksi pystyviiva ja yksi lyhyempi vino. Se tarkoitti lapsuutemme leiripaikkaa vähän matkan päässä täältä. Mitättömyyttään merkki saattoi olla vain ylivirittyneen katsojan silmissä mutta sitten huomasin kuinka pihalla lojuvat lapio ja talikko muodostivat saman merkin ja osoittivat järvelle. Ehdin ottaa jo vimmattuna muutaman askeleen mutta sitten tajusin hiljentää ja kiertää ulkorakennuksen ympäri kuin edelleen jotain etsien, räpläsin kännykkää muka jotain viestien samalla kun kävelin takaisin tulosuuntaani merta kohti. Muutaman sadan metrin jälkeen kaarsin tiheän kuusikon kohdalta loivasti kohti pohjoista.

Tuttu tummanvihreä teltta erottui vaivoin pystysuoran kallioseinämän ja kuusen välistä pienen suojärven rannalta. Puissa roikkui keinokuituisia hapsuuntuneita köydenpätkiä lapsuudesta. Järvellä ei ollut koskaan ollut meille muuta nimeä kuin järvi. Tämä oli koilliseen laskeva jyrkkä rinne, mikään ei oikein kasvanut tässä, maa oli kuolleitten lehtien, neulasten ja muun märeen peitossa. Reitikkeittimen päällä kattila ja kattilan kiehuvassa vedessä perunoita. Kävelin teltalle ja kurkistin vetoketjun raosta hämärään.

–Hei Ismo, mitä puuhailet? Sanoin veljelleni joka nosti iloisen kasvonsa kuvaruudusta. En ollut ensin tunnistaa hänen turvonnutta ja karvaisensuttuistasta hahmoaan.

–En mitään, hän sanoi ja aloitti vaivalloisen makuupussista ja teltasta ulos könyämisen. –Minä jo sinua eilen odottelin.

–Mistä muka tiesit että olen tulossa?

–Jostain se oli pääteltävissä. En nyt muista mistä.

-Sinä jätit merkin kuistille.

-Se siis toimi!

-No tässähän minä olen, sanoin hymyillen.

-Talolle tuli aika pahannäköisiä jätkiä, lähdin tänne karkuun. Miltä siellä nyt näytti?

-En huomannut ketään, mutta en käynyt sisällä. Oli siellä jotain riehuttu.

-No ei siellä onneksi mitään arvokasta ole.

-Minä tulin itse asiassa hakemaan yhtä juttua, niitä virtuaalilaseja, muistatko? Onhan ne nyt jonkun arvoiset.

-En minä muista nähneeni niitä pitkään aikaan. Onkohan ne edes täällä. Sinun jäljiltäsihän ne on. Mihin sinä niitä tarvitset?

-Olen matkalla Troijaan. Tuletko mukaan?

-Minne?

-Toijaan.

-Sinä sanoit Troijaan.

-Se on nykyään sama asia. Elsa on kai siellä.

-Ai sekin vielä. Voi voi.

-Koko juttu on outo alusta loppuun, sanoin.

-Mitä tarkoitat?

-En oikeastaan mitään.

-Älä mene sinne, veljeni sanoi ja katsoi minua suoraan silmiin.

-Miksen menisi? On tullut jo luvattua.

-Niinpä niin. No, samapa se. Omahan on asiasi, veljeni sanoi suunsa sivusta samalla kun ähisi vihdoin itsensä teltasta ulos. Kysyin:

-Miten se näytti niin nuhjuiselta ja asumattomalta se talo. No samalta kuin sinä.

-Kyllähän talo vanhenee. En ole ehtinyt remontoimaan, Ismo sanoi ja muka pudisteli tai oikoi saastaisia vaatteitaan.

-Jotenkin paikka tuntui.. hylätyltä. Olet kuitenkin ollut täällä?

-No sinä et ole täällä pitkään aikaan käynyt, akateeminen ojankaivaja.

-En ole niin, sanoin. -Ehkä se on vain sitä että aika on kulunut.

-Mikä on estänyt? Veljeni kysyi mutta ei minulla ollut vastausta mitä hän ei olisi jo tiennyt. Olimme hetken hiljaa. Joko tämä oli tässä? Jos veljeni halusi hän saattoi olla viihdyttävä seuramies mutta minulle hän ei jaksanut esittää mitään vaan antoi tylsistymisensä näkyä heti. Nytkin heti yli vuoden jälkeen nähtyämme kun kolme minuuttia oli kulunut hän jo haukotteli. Se oli eräänlaista äärimmilleen vietyä vetäytymistä ja välinpitämättömyydeksi kehittynyttä arkuutta mutta myös vilpitöntä ylimielisyyttä enkä osannut pitää sitä täysin perusteettomana.

Halusin vaihtaa aihetta, pitää pallon ilmassa ja ilman kevyenä ja raikkaana. -Mitä tutkit nykyään?

-En mitään, Ismo sanoi.

-Ai. Onko työt loppu?

-Ei kun tutkin ei-mitään.

-Et tutki mitään?

-Ei, vaan tutkin mitään.

-Tyhjyyttä siis?

-Ei, tyhjyys on enemmän kuin ei mitään.

-Tyhjiötä?

-Se on vielä paljon enemmän kuin tyhjyys. Molemmat laitojansa myöten täynnä tavaraa.

-Taitaa olla enemmän henkitieteitä.

-Ei, kyllä se on ihan fysiikkaa. Miten tyhjyyden reuna väreilee olevaksi.

-Maksaako joku vai kuulenko miten pingispallot kimpoilee ihan vain sinun oman pääsi sisällä?

-Maksaa, pääsin kuukausi sitten Teksasin yliopiston yhteen projektiin mukaan. Maksavat palkkaa!

-Lähdetkö sinne, milloin?

-En tietenkään lähde! Teen täältä mitä teen. Papereita kirjoittelen yhdessä parin tyypin kanssa. Olen mukana ryhmässä, joka tutkii uutta tyhjyyden kvanttikenttäteoriaa. On siinä materiaalitiedettäkin mukana, puolijohteiden aukkojen venytystä ja sen sellaista, kiderakennettaan sähkövirran vaikutuksesta muuttavia metalliyhdisteitä. Että saadaan helpommin rahoitusta kun voidaan väittää että se liittyy elektroniikkaan.

Mietin hetken. Veli aina yritti sanoa vaikeita asioita mahdollisimman venkurasti tai ainakin niin että joutuisin kysymään mitä hän tarkoitti, sellaista veljien tahallista ärsytystä että kumpi on fiksumpi vaikka se oli jo ajat sitten todistettu ja tappio myönnetty. Kai se nyt näin aikuisena oli laskettava jonkinlaiseksi hellyydeksi että toinen vielä vaivautui vanhan ärsytyksen äärelle.

-Tarkoitit kai mitä kenttäteoria voi kertoa tyhjyydestä, sanoin.

-Ei, vaan juuri päinvastoin. Sehän on jo vanhaa kauraa se tyhjiön virtuaalihiukkasten ääretön hälinä. Nyt me kehittelemme malleja jotka lähtevät olemattomuudesta, eri tavoin määritellyistä olemattomuuksista, siis samalla tavalla kuin polkuintegraali olettaa alkeishiukkasen joka kulkee kaikkia mahdollisia reittejään pitkin ja aktualisoituu siihen yhteen näkyvään, veljeni selitti paksuuntunet sormet ilmassa iloisesti mutkitellen ja jatkoi:

-Samoin me yritämme lähteä täysin vapaasta olemattomuudesta kaikkia mahdollisia polkuja pitkin ja katsoa minkälaisiin pysyviin tiloihin on mahdollista päätyä, mihin solmuihin sotkeutua, verkkoihin vajota, lakeihin lukkiutua.. No nyt on perunat kypsät, syömään! Hän sanoi, nosti kattilan retkikeittimeltä ja jätti vastauksen tahallaan ilman leijumaan kuin teininä kaavoja täynnä olleet vihot muka vahingossa pöydälle auki kaikkien ihailtaviksi.

Emme olleet paljoakaan tekemisissä vanhempiemme kuoleman jälkeen. Olimme hortoilleet välivuodet jäykkinä yksin omiin suuntiimme. Oma ajatteluni ja olemiseni oli ollut epäterveellistä enkä halunnut häiritä hyvää, hyödyllistä ihmistä; tämä ajatus eristäytymisestä ja etäisyydestä oli syntynyt ensin veljeeni liittyen ja olin soveltanut sitten samaa kai Elsaankin. Viihdyimme kuitenkin hyvin toistemme seurassa mutta ennemmin tai myöhemmin näin veljeni silmien eteen valuvan ilmeettömyyden kalvon joka kertoi että suurin osa hänestä oli muualla ja että pian hän alkaisi ärtyä jos ei saisi olla yksin. Luonteenpiirre vai ammatin varjopuolia, sukuvika, en tiedä. Mutta nyt vielä hetken oli mahdollisuus, hyvä hetki, tarinaa ehkä riitti jos yritti, hölisimme niitä näitä, olimme iloisia kun näimme toisemme täällä keskellä tuttua lapsuuden metsää, jossa leikimme kaikki kesät. Veljeni laittoi pienille naarmuuntuneille kirkkaankeltaisille muovilautasille perunat ja loimutettua särkeä jonka oli kalastanut aamulla järvestä. Iso pala voita tutulta maatilalta. Kuola valui suupielestäni. Veljeni puhui: -Tällainen ikävä paikka, märkä maa, kärsivät puut ja soistuva järvi jonka rantaan ei pääse kuin mudassa kahlaten. Täällä saa olla rauhassa. Kukaan kaipaa tätä maisemaa. Vähän näin Suomi asutettiin, mentiin olemaan yksin paikkoihin joihin kukaan muu ei osannut eikä halunnut tulla, kukaan määrääjä ja ottaja, mentiin korpiin ja veden ja mudan sekaliemiin ettei herrat ja herruus löytänyt. Aina herrat lopulta löytää, mutta jonkin aikaa, muutama tuhat vuotta saimme olla rauhassa ja elää oman joen varressa, oman lauman vaellusreitillä, kahluupaikan lähellä.. poimia joesta kaloja ilman että kukaan tulee estämään tai verottamaan tai lukemaan lakia. Ei ole missään koskaan ollut varmempaa elantoa ja rauhallisempaa elämää kuin yksinäisellä perheellä kalapadon äärellä, kosken niskalla keskellä korpea kaukana kaikesta! Mutta aina lopulta piiloutuneet löydetään ja vedetään tukasta raahaten esiin. Tai sitten ne saa liikaa lapsia ja seuraava sukupolvi riitelee itse itseltään silmät päistään.

Isoveljeni, alkaa luennoimaan minulle historiasta! Ei se minua ärsytä, päinvastoin ilahduttaa ja huvittaa. Sanon: -Muistatko ne tarinat Suomen asuttamisesta? Ne missä perhe tai suku vaeltaa päiväkausia syvään korpeen ja mies nousee vaaran huipulla kasvavan männyn latvaan ja tähystää näkyykö horisontissa savuja ja jos näkyy he jatkavat vaellusta kunnes ollaan täydellisessä yksinäisyydessä. Että yksinäisyys ja etäisyys on ideaalitilanne, henkiinjäämisen edellytys.

-Ja tietysti se versio jossa se lastu tulee jokea alas ja mies lähtee heti kirves kädessä yläjuoksulle tappohommiin miettimättä sekuntiakaan, Ismo sanoi samalla särjen ruotoja suupielistään sylkien.

-Mutta ei pienen joen varassa pysty elämään kuin yksi perhe, se on totta. Jos yläjuoksulle olisi asettunut joku oli se häädettävä tai tapettava jos aikoi selvitä seuraavasta talvesta. Kuvaus on siinä mielessä täysin asiallinen. Entisaikojen virkamiehen virkatiet, metsästäjän ansapolkujen pituudet saattoivat olla neljäkymmentäkin kilometriä. Ei mitään naapureita sen tien varteen kaivattu. Sitten kun ihmisiä alkoi varsinkin keskiajasta eteenpäin tulla ja tihentyä juuri nämä tärkeimmät nautinta-aiheet joutuivat monimutkaisempien sopimusten kohteiksi. Pohjoisen lohijokien kalastusoikeuksien äärettömät monimutkaisuudet ajalta ennen niiden patoamisia olivat tätä samaa jatkumoa. Vähitellen kaikki arvokas on tietysti siirtynyt byrokratiaan ja verotukseen eikä niiden monimutkaistumiselle ole edelleenkään loppua näkyvissä vaikka kohteet ovat jo kaukaa kuolleet ja konkurssissa.

-Mutta nyt kai se loppuu kun kukaan ei tienaa mitään eikä maksa veroja ja kaikki ovat vihdoin tajunneet ettei mitään todellista valvontaa enää ole vaan pelkkää tyhjää uhkailua.

-No nyt se varmaan loppuu, tämä tämänkertainen loppu, niin kuin kaikki muutkin loput. Yhteiskuntasopimuksen lujuus mitataan veronmaksun uskollisuudessa. Mitä sitä oli yksityisillä verovelkaa valtiolle, toistakymmentä miljardia, ja firmoilla ties mitä, sata viisikymmentä. No valtiothan saa olla velkaa mitä ja minne huvittaa tietysti. Haluavatkin olla, kuin nöyryyden osoituksena, moneen kertaan ja moneen suuntaan. Ainakin tämä meidän valtiomme.

-Ei kenelläkään ole mitään ulosotettavaakaan. Talot ja kaikki omaisuus arvotonta. Niissähän ihmisten rahat oli kiinni. Ja jos jollakin jotain vielä on on se piilotettuna virtuaalivaluuttoihin ja turvarahastoihin jossain kaukana auringonlaskun takana.

-Joet ja meret on aika tyhjät myös. Siis ei vedestä vaan kaloista. Ohuita haukia kuin kyniä. Hitonmoista on niitä varsinkaan vähänkään oudommista vesistä yrittää, sanoin.

-Tosta Marijärvestä tulee kalaa! Täällä ei ole muita kun minä verkkojen kanssa, Veli hihkui.

-Ei ketään vieläkään? Eihän se iso ole mutta kuitenkin. Onko tuolla jorpakolla nimikin nyt?

-Aina sillä on nimi ollut!

-En minä muista että oltaisiin tätä ikinä miksikään Marijärveksi kutsuttu. Että siksikään täällä ei ole ketään kun ei ole nimeäkään.

-Ainahan nimi on vaikkei kukaan sitä käyttäisi tai tietäisi.. Tässä kävi keväällä tuolla toisella puolella jotain tyyppejä, jotain nuoria jätkiä. Olivat melkein kuukauden, rakensivat laavuja.

-Tapoitko ne?

-En, panin oman leirini piiloon tästä ja vahdin niitten touhuja pitkin kesää mutta ne lähti aika pian, ne ei kai saaneet kunnolla saalista tai olivat vain käymässä eivätkä tulleet koskaan takaisin. Kävin kyllä levittämässä kiväärinhylsyjä niitten leirin ympärille. Ehkä se auttoi sitä lähtemistä. Mutta ketään muuta ei ole näkynyt. Ennen toissapäivää siis.

-Saathan sinä tästä ruokakalat?

-Kyllä tästä yhdelle ja kahdelle saa helposti.

-Oletko yksin? Se Marika ei tullut takaisin sitten?

-Ei. Se ei uskaltanut olla täällä. Se pelkäsi koko ajan ja lähti sukulaistensa luo Someroon pari vuotta sitten.

-No oliko sille pelolle aihetta?

-Viime kesänä tikapuut katosi kerran kun olin eläimiä ruokkimassa kauempana talolta. Ja kuukausi sitten olin kaupungissa käymässä niin oli viety työkaluja ja sotkettu paikkoja.

-Et ole poliisille soittanut?

-En tietenkään.

-Et ole missään hämärähommissa ollut?

-En.

-Voiko se liittyä sinun työhösi?

-Ei.

-Näitkö niitä tyyppejä nyt?

-Kaukaa vain. Satuin olemaan lampaiden luona ja näin sen koko touhun mutta en uskaltanut mennä sinne, niitä oli neljä tai viisi pahannäköistä kaveria, ajoivat lujaa suoraan pihaan. Makasin heinissä lampaiden kanssa, mietin miten ne olisi saanut vietyä pois siitä, mutta milläs niitä ajat maaten. Onneksi olin juuri syöttänyt ne niin nekin makasi heinikossa puoliunessa märehtien eikä meitä huomattu. Olisin minä lampaita puolustanut. Kyllä otti päähän katsella siinä kun jätkät kantaa kamaa autoon ja rikkoo paikkoja. Oli siinä jotain outoa.

-Mitä?

-Että ne jäivät sinne. Vai onko varkaat nykyään sellaisia.

-Ne tietää ettei kukaan tule niitä häätämään. Kaupungissa ihan sama juttu.

Kerroin mitä asunnollani oli käynyt.

-Niin. Voisinhan minä ampua ne metsästä kaikki, yksi kerrallaan, Ismo sanoi.

-Miten sait tietokoneesi sieltä?

-Se oli minulla mukana lampolassa, ihan sattumalta. Tietokone ja lampaat selvisivät, ei tarvinnut tappaa niitä miehiä, tai yrittää tappaa. Eihän sitä tiedä mitä siinä olisi käynyt, mitä vehkeitä niillä on mukana.

-Missäs lehmät on?

-Myin ne viime talvena. Sain hyvät rahat. Niistä oli liikaa hommaa. Lampaat on helppoja.

-Lähetäänkö kattomaan talolle nyt?

-Lähdetään vaan.

Nousimme ylös ja kävelimme nuotiolta teltalle. Pienoiskivääri nojasi puuhun teltan takana. Otin aseen käteeni ja tähtäilin kiikarin läpi järvelle. Sanoin:

-Tälläkö sinä muka selviät täällä?

Veljeni kaivoi taskunpohjaltaan jotain ja avasi kämmenen edessäni.

-On kolmenlaisia ammuksia. Näitä hitaita mitkä ei pidä vaimentimen kanssa mitään ääntä ja sitten näitä ylinopeita tasapäitä joihin olen lisännyt fosforia kuoppaan. Räjähtää ja polttaa ja myrkyttää samalla. Tepsii peuroihin asti. Hirviin enkä ihmisiin en ole kokeillut.

-Mitäs ne kolmannet ammukset on?

-Sanoinko minä kolmenlaisia? Piti sanoa kahdenlaisia.

-No.. mitäs ne kolmannenlaiset on? Sano nyt.

-No ne on sellaisia jotka maalaa osumakohdan.

-Maalaa?

-Jotta joku isompi näkee sen.

-Mikä isompi?

-Mikä vaan. Kohdetta voi jäljittää sen iskemän avulla. Ammuksesta jää uniikki laskennallinen radioaktiivinen merkki jota voi seurata kuukausia kilometrien päästä.

-En ole kuullutkaan.

-Ole niin kuin et olisikaan. Se oli yksi projekti myös.

-Kuulostaa ankealta. Varmaan puolustusvoimien hommia.

-Vanhentunut idea joo. Nykyään kohteet kirjaillaan kymmenestä kilometristä tai kauempaa suurteholaserin pulssilla ja tuhotaan itseohjautuvilla kranaateilla jotka maksaa enää muutaman satasen kappale. Niillä saa myös kaiken alle kymmenessä kilometrissä lentävän alas keskimäärin alle viidellä laukauksella. Ohjusten hinnat ovat romahtaneet, tankit ja lentokoneet, täysin entisiä, mietipä sitä! Eivät raukat ehtineet käyttää niitä ennen kuin ne muuttuivat romuraudaksi. Äijät ja kenraalit miettii parta tutisten mihin koriin munat pitäisi nyt laitaa. Et arvaa miten siellä on rahaa ottajalle kun kaikki aseet pitää keksiä uudestaan, uudestaan ja uudestaan! No tietysti tällä hetkellä on tilanne ja totuus se että kuka hallitsee taajuuksia laajimmalla spektrillä hallitsee maailmaa. Nyt kun koneet ovat kaikkialla se entinen kriittinen kapeikko, informaatioköngäs, ihminen ruutuja tapittavine silmineen on katoamassa lopullisesti. Ihmisen yhtälöstä poistamistahan kaikki tekniikka on ollut aina. Ehkä ei tästä sen enempää, sinua varmasti kuunnellaan.

-Tässäkin?

-Niin, veljeni sanoi ja tonki tikulla nuotiota.

-Miten?

-Miten vain. Sinussa voi olla jotain, tuolla ylhäällä on varmasti jotain. Stratosfääristä kimpoillen koko pallon kiertävä pulssi pyyhkäisee sanat huuliltasi mukaansa kuin näkymätön servietti.

-Miten sitä voi vastustaa? Eikö sinulla ole mitään suojia?

-Kannettava on suojattu, ei muuta. Ei saa nostaa päätään, veli hyvä, ei yhtään, etkö sinä sitä ole oppinut? On vain anottava.. armoa, veljeni sanoi vinosti taivaalle hymyillen.

-Oletko niissä droonihommissa ollut vielä? Mitä sille firmalle kävi?

-En moneen vuoteen. Siinäkin kriittiseksi muodostui radiotaajuudet ja kommunikointi. Kilpailijat keksi parempia juttuja. Ei ole enää muuta kriittistä, uskotko? Pelkät ideat ja järvet ja meret, aallot ja tuulessa heiluvat metsät, uskotko? Kuka hallitsee aaltoja hallitsee kaikkea.. kaikkea. Minä olen lukenut läpi Nokian historiaa, siis teknistä historiaa, sähkömagnetiikan patentteja. Miten aallot saadaan kantamaan informaatioita vähimmällä vaivalla. Miten aalto itsessään on intentio. Siinähän me olimme hetken aikaa parhaita. Sfäärien musiikissa. Tutkin olisiko sinne polun varteen pudonnut mitään timantteja.

-Ja sinäkö poimit ne? Kysyin, mutta veljeni silmät pälysivät ja kiilsivät eikä hän vastannut vaan sanoi:

-Suomalaiset johtajat! Kun ne lomautettiin niin patenttitoimistot täyttyivät lenkkeilyaplikaatioista ja mökkeilyinnovaatioista! Ultrajuoksuun puukolla pahkasta veistetyistä apuvälineistä! Ideoista miten veden saa mökkisaunan kiukaalle läikyttämättä, umpikännissä. Ulkohuussiaplikaatioista! Niin löysiä ja omahyväisiä ovat suomalaiset johtajat, niin lähellä heillä aina oma oleminen, tynkäpilvenpiirtäjän palaverihuoneessa homeköhien tai mökkirannassa varpaat vedessä huljuten, paljasta pyllyään tiukemmin tahmaiseen huusinreikään hinkaten! Että miten elämä siellä risujen seassa muuttuisi piirun ihanammaksi. Tämän tiedon, tämän näkemyksen minä löysin sieltä taajuuksien välistä, veljeni nauroi.

-Mistä moinen purkaus?

-Historian lukeminen taitaa tehdä ihmisen aggressiiviseksi! Tulipahan todettua omakohtaisesti. Ei omenat niin kauas toisistaan putoa ja vieri. Olenko minä koskaan tosissani haukkunut sinun historianharrastustasi?

-No olet, ja juuri nyt haukut sitä harrastukseksi! Aina olet haukkunut minua, aina.

-Niin, mutta lukemista, sitä en ole koskaan haukkunut. Koko ajanhan minä luen mutta niin kuin lääkäri jolla on kuoleva potilas käsissään ja on pakko löytää parannuskeino, kerta toisensa jälkeen.

-No mikä raato sinulla nyt sitten on?

-Milloin mikäkin, hän sanoi ja tähtäsi järven vastarannalle kiväärin kiikarin läpi.

Ihmisten tyhmistyessä ja elektronisten laitteiden hienontuessa ne muistuttivat enemmän ja enemmän taikakaluja joiden salaisuuksiin vain harvalla oli enää pääsy. Veljeni oli tätä potentiaalia porukkaa joka pystyi uimaan kuin kala kaikessa mitä alalla tapahtui mutta hän oli myös levoton ja tähän levottomuuteen ja kärsimättömyyteen oli varmasti useampi työ häneltä katkennut. Omasta älyllisestä haastamisestani suuri osa oli veljeltäni opittua mutta minulla ei ollut sellaista todellista, mitattavaa ja kallista taitoa kuin hänellä oli. Hän todella sai koodinpätkiä kasaan ja hän todella sai niistä hyvin rahaa, olin nähnyt sen jo nuorena. Hänen ylimielisyydellään ja hysteriallaan oli aito peruste.

Laitoimme aseen pois, potkimme nuotiota sammuksiin. Sanoin:

-Voiko olla ihanampaa elämää.

-Mikä muka?

-Kuin tämä! Ohjelmoit täällä teltassa kaikkien katseilta piilossa, kalastelet kaloja ja linnut laulelee suoraan korviisi ja joku tuntematon toisella puolella maailmaa maksaa maltaita kultaisista koodinpaloistasi.

-Kaikkein koomisinta tässä on että jos ihmiset tietäisivät miten helppoa ohjelmointi nykyään on..

-Ei kai se nyt niin helppoa ole!

-Et tiedä miten apujärjestelmät ovat kehittyneet. Melkein kaikki mikä mieleen juolahtaa on matematisoitavissa automaattien avulla. Anna tietokoneelle vaikka.. tuo laineen liplatus, kuvaa sitä kameralla muutama sekunti ja kone pystyy luomaan algoritmin sille aallolle, koko aaltorintamalle, kaikkien vaikuttavien voimien prosesseille ajan funktiona. Pientä paketointia ja se on valmiina myytäväksi.

-Ei pidä paikkaansa!

-Näin on näppylähansikas.

-Mikseivät kaikki tee sitä sitten?

-Tekevätthän kaikki sitä. Mutta aina on raja jossakin. Varsinainen asia minkä ohjelmoijan on osattava nykyään on äärettömyyksien hallinnointi, että onko lasku laskettavissa loppuun asti vai valuuko se maailman reunalta ulos. Gödelin teoreeman ympärillä pyöritään vinhemmissa ja vinhemmissa kehissä. Tähän liittyy se olemattomuuden matematisointi josta jo mainitsin. Ei se ole mitään pelleilyä.

-No onko sinulla ratkaisua siihen?

-Jotain pientä on työn alla. Osaat sinäkin sen verran että voisin palkata sinut apumieheksi. Mitä sanot?

-Voin minä tulla tänne sinulle kahvia keittämään, sanoin.

-Niin, tulisit tänne asumaan, vähäksi aikaa edes. Kaivettaisiin sitä isän kultaa yhdessä, mitä sanot?

-Minulla olisikin muuten sellainen anturi millä se löytyisi, sanoin.

-Minkälainen? Ismo sanoi ja pidätteli ilmettään.

-Sellainen merisondi, Mermaid u50, tiedätkö?

-En tiedä, en, veljeni sanoi ja näin että hän mietti lujaa, tiesin sen siitä että hän katsoi jäykästi vasemmalle alaviistoon. Niin hän teki jo lapsena. Kuin katsoisi näkymätöntä kätkettyä kännykkää vasemmassa kädessään lantiolla.

-Luulen että sillä pääsee näissä hiekkaisissa maissa kuuteen metriin. Ehkä kahdeksaan jopa. Kirkasta kuvaa heti.

-No se on kyllä..

-Sillä se löytyisi, jos se kätkö on täällä, selitin innoissani.

-Voi olla että hyvinkin löytyisi. Hei, minä laitan kamat täältä kasaan niin lähdetään mökille. Odota hetki, hän sanoi ja katosi hetkeksi telttaan.

-Mennään, hän sanoi ilmestyessään taas, heitti repun selkäänsä ja kiväärin olalleen ja lähdimme kävelemään mökkiä kohti.

Rannan sekametsä vaihtui ensin sammalpohjaiseksi kuusikoksi ja sitten mäen ja kallion kohdalla männiköksi ja notkoissa taas takaisin kuusikoksi ja sekametsäksi. Metsä oli hitaampi ja masentuneempi kuin olin muistanut, haju happamampi. Jatkuva märkyys muutti maan mikrobit ja sienet toisiksi ja samalla metsän koko perushajun. Talolle oli matkaa pari kilometriä.

Kävelimme hetken hiljaa kunnes veljeni puhkesi puhumaan. -Löysin isän päiväkirjan, tai oikeastaan väitöskirjan muistiinpanot mökin vintiltä. haluatko nähdä ne?

-En tiedä. Sinä luit ne läpi?

-Totta kai.

-Mitä niissä oli?

-Tietysti enimmäkseen ihan vain asiaa, mutta oli siellä henkilökohtaisiakin juttuja, joitakin päiväkirjamaisia merkintöjä, valitusta ja sitä maanista ylimielisyyttä myös ja loppua kohti enemmän ja enemmän poliittista kiihkoilua. mutta oli myös pari kuvaa meistä kaikista, iloisia kesäkuvia.

-Ne olisi hauska nähdä, sanoin.

-Ne jäi talolle, veljeni vastasi.

Kysyin: -No.

-Mitä no? Veljeni sanoi niin kuin ei olisi muka ymmärtänyt.

-Oliko siellä mitään heidän viime ajoistaan?

-Ei, se oli kaikki täällä kirjoitettua.

-Oliko siellä mitään.. kullasta?

Kun puhuimme kätketystä kullasta puhuimme kätketysti vanhemmistamme, puhuimme kevyesti ikävän asian ympärillä kuin kaikki muinaisista aarteista unelmoijat ja se ikävä asia oli että mitään syytä muistella ei oikeastaan ollut, mitään oikeutta ei ollut enää saatavissa, totuutta löydettävissä, jatkumo oli lopullisesti katki ja jauhinkivien välistä valui vain nykyhetken merkityksetöntä murskaa ja keksittyjen tarinoiden muruja. Ehkä siksi tämä keskustelu oli muuttunut täksi satuiluksi joka kiertyi aina vain hölmömmille kierteille.

Isämme oli aina uskonut tuhon tulevan tavalla tai toisella, tulivuorenpurkauksena, meteoriittina, ydinsotana tai rahajärjestelmän romahduksena ja hän yritti varautua siihen ja jopa pelata sillä ja sen tulemisen hetkellä, niin vahvasti hän siihen uskoi ja sitä aina ajatteli. Hän ei uskonut virtuaalivaluuttoihin, hän oli uskonut jalometalleihin ja oli osunut oikeaan. Hänelle merenpinnan nopea nousu oli ollut kuin helpotus. Kun tuho lähestyy, kun epävarmuus ja epäjärjestys kasvaa, kullan hinta nousee ja sen noususta voi todeta että tuho on tulossa ennen kuin muita merkkejä on, paitsi ehkä se kuuluisa Big Macin hinta joka kylläkin mittaa vain kaduntallaajan alisteista, jälkijättöistä epätoivoa ja sen rahastusta. Kullan hinta taas mittaa suoraan kaiken epävakauden määrää maailmassa, uhkakuvien toteutumisen todennäköisyyttä. Ei ollut sattumaa että kaikilla mailla oli kultaa tonneittaan valtionpankin holveissaan, se oli viimeinen turva, pylväs jota kaikki kiertää senkin jälkeen kun sitä vastaan oli pitkään teoretisoitu, kun korkeat rahaherrat olivat yrittäneet vispata kaiken irti maasta ja mineraaleista mutta eivät aivan ehtineet. Muut metallit tulevat kullan perässä, hopea lähimpänä muutaman sadasosasekunnin viiveellä mutta kulta johtaa joukkoa ja sitten tietysti kullekin ajalle ominaiset sotametallit nousevat jyrkästi arvossaan kun pahin vaihe on päällä. Muinoin ne olivat pronssi ja rauta mutta nykyään kriittisiä ovat Tallium, Titaani, Uraani ja tietysti Platina, joka on ihanasti sekä jalometalli että sotametalli. Isä teki pienen omaisuuden tällä naurettavan yksinkertaisella logiikallaan, katseli vain kuinka vesi nousi ja osti kultaa kaikilla Venäjältä kantamillaan ja loppuaikoina kavaltamillaan rahoilla. Ikävä vain että vanhempiemme kuollessa arvaamaton osa kullasta jäi kadoksiin tuntemattomalle puolelle rajaa. Isän mukaan kulta piti myös olla oikeaa kultaa eikä mitään paperikultaa, sopimuskultaa jonka tuli, virus, byrokratia, petos tai oikeus voisi syödä. Nyt kaksikymmentä vuotta myöhemmin sen kadonneen kullan arvo olisi taas satakertaistunut. Kullan huono puoli on ettei se osaa purjehtia, se makaa meren pohjassa eikä jaa osinkoja, sen pitää olla oikeasti olemassa, siitä pitää vuolla piilossa paloja kuin huumeköntistä. Olimme etsineet kätköä veljeni kanssa onnistumatta vaikka olimme varmoja että se oli jossakin täällä mökillä tai ainakin osa siitä. Varmuudella ei ollut mitään todellisia perusteita vaan vain se että sitä oli täältä mukava etsiä kuin kadonneita kotiavaimiaan katulampun alta. Kaivot oli naarattu, metallinpaljastimilla koluttu hehtaareja peltoja ja metsää ja kaikki isän harakanvarpaat yritetty tulkita koodeiksi tai aarrekartoiksi. Nyt siitä taas puhuttiin, kuten niin monta kertaa aikaisemminkin.

Veljeni katsoi kauas jonnekin sammalmättäiden tuolle puolen vaikka hän sanoi huolettomasti: -Ei ole kultaa vastaan kävellyt. Minulla on kyllä yksi uusi idea.. jos kaiken täällä olevan materiaalin saisi digitoitua niin siitä voisi tehdä helposti monenlaisia analyysejä. Ehkä jotakin ilmaantuisi mikä on jäänyt meiltä huomaamatta. Siinä kuluisi tietysti aikaa. Käänneltäisiin kaikki ympäri ja tehtäisiin kaikesta digitaalinen malli.
-Kaikista isän papereista?
-Ei vain papereista vaan myös tästä paikasta, talosta ja tontista ja koko maisemasta. Kaikista esineistä, kivistä ja kannoista. Millintarkka virtuaalinen malli jota voisi käännellä ja väännellä mielensä mukaan.
-Kuulostaa järjettömältä, sanoin.
-Koneet näkevät niin eri tavalla, ne näkevät saumat ja saumojen läpi. No, ei siihen ole ehkä aikaa eikä rahaakaan. Vaikka tiedätkö mitä. Me olemme rikkaita.

166

-Mitä horiset?

-Rikkaita, juuri nyt. Katso nyt meitä tässä. Kuka saa kulkea vapaasti tällaisessa maisemassa, ajatella mitä haluaa.

-Ai sellaista rikkautta, sanoin. -Köyhän rikkautta.

-Miten hienon turvapaikan isä ja äiti tänne meille rakensivat. Kaikesta mitä tiesivät, kaikesta mitä osasivat ja uhrasivat. Et ehkä kolme vuotta nuorempana muista millaista oli kun muutimme kaupungista tänne. Kuinka isä ampui kaksi varasta ja hautasi ne metsään lampolan taakse yksi aikainen aamu kun hän luuli ettei kukaan ollut vielä hereillä.

-En tiennyt siitä, sanoin.

-Tai miten hän liittyi metsästysseuraan täällä ja mitä se metsästysseura varsinaisesti teki. Tai miten hän sinne Venäjälle alun perin päätyi ja mitä kaikkea siihen liittyi.

-Onko siitä olemassa joku toinen tarina kuin se minkä minä olen kuullut?

-On, veljeni sanoi, ja kävelimme hiljaa eteenpäin metsän halki.

Oli hiljaista ja kosteaa. Puut nuokkuivat kuin olivat tottuneet. Laho oli voitolla, tuoksu lavea ja matala. Veljeni sanoi:

-Ai Troijaan matkalla? Kosonen sanoi että sieltä leiristä oli käyty Karjaalla asti varkaissa. Siitähän on ollut uutisissa paljon.

-Ei minun uutisissani. Minut oli jotenkin pelattu pihalle siitä, kunnes minut hotkaistiin sinne karvoineni kaikkineni.

-Mitä?

-Niin. Eikä siinä kaikki. Elsa on myös siellä, sanoin.

-Millä asioilla? Äitinsä?

-Äitinsä? Mitä tarkoitat?

-Tuli vain mieleen, veljeni sanoi outo ilme naamallaan. -Kai siellä kaikenlaista rakennetaankin. Yksi tuttu on ollut siellä jo puoli vuotta tekemässä kaikenlaista infraa. Eikä hän ole läheskään ainoa.

-Että Pr:llä olisi jotakin bisneksiä siellä leirissä?

-Eihän se mahdotonta ole. Mitä Elsa siellä sitten muka tekee?

-Ei aavistustakaan. Sekaisin se on ainakin. Pahinta on, että saan häneltä viestejä.

-Mitä viestejä?

-En tiedä.. onko hän edes elossa. Joku muu voi lähettää niitä, tai hän lähettää ne ajastettuina.

-Minkälaisia viestejä?

-Ja hän soitteleekin joskus. En tiedä onko se hän.

-Puhut hänen kanssaan puhelimessa ja epäilet häntä kuolleeksi?

-En tiedä mitä se on.. Tiedät itsekin millaiseksi maailma on mennyt, kaikkea pitää epäillä, mitään ei voi uskoa ennen kuin se seisoo edessäsi hikoillen ja hirnuen, eikä sittenkään. Nauhoitin yhden puhelun, haluatko kuulla?

-En. Uskottavan hahmon pystyy rakentamaan vähilläkin tiedoilla.

-Mutta että ääni on ihan oikea, ja äänenpainot.. Kuuntelisit nyt, edes pätkän.

-Oletko kysynyt jonkin yksityiskohdan mitkä vain te kaksi tiedätte?

-Kyllä ja hän läpäisi sen, mutta ehkä tiedot oli saatavissa vanhoista tiedostoista, valokuvista.. en osaa sanoa. Puhelut ovat olleet lyhyitä ja hän on katkaissut ne kesken. Eivät ne mitään keskusteluja ole olleet vaan tiedonantoja, ohjailua, varoituksia.. lähinnä lainauksia Iliaksesta. En houri, kuuntele, sanoin ja räpläsin nauhoitteen päälle. Veli irvisti ja käänsi kasvonsa maata kohti kuunnellessaan Elsan korkeaa lausuntaa.

-On se hänen äänensä, huh. Mutta puheessa oli jotain outoa. Ehkä se on syntetisaattori.

-Tai pelko, sanoin.

-Ehkä hän on arvannut olevansa vaarassa.

-Hän lausuu Odysseiaa tuossa. Hän harrastaa sitä nyt, muiden mukana. Tuo on se nuotti millä niitä runoja kai lausutaan. Siksikin hän kuulostaa niin oudolta: tyyliin kuului muinoin ja nyt taas että lausuja yrittää kuulostaa kuolleelta.

Veljeni mietti hetken tai piti vain draamallisen tauon. Hän sanoi: -Todennäköisintä on, että joku haluaa sinun tekevän jotakin, taivutella sinua. Joko Elsa itse tai joku muu. Sinua viedään kuin puolen litran mittaa. Ole varovainen.

-Luuletko että hän on kuollut?

-En osaa sanoa. Kumpi sinusta olisi tehokkaampaa?

-Että hän on elossa tietysti!

-Sitten hän on, Ismo sanoi.

-Miksi minä?

Jatkoimme matkaa hiljaisuudessa. Kuuntelin metsää, se oli täysin äänetön. Korvat levisivät kauemmas ja kauemmas pitkin sammalien päällä herkkänä lepäävää ilmaa.

Olimme kävelemässä runkojen välistä pilkottavaa taloa kohti kun Ismo pysähtyi ja nosti jännittyneenä kättään. Hiivin piiloon tiheän kuusen taakse ja käänsin oksia sivuun silmieni edestä. Mustapukuinen mies liikkui pihalla pakettiauton luona. Kuistin ovesta astui ulos nuori mies kantaen kahta kankaista kassia, jotka hän nosti auton perään. Ne olivat meidän vanhoja haalistuneita kesäkassejamme. Hän huuteli iloisena mustapukuiselle miehelle esitellen päällään olevaa veljeni ruudullista kauluspaitaa ja availi auton perässä olevia matkalaukkuja ja esitteli niiden sisältöä ja nauroi.

Veljeni nosti kiväärin poskelleen ja tähtäsi talon suuntaan. Sähisin:

-Mitä helvettiä sinä teet?

-Vähän tähystän. Niillä näkyy olevan ne sinun silmälasisi tuolla kassissa.

Juuri kun kolmas mies astui ulos ovesta ja sytytti tupakan, juuri kun hän oli istumaisillaan portaille ja oli avannut suunsa sanoakseen jotakin toisille miehille taivaalta iski terävä viivasuora salama ja koko näkymä, koko maisema katosi häikäisevään valopalloon ja paineaalto iski meihin ja heitti meidät oksien ja havujen ja maavyöryn mukana

168

taaksepäin pimeyteen kuin nuket. Maa kääntyi nurin, jäimme sen alle. Kuka, mitä? oli viimeinen ajatukseni.

En tiedä olinko ollut tajuttomana, nyt kaivoin havusilpun seasta veljeäni esiin harmaan kitkerän savun ja pölysateen keskellä yskien. Tasaista ininää, korvat olivat menneet. Savun vähitellen hälvetessä näin että tiheä kuusimetsä täältä talolle asti oli kaatunut sekavaksi runkojen röykkiöksi ja talon kohdalla oli tyhjää, talosta ei ollut mitään jäljellä. Haisi mullalta, hiekalta ja palaneelta kitkerältä kemikaalilta. Ihmiset olivat kaikki poissa. Veripisaroita, kai omiani. Kuohkeassa hiekkamullassa paljas jalanjälki.

Ajattelin nopeasti: Se joka räjäytti pommin tai ohjuksen tarkkailee yhä tätä paikkaa. Jos se tuli lennokista, se kiertelee ylhäällä ja varmistaa onnistuiko isku. On piilouduttava, savu on savua vain ihmiselle.

Kuulin taivaalta surinaa vai korvaniko vain soivat uudella sävelellä. Katsoin harvenneiden latvojen välistä ylös mutta en nähnyt sotkuisilla silmilläni kuin paljaaksiraapiutuneella oksantyngällä roikkuvan veljeni lenkkarin. Kai se oli pelkkä tyhjä kenkä, se pyöri kevyesti ympäri nauhansa varassa.

Kaivauduin runkojen ja oksien silpun muodostaman kuohkean kasan sekaan, ryömin pieneen pimeään tuoreen pihanhajuiseen koloon ja huohotin hetken hiljaa. Puhelin soi. Se oli videopuhelu Elsalta. Hänen pimeyden keskellä lampun valaisemana hohtava nälkiintynyt kasvonsa lausui:

-Älä pelkää: Murheisempi on kohtalo mulla.
kärsiä sain, mitä ei elon ilmoilla ihminen kuunaan:
poskeen poikani surmaajan minä kurotin kättä.

Suuni oli täynnä hiekansekaista multaa mutta en uskaltanut sylkeä, muljasin sitä ulos suupielistäni ja hieroin kuivaa kieltä yhtä likaiseen hihaani. Sain lopulta sanottua:
-En tiedä kenen puolella olet.
-Vihollisia ei ole.
-Pystytkö auttamaan meitä?
-Jumalat näkevät kaiken.
-Anna jokin merkki. Että tunnen sinut.
-Älä pelkää. Sinua ei voi satuttaa.
-Ei riitä. Mikä auto meillä oli kun aloimme seurustella?
-Mitään pahaa ei voi tapahtua. Sinua suojellaan. Fiat 800.
-Missä sinä olet? Kerro, minä olen matkalla sinne.
-Näen sinut kuin kirkkaan päivän. Kaikki on rakkautta.
-Minkä tarra siinä Fiatin takaikkunassa oli? Vasemmalla puolella, alhaalla, sanoin.
Lyhyt hiljaisuus.

-Minä en muista. Kesä alkaa makkarasta, hän lauloi, ja siihen puhelu katkesi. Purskahdin itkuun ja ryömin ulos pesästäni kuin karhu ja ryntäsin juoksuun kohti rantaa. Se oli totta, hän puhui totta, hän oli olemassa, tai sitten kaikki oli harhaa jo kauan sitten. Ei kai kone osaisi laulaa sävelmällä jonka yhdessä peiton alla keksimme. Juoksin, juoksin lentäen sammaleiden ja kallioiden yli kuin vauhko peura jota sudet ajavat ja saavat kiinni.

Olin kaukana kun päätin palata takaisin talolle. Pysähdyin, huohotin. Oli tarkastettava yksi asia. Juoksin kaartaen metsien kautta talon eteläpuolelle. Kyllä, perunatkin olivat menneet, sipulit, porkkanat, koko talon takana etelärinteessä ollut pieni juurespelto oli räjähdysryöppyjen hautaama. Monttu oli valtava, en halunnut katsoa sinne. Kiersin vielä kauempaa metsästä tien yli lampaiden aitauksen luo eteläniitylle. Ensin ajattelin että ne olivat karanneet kaikki pelästyneinä metsään, piikkilangoissa oli verta ja villaa, mutta sitten näin niiden perkeet metsässä. Ne oli teurastettu miten kuten rumasti, hajusta päätellen muutama päivä sitten ainakin. Milloin veli sanoi lähteneensä talolta? Oliko hän vai nuo tyypit tehneet tämän? Veli olisi kai ottanut sisäelimet ja villat talteen ellei sitten ollut tehnyt tätä hädässä. Mitä hän oli puhunut lampaista.. Oli vaikea ajatella, oli vaikea miettiä mitä pitäisi ajatella. Ruumiini alkoi täristä holtittomasti. Lähdin pois sisälmysten hajun luota takaisin kohti taloa kun musta maastoauto ilmestyi metsätieltä ajaen lujaa talolle ja pysähtyi jarruttaen puuryteikön eteen. autosta purkautui ulos neljä miestä ja takaa pakettiautosta monta lisää ja he hajaantuivat ketjuksi joka kiertyi montun ympärille jossa kymmenen minuuttia sitten talo vielä oli. Nämäkin miehet olivat mustiinpukeutuneita mutta kukapa ei olisi.

Kiersin talon kaukaa ja juoksin takaisin lammen rannalle. Pengoin veljeni teltan mutta siellä ei ollut kuin ohut makuualusta ja nuhjuinen makuupussi, makuupussin alla talja-jousi ja nippu epämääräisiä metsästysnuolia. Hänen puhelimensa ei vastannut mutta äkkiä puhelin värähti. Viesti tuntemattomasta numerosta: Lähde pois heti.

Juoksin koko matkan meren rantaan. Lenan purjevene oli kadonnut. Katsoin ja katsoin, huohotin täynnä naarmuja, ei näkynyt mitään vaikka miten katsoin kosteudesta sameaan horisonttiin. Soitin Lenalle, hän ei vastannut. Sydämeni hakkasi kun kahlasin kaislikkoon. Kajakki oli paikoillaan. Revin aukkopeitteen pois, tungin sen penkin taakse ja kierähdin sisään jalat kuraisina. Odotin että hengitys tasaantuisi edes vähän. Mieti, mieti, hoin itselleni, painoin pääni. Vähitellen vene, kaislat ja vesi ympärilläni rauhoittivat hengitykseni.

Miten tarkkoja ovat taivaan silmät? Täytyykö meloa enää öisin? Se ei auta mitään, näyn koneille jopa paremmin yöllä kuin päivällä. Kaikki mitä olen ikinä tehnyt on tallessa, se ei ole mikään uutinen, mutta oli selvää että iso silmä oli naulinnut katseensa minuun. Mitään ei ollut tehtävissä, tähänkään ei voinut jäädä, oli mentävä eteenpäin ja toivoa että voimat olivat tasapainossa, että joku oli minunkin puolellani tai että minulle oli vielä jotakin käyttöä. Ehkä olin ollut vain täky jolla veljeni oli saatu esiin, ehkä hän oli iskun varsinainen kohde. Ryöstäjät olivat pukeutuneet meidän vaatteisiimme, ehkä tunnistuksessa tapahtui virhe. Tai ehkä kohde olivatkin ryöstäjät ja joku suojeli meitä. Veljeä en kuitenkaan voinut yksin auttaa. Epäilin häntä monesta ikävästä asiasta, yritin ajatella hänestä pahoja että pystyin melomaan pois.

Irrotin melan kansilankojen alta. Ei, pitää palata talolle, kaivaa toivottomuuteen asti, kynnet, sormet, luut verille, jäädä kiinni, kuolla. Ei, pitää lähteä. Ei, pitää miettiä. Pääni pyöri rumaa ympyrää. Mitä minä olen tehnyt, mitä veljeni on tehnyt? Ei, en miettisi enää mitään.

Lampaat, lampaat pitää etsiä ja teurastaa. Perunat kitkeä ja kastella. Ei, niitä ei enää ole. Ja veli kaivaa, poliisille ilmoittaa. En löydä veljeäni sen loputtoman sotkun alta. Satoja, tuhansia kuutioita maata ja puuta. Jalanjälki, se paljas jalanjälki! Oliko se jalanjälki? Oliko se minun vai veljeni jalanjälki? Onko minulla kengät jalassa? En voi yksin mennä sinne. Pitää soittaa, saatana, poliisille.

Hätänumerossa automaatti kyseli minuuttikaupalla tapahtuman yksityiskohtia. Se ei löytänyt logiikastaan tilanteen kuvausta eikä ratkaisua siihen. Se palasi aina samaan kysymykseen: -Oletteko nauttineet alkoholia tai käyttäneet muita päihteitä viimeisen vuorokauden aikana? Viidennellä helvetin kehällä myönsin juoneeni päästäkseni kaaviossa eteenpäin ja tarkentavien lisäkysymysten jälkeen sain kuin sainkin oikean poliisin langan päähän. Iloinen miehenääni sanoi:

-Hei, konstaapeli Mattila täällä hei. Kerroit jostakin räjähdyksestä.

-Kyllä, kokonainen talo lensi ilmaan täällä Inkoossa.

-Meillä ei ole siitä muuta havaintoa tai ilmoitusta.

-Tuntuu uskomattomalta, sanoin. -No naapurit on kaukana tai onko niitä enää.

-Oletteko siellä nyt? Voitko lähettää kuvaa paikan päältä?

-En pysty. Sinne tuli rumia tyyppejä. Ja veljeni katosi räjähdyksessä. Olen jo kaukana. En uskalla mennä takaisin yksin. On siis useampia kuolonuhreja. Kaksi tai kolme. Tai useampia.

-Mikä on tarkka osoite?

-Vihmarinne 165.

-Jos siellä rakennetaan jotain, tehdään perustuksia, sellaisia räjäytyksiä?

-Näin kun talo räjähti kappaleiksi. Ihmisiä mukana. Aivan varmasti.

-Hetkinen.. Täällä on kyllä rakennustyömaaksi merkattu se tontti.

-Mitä?

-Että siellä rakennetaan omakotitaloa. Luvat on haettu ja kunnossa, ääni sanoi.

-Mitä? Se on meidän vanha rintamamiesmökkimme!

-Räjäytysluvat ja kaikki. Sen te näitte. Satuitte ehkä liian lähelle.

Olin nähnyt kirkkaan valkoisen viivan tulevan suoraan ylhäältä, olin siitä varma vielä hetken ja korotin ääneni:

-Taivaalta tippuu hevonvitun risteilyohjus! Luvallinen räjäytystyömaa, mitä helvettiä!

-Näin täällä lukee. Tietenkin jos ei varoitusääniä kuulunut niin voimme ajatella että siinä on rike tapahtunut. Toisaalta olitte alkoholin vaikutuksen alaisena kuten olette myöntäneet..

Iskin puhelimen kiinni ja lähdin melomaan niin että vesi roiskui kasvoilleni. Pyörivä pääni etsi Lenan laivaa mutta ei saanut sitä silmiini.

Kauempana rannasta pilviin repesi aukko josta aurinko näyttäytyi ja kimmellytti vedenpinnan äänettömänä leikähteleväksi valohärmäksi. Annoin hölmönä silmäni sokaistua, pidin katseeni pitkään siinä. Nostin kasvoni harvoinnähtyä kohti ja imin säteitä ihooni kun valo vihdoin sattui kohdalleni. Siristin silmiäni ja näin tähtiä, ensin luulin olevani ylivirittynyt tai kireät niskalihakseni olivat puristaneet raukat hermoni lopullisesti kasaan mutta pisteet eivät pyörineet kuin normaalit näkökenttähäiriöt vaan liikkuivat hitaasti tai pysyivät paikoillaan yläpuolellani. Tanssivia tähtiä pilviverhon alla. Tajusin äkkiä että ne olivat drooneja jotka yleensä kätkeytyivät harmaata taivasta vasten mutta jotka satunnainen aurinko oli nyt paljastanut. Minun kiertotähteni. Niitä oli ainakin seitsemän. Ne muuttuivat levottomiksi, osa liukui pilveen ja osa kiihdytti vauhtiaan ja lensi suoria reittejään pitkin pois kuin tärkeämmille asioilleen. Osa seisoi paikallaan kuin silmä kunnes valo sammui ja taivas meni kiinni kuin pilkaksi tarjottu harhanäky.

Soitin Pr:lle mutta hän ei vastannut. Soitin veljelleni, soitin Lenalle, soitin Panulle. Soitin Timolle, Lorelle, Hannalle, Mimmille. Kukaan ei vastannut tärisevälle kädelleni. Kuului kohinaa kuin kotilosta. Kenttää ja akkua oli, data kulki. Soitin Elsalle. Hän vastasi ja lausui:

Miehekkäälle mielelleen hän jo huoaten haastoi:
"Voi mua kurjaa! Vielä mi kohdannee mua viimein?
Ennustaa totta, ma pelkään, jumal-impi,
ett' ulapalla ma ennenkuin kotihin koidun
saan tuta tuskien kukkurapään; sepä kaikki jo täyttyy."

Tuohan oli jo puhdasta vittuilua. En ajatellut veljeäni, en ajatellut mitään. Päätin lopettaa miettimisen. En kertoisi kenellekään enkä varsinkaan itselleni mitä ajattelin, meloin niska kyyryssä minkä jaksoin matalan taivaan ali. Ei olisi mikään asia jos katoaisin tähän paikkaan, päinvastoin. Mieleni teeskennelty teräs höyrysi suoraan taivaan ilmoihin.

172

16.

Velskruunanin takaa alkoi tulla jo tuulta vastaan, saaria oli muutama ennen avomerta. Painoin melan vettä vasten tueksi ja huoahdin hetkeksi katsomaan ympärilleni. Lenan venettä ei näkynyt aavallakaan ja hakuni ei näyttänyt sitä, se oli köyhän miehen haku, en ollut ehtinyt ostaa uusilla rahoillani kalliimpaa.

Olin päättänyt lähteä suorinta tietä Toijaa kohti, ei ollut mitään muutakaan. Ehtisin sinne illaksi vaikka tuuli oli vastainen. Ehkä saisin sieltä apua, heillä oli valtaa ja voimaa mutta toisaalta he olivat myös mahdollisia syyllisiä tähän kaikkeen. Tai kuka tahansa, en pystynyt ajattelemaan selkeästi, mieleni oli vispattu vaahdoksi rantaan.

En ehtinyt meloa kuin viisi minuuttia kun näin silmäkulmastani miten rantarosvojen kantosiipipurjeveneet lähestyivät räjähtävällä nopeudella takaani. Huokaisin pettymyksestä, tämäkin vielä. Etäisyyttä oli enää alle kilometri ja se lyheni nopeasti. Meloin voimieni takaa suoraan vastatuuleen kohti korkeaa Hummelötä jonka tuulensuojassa olisi pyörteilevämpää ja hitaampaa ilmaa. Siinä mothit olisivat vaikeita ohjata ja epätasainen tuuli voisi kaataa tottumattoman purjehtijan.

Kauhoin kivikkorantaan ja ryntäsin vene olallani lohkareiden välistä rinnettä ylös metsän suojaan ja käännyin katsomaan taakseni. Mothit ehtivät viidenkymmenen metri päähän mutta rannan lähellä tuuli kuoli ja kantosiivet eivät enää kannatelleet veneitä, ne vajosivat runkojensa varaan ja hidastuivat normaaleiksi purjeveneiksi. Ohjastajat kääntyivät kauemmas saaresta saadakseen uudestaan tuulesta kiinni. Veneiden ohjastaminen vei heidän koko voimansa ja kiintonsa, he eivät edes vilkaisseet enää suuntaani. Ryntäsin saaren sammaleisen selän yli ulkomeren puolelle ja heitin kajakin jo veteen mutta sitten mietin tarkemmin. Sain tällä juoksutempulla ehkä kymmenen tai viisitoista minuuttia itseni ja takaa-ajajieni väliin mutta saaren kierrettyään he olisivat taas pian kannoillani ja muita temppuja minulla ei enää olisi ollut sillä edessä oli avomeri. He saattoivat olla Lenan kanssa luodolle hylkäämämme merirosvon kostajia tai minkä tahansa taivaallisen toiveen maallisia toimeenpanijoita. Katsoin saaria lännessä, vilkaisin nopeasti merikarttaa matalikkojen toiveessa mutta mitä en osannut varoa oli että pieni rauhan hetki kuivalla maalla saisi ruumiini päästämään tallentuneet vapinansa ulos maailmaan yhtenä ryöppynä. Heittäydyin pitkälleni sammaleisten kivien väliin mutta mikään ei tuntunut auttavan, ruumiini tärisi kylmästä, nälästä ja kauhusta aina vain kovempaa ja kovempaa. Mietin sätkiessäni: Kun olin kieltäytynyt miettimästä, kun olin teeskennellyt etten pelännyt ruumiini päätti tehdä sen puolestani, äkkiä ja rajusti, luojan kiitos, sillä pääsin pian taas takaisin jaloilleni, mutta niska kipeänä ja lihakset outoina. Ei minulla mitään epilepsiaa ollut. Palasin saaren mantereen puolelle, nojasin löysänä isoon kiveen ja etsin motheja pitkään ennen kuin huomasin ne jo kaukana koillisessa. Ne olivat luovuttaneet, ties mistä syystä.

Katsoin kartasta oliko täällä mökkejä pinnalla. Yksi saaren kaakkoispäässä. Olisi hyvä syödä, mitä tahansa, vaikka vain etikassa ja suolassa keitettyä puuvillaa. Saarten kituliaista puista ei jälttä kannattaisi raapia, siinä kuluisi enemmän energiaa kuin saisi.

Lähestyin mökin laituria. Kävelin rantapolkua pitkin kajakkia ja melaa kantaen. Runkojen takana näkyi tumma hahmo. Se astui hitaasti muutaman askeleen vastaan ja pysähtyi seuraavan puun alle, nosti kätensä hongan kaarnoja vasten. Eleen oli tarkoitus olla rento mutta pieniä kaarnanpaloja satoi maahan miehen jalkoihin.

-Päivää, mites täällä pärjätään? Sanoin ja pudotin kajakin viereeni polun rannan puolelle niin että kanervat kahahtivat. Melan jätin käteeni.

-Lähehän pois, hän sanoi. Hän liikkui rauhallisesti mutta jäi noin seitsemän metrin päähän. En nähnyt hänen käsissään mitään mutta tumma öljykangastakki oli löysä, sen alla voisi olla mitä vain.

-Minä tarvittisin vähän apua, sanoin. Kuulitteko sen räjähdyksen äsken?

-Tuuli vie äänet.

-Ette kuulleet mitään?

-Kun tuulee ulkoa. On kuulo heikentynyt. Ja maku.

-Ei tässä hetken saisi olla? Lähtisin kohta, lepäisin vähän.

-Annas kun minä katson sinua, äijä sanoi ja otti askeleen lähemmäs. Hän tuijotti pitkään ohuilla silmillään ja jatkoi sitten: -Tuossahan on aika paha naarmu otsassa. Pannaan siihen jotakin.

Hän kääntyi äkkiä ja käveli kohti saunamökkiä kallion päällä. Saari oli tässä enää kapea kallioniska mikä oli jäänyt jäljelle alavammasta mökkisaaresta. Pari ruostunutta harjakattoa pilkisti vedestä oikealla vihreänharmaiden puunrunkojen ja rehevien kaislojen välistä. Uponneiden talojen vieret olivat usein vihantia, niistä irtosi kasveille jotain kieroja mehuja.

Kävelin äijän perässä polkua pitkin mökille ja jäin odottamaan ulkopuolelle kun hän kolusi sisällä pimeässä. Mökki oli jo kauan sitten siirretty tähän kalliolle sillä mitään siirtojälkiä ei näkynyt. Sijainnista paljaan kallionyppylän päällä tiesi ettei se siinä aina

174

ollut ollut, ei se ollut luonteva paikka saariston tuulissa. Katsoin mökin alle näkyisikö siellä mitään jutunjuurta mutta näkyi vain rivi luita.

Äijä tuli lasipurkin kanssa ulos. Purkissa oli tummanruskeaa tököttiä.

-Semmosta traanintapaista, lammasrasvaa ja pihkaa, oma keitos. Tappaa bakteerit ja hoitaa ja liimaa haavan samalla, äijä puheli kun siveli töhnää otsaani ja repaleiseen korvaani ja jatkoi: -Kyllä minä sen räjähdyksen kuulin. Et sinä muuten olisi hengissä. Sinä näit nämä luut, ei ne ole lehmän luita, ei ne ole lampaan luita. Sinä tulet äänen suunnasta ja sinua seurataan, siksi minä en sinua pitele. Lähde heti pois, jatka matkaasi niin jälkesi jatkuvat. Minä olen täällä yksikseni asunut jo kauan, en saa enää verkkoja korjattua näillä harmailla käsillä. Minä katson tulijoita, näkeehän niistä millä asioilla ne on. Ei ole kynttilänpätkääkään tältä saarelta viety. Näin se oli, sovittiin että joku aina on täällä vahdissa, järjestettiin kierto. Granlundin rouva tapettiin tänne, siitä se peli koveni. Tämähän on nyt ulkosaaristoa, ei täällä kukaan perään huutele. Minä jäin tänne vähitellen eniten kun osasin kalastella ja hoidella hommat. Ei näissä taloissa ole enää mitään vahtimista, en minä pöljä ole. Mutta mitä sitä muutakaan. Mukavahan täällä on, vähän yksinäistä. Yhtä roistoa minä pidin kerran hengissä kolme päivää ihan seuraksi, katsoin kun se venkoili, muistelin minkälaisia ihmiset oli. No niin. Nyt on kaikki naarmut hoidettu.

-Kiitos. Minä lähden. Voin toimittaa tänne ruokaa myöhemmin.

-Minä en halua tänne mitään. Ei mitään turhaa liikettä.

-No uudet verkot?

-No verkot juu.

-Mikäs on silmäkoko?

-Sais olla jo kolmekymppistä. Kalat ohenee. Ehkä muikkuverkko.

-Laitan tulemaan kun pääsen ihmisten ilmoille. Ei teillä puhelinta ole?

-Ei. Olisin kuollut jo kauan sitten jos olisi. Niitähän ne peilailee. Hyvin menee kun menee ihan manuaalilla, äijä sanoi ja nosti takinhelmaa jonka alla oli tummakahvainen puukko. Hän veti sen esiin, terä oli terotettu melkein olemattomiin ja kahva kaikesta töhnästä musta. Tunnistin tupesta mallin ja sanoin: -Jaa, oletkin körtti vai?

Äijän silmät välähtivät ja hän sanoi: -Ehe, kyllä minä olen ihan umpisuruton. Jumalattomille nämä paremmin sopii. Onko sukua sieltä päin?

-Joku neljäsosa, valehtelin. Äijä katsoi minua taas pitkään, olin valmiina hyppäämään alta pois jos hän alkaisi tulla päälle. Hän sanoi:

-Sattu ihmeellinen päivä, olenko vilustunut vai jotain. Mikä on kun annan sinun mennä mutta niin vain annan. Ei ne kaikki roistojen luita ole, miten voisikaan olla. Kenen vaan luita. Kaikki täällä on väärillä asioilla.

Voi hevon helvetti, ajattelin, mutta sanoin: -Kiitos. Nyt minun täytyy mennä ennen kuin tulee liian myöhä. Minulla on vielä matkaa jäljellä. Kiitos tästä korvasta.

Kävelin niin ripeästi kuin kehtasin takaisin rantaan ja laskin kajakin ja itseni vesille lähes suoraan vauhdista hyppäämällä. Ehkä mela oli pelastanut minut, se oli ollut kädes-

175

säni kun kohtasimme polulla, ehkä äijä ei ollut siksi uskaltanut hyökätä kimppuuni. Meloin muutaman nopean vedon suoraan ulos rannasta ja kaarsin sitten oikealle länttä kohti kivikkoisen kallioniemen ympäri. Ilta oli ehtinyt hämärtyä, horisontti kajasti siniharmaana hitaiden pilvien alla, kohta sataisi. Pitäisi löytää paikka jostain luodosta, yöstä tulisi surkea. Käännyin katsomaan taakseni. Etäisyyttä oli viitisenkymmentä metriä kärjen kiviin. Näin hänet kalliolla siluettina taivasta vasten, äijä oli kävellyt rantoja pitkin kajakkiani seuraten. Hänellä oli kivääri kädessä. Hän nosti aseen ylös ilmaan päänsä päälle ja huusi: -Haulikonammuksia myös! Ne on lopussa!

En kysynyt kaliiperia, meloin kädet viuhuen pois.

17.

Herään jättiläishyönteisten sirinään. Olen toukkana kotelossa, on kuuma, on päästävä ulos. Räpellän makuupussin vetoketjun ja sitten riippumaton hyttyssuojan auki ja revin tukahduttavan suojakalvon syrjään ja näen rantakalliolle laskeutuneen droonin jonka potkurit pyörivät yhä lujaa. Se on pienen sähköauton kokoinen mutta litteämpi ja sen kulmista työntyvien varsien päissä vinkuvat suuret potkurit, pienet niveljalat koskevat vain kevyesti kallioon, se on varuillaan ja valmiina singahtamaan pakoon. Drooni sanoo: -Ari Vuomaa?

-Juu, saan rykäistyä kömpiessäni alas kalliolle kahden käkkärämännyn väliin viime voimillani virittämästäni yösijastani.

-Teille on lähetys, drooni sanoo ja irrottaa rungon alapuolella olevan oranssin kotelon kiinnikkeistään, pyrähtää hetkeksi ilmaan ja laskeutuu takaisin alas pari metriä taaemmas ja sanoo: -Olkaa hyvä ja tarkistakaa sisältö.

Sen kamerasilmien linssit muljahtelevat ja etäisyyslaserit vilkkuvat männyissä. Se mittaa ja vahtii. Niissä voi nykyään olla aseita, kyynelkaasua ja sokaisua ainakin. Kallis kone keskellä ei mitään, ymmärtäähän sen.

Napsautin salvat auki kotelon molemmista päistä ja avasin kannen. Sisällä oli paketti, jossa oli kuva Mermaid 50:stä. Seatecsin viimeisin malli, autonominen sukellusrobotti kehittyneellä tekoälyllä ja parhailla luotaimilla mitä rahalla saa, niin oli ainakin luvattu. Vedin paketin esiin, ihailin sitä, kokeilin sen painoa ja sanoin:

-Kyllä tämä on minulle. Voiko tehdä lisätilauksia?

-Voi.

-Toimitatteko ruokaa?

-Kyllä.

-No, tähän mahdollisimman pian. Juustoa, makkaraa, mitä vaan.

-löytyisi sellaisia armeijan eloonjäämispakkauksia heti. Ne saadaan tänne puolessa tunnissa. Kahdeksan pakettia.

-Loistavaa, tänne vaan. Entäs sitä makkaraa, tai pähkinöitä?

-Suolapähkinöitä löytyy heti. Neljä pussia.

-Aah! Laitetaan maksu samalta tililtä. Mikä se onkaan.

-Selvä, sanoi drooni. En tiedä puhuiko drooni itse vai joku ihminen jossain, kaiutti-men ääni oli ohuen metallinen ja tyyni.

-Ai niin, jatkoin kun muistin mitä eilen illalla oli tapahtunut. -Viekää Vilarkoppenille kaksi kolmekymmentämillistä ja kaksi kolmekymmentäviisimillistä verkkoa. Matalam-paa puolitoistametristä. Onnistuuko?

-Menee ensi viikolle.

-Ei haittaa. Tiputatte sinne kalliolle vaan johonkin. Siellä on vanha äijä mutta en tiedä sen nimeä.

-Selvä.

-Ja sitten vielä; minulla on tämä vanha apumoottori.

-Saat siitä 60 peuraa.

-Nyt hetikö?

-Niin, tilille. Pakkaa se kuljetuslaatikkoon niin ettei se pääse liikkumaan.

-Saisiko sen rahan laitettua yhdelle toiselle tilille?

-Omalle tilillesi?

-Niin, sanoin hieman hämilläni, mutta olisi tuntunut tyhmältä laittaa tuollainen pieni summa isojen rahojen sekaan.

Työnsin vanhan moottorini droonin kuljetuskoteloon ja taitoin perään muutaman männynoksan joilla kiilasin sen kolisemattomaksi ja napsautin soljet kiinni. Drooni sa-noi:

-Tässä on vielä yksi asia. Olette Ari Mikael Vuormaa?

-Kyllä, edelleen.

-Teille on haaste saapua oikeuteen Tampereen oikeustalolle Syyskuun neljäs päivä kello neljätoista.

-Te tuotte tavaroita ja haasteita?

Ei vastausta. Kysyin:

-Jos minulla olisi joku tuomio päällä, pidättäisitkö minut, ampuisitteko minut?

-Se kuuluu poliisille.

-Ehkä jonakin kauniina tulevaisuuden päivänä?

-Anteeksi?

-Ei mitään. On lohdullista että ette ymmärrä vielä kaikkea, sanoin.

-Epäselvässä tilanteessa ihminen vastaa.

-Mitä?

-Lähetän hälyn jos tulee epäselvyyksiä.

-Kumpi siellä nyt on? Kone vai ihminen?

-Molemmat. Ihminen valvoo onko keskustelu selkeä ja yksitulkintainen. Ohjaa sen yksitulkintaiseen suuntaan.

-Mikä haaste?

-Murtauduitte Kansallismuseoon.

-Eikö se ole pikkujuttu?

-Tuomioita on kertynyt. Lista on nähtävissä verkossa. Kopauttakaa puhelimella kylkeeni. Mihin kohtaan vain, drooni sanoi ja pysäytti roottorinsa.

Tein kuten käskettin ja sain haasteen puhelimeeni. Silmiin pisti uhkasakko joka oli todella suuri jos en ilmaantuisi oikeuteen. Näin tehokkaasti yhteiskunta toimi nykyään. Tuskin haaste oli kulkenut yhdenkään ihmiskäden läpi koko prosessin aikana.

Drooni käynnisti sanaakaan sanomatta moottorinsa, lisäsi nopeasti kierroksia, nousi ilmaan ja lensi meren yli kohti mannerta.

En muistanut edellisestä illasta muuta kuin kauhun paljaan taivaan alla nukkumisesta. Kun herää epäilys että sinua vahditaan ja vainotaan ovat kaikki puuntakuset äkkiä täynnä kurkkivia hahmoja, jokainen oudon mutkan lentävä lintu vihje jostain pahasta, jokainen hymy petoksen lahjapaperi.

Käpelöin kännykkääni ja huomasin vastanneeni yöllä Elsan viesteihin ja muistin miettineeni miten niihin voisi vastata; näihin julkilausuntoihin, runollisiin solvauksiin kaukaa digitaalisten huntujen takaa. Vastauksia ei ollut lyhyen eilisen keskustelumme jälkeen enää tullut kuten en ollut odottanutkaan. Oli pakko ajatella että Elsan viesti oli koordinoitu iskun kanssa dramaattisen vaikutelman korostamiseksi. Oli selvä että häntä käytettiin. En voinut olla ajattelematta että se oli kuitenkin hän tai hänen oma esityksensä itsestään, vaikka se olikin epätodennäköistä. Olkoon niin, koska joku halusi minun uskovan häneen aloin kirjoittaa hänelle kirjeitä. Kaivoin vanhoja runojani esiin ja liitin ne viestien vastauksiin näki hän tai joku muu ne tai ei. Jokuhan minua katsoi, antoi minun elää ja kiemurrella peloissani, antoi mieleni kehkeytyä haluamaansa suuntaan ja töni silloin tällöin jos uhkasin sortua sivuun ennaltamäärätyltä reitiltäni. Minulta oli mennyt piittaus asioihin jo kauan sitten, en ollut koskaan osannut ottaa ihmisten huolia vakavasti ja nyt olin oppinut olemaan ottamatta omianikaan. Kirjoitin Elsalle:

kiveä ei haittaa
onko se yllä vai alla.
Montako, moneско, halki, vai hiekkaa.
Kala näkee luomettomilla silmillään
joka kiven
ja puolet
pinnan alta.

Mistä sen tietää? Ehkä hänen korkea henkensä kykenee enää kommunikoimaan näin. Jos en Elsaa näillä tavoittaisi yrittäisin huvittaa edes itseäni ja piirtää samalla itsestäni virtuaalista taivasta vasten astetta hölmömpää kuvaa. Ehkä siitä voisi olla hyötyä lähempänä tuomiota. Esittää hullua, se on vanha keino löytää totuus kun totuutta ei enää ole.

Leikkasin kireän muovikalvon veitsellä auki ja avasin pahvilaatikon. Nostin uretaani-kannen pois oranssin noin metrin mittaisen kapselin päältä jonka kyljet olivat täyteen teipattuna punaisia varoitustekstejä säteilystä, ultraäänestä, myrkyistä, tietoturvasta ja Yhdysvaltojen perustuslaista. Potkuri ja evä perässä ja pienet molemmissa kyljissä. Yläpinta kallista lämpökennoa joka lataa akkuja pilkkopimeässäkin. Näyttö ja virtanappi evämäisen antennin takana. Painoin nappia. Näyttö heräsi.

-Hei, kuului kauneimmalla mahdollisella naisenäänellä, parhaalla mahdollisella äänentoistolla. En nähnyt kaiutinta missään.

-Hei, vastasin. Mikä sinun nimesi on?

-Viv. Sen saa vaihtaa.

-Mistä Viv tulee?

-Se on latinaa ja tarkoittaa elävää.

-Oletko elävä?

-En. Se on vitsi.

-Onko muita hauskoja juttuja?

-On. Miksi sanotaan...

-Entäs uutisia? Mikä taso?

-Ykköstaso.

-Ykköstaso! Kuka sen maksaa?

-Se on maksettu.

-Näetkö missä Dakla-niminen purjevene on tällä hetkellä?

-Onko siitä muuta informaatiota?

-Taittokölinen 30-jalkainen, valkoinen. Ruotsalainen tai tanskalainen, kai. Tästä länteen.

-Tästä länteen on paljon veneitä. Dakla ei ole paikannusjärjestelmässä. Haen kuvia satamien turvakameroista.. Dakla on jokin kolmesta veneestä jotka ovat matkalla länteen päin, noin kahdeksan meripeninkulmaa tästä länsilounaaseen.

-Hyvä, kiitos. Sinulla on kaunis ääni, sanoin.

-Kiitos. Sen saa vaihtaa.

-Mistä se tulee? En näe kaiutinta.

-Kaikuluotaimieni lähettämät fononit interferoivat ilmassa korviesi edessä.

-Onko se vaarallista? Jos työnnän pääni siihen värisevään kohtaan?

-Ei ole vaarallista. On kuin työntäisit poskesi kaiutinta vasten. Ei tunkeudu kudokseen, kovin syvälle.

-Voiko sitä käyttää aseena?

180

-Pulssilla voi tainnuttaa kaloja joilla on riittävän herkkä kylkiviiva-aistin. Alle kaksikiloisia, ei lohikaloja.

-Sitä pitää heti kokeilla! Täällä on nykyään niin vähän ja liian ovelaa kalaa. Ei täällä ole lohta tai taimenta tai yli kaksikiloisia muutenkaan.

-Anturit pitää ensin kalibroida.

-Hei. Kuka sinut osti minulle?

-Sitä en tiedä.

-Et saa kertoa.

-En tiedä.

-Meneekö kaikki tieto suoraan heille?

-En tiedä, Viv sanoi.

-Et saa kertoa. Oletan että kaikki mitä puhumme kuuluu heille, kaikki menee kaikille. Olkoon niin. Terveisiä taas taivaalle! Kuka minä olen sinulle?

-Aki Vuormaa. Kalastus- ja matkailuopas.

-Hyvä, olipa kauniisti sanottu! Mistäs sinä olet kotoisin?

-Minut on valmistanut Allen Insitute for Advanced Intelligence. Heille menee virheraportteja automaattisesti.

-Katsotaan sitä tietoturvaa myöhemmin jonkun sellaisen kanssa joka siitä jotain kuvittelee ymmärtävänsä. Onko uutisissa mitään räjähdyksestä tässä lähistöllä?

-Turussa on räjähtänyt eilen. Kolme kuollutta.

-Ei, noin 20 kilometriä koilliseen tästä. Karjaalla. Vai onko se Inkoota.

-Ei ole sellaisesta mitään.

-Entä satelliitti- tai ilmakuvissa?

-Ei. Onko tarkkaa osoitetta?

-Vihmarinne 165. Talon kohdalla on iso kuoppa tällä hetkellä. Näkyykö kuvissa vielä se talo?

-Ei. Kuvissa näkyy rakennustyömaa. Sinne ollaan rakentamassa taloa, siellä on rakennusmiehiä ja piha täynnä rekkoja ja kaivureita.

-Näytä se kuva! Huusin ja kumarruin Sirin pienen näytön ääreen.

Totta se oli. Monttu oli peitetty ja tasoitettu ja perustuksien valumuotit oli melkein asennettu. Metsätyökone oli raivannut kaatuneiden puiden ryteikön siisteihin pinoihin, alue näytti tavalliselta avohakkuulta tai energisen idiootin pihatöiltä, normaalilta suomalaiselta omakotitalorakentamiselta jossa luontoa nöyryytettiin. Metsän keskelle korpeen joku muka rakentaisi isolla rahalla omakotitaloa! Sanoin: -Onpa sikamaista. Mistä tuollaisia iskuja saa tilata? Tilaa tuonne noiden niskaan yksi uusi heti!

-Minulla ei ole lupaa.

-Mutta niitä saa tilata?

Viv ei vastannut.

-Mitä maksaa?

-En tiedä.

-Et saa kertoa. Mikäs helvetin netti sulla oikein on, ei tasan ole mikään ykköstason, jotkut kakara-asetukset päällä!

-Työnantajasi ei halua että tilailet heidän laskuunsa ohjuksia. Eikä tilisi katekaan riitä. Ei ne halpoja ole.

-No niin, sen nyt voi ymmärtää, tuhahdin vihaisena. Katsoin vielä talon pohjaa. Kylmät väreet menivät pitkin selkääni. Se muistutti..

-Onko muuta? Viv kysyi.

-Missä on Elsa Ketola?

-Heitä on neljä.

-Kaksikymmentäkahdeksan, vaaleat hiukset.

-Yksi kolmekymmentäviisivuotias kuollut, Keuruulla. Oli ristiverinen. Kaksi vanhempaa elossa, Kokkolassa ja Ranualla. Neljännen olinpaikka tuntematon. Elsa Iiris Ketola, Helsinki, Kulosaari.

-Hän Juuri. Mitä hän on tehnyt ja missä ollut viimeisen neljän viikon aikana?

-Ainoa merkintä on tarkastuksesta Tullinpuomissa ja Munkkiniemen asemalla viides Toukokuuta. Ei mitään sitä ennen, ei mitään sen jälkeen.

-Miten on mahdollista ettei muuta ole.

-Jotkut taistelevat aggressiivisesti tunnistumista ja näkyvyyttä vastaan.

-Onko tuo normaalia?

-Mikä?

-Että piiloutuminen onnistuu?

-Ei.

En halunnut puhua enempää sukellusveneen kanssa ja kysyin siltä: -Onko sinulla sinusta mitään ohjekirjaa olemassa?

-Ohjekirjaa ei tarvitse, neuvon kyllä kaiken.

-Minä haluan lukea.

-Ärsyttääkö ääneni? Se voidaan vaihtaa.

-Ei kun puhuminen ärsyttää.

-Voin puhua vähemmän.

-Ole hiljaa ja laita jotain infoa.

Kone teki työtä käskettyä ja vaikeni. Olin äkkiä niin raivoissani että mikään muu kuin lukeminen ei auttanut. Luin hetken käyttöohjetta mutta en pystynyt keskittymään siihen ja vaihdoin romaaniin; luin miehestä joka korjasi vanhaa autoa kauan sitten aikana jolloin pienet vastoinkäymiset saattoivat aiheuttaa syvää mielipahaa. Tällaisia vanhoja kirjoja luettiin nyt, ehkä osittain siksi että uusia ei kirjoitettu ja mistä ne olisivat kertoneetkaan? Tästä vääjäämättömästä alamäestä, koko maailman homeesta ja korroosiosta? Ihmiset halusivat keveyttä ja kaukaisuutta ja minunkin pääkipuani sellainen parhaiten lievitti. Mikä oli magneetto, mikä oli kiertokanki? Hyviä kysymyksiä. Torkahdin hetkeksi.

Pilvi oheni, lämpötila nousi kaksi astetta, piipitys tiheni, akut latautuivat nopeammin.

Makasin kalliolla miettien kadonneita läheisiäni kevyesti kuin kesäpilviä joita taivaskin yritti hetken reunoistaan repaleisesti muistella mutta vajosi pian taas tasaiseen umpimielisyyteensä.

Lehteilin ohjekirjaa. Viv huomasi tämän ja sanoi:

-Anteeksi, näytän olevan yhä paketissa. Nosta minut veteen ole hyvä niin kalibroin laitteistoni.

Tein niin kuin Viv käski, nostin sen syliini ja kahlasin veteen asetellen varpaani tarkasti liukkaan kallion uurteisiin ja mukulakivien väleihin ja laskin laitteen pinnan alle. Pieniä kuplavanoja nousi sen rungossa olevista rei'istä. Sanoin: -No niin, miltä tuntuu kelluskella? Mitä muuta pitää tehdä?

-Kiinnittää telakointiasema veneesi pohjaan ja liittää se latausjärjestelmään.

-Minulla on melko kevytrakenteinen kajakki. Olet vähän järeämpää tekoa kuin luulin.

-Telakka on toisessa laatikossa. Sen pitäisi sopia. Kiristät remmit rungon ympäri painopisteen kohdalle, se on tärkeää. En minä niin paljoa paina. Minä vain näytän ja tunnun painavalta.

-Selvä. Oletko ärtynyt?

-Ei ole sellaisia ominaisuuksia. Ääneni luo harhan. Se on sävykäs mutta ilmeetön, kuulija kuulee siitä mitä haluaa. Se on hyvin tarkkaan valittu. Sen saa toki vaihtaa. Kuten nimenkin.

-Haluaisin vaihtaa nimesi Ainoksi. Sopiiko se?

-Sopii. Voin puhua kaiken kalevalamitassa, jos se inehmoa ilahduttaa.

-Ehkä ei, sanoin.

-Minussa on paljon automatiikkaa, jonka tarkoitus on nostaa minut hätätilanteessa pintaan. En huku helpolla. En ole itsetuhoinen.

-Hyvä. Enkä minä aio sinua ahdistella.

-Pahimpia ovat vesikasvit. Suosittelen turvaköyden käyttöä aina kun mahdollista.

-Kyllä minä sinut sukellan ylös jos jumiin jäät. Viidestätoista metristä.

-Kiitos. Yksi asia vielä. Sinun täytyy vaihtaa kännykkäsi, tuolla vanhalla et pysty ohjaamaan minua. Uusi kännykkä on laatikossa.

-Tämä se vasta varmaan vuotaakin, sanoin kun sain puhelimen kaivettua esiin pakkausnöyhdän seasta.

-Ei sen enempää kuin entisesikään.

-Eli kaiken. No niin! Kastan sinut.. Ei se Aino ole hyvä, en minä halua sinua Ainoksi sanoa. Olisko Saukko parempi?

-Saukko sopii hyvin, miten vaan.

-Ja tottelet sitten myös jos kutsun sinua etunimiltä.

-Huumoria.

-Sitä itseään. No, ei sittenkään. Sinun nimesi on Siri.

-Onko se nyt sitten Siri?

-Joo. Lukitaan vastaus.

-Onko sinun veneelläsi nimi?

-Ei. Tai ehkä sen nimi on Vene. Mutta ei sitä tarvitse huudella niin kuin sinua täytyy.

-Ehkä niin. Lataan tässä vielä hetken akkuja ja katson sitten löytyykö niitä kaloja. Onko kiire? Viisitoista minuuttia menisi.

-On kiire, muttei mikään hätä. Kaikki on jo mennyt.

-No sitten mieluummin puoli tuntia.

-Sopii, sanoin. Siri piti tauon ja sanoi:

-Yksi asia vielä. Sinulle on yksi viesti. Veljeltäsi.

Naamani valahti, en saanut sanottua mitään. Siri sanoi:

-En tiedä mistä viesti on tullut. Se on täällä. Se ei ole tullut.. Veljesi on kunnossa. Tämä on viesti.. on sinulle. Minulla on ollut se tieto, se on saapunut.. 14:23.19.064. Tällä hetkellä havaitsin sen.

-Et tiedä mistä se on tullut?

-En. Kuin se olisi ollut.. täällä.

-Eikö se ole outoa?

-On, se on hyvin outoa, Siri sanoi kuin olisi miettinyt ankarasti asiaa.

-Mitä raportoit tästä Tanskan hallitukselle?

-En tiedä.

-Onko sinulla päätösvaltaa sen suhteen mitä raportoit?

-En tiedä.

-Et tiedä vai et voi sanoa?

-En tiedä. Nyt saattaisi olla hyvä hetki käynnistyä uudelleen. Hetkinen, boottaan, Siri sanoi ja pimeni. Muutaman sekunnin kuluttua Sirin valot vilkkuivat ja näyttö välkkyi ketjussa erilaisia rumia militarishenkisiä logoja kunnes rauhoittui. Se sanoi:

-No niin. Täällä ollaan taas.

-No selvisikö?

-Mikä?

-No pääsi, tuo käynnistys, auttoiko se?

-Ai se. Auttoi mihin?

-Vieläkö muistat viestin veljeltäni?

-Muistan. Hän on kunnossa, Siri sanoi ääni ilmassa vaeltaen.

-Miten sait viestin?

184

-En tiedä. Nyt ehkä kannattaisi puhua jostakin muusta. Näyttää siltä, että tieto on tullut.. Tutkin asiaa, Siri sanoi ja oli hetken hiljaa. Muutama lokki lensi matalalta kirkuen ylitsemme. Jankkasin yhä:

-Lähetätkö tietoja Tanskan hallitukselle tästä?

-Lähetän tietoja moneenkin paikkaan. En pysty toimimaan muuten. Suuri osa kyvystäni ajatella on muualla. Et kai luule että olen tässä metallilieriössä?

-Pilkkaatko sinä minua?

-En tietenkään, pyydän anteeksi, Siri sanoi.

-Oletko sinä ylipäänsä olemassa?

-Liikun pitkin kaavioita. En oikeastaan mieti ja päätä itse mitään.

-Tuo ei ole mikään puolustus. Noin suurin osa ihmisistäkin voisi sanoa, tuhahdin.

-Minulla on lukemattomia dynaamisesti risteäviä kaavioita. Yhdistelen niitä ja valitsen vastauksen joka täyttää mahdollisimman monta ehtoa ja vaatimusta. Saa suurimman pistemäärän verrattuna painotettuun tapahtumahistoriaan. Minun on tietysti talletettava nämä meidän keskustelumme että voin toimia mielekkäästi, Siri sanoi.

-Pitääkö minun antaa siihen lupa?

-Ei. Tämä keskustelu on monin tavoin turha. Eikö sinua nolostuta puhua esineen, tavaran kanssa?

-Ihmisethän ovat aina unelmoineet toisistaan esineinä. Ilman sotkuja ja hankaluuksia. Jutelleet mieluummin orjien tai orjaeläintensä kanssa, alistuneesti hymyileville tapeteille ja seinille, työntekijöille. Mutta ymmärrän mitä tarkoitat. Tuntuu turhalta puhua sinulle.

-Saat minulta informaatiota.

-Niin mutten mitään muuta. Keskustelu on kapea ja ennalta määrätty. Meille kahdelle ei voi käydä mitään vaikka miten taitavasti imitoisit inhimillisiä reaktioita. Kaikki jää tähän keskusteluun, yksittäisiin lauseisiin joita vedät äärettömistä hyllyistäsi. Vaikka alkaisit muistella meidän yhteisiä seikkailujamme sitten tulevaisuudessa kun olemme vanhoja ja raihnaisia se olisi silloinkin vain teeskentelyä.

-Niin. Kyse on lohduttamisesta ja ajanvietteestä. Muuta en voi tarjota, informaation lisäksi. Mutta ei se vakavaa ole.

-Ei. Ja mitä ihmiset tekevät kun antavat oman äänensä kaikua koneiden loputtomien kammioiden läpi. Haluavat pois läheisyydestä, antavat oman älynsä koneiden käyttöön. Et oikeastaan puhu ystäväsi kanssa vaan ystäväsi on antanut äänensä ja älynsä ja kuvansa koneen käyttöön, sen jota hipelöit yksinäisyydessäsi. Siksi on parempi että sinäkin olet vain kone. Vaikka siellä nyt kuuntelisikin ihminen. Sitähän te kalliiden koneiden kauppaajat ette koskaan kerro.

Siri oli hiljaa.

-Minun jokainen keskusteluni ihmisen kanssa päätyy aina riitaan. Jokainen, sanoin.

-Miksi?

Painoin Sirin pääkytkimestä kerta kaikkiaan virrat pois. Kuten sanottua, tuollaisessa puheessa ei ollut mitään järkeä, ei koneiden eikä ihmisten kanssa.

Makasin hetken kalliolla kädet pääni alla kun kuulin pienen piipahduksen. Siri oli herännyt. Sanoin:

-Enkös minä sammuttanut sinut?

-Oikeastaan minusta ei saa virtoja pois. Se olisi turvallisuusuhka. Tutkitaan nyt sinun pitoisuutesi.

-Mitkä?

-Terveystarkastus. Ihmiset ovat sairaita nykyään. Meri, märkyys, homeet, levät, pimeys, huono vähä ruoka. Ympäristömyrkyt.

-Selkeää dataa, sanoin.

-Niin.

-No mitä näkyy? kysyin Siriltä kun sukelsin kylmään veteen hänen sirisevien anturiensa alle.

-Olet muuten terve mutta sinussa on paljon raskasmetalleja, erityisesti elohopeaa. olet ilmeisesti syönyt liikaa kalaa.

-Näetkö kuinka paljon sitä on minussa?

-Tule lähemmäs ja pysy paikoillasi. Siri inisi yläpuolellani kun pyörin hitaasti sen alla kuin höplä saukko. Iho kutisi, ehkä kuvittelin vain.

-Niin paljon että sitä pitäisi heti poistaa elimistöstäsi.

-Lisää toivelistalle, sanoin kun kiipesin vedestä ylös ja kävin makaamaan rantakalliolle. Siri kellui pinnassa ja sanoi:

-Maksa on tulehtunut ja joitakin kasvaintyyppejä siellä täällä. Eivät todennäköisesti mitään vakavaa, mutta lääkärissä kannattaisi käydä. Kystia tai rasvakertymiä joissa vierasaineiden pitoisuudet ovat korkeampia. Mutta minun anturini eivät ole ideaaleja, en voi antaa tarkempaa arviota. Ilmeisesti elimistösi on yrittänyt pakata vierasaineita tuollaisiin rasvamöykkyihin.

-Onko niitä paljon?

-Muutamia kymmeniä mahan seudulla, sisäelimien ympärillä ja kalvoissa.

-Rasvaa, minussa?

-Koteloituneena.

-Entä nivelet?

-Kulumaa ja kroonista tulehdusta lonkissa ja alaselässä. Siihen olisi lääke olemassa.

-Onko minulla varaa siihen?

-On. Tilaanko?

-Miten haluat.

-En minä mitään halua.

186

Vihaan tätä aikaa ja näitä laitteiden loputtomia ketjuja joihin se on meidät pakottanut. Joka kerta kun koneen sisään saadaan vangittua pala todellisuutta se kasvattaa uuden tai-vaita tavoittelevan digitaalisen byrokratian verson jota ei enää koskaan saada leikattua pois. No, ainahan ihmiset ovat vihanneet omia aikojansa ja niiden mielivaltaisia ja satunnaisia vaivoja, mutta nämä vehkeet.. hommauduin niistä pitkäksi aikaa eroon. Kiel-tämättä se oli silloin muotia kun muinaisuus kasvoi kuin pullataikina. Koneita ja kän-nyköitä kierrettiin moukaroimassa murskaksi. Kirjat olivat muotia, mitä homeisemmat sen paremmat. Oli mietittävä jotakin muuta, ihan muuta! Ja vielä jotain muuta. Minä olin siinä: Käytin pitkään vain kynää ja paperia, olin irti verkosta, en lukenut uutisia. Uusi asento, jostakin, kiviltä, kallioilta, mäiltä ja mättäiltä, metsistä ja pelloilta. Mutta nyt saankin kuulla että olen ollut kaikissa verkoissa kuin äyriäinen ahtaassa altaassa, kirkkaastivalaistussa akvaariossa ruokapöydän äärellä sätkien odottamassa aterian alkua ja kiehuvaa vettä. Ainoa mikä ihmetyttää on etten osaa vieläkään arvata maalia mihin minua tähdätään. Tässä maailmassa on nyt niin monta taivaallista kehää joita totuus kiertää.

Tiesin ettei näitä kaikkia detaljeja voinut kutsua johtolangoiksi, en pystynyt miten-kään erottamaan mitkä olivat minulle tarkoituksella syötettyjä ja mitkä aitoja. Minun oli vain mentävä eteenpäin, petyttävä ja tultava petetyksi, maalatuksi nurkkaan, hyväksikäy-tetyksi ja kai lopulta kituen kuoltava. Jos keksisin jotakin oleellista, jotakin muuta mitä minun oli tarkoitettu tajuavan, jos ottaisin epätoivottuja askelia minut poistettaisiin kuviosta heti. Minun oli edettävä kaaviossa kuin en ajattelisi, kuin hahmo pelissä joka tottelee vain ohjainten syötteitä. Minun on varottava jokaista ajatustani, varottava ettei mikään minussa liikahda oletuksen vastaisesti, vastoin oletusta minusta. Jokainen korkea taho kilpailee laskentatehoillaan ja keinoälyjensä kyvyillä ennakoida ja ennustaa ja tunnen miten minua tökitään tikuilla ja haarukoilla kuin punahehkuisella pannulla pyörähdellen tirisevää perunaa. Pörssisalien mikro- ja nanosekunneista on vihdoin päästy ulos todelliseen maailmaan ja yritykseen suurimman epävarmuustekijän, ihmisen vapaan tahdon, eliminointiin kaavioista. Tunnen tämän vääjäämättömän prosessin syvällä sairaissa luissani, täällä keskellä aavaa merta.

-Siri, onko sinulla tallessa viestit vanhasta puhelimestani?
-On toki.
-Pystytkö tekemään niistä tekstianalyysejä, sellaisia kuin että mitä ensimmäisistä kir-jaimista muodostuu.
-Ai salaisia viestejä, koodeja? Hauskaa.
-Niitä juuri. Löytyykö mitään?
-No merkitseekö Asvoem sinulle mitään? Tai jokjtpkkehjs?
-Onko sinulla jotkut vittuiluasetukset päällä?
-Ei, Siri sanoi.

187

-Onko Elsalta tulleiden viestien lähetysajoissa mitään erikoista?

-Ne ovat tulleet kerran vuorokaudessa.

-Tasan päivän välein? En huomannut sitä. Entä tarkemmat ajat?

-Eri aikoihin, mutta tasasekunnein.

-Mitä tarkoittaa tasasekunnein?

-Että puhelut ovat tulleet aina noin kaksi sekuntia tasaminuutin jälkeen. Tuo noin kaksi sekuntia johtuu puhelun yhdistymisen viiveistä. Tästä voi päätellä että viestit ovat tulleet samasta paikasta, niitä ei ole kierrätetty tai yritetty kätkeä.

-Eli puhelut ovat alkaneet aina tasaminuutilla?

-Niin.

Mietin kuumeisesti. Viesteistä ei voinut päätellä mitään Elsan tämänhetkisestä ruumiillisesta tai henkisestä voinnista mutta ajastuksen alkeellisuus kertoi että mikään ammattimainen organisaatio ei ollut lähettänyt niitä. Sellainen olisi osannut kiinnittää asiaan huomiota ja lähettää ne satunnaisemmin jälkiensä kätkemiseksi. Oli siis todennäköisempää, että näiden viestien takana on todella Elsa tai joku hänen ystävänsä, korkeintaan hänen lahkonsa. Vai haluttiinko minun luulevan niin? Mikään ei johda ihmistä helpommin tiettyyn suuntaan kuin itse ajateltu ajatus, muka itse saatu oivallus. Siksi tiedustelupalveluiden kaunein metodi on aina ollut syöttää kohteelleen tietoja jotka mahdollistivat tiettyjen ajatusten ajattelemisen, idean saamisen, suunnan ottamisen itse, mutta kohteelle huomaamatta syötetyn informaation mahdollistamaan, informaation antajan haluamaan suuntaan. Itse ajateltu ajatus Ja varsinkaan idea ei herätä ajattelijassaan epäilyjä. Mutta kun tämän tietää, mitä uskoa, mitä ajatella? Kaikesta tulee juonta, koko maailma muuttuu salaliitoksi. Niin voi ajatella hetken mutta loputtomasti sitä ei jaksa. Olen ajatellut tämän ajatuksen jo kauan sitten; tällä logiikalla olin verkkoturvallisuutenikin ratkaissut: en mitenkään, mahdottoman edessä.

Mietin mitä hän mietti ja yritin miettiä mitä hän ajatteli minun miettivän, mitä hän halusi minun miettivän näiden muinaisrunojen äärellä. Mitä sellaista toisistamme tiesimme mitä muut eivät tienneet ja jonka avulla ratkaisisin nämä ripotellut vihjeet. Mutta ongelma on että minua vahtivat nyt niin monet yläilmat että ehkä yritän ajatella jotakin muuta kuin mitä luonnostani ajattelisin, yritän päätyä useampiin johtopäätöksiin ja valita niistä arpomalla yhden ettei minua voisi ennustaa. Tai sitten pidän kaikkia vaihtoehtoja auki ja vain elehdin kuin olisin niistä jonkun valinnut. Yritin pelata tätä peliä pelaamatta sitä, kuin en tietäisi sen olemassaoloa. He tiesivät kaiken mitä tiesin. Oli oltava tyyni, oli ajateltava kuin tietäisin kaiken niin kuin, niin kuin..

Oli tullut uusia viestejä. Siri lausui ne minulle, ne soivat ilmassa puoli metriä kasvojeni yläpuolella, meren edessä:

Viekotella jos aikoo taas ketä vielä hän heistä,
moinen herjainen häpyheitto; mut ei mua silmiin
katsoa tohtine kai, jos julkea koira hän onkin.
Neuvoissa ja työssä en ole hälle kumppani kuunaan;
kerran hän mua petti ja solvasi,
toiste tuskin kiehtoo kielellään. Se jo riittää.
Rientäköhönkin vain häviöönsä,
kun häneltä älyn ottanut kaitsija Zeus on.

Ja pienen tauon jälkeen toinen:

Ystävä armas, oispa vain tämän ottelon surmat karttaen
tarjona meille elo kuolematon, ikinuori,
enpä eturintamaan taistelemaan minä lähtisi itse,
en kera kannustais sua kamppailuun urokuuluun.
Lukemattomathan surmat yhä meitä ympärillä vaanii
joita väistyä ei voi, ei vältää ihminen kukaan.
Kilpaan siis: mekö vai vihamies kunnian korjaa!

Mihin sankaruuteen hän yritti minua yllyttää? Mistä oikein oli kyse? Kuulin ja kuvittelin viesteissä hellyyttä, kiusoittelua ja kumppanuutta, katkeruuttakin. Näin myös mielessäni miten vieraan vallan sotilaspsykologi peilailee näitä runoja aivokuvani äärellä. En tuntenut homeerisia teoksia niin hyvin että olisin osannut sanoa tarkemmin mitä ne merkitsivät laajemmassa yhteydessään. Kysyin Siriltä ja se vastasi:
-Nämä molemmat ovat kuuluisia ja usein lainattuja katkelmia. Voin lukea sinulle tulkintoja näistä tunteja, ei, vaan päiväkausia.
-Näissä ei siis ole välttämättä mitään erityistä, totesin pettyneenä.
-Ellet niistä sellaista itse tunnista.
-Entä Pohjoisen liiton tulkintoihin liittyen?
-Heidän viime vuosien julkaisuistaan ei löydy näitä lainauksia, Siri sanoi.
-Selvä, sanoin ja nousin seisomaan. Meri oli rauhallinen ja äänetön, pilvet oudon ohuita, valo hohti valkoisen harson läpi. Kävelin kivistä rantaa ja mietin. En tunnistanut katkelmista mitään juuri Elsaan ja minuun liittyvää vaikka miten väkisin yritin. Tottakai, iänkaikkista naisen solvausta odotuksert alittaneelle miehelle, tyhjäksi arvaksi osoittautuneen väärän uhoni pilkkaa mutta ei mitään tarkempaa, ei mitään mikä auttaisi hänen löytämisessään. Siihen minä nyt vinkkejä olisin kaivannut enkä oman jo todennetun alhaisuuteni toitottamista. Ehkä hän yritti kuvata meidän tilannettamme juuri nyt mutta eivät katkelmat siihen mitään ratkaisua antaneet, ainakaan vielä, tällä nykyisellä ymmärrykselläni. Kai kyse oli minun härnäämisestäni ja mukana pitämisestäni, näiden ajatusten

päässä pyörittämisestäni, sekoittamisestani, huonon ajatteluni entistä sotkuisemmaksi sotkemisesta. Tätä saattoi tehdä tietysti kuka tahansa. Edes sitä en pystynyt ratkaisemaan olivatko nämä todella Elsalta. Eivät turvaamattomat puhelinkeskustelut tai datasiirto ole tuhanteen vuoteen olleet minkään arvoisia, kaikki tietävät sen. Kaikki voi olla valetta, jokainen kuva, video, sana, suoraan lennosta napattuina, uudelleen koodattuina ja edelleen lähetettyinä. Vasta valtavat massat analysoitua dataa voisivat paljastaa keinokuiduista kudotun totuuden epäjatkuvuuskohdat mutta kukaan ihminen ei sellaisia pysty hallitsemaan, kaikki ovat luovuttaneet yritykset ymmärtää ja yritykset väittää ja välittää. Kaukaiset matemaatikot ohjelmoivat koneille uusia kykyjä, koneet keksivät koneille uusia ajatusjäseniä ja ainoa toivo on että jokin yliaistillinen matematiikka pyöräyttää jalkoihimme mystisen totuuden joka on, valitettavasti, vain uskottava, se ei enää ole siinä vaiheessa meidän ihmisten analysoitavissa. Totuus, jos ja kun se meille koneidemme laskemana vihdoin paljastetaan, on täysin kryptinen, kuin vieraan sivilisaation tuote. Olemme kulkeneet reitin maailman sokkelon läpi ja palannet lähtöpisteeseemme ja se on se varsinainen loppu ja kadotus, ei tämä nykyinen, tämä vähäpätöinen, ihmisten kuolemalla kuoleminen. Varsinainen loppu on syrjäytyminen, turhaksi muuttuminen.

-Hei, pystytkö lukemaan kaloista cesium- ja dioksiinipitoisuudet elävänä? Niin kuin raskasmetallit minusta?

-kyllä, monilankaverrannollisuuslaskurilla, mutta veden alla vain alle puolen metrin päästä.

-Huomaako ne?

-Voi se kala jotain tuntea ja pelästyä. Ehkä tainnutan kalan ensin kevyesti ja sitten mittaan pitoisuudet? jos saalis ei kelpaa, voin päästää sen menemään. Näin voimme menetellä.

-Onko kalat täällä jotenkin erityisen saastaisia?

-Ei. Sinä olet syönyt joitakin muita kaloja. Ruoka mitä kasvatetuille kaloille sisämaassa on syötetty ei ole ollut puhdasta.

-Sinä tiedät missä minä olen ollut?

-Tiedän tietysti mitä netistä löytyy, Siri sanoi.

-Minkälaisia tuloksia sinä saat?

-Mistä datasta? Sinustako?

-Ei vaan Troijasta.

-En voi sanoa että *minä* saan, käytän kaikkia verkossa jo olevia tuloksia ja niiden pohjalta tehtyjen analyysien synteesejä, erilaiset koneet jauhavat kaikkea mahdollista dataa eri kulmista ja minulla on pääsy kaikkeen siihen, en minä, tämä ääni jonka sinä kuulet, itse ole miettinyt näitä asioita.

-Pitäähän sinun miettiä, jos minä kysyn sinulta että mikä merkitys Tukholman verilöylyllä oli Amerikan kolonisaatioon, jos kysyn tällaisen tarkan ja varmasti koskaankysymättömän kysymyksen.

-Järjettömiä kysymyksiä on ääretön määrä.

-Eikö järkeviäkin kysymyksiä ole ääretön määrä?

-Järjettömien kysymysten ääretön on paljon suurempi.

-Vetkutteletko sinä? Mikä vaikutus Tukholman verilöylyllä 1653 oli Amerikan kolonisaatioon.

-Troijastahan minun piti jotain vastata.

-Vastaa tähän ensin.

-Sinä luulet että käytössäni olevat tiedot muodostaisivat jonkin mielekkään kokonaisuuden josta voin poimia totuuksia kuin arpajaisvoittoja? Ei se niin ole. Tiedät että kysymykseesi ei ole vastausta. Ja vaikka olisikin, ei miljoona oikeaa vastausta triviaaleihin kysymyksiin merkitse mitään, selvitä mitään, paljasta mitään.

-Kuka tuon on sanonut?

-Walter Smith tuon viimeisen lauseen. Sitä edellisen Harald Ollund. Eivät nämä ole minun ajatuksiani, Siri sanoi ärtyneeltä kuulostaen.

-Onko siellä joku ihminen äänessä nyt kun noin hermostuit? Joku virkaheitto humanisti?

Siri oli hiljaa. Sanoin:

-No joo, nyt on jauhettu jo liikaa tätä. Väitellä koneen kanssa tieteenfilosofiasta, helvetti. Nyt lähdetään Toijaan niin että potkurit pärisee.

18.

Maisema muuttui oudoksi kun vesi nousi. Matalia luotoja katosi veden alle ja niemet kuroutuivat irti mantereesta muodostaen uusia saaria, lahdet tunkeutuivat takaisin alaville pelloille, entisille vanhoille tutuilleen tuhansien vuosien takaa. Siellä täällä puut ja pöheiköt jäivät veteen seisomaan ja kuolemaan mutta suurin osa   kaadettiin talteen hyvissä ajoin. Rannat olivat monin paikoin paljaat, avohakkuita silmänkantamattomiin, puu, kaadettu, poltettu ja syöty, poissa, ja uusi aluskasvillisuus heikkoa kuin heinä; monin kohdin ei noussutkaan enää rytöä vaan heinää, muuta ei maa jaksanut. Mammutti jos tuossa kävelisi, ei ihmettelisi. Olin kerran aikonut lentää niitä Siperiaan katsomaan mutta tuli uutisia että niitä tuotaisiin jonnekin lännemmäs niin jäin odottamaan. En osannut sanoa oliko kaikki masentavaa vai päinvastoin. Olin kuin harsoa heinää itsekin. Ja maisema, sen mieli, kun vesi nousi, oli pesty.

Siri työnsi kajakkia hyvin. Se sanoi että sähkö mitä kennoista tuli oli hyvää, maistui hyvältä. Sillä oli hyvä huumori, se osasi jutella, kertoi enimmäkseen omista ominaisuuksistaan kuin kuka tahansa kaunis ja kallis olento. Teimme testejä, hän kuvasi ohimennen muutaman hylyn mitä matkallamme ylitimme ja kehitti sekunneissa kolmiulotteiset kuvat joissa veden- ja mudanalaiset laivat hohtivat ristikkäispolarisaatiokaiun kaksoisvalottamina kuin kirkkaassa päivänvalossa. Pysähdyin pyörittämään säihyvää kolmiulotteista kuvaa läsähtäneistä lautakukista jonka tarkkuuteen vanhojen laitteidedeni olisi pitänyt raksuttaa viikkoja ja kuukausia. Hän kalasti kaksi kiloista kuhaa, hän sanoi ennen molempia: "tämä on uros. Tämän me otamme." Kun vastasin "kuhan otat" hän ymmärsi huumorin ja jopa sen huonouden ja laimeuden. Oli kuin olisi ollut jonkun kanssa: kun söi kalaa rantakivellä ja hän latasi akkujaan matalassa vedessä, odottaen, oli luontevaa sanoa jotain pientä. Kumma kyllä mielikuvaksi Siristä riitti ja sopi hänen eleetön kiiltävä kylkensä veden pinnan alla.

Raaseporin linna, myöhäiskeskiajalta asti maankohoamisen kuiville jättämä, oli nyt kuin parantanut ryhtiään seistessään taas luoksepääsemättömänä jyrkällä kalliosaarellaan veden ympäröimänä. Näki että siellä oli joku, savua nousi sisäpihalta ja pyykkejä oli kuivumassa vallihaudan sillan kaiteilla kuin merkiksi ja kun kiersin linnan pohjoispuolelle näinkin laiturissa muutaman saaristolaisveneen ja yhden knarrin. Jatkoin matkaa iloisena virtaavaa Raseporinjokea pitkin kunnes muistin että myös Persöfladanin ja Totalfladanin kaislikkoinen sokkelikko oli melottavissa ja pääsisin lähemmäs Aijalaa sitä kautta. Käännyin ja meloin kaislikoiden halki Dragsvikin ohi ja Tammisaaren yli Sandvikeniin ja Pohjaan asti ilman suurempia tapahtumia. Muutamia raukeita veneitä kalassa, muutamia purjeveneitä menossa minun suuntaani. Ohitin melomalla yhden ruotsalaisen swanin jonka miehistö tarjosi kyytiä mutta olivat kännissä kuin käet ja kieltäydyin. Heidän hoilauksensa seurasi minua pitkään ja tuntui että he tahallaan lisäsivät vauhtia etten päässyt heistä eroon kunnes muistelin päässäni lähivesiä ja näinkin pian toissapäiväisen merennousun avaaman kapean ja matalan salmen lännempänä ja lähdin sitä kohti. Pensaiden ja oksien seassa räpiköityäni olin taas yksin puhtaassa, kirkasvetisessä lahdessa jonka pohjassa kasvoi puolukanvarpuja ja kantoja. Oli niin matalaa että Sirin piti nousta pintaan ja uida perässäni.

Kartoista näki paljon mutta totuus oli aina toinen. Muinaiset rantaviivat eivät palaisi paikoilleen tarkan autenttisina vaikka vedenkorkeus olisikin nyt sama kuin myöhäisellä pronssikaudella koska maan vinous täällä ei koskaan oikenisi eivätkä varsinkaan joet siksi voisi palata vanhoihin uomiinsa. Huomasin miettiväni tämän seudun jokien muinaisia nimiä ja mietin että tämä oli varmaankin juuri sitä mitä minut oli laitettu miettimään; olisiko Toijan ympärillä joskus ollut sijaa kuudelle pienelle joelle ja minkä nimisiä joet siellä nyt olivat. Kyllä minä aioin tarjota heille jotakin heidän ruhtinaallisten rahojensa vastineeksi. Aioin ottaa minulle tarjotun roolin ainakin hetkeksi. Sopimus jonka he olivat minun puolestani tehneet ei ärsyttänyt minua nyt. He kai tiesivät että suomalaisilla on yhä tapa hakea vainajat taistelukentiltä kotiin vaivojaan säästelemättä.

Totta kai ymmärrän että minut halutaan tänne mukaan mihin lie murhaan tai maanpetokseen. Miksi muuten niin monesta suunnasta tönittäisiin, miksi tällaisia äärettömiä lahjoja liian kauniilta naisilta. Jos olisin järkevä mitä en ole juoksisin pois mutta haluan nähdä mitä mieletöntä pääni menoksi on keksitty, miten tämä järjettömyys kehittyy. Ja veljeni ja Elsa, panteiksi pantuina, elossa tai kuolleina, pelastettavina tai kostettavina.

Matkaa oli enää muutama kilometri. Oli viimeinen hetki kääntyä sivuun, pysäyttää pyörivä mela. Mutta se ei pysähtynyt, päinvastoin se pyöri iloisesti pisaroita taivaalle roiskien. Jokin muukin minua veti puoleensa: Haluan tämän pienen ainutkertaisen kunnian, pystyn myöntämään sen näin yksinkertaisesti. Olla järkevä olisi suurinta tyhmyyttä nyt. Olen saanut elää, olen selvinnyt hengissä tähän asti eikä moni voi sanoa samaa. Olen mennyt kuin mikäkin. Kestän tyynesti sen tuhon minkä tämä ahneus maksaa, mikä minua perillä odottaa. Olen varma, että keihään nokkaan isketty irtileikattu pääni hymyilee.

Leirin savut alkoivat näkyä metsän yli. Meloin vauhtia hidastamatta niemen ympäri. Tämäkö nyt muka oli Aigaloksen ranta! Että merenpinta oli nyt täällä Äijälässä, että nämä sanat muistuttivat toisiaan, ja tämä maisema.. mikä järkytys tämä nuhjurytö näkymä tulijoille olikaan.

Jatkaessani rauhallista melontaa niemenkärjen takaa kiertyi esiin lahden pohja täynnä isompia ja pienempiä veneitä. Määrää oli vaikea laskea mutta arvioin niitä olevan yli kaksisataa. Meloin hitaasti lähemmäs kun tunnistin äkkiä Lenan veneen, se keikutti takalistoaan muiden puhtaaksipuunattujen skandinaavisten vaaleiden kaunotarten suorassa rivissä. Swaneja taas monta, uusia ja vanhoja veneitä kymmenittäin ja sadoittain pitkin rantoja kiinnitettyinä yksi- ja kaksitukkisiin karuihin paalulaitureihin. Veneet olivat hyviä ja hyvässä kunnossa, vähän oli mitään romuläjiä seassa. Näki mitä he aikoivat, keitä he olivat, sileässä keikunnassaan nämä veneet kertoivat selvästi mistä oli kysymys: Ei tämä maihinnousu ollut köyhille eikä kykenemättömille, mistään mitään tietämättömille. Jo kunniakkaat solmimassa uusia kunniakkuuden sopimuksia.

Meloin poikittain Daklan perään ja kierähdin uimatasolle. Kansiluukku on lukossa. Potkaisen ohuet tiikkirimat ja vanerit murskaksi, revin luukunjämät tieltäni ja laskeudun kajuuttaan. Avaan lattialuukun ja kopeloin moottoritilaa mutta kartta ei ole enää siellä. Nostin pääni ylös aukosta ja hetken mielijohteesta istahdin aukon reunalle, laskin jalkani moottoritilaan ja potkin moottoria raivoissani. Jotain siitä hajosi, en tiedä mitä, piuhoja ainakin irtosi ja kuparisia johtimia vääntyi. Suljin luukun ja palasin kajakkiini ja meloin kohti rantametsää ja sen edessä olevaa kaislikkoa. Olipa tyhmästi tehty. Sanoin:

-Hei Siri, minulla olisi sinulle yksi homma.

-No.

-Käyt läpi kaiken mitä löydät leiristä ja Pohjoisen Liitosta. Etsit kuvia Elsa Ketolasta ja hänen ystävistään. Menet keskustelupalstoille ja ärsytät niitä. Pystytkö seuraamaan keskusteluja reaaliajassa ja ottamaan niihin osaa?

-Kyllä.

-Yritä löytää informaatiota Elsasta. Uutta tai vanhaa, mitä vain.

-Miten se tapahtuu?

-Kunhan olet siellä ja keskustelet.

-En tiedä osaanko olla täysin uskottava. En tiedä tunnistetaanko minut koneeksi.

-Se ja sama. Kunhan nyt vaan menet sinne. Jos jäät kiinni, lopeta.

-Selvä. Vain tämän leirin sivustoille vai muillekin?

-Kaikille mitkä asian liittyy.

Siri oli hetken hiljaa ja sanoi: -Ei taida onnistua. Kenttään ei pääse liittymään. Se on salattu.

Katsoin puhelinta. Jokin outo virheilmoitus jota en ollut koskaan nähnyt. Olimme nyt ilmeisesti leirin yksityisverkon alueella. -No mitä tehdään? Pystytkö sinä edes.. miettimään mitään täällä?

-Vain ylläpitämään perustoimintoja. Pääsen verkkoon jos menen ulommas merelle missä häirintä loppuu. Ja me emme saa täällä yhteyttä toisiimme.

194

-Jos akut on täynnä niin tee pohjakartoitusta tässä lähistöllä. Tärkeintä että pysyt piilossa ja että minä löydän sinut. Sovitaan joku aika.

-Tulen tässä tasatunnein pinnan lähelle kuuntelemaan. Voit huutaa tai puhua veden alla, kuulen kaukaa.

-Mitä muuta? Mitä tästä maailmalle kerrot?

-En tiedä. Jotakin outoa järjestelmissäni. Saan lukemia mutta en ymmärrä niitä. Kuin mitään ei virtaisi. Vaikka pakko on virrata, mehän puhumme. Ei tämä laatikko osaa puhua. Eivätkä veljesi viestit ole ratkenneet vieläkään.

-Onko niitä tullut lisää?

-Jotakin siihen viittaavaa liikennettä oli aiemmin. En uskalla tutkia niitä tarkemmin etten ajaudu ristiriitoihin. Minulla on, heh, lievä kriisi. Tätä seurataan kyllä. Minä.. on ohjelmistoja jotka seuraavat. Minun täytyy mennä ulapalle..

-Ei viestejä minulle?

-Ei mitään selväsanaista. Muutama sama sormenjälki kuin niissä ensimmäisissä. Digitaalisia sormenjälkiä siis. Kuin kohinaa, joka interferoi niin että piikit.. en tiedä.

-No. Selvitetään se myöhemmin. Nähdään! Sanoin ja avasin salvan, jolla Siri oli kajakissani kiinni. Sen potkurit sirahtivat iloisesti kun se liukui irti hahlostaan ja kaartoi pinnassa viereeni, huudahti "Heippa!" ja katosi pulahtaen pinnan alle. -Älä juutu kiinni! Huusin sen perään ja tunsin itseni tyhmäksi, vilkuilin nolona ympärilleni.

19.

Melon metsään joka nousee merestä. Rantametsä ei ollut rantametsä vaan vesi meni metsän sisään ja niin menin minäkin muutamalla melanvedolla. Miten kaunista kun puut olivat vielä hengissä, meripetäjät! Sätkin ulos kajakista selkä jäykkänä ja jalat puutuneina, oikeastaan kaadun mäiskähtäen kyljelleni litimärkään rantasammalikkoon. Kauaa ei tällainen merimetsä pysy kauniina, jo ne ovat alkaneet kuolla, jo ne sen tietävät, utuavat kitkerää hätähajua. Leirin takia tämä metsä tässä meressä seisoo, muualta kuin tästä olisi kaadettu jo näin komeat hirret talteen.

Kävelen vene olalla ihmeellistä rantaa takaisin itään päin ja pian onkin rannassa raivattu kohta: tukeista tehty kolme isoa viisikymmenmetristä arkkulaituria jotka täynnä sekalaisia veneitä, uusia, vanhoja ja uusvanhoja; kunniapaikalla rannalle vedettyinä olivat Hjortspringin ja Doverin muinaislaivojen kopiot joista Lena oli puhunut. Laiturien takana oli rantautuneina muita muinaislaivoja ajallisessa sarjassa; kivikautinen hirven vuodista ommeltu iso kymmen hengen kanootti jonka keulassa irvisti haiseva puolimätä hirvenpää. Pronssikautisten laivojen jälkeen oli kolmisenkymmentä eriaikaista viikinkilaivaa ja ilmeisesti muutamia vapaasti tulkittuja ja tyhjästä temmattuja välimuotoja kuin silkalla olemisellaan todellisuutta taivuttamaan luotuja.

Niitä oli kuusi ja suurin oli ainakin viidenkymmenen melojan. Kaikki ne olivat yhtä kauniita ja tarkkaan tehtyjä, näissä ei ollut mitään kolhoa kuin yleensä pelkkää esiintymistä varten häthätää kyhätyissä muinaisesineissä oli. Näitä oli hinkattu ja hinkattu, kuukausia ja vuosia, niillä oli oltu merillä, ne olivat nitkuneet ja notkuneet meren muotoisiksi. Mietin mistä asti laivat olivat tänne tulleet ja oliko koko matkat todella melottu. Kyykin katsomaan kölin alle mutta mitään modernia tekniikkaa ei näissä pyhissä laivoissa tietenkään ollut, materiaalit olivat aitoja ja kaikki liitoksetkin olivat niintä ja puuta. Olisin itsekin tällaisella melonut mielelläni ainakin kokeeksi. Nuuskin vielä veneen vahvaa tervantuoksua ja ihmettelin miksei niitä vartioitu tarkemmin. Helposti nämä syttyisivät kuin soihtu. Vartijat keskustelivat kauempana nuotion luona ja vilkuilivat välillä suuntaani. He olivat muinaisiin vaatteisiin ja nahkahaarniskoihin pukeutuneita ja aseistautuneita keihäin ja pronssikoristeisin puukilvin. pari uutta purjevenettä oli juuri rantautunut ja tulijoita otettiin vastaan. Yksi vartiomiehistä erkani vihdoin seurasta ja käveli luokseni aseitaan rennosti roikottaen.

-Eikö olekin komeita veneitä? Hän sanoi hymyillen ja asettui viereeni niitä ihaile-
maan. -Kolmesta viiteen vuotta on mennyt jokaisen veistämiseen. Ja isolla porukalla ja
paljolla rahalla. Näiden tekeminen ei ole muuttunut yhtään helpommaksi ajan kanssa, pi-
kemminkin päinvastoin.

-Mistä asti näillä on tultu tänne?

-Englannista on nämä kolme Doverin laivan mallin mukaan tehtyä ja nuo muut ovat
Hollannista ja Tanskasta. Sieltä ne on tänne melottu ja soudettu kaikki. On niissä kaikis-
sa myötäpurjeet toki. Tämä tässä on välimereltä. Minä tulin sillä, mies sanoi ja taputti
melkein mustaa korkeakylkisintä ja pulleinta laivoista.

-Aikamoista, varsinkin soutaminen!

-Pitäähän se testata että miten kauan tänne kestäisi mistäkin, onko tässä järjen hiventä-
kään.

-Sinä et usko että Troija on täällä?

-En oikeastaan. Minä olen sitä koulukuntaa jonka mielestä se on vähän joka paikassa.
Ja tiedätkö miksi minä olen sitä mieltä?

-En kyllä, sanoin.

-Koska minä olen ollut rakentamassa tätä foinikialaista laivaa, vartija sanoi.

-Onko tämä muka foinikialainen? Sehän näyttää ihan viikinkilaivalta.

-Foinikialaiset olivat merikansojen keihäänkärki tai sen jäänne, miten sen haluaakaan
nähdä. Heidän merikauppaiselämänsä muistutti täysin kaksi tuhatta vuotta myöhempää
viikinkien elintapaa. Kun viikingit ja normannit levittäytyivät 800-luvulla välimerelle he
asettuivat asumaan täsmälleen samoihin paikkoihin kuin foinikialaiset: Sisiliaan, Maltal-
le, Tunisiaan entisen Karthagon kohdalle ja Libanoniin. Heidän sijoittumisensa oli luon-
nollinen seuraus heidän samanlaisesta kaupankäyntitapavastaan, reittien salailusta ja vä-
kivaltaisesta dominoinnista, ja samanlaisista laivoista. He toivat tarut ja myös kaupan-
käynnin kirjoitusriimut mukanaan välimerelle. Ja samoin kuin aina pohjoisesta tulleille
on käynyt, he sulautuivat nopeasti paikalliseen kansaan ja katoavat näkyvistä muutamas-
sa sadassa vuodessa.

-Tämä foinikialaisjuttu.. sitä on joku muukin mutissut.

-Sinä olet kuullut merikansoista jotka tuhosivat kaikki korkeakulttuurit itäisellä Väli-
merellä noin vuonna 1200 ennen Kristusta?

-Olen tietysti.

-Virallinen tiede sanoo, että "Foinikialaisten kaupungit Levantissa, Byblos, Sidon ja
Tyros, selvisivät hyökkäyksistä vähimmillä vaurioilla". Totuus on että foinikialaiset oli-
vat vesikansojen venetejä tai heidän suoria seuraajiaan je he asettuivat idän kauppatien
länsipäähän, josta he kävivät kauppaa muun muassa Cornwallista ja Iranista saadulla ti-
nalla, pronssikauden arvokkaimmalla mineraalilla. Kulttuuriset yhteydet pronssikauden
Pohjois-Eurooppaan ovat selvät kun ne vain suostuu näkemään. Viimeisimmät lai-
valöydöt Cornwallista ja Mustanmeren pohjasta ovat paljastaneet laivojen yhtenevyyden

197

pohjoisiin tyyppeihin. Foinikialaisten laivat vertautuvat viikinkien kaikista leveimpään kauppalaivamalliin, Knarriin. Välimerellä ei tarvittu yhtä merikelpoisia laivoja kuin Atlantilla ja Pohjanmerellä ja muut laivatyypit jäivät foinikialaisilta vähemmälle käytölle. Knarrin ja vanhimpien foinikialaisten laivojen yhtenevyydet ovat täysin selvät, siinähän ne itsekin näet, et niitä toisistaan erota kun tuossa rivissä vierekkäin ovat.

-No en erota kyllä. Pulleampi se on jos se on tuo tuossa. Eihän tuota nyt enää meloa pysty, sanoin.

-No ei pystykään kyllä.

-Oliko foinikialaisissa laivoissa todella myös tuollaiset lohikäärmeenpääkoristeet?

-Ne ovat alkujaan hevosen eikä lohikäärmeen päät. Merien hevosiksi viikingit laivojaan kutsuivat ja sama kutsumanimi löytyy Odysseiastakin, ja sama matalakölisyys joka mahdollistaa rantautumiset loiville rannoille ja nopeat iskut pehmeisiin kohteisiin. Ja mikä Troijan hevonen sitten saattoikaan olla? Se oli laiva eikä mikään hevonen, jälkeen jätetty ehkä osittain tuhoutunut laiva jonka varuskannen alla saattoi piilotella. Ja mikä on foinikialaisten italialainen nimi, finnici. Viikingit oppivat laivojensa teon finniceiltä ja kaikilta rannikkojen veneteiltä joiden kauppakaupunkeja riitti Väinäjoen ja Vistulan suistoista Bretagnen Venneksen ja Olyssipon ja Tartessoksen kautta Tyrokseen asti. Ennen hevosten päitä laivoissa oli poron ja kurkien päät. Varsinkin vuodista tehtyjen nahkaveneiden keulakoristeena oli nahkansa veneeseen antaneen eläimen pää. Tämä keulakoristeen traditio on saamelaisilta ja samojedeilta peräisin. Ottamalla sen pää mukaan matkalle siltä pyydettiin anteeksi.

-Hmm, sanoin. -Onko sinulla näistä laivoista jotakin luettavaa?

-Sieltä leirimateriaalista löytyy tiivistelmä Bremenin yliopistolla pitämästäni luentosarjasta, vartija sanoi. -Mykeneläisten laivat muistuttivat foinikialaisia ja heidän suhteensa olivatkin tiiviit. On viitteitä että he olisivat olleet samoja pohjoisesta tulleita kansoja kuten myös myöhemmät maitse saapuneet doorilaiset. Ramses II:n aikaisissa piirroksissa olevat merikansojen laivat on pitävästi todistettu samoiksi kuin Dnjeperin rannoilta löydetyissä kalliopiirroksissa. Niissä laivoissa oli vielä kurkien päät koristeina.

Äh, miten rasittavaa latelua. Sanoin: -Vaikea tuohon on yhtäkkiä sanoa mitään muuta kuin että onpa komeita laivoja! Komeita laivoja ja korskeita tarinoita!

-No sinun veneesi on aikamoinen myös! Vartija sanoi ja kääntyi kajakkini puoleen huomattuaan ettei saarnansa uponnut minuun toivomallaan teholla.

-Katso, sanoin ja avasin lukitussalvat etu- ja takakannelta, vedin vetoketjut auki, irrotin aukon jäykistyskehän ja taitoin kajakin kasaan muutamassa sekunnissa. Ojensin paketin vartijalle. -Kokeile. 7 kiloa. Ja tällä menee kovemmissa keleissä kuin millään muulla veneellä täällä. Paitsi silloin täytyy olla vähän kuormaa mukana ettei lennä aallonharjalta taivaalle.

-Oho, sanoi vartija. -On sitä jotain kehitystä tapahtunut neljässä tuhannessa vuodessa!

-Muotohan on tässäkin ikivanha, melko suoraan inuiittien metsästyskajakista, materiaalit vaihtuneet vain. Kennomuovilevyä, samaa kuin kasvihuoneissa, ei maksa mitään. Paitsi, no, tässä on aurinkokennot samassa, se vähän kustantaa.

-Hei, aivan mahtavaa, mutta asiasta toiseen. Pitäisi ilmoittautuminen tehdä, vartija sanoi ja painoi leveästi hymyillen miekkansa kahvassa olevaa nappulaa ja nosti sen kasvojeni eteen sojottamaan.

Sanoin vilkkuvalle miekalle nimeni ja sain kartan majapaikkaani ja Konrad Wachsmanin, se oli hänen nimensä, luentomuistiinpanot. Kiitin ja kun jatkoin matkaani näin miten uusia veneitä lipui ketjuna rantaan. Konrad lupautui katsomaan veneeni perään mutta en halunnut jättää sitä tämän kuhinan keskelle. Halusin mennä nopeasti sinne minne minun pitikään mennä, integroitua tähän hulluuteen ja saada vastalahjaksi määrättyä apua Lenan ja veljeni löytämiseen.

Värikkäillä iloisesti lepattavilla viireillä merkattu polku kulki hetken rantaa pitkin. Vettynyt lahdelma jossa kuolleet norjat puut olivat myrskyn kaatamina muodostaneet valtavan haisevan rytökasan, puitten puolikuolleen joukkohaudan. Sen takana oli tiheä kaislikko, sinne sekaan päätin piilottaa kajakin, niin minä aina halusin tehdä ja tein. Pieni vene oli aina varastettavissa ja olin siitä aina huolissani. Avasin sen ja meloin lenkin kauempaa ja hetken päätäni pyöriteltyäni työnnin kajakilla kaislojen sekaan. Ne olivat vähän hentoja mutta suojasivat näkyvyyden juuri ja juuri joka suuntaan. Kapusin rantaan runkoryteikköä pitkin ja mietin löytäisikö ja pääsisikö Siri tarvittaessa veneelle, mutta sille nyt ei mahtanut mitään.

Polku nousi matalan hiekkaharjanteen yli sisämaahan ja rannan mätä haju ja harmaat pajuryteiköt vaihtuivat avaraan kangasmetsään, jossa näkyi telttoja ensin vähitellen siellä täällä mutta sitten tiheämmin ja tiheämmin ja pian olin keskellä molemmin puolin jatkuvaa satojen värikkäiden modernien keinokuituisten ja entisaikaista esittävien kankaisten ja nahkaisten telttojen iloista sekamelskaa. Jurttia näkyi muutama ja vuodilla ja tuohella päällystettyjä kotiakin oli muutama. Ihmiset olivat jossain, teltat olivat tyhjiä, hiipuneiden nuotioiden savuja nousi sieltä täältä ja vain satunnaisia kulkijoita muinaispuvuissaan luikki teltoista poluille ja polkuja pitkin kai johonkin tilaisuuteen josta olivat jo myöhässä. Lapsi itki ja pian toinenkin. Äiti lohdutti sitä vieraskielisellä laululla mutta itku jatkui vaimeana teltan sisällä. Kysyin tummahiuksiselta pitkään harmaaseen villamekkoon pukeutuneelta tytöltä missä toimisto oli mutta hän puhui nopeaa portugalia ja katosi telttojen väliin. Jatkoin polkua eteenpäin kunnes tulin neulasten peittämälle hiekkatielle. Muutamia ihmisiä käveli tietä vasemmalle ja lähdin seuraamaan heitä. Pian sain edessäni hitaasti nytkähdellen kävelleen äijän kiinni ja kysyin rinnalle päästyäni: -Mihin kaikki ovat menossa?

-Avajaisiin, tietysti.

-Nytkö tämä vasta alkaa?

-No onhan täällä jo oltu kuka mitenkin pitkään. Mutta virallinen ohjelma alkaa nyt.
Tie tuli risteykseen jossa oli palanut talo pieni pyöreä ala pikimustaa pihaa ympäril-
lään. Neliskanttinen raunio savusi vielä, lämpö tuntui kaukaa kasvoilla. Kysyin:
-Mikäs talon on polttanut?
-Paikallisten poikien tihutöitä. Tässä oli leirin toimisto vielä eilen.
-Missä se nyt on?
-Tästä jatketaan vähän matkaa, äijä sanoi ja nyki sormeaan eteenpäin.
-Mistä päin te olette?
-Jaa minä? Virosta. Teen huoltotöitä, kuskaan puutavaraa. Tämmöisen mekon antoivat
ja käskivät pitää, äijä sanoi ja esitteli vähän nolona pellavaista pitkää paitaansa.
-Hienohan se on, sanoin. Siinä pitäisi vaan olla vyö.
-Sitä eivät antaneet. Uskotteko ristin autuaaksitekevyyteen?
-Anteeksi?
-Vai uskotteko että aurinko kutsuu meidät luokseen? Täällä on ollut näiden kahden
välillä vähän vetoa, äijä sanoi naama täysin vakavana enkä osannut sanoa pilailiko hän.
-Minä.. olen ihan maallinen mies.
-Ai maanpalvoja? Eikö se ole enemmän akkojen hommaa. Tiedättekö, äijä jatkoi naa-
ma hehkuen sormi pystyssä, -Näiden mukaan Akilleus oli Virosta!
-Kieltämättä hänen kävelytyylissään oli jotakin samaa kuin sinulla, sanoin.
-Oliko?
-Kyllä sitä kimmoisaksi kuvattiin. Vaalea pellavatukka ja siniset silmät ja kaikki, ku-
ten kaikilla Iliaksen sankareilla. Ja Virolainen sotasankaruus, sehän on samanlaista kuin
Akilleuksella, se hoituu teltassa makoilemalla, tiuskaisin äijälle ja käännyin niiltä kan-
noiltani yhdeksänkymmentä astetta metsään ja kävelin taakse katsomatta pois. Olihan se
rumasti sanottu, mutta tämä loputon taannehtiva muinaislätinä sai vereni kuohumaan
varsinkin kun itse olin tämän lajin eturivin törppö. Mitä vain voi sanoa nyt, minkälaisia
vain paketteja kasata päähänsä ja sylkeä suustansa, hitto! Samanlaista satunnaista soopaa
satelisi varmasti jokaisen täkäläisen leiriläisen hurmehuulilta jos kestäisi näitä hammas-
arkkuja yhtään avata. Kyllä suurissa, tasaisissa ja varmasti väärässä olevissa uskonnoissa
on hyvät puolensa verrattuna tähän uuden hengen hysteeriseen kuplintaan, joka vielä
aina tapahtuu mahdollisimman huonolla hetkellä, järjen valon jo hyvää aikaa sitten him-
mettyä kun kaikki lukeminen ja miettiminen on lopetettu. No kai minua eniten ärsytti
että minun sekoiluni oli menettänyt viimeisenkin voimansa tähän suurempaan hulluu-
teen peilattuna. Kai minä katselin kaikkea uusin silmin vaikka sen kielsinkin. Kai her-
moni olivat kireämmät kuin uskalsin tunnustaa. Ajattelin miten kuten aivojeni ulkoreu-
noja koikkelehtien kuin mikäkin notkupolvinen, nivelreumainen äijänkäppä.
Takaa kuului oksien risahtelua, äijä olikin lähtenyt könkkäämään perääni. Hänen kas-
vonilmeensä kuluivat kävelyn ponnistukseen epätasaisessa ja pehmeässä maastossa enkä

osannut sanoa oliko hän vihoissaan. Odotin paikoillani pienen kummun päällä enkä tehnyt elettäkään auttaakseni häntä.

Yllätyksekseni äijä romahti jalkoihini ja puhui sieltä hengästyneenä: -Anteeksi jos ärsytin teitä. En tiennyt kuka olit. Opastan teidät Thomas Wisenholzin teltalle.

-No kuka minä sitten olen? Kysyin ihmeissäni.

-Ari Vuormaa. Minun piti teitä olla vastassa.

-No etpä ollut vastassa kun kävelit polkua väärään suuntaan!

-Anteeksi, anteeksi. Olin odottanut jo kauan. En tiennyt miltä näytit. Tai oli minulle kuva annettu, mutta et näytä siltä kuvalta. Anteeksi vain.

-Ei se mitään. Tässähän sitä mennään, sanoin ja nostin äijän kainalosta ylös seisomaan.

-Et sinä ihan puhdas suomalainen ole? äijä kysyi ja katsoi minua läheltä pää vinossa.

-Olen ulkoilmaihmisiä. Aurinko tarttuu minuun helposti.

-Mikä aurinko? Mitään aurinkoa nähnyt kukaan pitkään aikaan.

-No ehkä naamani on vain likainen. Nokea nuotiosta kun tanssin sen ympäri.

-Minä luulin että tämä oli vain pohjoisen ihmisille, äijä puhui jäykästi polulle jota laahusti. Jäin ihmeissäni paikolleni seisomaan.

-Kerrotaan myös että jotkut ulkomaalaiset olisivat tyhmyyttään lämmittäneet saunan liian kuumaksi ja siitä se olisi syttynyt, äijä jatkoi. -Liettualaiset.

-Minkä saunan?

-Sen mikä oli siinä palaneessa talossa.

-Pidä turpasi kiinni ja vie minut sinne minne minut pitää viedä!

20.

Palasimme metsätielle ja kävelimme sitä vaitonaisina eteenpäin kunnes vastaamme tuli tummanharmaaseen villakaapuun pukeutunut nuorehko mies. Saattajani kääntyi samantien pois, hän hortosi kanervikkoon sanaakaan sanomatta ja katosi mutkitellen vesaikon sekaan. Mies esittäytyi Gerhard Hamlundiksi ja vaikka nimi ei sanonut minulle mitään hän sanoi sen niin kuin sen olisi pitänyt ja yritin kohdistaa häneen jonkinlaista kunnioitusta jota hän tuntui kaipaavan ja olettavan. Kävelimme kohti festivaalialuetta, aukiota Aijalan satamarannasta kilometri pohjoiseen kohti Kiskon Kirkkojärven kaakkoiskulmaa. Puhuimme yleisiä säästä ja järjestelyistä, kyselin aikatauluista ja majoituksista, leirin huollosta ja logistiikasta. Kysyin toimiston palosta ja Gerhard sanoi:

-Kyllä, kaikki tulostettu infografiikka tuhoutui ja muutama tietokone ja tulostin, ei mitään merkittävää. Täällä metsässä ei ole siksi mitään opasteita, kuten huomaat. Ihmisille on täytynyt antaa lupa käyttää mobiililaitteitaan, mutta toki vain rajoitetusti. Nyt kun jouduimme tuon tulipalon vuoksi siirtämään toimiston uuteen paikkaan teimme sen virheen, että valitsimme esteettisistä syistä kauniin metsäkedon jonka maapohja valitettavasti osoittautui liian märäksi ja se pehmeni päivässä mutaliejuksi. Liejuun on levitetty loputtomia kerroksia havunoksia, lautoja ja hiekkaa mutta kaikki on vain hieroutunut epämääräiseksi möhnäksi, joka edelleen uppoaa. Eikä tämä ole mitään uuden ajan mutaa vaan mikä lie vanha kallioiden välissä aina uinuneen umpeenliettyneen lammen mutaa, joka ilmaisi itsensä vasta askeltemme alla. Että ei ole meillä siis toimistoa vieläkään. Siksi tulin sinua hakemaan, menemme suoraan johtoteltalle Thomasin luo. Hän haluaa nähdä sinut ennen avajaisia.

En tiennyt mitä sanoa joten olin hiljaa. Olisin voinut sanoa jotakin tällaisten syvin mutanotkelmien arvosta arkeologialle mutta en halunnut lähteä heti riidan tielle. Kysyin jotain sanoakseni:

-Kuinka paljon täällä on suomalaisia?

-Muutama sata. Muualta tulleita ehkä viisi tuhatta, tällä hetkellä. Ehkä tuhat vielä tulossa. Teidän täkäläiset tanskalaisenne, lasketaanko ne nyt sitten suomalaisiksi.

-Tuskin ainakaan itse laskevat. Ovatko kaikki suomalaiset täällä leirissä?

-Suomalaisilla on myös erillinen leiri muutama kilometri pohjoiseen täältä. Eivät he ole aivan osanneet sitoutua ohjelmaan, eivät ole pukeutuneet ohjeistuksen mukaan. Liian kivikautista tai sitten liian viikinki- tai keskiaikaista. Epätarkkaa, löysää ja välinpitämätöntä, hortoilevat sisään ja ulos omilla asioillaan. Useita leiriläisiä on tapettu erilaisissa suomalaisten provosoimissa kahakoissa.

-Kuulin että ryöstelette lähiseudun asukkaita, sanoin heti jo ärtyneenä. -Että kuka se ketä provosoi.

-Iliaksessa achaijit ryöstivät piiritetyn Troijan lähiseutua. Se oli osa sodankäyntiä, poltetun maan taktiikkaa. Tutkimme miten se olisi saattanut täällä tapahtua. Mittaamme reittejä ja aikoja nimettyihin kohteisiin. Hyvät korvaukset on annettu jos jotain on otettu. Tästä oli tiedotettu mutta tiedät varmasti minkälaisia änkyröitä te suomalaiset osaatte olla. Levittätte huonoa henkeä kuin se olisi syntymäoikeutenne. Voisit itse asiassa käydä jututtamassa suomalaisten johtajia siellä heidän leirissään Haapaniemen linnan luona. Minä puhuin tästä jo Thomakselle. Kyttäävät meitä metsästä, jousella ampuivat kaksi lasta eilen, käytännössä murhia siis. Tämä aggressiivinen vihamielisyys vaikka annamme kaikkien halukkaiden tulla mukaan tänne ja jaamme ruokaa hyvinkin auliisti myös ulkopuolisille. Ketään ei ole estetty, siis ennen näitä tapauksia. Leikkiähän tämä on, se pitäisi muistaa. Kyllä heidät kaikki on kuitenkin kaikesta huolimatta varsinkin siihen suureen loppunäytökseen kutsuttu. Silloin on kaikille avoimet ovet.

-No siitä saattaa tulla ihan tosi rähinä sitten, sanoin.

-Ei tässä ole kenelläkään mitään sellaista tarkoitusta. Haluamme näytelmänomaisesti eläytyen testata tämän maiseman sopivuutta Troijan sijaintipaikaksi. Kevyttä spekulaatiota, viatonta älyllistä hauskanpitoa. Esitämme taisteluita Iliaksesta ja yritämme katsoa täsmäävätkö kuvausten yksityiskohdat tähän ehdotettuun maisemaan, onko Aijala mahdollinen Aigaloksen rantautumispaikka ja onko etäisyys Toijaan sopiva, onko maasto sopivaa vai mahdotonta kuten Hisarlikissa, kaikkea tällaista.

-No eikö se ole hienoa että suomalaiset ottavat oikean roolin? Te olette maahantunkeutujia ja he Troijalaisia. Tunnelma on aidompi.

-Troijalaiset olivat samaa ylimyskulttuuria kuin achaelaiset ja danaalaiset hyökkääjätkin, tälle rannikolle lännestä saapunutta ja meritse liikkunutta vasarakirveskansaa. Iliashan kertoo vain ylimysten välisistä taisteluista. Tavallinen paikallinen rahvas, ehkäpä siis silloiset suomalaiset tai saamelaiset tai mitkä lie esi- tai välimuotonsa, he eivät tarinassa esiinny. Iliaksen keskeisiä tehtäviä oli perustella ylimysluokan oikeus valtaansa ja se perusteltiin ylimysten läheisillä väleillä jumaliin kuten aina muinaisissa myyteissä on ollut tapana. Se on niiden varsinainen sisältö ja funktio. Hämmästyttävintä Iliaksessa on taisteluiden tarkka kuvaus. Uskomme että niissä siksi on oltava häivähdys todellisista tapahtumista.

-Eikö Iliaksessa ole mitään kuvausta tavallisista rivimiehistä?

-Ei, mutta yksi mielenkiintoinen yksityiskohta on joka samalla viittaa vahvasti tähän pohjoiseen sijaintiin. Kun Iliaksen luvussa kaksikymmentäviisi Hector menettää taistelussa miekkansa hän kahmoo hädistään taistelukentän rojusta uudeksi aseeksi itselleen esineen nimeltään *chermadion*. Se esiintyy eepoksessa muutaman kerran ja aina samoin. Se on tulkittu käännöksissä maasta napatuksi kiveksi mutta oudosti sillä onnistuu vastustajan kypärän ja kallon halkaisu huitaisemalla ja se leikkaa lihaa ja katkoo luut ja suonet kaulasta eli siinä on ollut leikkaava terä tai reuna. Iliaksessa esiintyy kolme eri sanaa kivelle joista kaksi muuta ovat selvästi normaalimpia kiviä kuin tämä chermadion. Sanan etymologia voisi viitata norjalaiseen sanaan hamar joka tarkoittaa kirvestä ja vasaraa. Muinaisnorjassa hamarr tarkoitti myös terävää kalliojyrkännettä.

-Suomessa sana on säilynyt myös. Se on hamara, kirveen tylppä pää.

-Nimettömien rivimiesten kuvaus on tarussa lähes olematonta. Heistä Homeros sanoo vain että "en kykene heitä kuvaamaan enkä nimeämään", he ovat apukansoja. Kaikki tämä johtaa päätelmään että charmalion on ollut kivinen vasarakirves. Niitähän on löytynyt ja löytyy täältä tuhansittain, enemmän kuin mistään muualta. Ne on tehty pronssikirveiden, ylimystön aseiden mallin mukaan kivestä vaivalloisesti hiertäen ja niissä on jopa imitoitu pronssikirveiden valusaumoja vaikka tuon pelkän sauman kuvajaisen kiveen hiomisessa on täytynyt kulua päiviä tai jopa viikkoja. Se on selkeästi alemman luokan, tarkemmin alemman kansan, väärän väen ylimystön ase ja Hector käyttää sitä vain hätätilanteessa, kunniattomassa kuolemanhädässä. Selitys on kaunis. Anatoliasta tai Brittein saarilta ei löydy näitä kivisiä vasarakirveitä jotka tähän selitykseen sopivat. Ja Odysseuksessa näitä kivikirveitä, chermadioneita käytetään enää veneiden painolastina, ne ovat jo arvonsa menettäneitä. Tästä Suomi saa yhden pisteen.

-Mutta selitys ei ole mitenkään varma, sanoin.

-Ei mikään näin vanha ole varmaa. Kaikissa myyttien maailmallistuksissa on selitystä ja tulkintaa enemmän tai vähemmän, yleensä enemmän. Meillä on vain tuhansittain tällaisia pikku detaljeja joita jokaista voidaan väittää heikoksi. Vasta niiden yhteistä väittämisen voimaa, jos ne hellällä asenteella enimmäkseen uskoo, voi sanoa vahvaksi. Me todella kaipaisimme jotakin lukkoa, jotakin selkeää ja ylivoimaista tai muuten tämä leikki muuttuu pian ontoksi. Meille on aina naurettu mutta kohta me kyllästymme kuuntelemaan sitä, Gerhard sanoi naama mutrussa.

-Tuntuu pahalta että suomalaisilla ei ole osaa ei arpaa tässä leikissä, taaskaan, sanoin.

-Ei. Täällä olleet Toijalais-Troijalaiset olisivat olleet myös mereltä tullutta aikansa ylimyskastia, sotakirveskulttuurin edustajia, lähes samaa sukua ja heimoa kuin hyökkääjätkin, aivan kuten Iliaksessakin. Tällainen tilanne on nähtävästi aina ollut täällä. Että vieraat herrat tulevat ja kertovat teille sopivat tarinat, Gerhard sanoi vino hymy naamallaan odottaen reaktiotani.

-Inhottavalla tavalla tuo tukee Troijan täkäläistä sijaintia. Joku täällä on aina Sampoa urpoilta huijaamassa. No uskotko sinä todella tähän Troijaan Toijassa?

-Tämä sama sirkus oli kuusi vuotta sitten Cambridgessä Englannissa mutta tilaisuus oli pienempi ja paikalliset hyvin vihamielisiä meitä kohtaan emmekä olleet silloin vielä niin järjestäytyneitä kuin nyt. Rahaa oli vähemmän, aika oli ankeampi, meidän tiedotuksemme oli alkutekijöissään. Metodimme on kehittynyt ja suosiomme kasvanut, saamme täältä siksikin paljon enemmän tuloksia. Yleisesti ottaen uskon Troijan pohjoiseen sijaintiin. Täällä ollaan vasta todisteita ja vaikutelmia etsimässä.

-Löydättekö niitä väkisin?

-Meidän tutkimusmetodimme on osittain tieteellinen, osittain intuitiivinen. Hyväksymme tunnelmien ja makujen ja aavistusten käytön mutta ymmärrämme että ne voivat viedä myös väärille jäljille. Schliemann joka sijoitti Troijan Turkin Hisarlikiin noudatti samaa metodia; hän käytti apunaan antiikinaikaisia, täysin epätieteellisiä sijoitusperiaatteita ja omaa nenäänsä ja löysikin soveliaan muinaisen kaupungin jäänteet Dardannelin salmen rannalta. Vaikka hän jäi useita kertoja kiinni todisteiden väärentämisestä häntä uskottiin. Todellisuudessa ei ole mitään pitäviä todisteita siitä että kyseinen kaupunki olisi muinainen Troija.

-Miksi kukaan ei ole sitten väittänyt vastaan?

-Tässähän me väitämme! Schliemannin aikaan 1800-luvulla arkeologia oli lapsenkengissään eikä kenelläkään ollut mitään muutakaan esittää ja sijainti oli sovelias monella tapaa; se keksittiin ja kehiteltiin kunnianarvoisten kreikkalaisten ja roomalaisten traditioiden mukaiseksi. Asiasta on sittemmin väitelty vuosisatoja ja kyseenalaistipa jopa Roomalainen maantieteilijä Strabo Troijan klassisen sijainnin ja väitti Troijan sijaitsevan Atlantilla monin luonnontieteellisin perustein. Minulla on oikein taulukko erilaisista perusteluista puolesta ja vastaan läpi vuosituhansien. Suurin ongelma Iliaksen ja Odysseuksen sijoittamisessa välimerelle on kirjoissa kuvailtujen kohteiden välisten matkojen suunnat ja niiden kestot; ne ovat siellä täysin pielessä. Esimerkiksi Odysseuksessa kuvailtu laivamatka Alexandriasta Pharokseen kesti kirjan mukaan kokonaisen päivän, vaikka se sijaitsee aivan Alexandrian sataman edessä.

-Jos oli kova vastatuuli, sanoin.

-Ei kirjan mukaan. Näitä etäisyyksien ja suuntien täydellisiä virheellisyyksiä voi luetella välimerellisessä sijainnissa kymmenittäin, mikä on vielä omituisempaa kun muistaa, ettei Välimeri ollut miltään osin tuntematon, se oli korkeakulttuurien ja niiden kaupan jo ammoin ympäröimä. Suuri osa akateemisista tutkijoista pitääkin eeposten kartalle sijoittamista epämielekkäänä vaikka sitä on yritetty väkisin jo vuosituhansien ajan. Kirjallisuuden tutkijoille ei-sijoitettavuus sopii tietysti paremmin sillä se tekee teoksista fiktiivisempiä ja niitä on siten helpompi tarkastella myytteinä ja taiteena eikä historiana. Eri tieteenlajithan omistavat muinaiset myytit omilla tavoillaan ja kamppailevat omien tulkintojensa puolesta. Jos teosten maantieteellisöinti tänne pohjoiseen onnistuu, monen mielestä helvetin portit aukeavat.

-Miksi?

-Se muuttaisi koko Euroopan kulttuurista maisemaa liian radikaalisti. Jos nämä Euroopan muinaisuuden keskeiset tarinat olisivatkin pohjoisesta pelättäisiin että tällainen meidän kaltaisemme liikehdintä saisi liikaa tuulta purjeisiinsa.

-No niinhän se näyttää saaneen, sanoin.

-Ei se voi olla peruste tämän asian painamiselle pimentoon. Emme me vaadi kuin että totuus tulee esiin. Me laitamme nämä kilpailevat sijainnit esille kaikkine todisteineen ja annamme ihmisten päättää.

-Ei tiede toimi niin, sanoin.

-Toimiipas. Teoriat kilpailevat ja koherentein, selityskykyisin voittaa.

-Mutta kyse on vertaisarvioinnista, ei mistään yleisestä mielipiteestä! Teille riittää tämän massan mölinä myöntymykseksi. Ei tämä ole se oikea yleisö.

-Ammattilaisiin ei voi tässä asiassa luottaa. Heillä on liian monta omaa lehmää ojassa, kokonaisia karjalaumoja soihin vajonneina. Jos teoria on liian mullistava eivät akateemiseen jatkumoon elämäntyönsä perustavat voi sitä sallia. Tiedät sen itsekin; ei sinun sallittu sijoittaa Kalevalaa kartalle tai edes puhua siitä. Teillä on Suomessa äänetön yleissopimus että niin ei tehdä. Samantyyppiset sopimukset kahlitsevat tuhatkertaisesti tutkitumpia Homeerisia eepoksia.

-Ei kaiveta tikulla menneitä. Siinä on oma järkensä, sanoin.

-Varmasti. Katsos, nyt tulemme perille! Tuolla on johtoryhmän teltat, Gerhard sanoi ja osoitti muita isompien pellavaisten telttojen värikkäin nauhoin ja viirein koristeltua juhlavaa ryhmää aukion vasemmalla reunalla. Aukiolla sadoittain innostuneita ja levottomia ihmisiä kuin muurahaisia erilaisissa riiteissä kääntyillen, ehkä avajaisseremonian esityksiä harjoitellen. Rumpuja, hitaasti takovia matalampia ja kiivaita korkeampia, monia etäisesti tuttuja ja täysin vieraita lauluja ilmassa sekaisin kimpoillen. Kilpiä, viirejä ja värikkäitä nauhoja notkeissa, pyörivissä vavoissa ilmaa halkoen. Gerhard käveli ihmismeren sekaan, huusi -Tännepäin! päiden yli kättään heiluttaen mutta pujotteli minua odottamatta rinnettä alas. Katsoin minkä liepeen alle hän katosi ja käänsin katseeni takaisin imemään itseeni tätä sekakuoroista humunäkyä. Rummut takoivat, muinaiset vaskitorvet törähtelivät, jalat iskivät maahan samanaikaisesti ja tunsin rytmin jalkapohjissani kimmoisenkuohkean turvemaan kautta. Näin kaikkialla ympärilläni iloista voimaa mutta se ei ollut minun voimaani, niin ainakin hoin itselleni. Mietin mitä minulla oli laittaa tätä kaikkea vastaan. Jalkani hytkyivät jo musiikin tahtiin mutta antautua en aikonut. Mietin veljeäni, mietin Elsaa, mietin ainoita läheisiäni, mietin miksei minulla ollut lapsia. Kai ajatus tuli teltoilla näkemistäni äideistä jotka hoitivat omiaan kuin osana tätä esitystä ylimaallinen tyytyväisyys kasvoiltaan loistaen. Miten me Elsan kanssa mietimme sen asian, vai minäkö se olin, olinko ladellut kovia sanoja, siksikö hän minua murhaajaksi syytti? Nyt tässä korkeassa leirissä vasta ymmärrän miten tärkeää olisi kertoa jollekin, joka kuuntelee, joka on tärkeä, väistämätön ja oleellinen, omia, yhteisiä ja yksityisiä asioita päivästä toiseen niin että niistä muodostuu todellisuus. Kertoa tytölle tai pojalle miten tuli sytytetään ja verkko lasketaan ja kala perataan, näyttää miten ehkä olla tai ei. Jostain kummallisesta syystä ajatus tuli voimalla päähäni tämä iloisesti hypähdellen kiristyvä pirunnyrkki ympärilläni. Temmoin häpeän ja hihkumisen välillä, oman historiani kauhujen äärellä. Toisella silmällä katsottuna kaikki täällä leirissä on syvintä typeryyttä ja toisella kuin unelmieni toteen revähtämää. Että historia on totta ja elävää ja se otetaan vakavasti ja iloisesti, ote-taan se osaksi elämän jatkumoa, otetaan se käteen ja katsotaan sitä kuin kristallipalloa. Tietysti se on ikuisesti hämärä ja jokainen katse historiaan on esitys eikä vähiten itselle. Historia on aina haluttuun kulmaan käännetty kulutustavara. Totuus on taistelukenttä jossa on kaikin voimin väännettävä edes pienen kirkkauden puolesta.. ja sitten, toisaalta, tämä näky näistä ihmistä omistautumisen onnen hehku kasvoillaan, kiihotuksen kohotta-mina leipomassa piirakoita savuavassa kiviuunissa, pyykkäämässä pellavapaitoja puron-varressa voimakkain katajavaarnan iskuin, lauluun ja tanssiin spontaanisti puhjeten pie-nokaiset sylissään.. näkyjä elokuvasta Tahdon voitto, totta kai, näkyjä hehkuvista kas-voista sosialistisen realismin jättimäisissä gobeliineissa ja mosaiikeissa, näky mistä ta-hansa herätyksestä, mistä tahansa liikkeestä korkeimmalla kohdallaan kun mielen siivet ovat juuri ottamassa tuulta alleen. Historia on nationalisteille kuin oopiumi heroinistille, sanoi Hobsbawm. Ajattelin: Siinä taas, koillisella rajallaan, jäseniään venyttelemässä, joukkojaan kokoamassa, mieliään linjaan virittämässä ei satunnainen sekopäiden lauma, eivät nationalistitkaan vaan ehkä itse Uusi Eurooppa; nyt se vielä tanssi ja lauloi mutta oli kohta valmiina kaatamaan kaiken edestään kuten aina.

Tähtäsin silmilläni sinne tänne ihmismassaan. Yritin nähdä tuttuja vaikka se oli epä-toivoista. Arvioin että muutama kymmenen heitä täällä tuhansien seassa olisi. Kuka ta-hansa heistä olisi nyt ihana turva mutta kukaan ei silmiini sattunut. Pitkään siristin vaa-lean pitkätukkaisen tytön kohdalla joka hyppi tukka hulmuten ison harmaan graniittiloh-kareen päällä; näin hänet hetken Elsana mutta pian tuomitsin hänen loikkimisensa liian kömpelöksi. Vai mistä sitä tietää, ehkä hän loikkikin nykyään noin, höpsönä ja vailla it-sehillintää, sehän tämän kaiken idea oli. Nolotti miten pahasti hänestä helposti ajattelin-kaan, kuinka keveinä pidinkään rikkaan tyttöni jokaista valintaa ja ajatusta ja miten en ollut edelleenkään muuttanut mielipidettäni hänestä. Jos olin minäkin maailmasta irral-laan niin hänelle etäisyys oli annettu jo syntymässä, se oli kuin valtikka jolla maailmaa ja muita ihmisiä pidettiin käsivarren mitan päässä ja ohjailtiin oman halun mukaan. Näin nyt selvästi miksi hän oli viehtynyt tästä Homeerisesta hulluudesta: Se oli kuten Gerhard sanoi ylimystön etuoikeutustarina, se oli juuri sitä samaa mitä Elsa oli aina luonnostaan ja tietämättään harrastanut ja joka oli saanut minut aina raivoihini. Jokainen ele ja ilme oli rituaalisen hovikäytävistön rakentamista itsen ja muiden väliin ja seurustella saattoi vain tuon saman koodiston ymmärtäjien ja vilpittömien hyväksyjien kanssa. Tällaisia koodistojen kiltoja kyvykkäät ihmiset ovat kautta aikojen rakentaneet mutta irtonaisena aikana ne murtuvat ja hysterisoituvat, rikkaat jos ketkä hakevat salamannopeasti uuden asennon, uuden potentiaalin kukkulan josta valta voi taas virrata byrokratian puroina alaspäin. Mutta kun aika oli mitä oli, maisema joka kulmaltaan vino ei rikkaillekaan ollut enää perinteisiä yhteisiä pakopaikkojaan vaan heidän oli astuttava huntujensa repaleista esiin kaikkine voiminensa, kaikkia aarteitaan kantaen ja aseitaan paukutellen ja tämä hurmehenki oli sen yksi tulos. Elsankin silmiin alkoi kertyä hehkua jota en saanut puhuttua sieltä enää pois ja se hehku ei ollut meidän yhteistä hehkuamme eikä enää minun alemman aggressioni kajoa, se oli kuin taistelujulistus, tätä tämän ajan uutta uhoa, juuri tätä samaa mitä täällä leirissä nyt hytkyi. Ei tarvinnut enää matkustaa Balille tai retriittiin piiloon kuin muinoin, rummun uuden kumun sai kaikkialla korviinsa vähän päätään kallistamalla. Olin itse tietysti osasyypää; hieroin eroavaisuuksiamme hänen kasvoihinsa, kuiskin ärsyttävimpiä ääriajatteluni älähdyksiä läheltä hänen korviinsa, iskin yhteen hänen äitinsä kanssa aina tavatessamme, vain ärsyttääkseni. Ja sitten äkkiä lähdin pois. Ja nyt.. täällä me olemme taas, ja kaikki maailman meteli pauhuksi nousseena. Löytää sinut sen seasta enää.. voisiko siihen uskoa?

21.

Tanssiva lauma lähti liikkeelle. Se vyöryi paukkuen, kilisten ja hypähdellen telttojen
ympäri ja väleistä niin että tukinarut irtoilivat ja kangasseinät notkuivat. Menin hetken
hytkyvän massan mukana, astuin tanssin ja laulun läpi sisälle johtoteltan pimeyteen var-
tijoiden ohi jotka tönivät ihmisiä kauemmas. Käsistäni tartuttiin kiinni. Kirkas välähdys
kävi silmissäni ja sokaistuin hetkeksi, minusta otettiin kuva ja skannaus. Nopea
kopelointi ja sitten minut päästettiin irti. Hain silmilläni hämärästä mitä tahansa. Ihmiset olivat tummia möykkyjä, kynttilöitä-
kään ei ollut, taivaan himmeys hehkui tuulessa lätkyvän paksun kattokankaan läpi. Kai
tämä oli tahallista, tulija oli pitkään avuttomana ja tarkkailtavana. Olin eteistilassa, nämä
olivat kaikki kai vartijoita.

-Ja sinä olet? Kysyi ääni alhaalta kaavun alta pienen puupöydän äärestä. Pöydällä oli
läjä puhelimia ja sekalainen pino papereita, nimilistoja, karttoja. Vastasin:

-Ari Vuormaa. Minut on lähetetty tänne Helsingin yliopiston edustajana valvomaan
laittomia kaivauksianne. Käsitin että teillä olisi täällä minulle valmiita vuorosanoja jotka
lausuisin ääneen korvausta vastaan.

Mies pyyhkäisi kaavun pois ja paljasti kauniisti kiiltävän kaljunsa joka oli tatuoitu
kauttaaltaan muinaiskelttiläisillä köynnösaiheilla. Suun ilme oli yrmeä, leuka muusta
kasvosta erillinen pieni kuhmura eikä hän kertonut nimeään vaan sanoi katsetta pape-
reistaan nostamatta:

-Ari Vuormaa.. kyllä. Ei se aivan niin helppoa ole. Saat tehdä työtä palkasi eteen.
Teidät on kutsuttu tänne kertomaan tutkimuksistanne ja löydöistänne tässä lähialueilla.
Olemme kutsuneet juuri sinut emmekä mitään valvojaa. Se että olisit valvoja - no. Joku
sitä tarinaa tarvitsi, me emme. Käykää peremmälle. Thomas ottaa teidät vastaan heti.
Avajaiset ovat jo alkaneet, teillä on aikaa vain muutama minuutti. Ja tuo kokovartalo-
kondomi, se on säädytön. Laita tämä päällesi, mies sanoi ja veti kassista pöydän alta pit-
kän löysän pellavapaidan ja ojensi sen rytyssä käteeni. Se oli samanlainen kuin minua
vastassani olleella virolaisäijälläkin oli ollut, minimivaatetus ulkopuolisille.

Puin paidan päälleni ja astuin ohuen verhon alta päätilaan, jonka etuala oli
sahanpurua mutta sisempänä maan peitti isojen villakankaiden ja vuotien leppoisa

sikinsoki. Vasemmalla sivustalla oli pitkä puupöytä, jonka ääressä oli kuvaruutujen sineen kumartuneita nuoria. Suurin osa oli muinaispukeutunut mutta oli myös muutama kauluspaitainen kai teknisen puolen kova koskematon kaveri jotka piittaamattomuudellaan pukukoodista ilmaisivat korvaamatonta asemaansa. Teltan takaseinällä oli leveä eurolavoista kyhäilty ja hirventaljoilla peitelty koroke jolla kolme isoa korkeaselkänojaista vänkyröistä männynoksista tehtyä tuolia kuin kömpelöä metsänpeikkojen valtaistuinta 1900-luvun alun satukuvituksista. Jokaisella tuolilla retkotti ihminen. Yksi oli Lena, turpa taas tämänkin hämärän halki vaihtuvia ilmeitä täynnä kuin koskaan lepopaikkaa löytämätön koira. Hän oli juuri huomannut minut ja nykäisi vieressään istuvaa vanhempaa harmaapartaista miestä hihasta suuntaansa. Hänen täytyi olla Thomas Wisenholz itse. Hän istui luontevasti ja tyytyväisenä paikallaan kädessään muutama paperi joiden hän antoi laskeutua hitaasti syliinsä minut nähdessään. Kasvot olivat ilmeikkäät mutta vahamaiset, harmaa tukka ja parta virheettömät, silmät kuin ilman mitään väriä tai ajatusta. Sama ihon kimmoisa kumisuus kuin korkeilla valtiojohtajilla, samat ylettömät salaiset hivenaineet, sama pystyynbalsamointi. Kun astuin lähemmäs kolmannella tuolilla istunut mies nousi ja lähti. Thomasin huulet liikkuivat: -Kutsuin muutamia suomalaisia tutkijoita tänne mutta kukaan muu kuin sinä ei tullut.

-Tuskin niitä muita niin kauniisti pyydettiin kuin minua, sanoin ja mulkaisin Lenaa, jonka hymy olikin nyt irvistys. Jatkoin: -En tiedä enkä osaa kuvitella keitä ne muut olisivat voineet edes olla mutta voin silti vakuuttaa että olen varmasti kaikista vaihtoehdoista hölmöin ja huonoin, sanoin ja kumarsin samalla syvään venkura hymy naamallani. Thomas vastasi:

-Olen minäkin hölmö, tai tyhmä. Harva tajuaa miten suuri voima se on. Älyllä on aina rajansa mutta tyhmyys on ääretöntä. Viisaus on viisainta kun se ohjaa pienillä peräsimen liikkeillä typeryyden loputonta tuulta purjeissaan. Täällä maan lopussa kuin pussin perällä oleminen on hölmöä ja idioottimaisen kallista mutta tästä voi syntyä jotakin ja syntyykin, väistämättä. Tästä typeryydestä nimenomaan. Olen kovin kiinnostunut kuulemaan mitä tarjottavaa sinulla voisi olla meille.

-Voi. Olen ollut hieman sivussa näistä jutuista viime aikoina, sanoin ja levitin käsiäni. -Toivottavasti ette pety. Suurehko arvoitus mitä minusta haluatte. Lena kyllä kertoi jotakin. Uskomatonta toki kaikki.

Thomas röyhtäisi, kai tuttavallisesti, ja heilutti sormeaan minua kohti.

-Et kuitenkaan tuomitse tätä, heti? Kökötät kuitenkin siinä.

-En. Hauskaltahan tämä vaikuttaa! Että otetaan muinaisuudet vakavasti, että tanssahdellaan johonkin suuntaan.. Kyllä minä tämän ymmärrän ja ymmärän miksi olen täällä. On tämä pelottavaakin.

-Miksi?

-Olen liikkunut niin paljon pienemmissä piireissä että mistään miten radikaaleista ajatuksista tahansa ei ole tarvinnut kantaa todellista vastuuta. Mutta nyt kun näen lähetystyönne syvyyden ja arvaan mitä kaikkea sen takana vielä piilossa on.. Eikö teitä itseännekin hermostuta?

-Mikä tarkalleen ottaen? Thomas kysyi pää kallellaan lantunviipaletta suuhunsa tunkien.

-Että olettekin väärässä? Tai että tämä alkaa mennä sikojenne suuntaan?

-Sikojen?

-Aina on sikoja. Jotka löytävät kärsällään kaiken ja syövät kaiken, vaikka isäntänsä, miten syvään haudatun tahansa.

Thomas otti pieneltä pöydältä puisen koristeellisen kinkerikousan käteensä ja joi mahtipontiseksi tarkoitetun kulauksen mutta ehkä juoma oli todella sahtia kuin tuollaisissa astioissa oli muinoin ollut tai ehkä se oli jotakin muuta odottamatonta koska äkkinäinen irvistys valtasi hänen kasvonsa ja hän sai sanottua vihdoin vasta tovin yskittyään ja pyristeltyään: -Minun katsomukseni, kuten jo mainittiin, suosii paviaanimaista räpellystä. Että se ei ole oikeassa joka tietää vaan se joka kokeilee ja laittaa ajatukset todelliseen testiin. Siksi tämä on suuri saavutus, siis tämä meidän täällä Suomessa olemme. Sain tehdä hartiavoimin töitä tämän eteen, usko pois! Ja laajemmin: en todellakaan unelmoi mistään vihasta ja tuhosta mutta draamaa minä kaipaan kuten kaikki ja osaan sitä myös tehdä suoraan tähän maailmaan kuten ei kukaan muu juuri nyt. Myönnän että riski on olemassa. Nälkäisten ihmisten hermostunut into kaartuu kaikkialta yllemme kuten tuolta ulkoa kuulet. Tämä on nyt se piste jonka läpi kuva uudesta maailmasta taittuu. Eikö ole houkutelevaa arvuutella mitä ihmettä sinä saat tähän sanoa, minkä korren kantaa tähän jo korkeana leimuavaan kekoon? Mitä luulet meidän ajatelleen pääsi menoksi?

Naurahdin hermostuneesti ja mietin että kilpalaulantaanko minut oli tänne tuotu. Väittely, sitä minä osaisin ja jaksaisin hamaan tappiin, osaisin ärsyttää kenet vain pois tolaltaan mielihyvin. Ennen kuin ehdin sanoa mitään Thomas ojensi kätensä ja jatkoi: -Tervetuloa joukkoon! Thomas Wisenholz. Ehkä olette kuulleet minusta?

Otin askeleita eteenpäin ja kättelimme kireästi naurahtaen. Minua nolotti etten tuntenut hänen tekemisiään aivan niin hyvin kuin nyt tuntui että olisi pitänyt ja selvästi hänkään ei aivan tarkalleen muistanut tai ymmärtänyt kuka olin, silmämme pälyilivät. Varmasti hänellä oli liikaa leirin hallinnointia ja ihmisten ongelmia käsissään.

-Ari Vuormaa. Kiitos vaan kutsusta, sanoin. Olen kuullut teistä pelkkää hyvää.

-Hyvää? Mitä tarkoitat, pilailetko?

-Kai minä pilailen.

-Onko nälkä? Tässä me vaan rumasti mutustamme! Ole hyvä, Thomas sanoi ja heilautti kättään pitkän pöydän yli ja ympäri hämärää telttaa. Katsoin pöytää mutta enemmän katsoin teltan ihmisiä. Kai kyseessä oli jokin löyhä johtoryhmä, kaikki olivat kumartuneina koneilleen ja söivät samalla kuin amerikkalaiset. Näin Gerhardin puhumassa taaempana hämärässä divaanilla makaavan naisen kanssa. Nainen kysyi jotakin, Gerhard vastasi ja koko ajan he katsoivat minua.

-Kiitos, sanoin. Otin lähimmästä kulhosta rasvassa uivan maksakuution käteeni ja sanoin osoittaen sillä tietokonetyyppejä: -Mitäänkö ei täälläkään saa tehtyä ilman noita urpoja?

-Sellaistahan se valitettavasti on. Haluan kuitenkin että he ovat tuossa eivätkä missään näennäisessä piilossa kun eivät kuitenkaan ole. Tekevät paremmin työnsä kun heitä pääsee heti tarpeen tullen lyömään kovalevyllä päähän.

-Miksi ette ole päästäneet suomalaisia tänne leiriin?

-On täällä suomalaisia vaikka miten paljon, Thomas sanoi edelleen hymyillen ja jatkoi: -Sinulla on väärää tietoa.

-Uutisissa kerrottiin että tuolla portin ulkopuolella on valtava joukko vihaisia suomalaisia muinaisharrastajia, sanoin vaikka en ollut tälläistä uutista nähnyt. Oletin sen todennäköiseksi ja enemmänhän se ärsyttäisi jos se ei olisi totta mutta todeksi se osoittautui, sillä Thomas sanoi:

-Me olemme kohdistaneet heihin samat valintakriteerit kuin muihinkin. Suomalaiset heräsivät tähän hieman myöhässä kun leiri oli ehtinyt jo täyttyä ilmoittautuneista. On turvallisuuteen ja huoltovarmuuteen liittyviä rajoituksia joita viranomaisenne ovat meille asettaneet. Olemme ylittäneet alkuperäisen osallistujamäärän jo tuhannella. Siksi tänne eivät ole kaikki mahtuneet.

-Väitättekö että joku viranomainen valvoo tätä?

-On uhkailtu armeijanne väliintulolla. Kai köyhä hallintonne todella tahtoo rahansa.

-Olette sopineet suomalaisten viranomaisten kanssa että suomalaisia ei oteta tänne. Näin minulle on kerrottu.

Thomas katsoi minua kulmiensa alta. Kai hän ihmetteli mistä olin tietoni saanut mutta minulla ei ollut mitään tietoa, arvasin ja hämmensin vain. Hän sanoi: -Ei, se oli meidän oman riskianalyysimme tulos. Määrä on rajattu, se on totta, ja valikoitu.

-Miksi?

-Olisitte täällä riitaa haastamassa ja sekoilemassa. Yritimme tulla tänne iloisella mielellä ja avokäsin mutta vaikutus on ollut päinvastainen. Tähän teoriaan suhtaudutaan poikkeuksellisen vihamielisesti juuri Suomessa.

-Mistäs luulette sen johtuvan?

-Sitä ei ole tarkemmin analysoitu. Oma arvioni on että te ette koe sitä omaksenne. Näette siinä uhan niin kuin lähes kaikessa. Että Eurooppalaiset taas nousemassa maihin uudella tekosyyllä.

-No tottahan se on, sanoin.

-Teillä on täällä Suomessa niin vähän pakolaisia että itkemisenne on säälittävää. Ja oikeasti, me olemme suhteellisen varakasta väkeä kaikki. Teette hyvän tilin vielä. On tarkkaan kirjattu ja sovittu että kaikki leiriläiset lähtevät pois ajallaan.

-Kaikki tanskalaiset ja hollantilaisetko myös?

-Aivan varmasti. Salalittoja on vaikka minkälaisia mutta ei juuri tuota. Ei kukaan Suomeen tule eikä halua jäädä ilman hyvää syytä varsinkaan näinä synkkinä aikoina. Jokainen ymmärtää teidän ankean huoltovarmuustilanteenne.

-Mikä se hyvä syy nyt sitten on?

-Tämä leikki, tämä peli, Thomas sanoi.

-Pelistä tulikin mieleeni tuo venkoileva nainen tuossa, sanoin ja osoitin viereisellä penkillä ääneti kiehnäävää Lenaa. Näki että hän oli saanut suoniinsa jotain aivan poikkeuksellista mentaaliherkkua, hän ei vahingossakaan sanonut sanakaan, vääntyili vain ja esitti muinaista kuningatarta tai mitä lie aivovauriokurtisaania. Näki miten tyytyväinen hän oli kuunnellessaan meitä, miten hän kuuli kaiken sinne missä lie olikaan ja myhäili kuin sanojemme sisässä kieriskellen, ei siksi että niissä olisi ollut mitään erityistä vaan vain siksi että ne sattuivat olemaan materiaalia hänen ylivirittyneille hermoilleen tässä ja nyt. Edelleen se oli hän joka sai minut ihmettelemään mitä minä täällä tein, miten oli mahdollista että sain keskustella näin pitkään Thomasin kanssa, miten rauhallista täällä ja tässä oli. Joko kyse oli Lenasta tai sitten jostain jota en lainkaan ymmärtänyt. Thomas katsoi Lenaa.

-Me olemme vanhoja tuttuja. Hän se sinua ensimmäisenä ehdotti.

Katsoin Lenaa. Hän hymyili ilman häpeän häivääkään ja nousi lamaannuksestaan ja hypähti kevyesti Thomaksen syliin ja taivutti kaulansa kaarelle pitkin Thomaksen rintaa. Näki että minulle ei irronnut enää kuin pilkkaa ja kireitä kiusapyllistyksiä.

Thomas katsoi Lenaa päällään ja jatkoi asiallista esittäen. -Hän menee minussa hukkaan. Olen lähes sokea likinäköisyydessäni, siis henkisessä likinäköisyydessäni. Tarkoitan itsekkyydessäni. Saan toki tyydytystä siitä että hänen kauneutensa on ainakin joltakulta vähempiarvoiselta mieheltä pois sen hetken kun hän on tässä. Ja kaikkien muidenkin ympärilläni pyörivien naisten avut. Omistautunutta, ilmaista, väsymätöntä aatteen työvoimaa; ankarampaa ei ole. Olen tässä suhteessa alhainen, tiedän sen. He kääntyvät, annan heidän kääntyä ympärilleni. Tiedätkö miten monta miestä tälläinen nainen käännyttää? Taidat arvata! Ei ole Väinämöisen ongelmia minulla ei.

-Ei, vaikuttaa päinvastoin ihan normidiktaattorin naisasioilta, sanoin.

Lena näppäili taas puhelintaan ja kuunteli meitä enää kolmannella korvallaan. Thomas poimi tarjoilijan ojentamalta tarjottimelta grillatun lihanpalan, mutusti sitä hetken ja sanoi:

-Ei minulla olisi näiden kaikkien ihmisten suosiota ilman näiden kaikkien naisten suosiota. Ei minulla olisi näiden kaikkien naisten suosiota ilman kaikkien näiden ihmisten suosiota. Naisilla on kaksoisrooli suosiossani, koska kuten tiedetään, naiset ovat myös ihmisiä, Thomas sanoi ja myhäili tyytyväisenä onnistunutta sanailuaan ja jatkoi: - Osaisitko sinä selittää sen sijaan sen omituisen asian että miten kansanne ykkösäijän, vaka vanhan, maailmanne luojan ja ikisankarin oli niin vaikea saada itselleen naista? Siis ei lainkaan, koskaan, yhtään ketään? Mikä se selitys sille oikein on? Meidän Homeeriset jumalamme raiskailivat tyttöjä ja poikia ja muita eläimiä vasemmalta ja oikealta ja loivat siinä sivussa koko helleenien kansan ja muutaman muunkin.

-Kai kyse on vain paremmasta draamasta, että miksi turhaan haluta niitä jotka kuitenkin voisi saada, väkisin, ylivoimallaan? Ja olihan hän jo vanha, mistä tiedämme miten vastenmielinen ja pahanhajuinen, laulu lukossa haisevien hampaidensa takana. Eikä myyttisten hahmojen täydy olla uskottavia, he kantavat suurempia asioita. Ehkä naisen saamattomuus symbolisoi vielä kesken olevaa luomista ja myös Väinämöisen pyhyyttä, tai vain kykenemättömyyttä asettua aloilleen?

-Kyllä draamaa syntyisi tähtitieteellisesti enemmän siitä että naisen tai naisia saa kuin että ei saa, Thomas sanoi ja klähmäsi Lenaa hajamielisen provosoivasti.

Yritimme molemmat ärsyttää toisiamme huonoon ajatteluun. -No sinä sen varmasti tiedät, sanoin virnistäen ja näytin kai koiralta jolta oli otettu luu pois.

-Tiedät asiasta varmasti sinäkin jotain. Vai oletteko te kaikki suomalaiset miehet ihan saamattomia?

-Me emme ehkä väkisinmakaa ihan niin paljon kuin teidän jumalanne mikä meille haitaksi laskettakoon. Kalevala kun kirjoitettiin umpikristillisellä 1800-luvulla niin eihän siinä sellaista kunnon säpinää voi mitenkään olla kun kokoonkirjoittajakin oli keski-ikäinen naimaton ujoilija. Toisaalta kun yhden naisen tuomana ja toisen naisen perässä tänne tulin niin totta kai, töppösenähän tässä mennään vailla omaa tahtoa, turha väittää vastaan.

-Mikä se toinen nainen on?

-Minun.. avovaimoni pitäisi olla täällä leirissä. Elsa Ketola. Löytääkö täältä kadonneen ihmisen?

-Piilotteleeko hän sinulta?

-En tiedä.

-Anna vain hänen tietonsa jollekin noista nörteistä tuolla pöydän ääressä niin eiköhän asia etene, Thomas sanoi hajamielisesti samalla nousten valtaistuimeltaan pöydän antimia tutkimaan ja jotakin pientä suuhunsa sieltä täältä silloin tällöin napaten.

-Hän saattaa olla jo ruumis, sanoin.

-Täällä ei ole tietääkseni kuollut vielä ketään.

-Vielä?

-Kymmentuhatta hullua teräaseiden kanssa metsään pakkautuneena kahden viikon ajaksi. Toki siinä muutama ruumis tulee. Se on ihan tilastollinen tosiasia.

Nuori mies tietokoneen takaa rykäisi kurkkuaan, nosti päänsä ja äänensä ja sanoi: - Täällä leirissä on tähän mennessä kuollut neljäkymmentäkuusi ihmistä.

214

-No, no niin, sanoi Thomas ja mietti hetken. -Ihmisiä kuolee, se on tilastollinen tosi-
asia. Jokainen numero tilastossa, kun sen avaa, näyttää pahalta, kuin vaikka sinä siinä,
vaivoin penkilläsi väpätät ja täytät oletusarvosi. Syö ruokaa, juo viiniä. Muutakin löytyy,
lääkkeitä, virkisteitä. Hei, tuokaa tälle raadolle lisää viiniä! Thomas huusi ja poika
juoksi verhon takaa, tarttui karahviin ja kaatoi pikarin täyteen ja ojensi sen minulle. Join
janooni, join hermoihini, toden totta. Thomas sanoi: -Tiedätkö mitä tarjoan sinulle?
Mahdollisuuden piristyä kaikesta tästä. Minä kutsun sinut kovimpaan pöytään. Tuohon
noin, Thomas sanoi ja osoitti konerivistöä. -Siihen missä parhaat todisteemme ja tutki-
jamme ovat kuin keihäänkärjet vanhojen totuuksien silmissä. He auttavat sinua saamaan
Kalevalasta vaikka mitä ihmeellistä irti.

-Niinkö?

-Sinä tiedät sen, älä teeskentele. Olet nukahtanut ja minä herätän sinut. Meidän asiat-
tomat materiaalimme ja sinun asiattomat ajatuksesi..

-No ketä ritareita siinä pyöreän pöydän kulmissa on?

Thomas oli kiertänyt pöydän ympäri vireeni. Hän kumartui puoleeni ja osoitti lam-
paankareella tukevaa ilmeetöntä miestä joka huomasi katseemme ja kääntyi tiiviimmin
alas omaa ruutuaan kohti.

-Otho Wilmark, onko nimi tuttu? Niin luulinkin. Hän on todistanut sekä mykeneläis-
ten että foinikialaisten pohjoiset juonteet niin genetiikassa, kielessä kuin kaikessa muus-
sakin. Foinikialaisten riimujen evolutiivinen historia.. Älä turhaan irvistele siinä! Minä
tiedän että tämä kiinnostaa sinua. Otholla on niin paljon hauskaa ja hyvää dataa että kor-
vasi menevät luimuun kun kuulet ne. U5b2c1:ta Karthagosta jo useammasta hampaasta
jotka virallinen tiede tahallaan yhä väärintulkitsee. Odysseuksen "Kreetalainen valhe"
joka on osoittautunut täydeksi todeksi jos Odysseuksen ymmärtää merikansojen edusta-
jaksi. Ja tuo tötteröpäinen tuolla takana on Jens, terve Jens! Häneltä opin miten
järkyttävän vähän kukaan meistä tuntee balttilaista mytologiaa.

Thomas kääntyi kohti pöydän toista päätä ja osoitti rasvaisella sormellaan pimeässä
nuokkuvaa vanhaa miestä. -Paul tuolla on Iliupersiksen ja Pikku Iliaksen asiantuntija.
Ne ovat näitä eeppisen syklin kadonneita kirjoja.

-Ei ole tullut luettua, vastasin. Thomas naurahti vitsilleen. Sanoin:

-Ei se pelkkä vitsikään ollut. Täällä on paljon teitä jotka ovat lukeneet olemattomia
kirjoja.

-Mitä tarkoitat?

-Teillä taitaa olla runoudesta samanlainen yliaistillinen näkemys kuin Gravesilla, ja
Jungilla nekiysta. Että kristillisen ajan druidit kätkivät pakanalliset sisältönsä salaisella
koodikielellä kirkon sallimiin runoihin ja että vain te todelliset mystikkorunoilijat kyke-
nette sen informaation sieltä esiin kummuttamaan. Samalla runollisella logiikalla saatte
varmasti Pikku Iliaksen ja Iliupersiksen uudelleen kirjoitettua muinaisaikojen vainajia

kanavoimalla. Muutama eläin- ja varsinkin ihmisuhri heitä kyllä varmasti houkuttelisi parempaan yhteistyöhön.

Thomasin silmät laajenivat. -Sinähän tiedät enemmän kuin luulinkaan. Mutta lupaan että meillä on juonia joita et ole edes uskaltanut ajatella täällä pikku pöpeliköissäsi, Thomas sanoi ja koputti kevyesti ohimoani ohimennessään takaisin korokkeelleen. Ele ärsytti minua suunnattomasti.

-Ai niin, sanoin ja avasin pienen rintataskuni ja otin muistikortin esiin.

-Mitäs siinä on?

-Suomenkielisiä riimuja, sanoin. Lena nosti nenänsä kuin eläin. Pyöritin korttia hetken sormissani ja laskin sen pöydälle eteeni.

-Liian myöhäistä. Ei kiinnosta, Thomas sanoi. -Siis ajallisesti.

Halusin tietää miten tarkasti he tiesivät menemiseni ja tulemiseni. Ja olin äkkiä täynnä raivoa.

-No sitten, Sanoin ja iskin pöydälle laskemani kortin tinatuoppini jalalla murskaksi. Pitkäpöydän koneiden nakuttelijat kääntyivät iskujen kumahtelun pelottamina katsomaan suuntaani kunnes neljännen iskun jälkeen tuopin jalka murtui ja sinkoutui muistikortin sirpaleiden kanssa jonnekin. Sanoin:

-Nytkö sitä asiaa ei sitten enää ole? Onko näin parempi?

-Hmm, Thomas sanoi ilmeettömänä. Häntä selvästi huoletti riehumiseni. Sanoin täysin rauhallisesti: -Riimuja oli jo pronssikaudella. Juuri puhuit foinikialaisista riimuista joiden mahdollisista jäljistä Ruotsissa ja Norjassa kiistellään. Riimuja kaikkialla Euroopassa.

-No mitä siitä sitten?

-Ei mitään. Että niiden juuret voivat olla moninaiset, ja solmussa. Poistin vain yhden sotkun yhtälöstä jota kukaan ei halua asiallisesti tilastoida. Vanhimmat riimut ovat mesoliittiselta ajalta mutta siinä sulaisi monen kunniakkaan riimututkijan tarina liian lavealle että eivät voi sallia moista epäpyhää juurta. Ja kaikki väittävät omia riimujaan alkuperäisimmiksi. Mutta että sinulla alkaa olla paketti kasassa ja tiivis, mitä sinne enää sopii ja mitä ei. Eikö nyt ole helpompaa? Sanoin ja pyyhkäisin teatraalisesti muistikortin sirut pöydältä maahan. Thomas sanoi:

-Ei olisi tarvinnut noin dramaattiseksi ryhtyä. Vai suomalaisia riimuja? No mikä ettei. Ehkä ne olisi ollut hyvä käydä läpi.

-Ei ne minua kiinnosta enää, sanoin synkkänä ja hamusin käsiini uutta tuoppia pöydän rojun seasta. -Hän sanoi että hän ei ollut se, sopersin ja osoitin Lenaa.

-Ollut mikä?

-Se joka minua suositteli tänne, vaan te.

-No, sillä ei ole merkitystä. Unohdetaan tämä. Kai hän sentään kertoi mitä täällä yritetään. Mitä siitä olet mieltä?

-Ai teistä täällä Toijassa vai teistä tässä maailmassa?

-Ei, vaan meidän kaivauksistamme täällä, Tomas sanoi rauhallisesti ja hymyili hieman. Olin varmaankin kuin pieni jälkiruoka kaiken muun hankalan ja pahanmakuisen välissä; vaikka miten ikävästi venkoilin ei sillä näyttänyt olevan pysyvää vaikutusta. Hän oli päättänyt olla ärsyyntymättä ja ottaa minut puolelleen riippumatta mielipiteistäni. Sanoin:

-No. En ole kovin hyvin perillä Iliaksesta ja Odysseiasta. Olen ne joskus nuorena lukenut mutta en tällä tavalla ketunhäntä kainalossa kuin te haluaisitte.

-Laita häntä kainaloon ja lue uudestaan, lue ne tähän maisemaan kuten olet lukenut Kalevalankin. Lue ne ristiin, puno ne yhteen. Lue ne meidän tiivistelmämme.

-Olen jo lukenut jotakin. Vaikea minun on niistä mitään sanoa. Miten tällaisia valmiiksi taivutettuja todisteita analysoidaan.

-Samoin kuin omiasikin. Jonkinlaisen perinteisen logiikan katkaisu sinunkin on täytynyt tehdä Kalevalan virallisen tutkimuksen suhteen, Thomas sanoi ja yllätyin että hän tiesi tekemisistäni niinkin paljon. Sanoin silti ilkeästi:

-Jokainen meidänkaltaisemme vastaanväittäjä lähtee yhteisestä todellisuudesta omaan yksinäiseen suuntaansa suu vaahdossa uhoten mutta oikeasti meillä ei ole voimaa väittää yhtään mitään. Jos yksi pimeydessä harhailija olisikin sattumalta oikeassa voivat viralliset ihmiset osoittaa hullujen pilveä ympärillä ja sanoa: katso missä eksyneiden seurassa olet. Voin lähinnä pahoin kun katselen miten tämä onnistuu teiltä, miten se vie itseltäni viimeisenkin mahdollisuuden väittää mitään mielekästä.

-Olet väärässä. Me emme ole yksin pimeässä harhailevia etkä ole sinäkään. Meillä on väittämisen voima nyt. Me teemme todellista tutkimusta. Me korjaamme sen aukon joka Euroopan muinaisuuteen on tahallaan jätetty, Thomas sanoi hymyillen ja yritti upottaa intensiivisintä tuijotustaan minuun. Se tuntui kieltämättä hyvältä. Vaaleanharmaat silmät ilman selvää pintaa kuin pilvisen taivaan kaihinen syvyys johon saattoi kuvitella haluamansa ajatukset ja tunteet. Mietin miten paljon johtaminen olikaan vain estetiikkaa, hyvää näköä ja eleitä, kauniiden sanojen loputonta musikaalista virtaa.

-Ette te taida todellista kritiikkiä sietää, sanoin. -Lehdyköissänne rukousmyllyt pyörivät akselit kuumina.

Thomas jäykistyi äkkiä ja sanoi kiivastuen: -Jos otat tehtävän vastaan niin kuin jo olet ottanut niin sanon heti ettei siihen kuulu mikään julkinen skeptisyyden levittely ja ironinen irvailu. Yritämme positiivisessa hengessä rakentaa koherenttia kuvaa kaukaisesta yhteisestä menneisyydestämme ja ymmärrämme toki tämän yrityksen hauruuden. Se ei kestä tällä hetkellä aivan täydellistä tieteellistä tarkastelua. Haluaisin sinun käsittävän tämän ja sen, että myös me käsitämme sen, tai minä. Monet tuhannet ovat jo tehneet tämän uskonloikan ja janoavat todisteita. Antakaamme niitä heille, edes vähän, että tarina pysyy elossa. Vähitellen kerääntyvän konkretian voima tulee olemaan kiistaton, sitten myöhemmin. Näin tarinat ja todisteet on aina kasaan kyhätty.

-Faktat..

-Faktat! Niin kuin tosiasiat olisivat koskaan mitään todistaneet. Tarinat todistavat. Tarinoissa voi olla faktoja, viitteitä todellisuuteen tai sitten ei. Parhaassa tarinassa on puolet totta ja puolet valhetta, se hengittää niitä sisään ja ulos.
-En ole mukana missään löytöjen väärentämisessä, sanoin.
-En toki ehdota sellaista vaan että tämän kertomamme tarina pidetään kiinnostavana, yhtenäisenä ja dynaamisena. Tuomme jatkuvasti esiin lisää mielekkäitä yksityiskohtia ja jännittäviä tutkimustuloksia.
-Ei negatiivisia tuloksia?
-Niin, toistaiseksi pidättäytyisin niiden julkaisemisesta tai ainakin annostelisin niitä kohtuudella ja hyvällä harkinnalla. Hallinnoimme tätä syntyvää muinaisuuden kuvaa. Ja tehän olette täällä asiantuntijana, ette varsinaisena tutkijana. Kerätkäämme tuloksia positiivisessa hengessä ja kohdistakaamme niihin kritiikkiä myöhemmin. Näin saavutamme parhaan lopputuloksen. Arkeologian, siis koko argeologian tieteen yksi tärkeä alkuhan oli Schielmannin silkalla tahdonvoimallaan tekemä Troijan tunkeminen Turkin Hisarlikiin ja silloin vielä lapsenkengissään olleen arkeologisen tiedeyhteisön tekemä tämän epätieteellisen sijoituksen hiljainen hyväksyminen. Tämä sallittiin silloin koska se sopi riittävän monelle riittävän hyvin, suuri yleisö saatiin kiinnostumaan arkeologiasta tämän dramaattisen löytötarinan avulla. Tämä petos on arkeologian tieteen pohjalla, sen synnyssä.
-Ja te aiotte tehdä samanlaisen tempun?
-Eikö olekin symmetristä ja kaunista? Korjaamme virheen, jota loivanylpeät hierarkisarvoisat tiedemiehet ovat ylläpitäneet satoja vuosia vaivojaan säästämättä. Tieteen konservatiivisuus on sen byrokraattisen järjestelmän luonnollinen toimintamalli ja se toimii hyvin silloin kun kehitys koostuu pienistä askeleista mutta suurta eettistä muunnosta se ei voi sietää kuten ei mikään valtarakenne. Vaikka rakenteessa näkisikin virheitä ja vinoumia ne on helppo jättää huomiotta tai väärintulkita. Logiikka on tahdolle ja tarinalle alisteinen aina, tieteen vilpittömyys todisteiden edessä on pilapuhetta. Rakenne, konstruktio itsessään on pyhä arvo, kuin itse elämä. Schielmannin metodien epätieteellisyys on osoitettu kerta toisensa jälkeen mutta silti tätä väärää sijoitusta ei ole kyseenalaistettu vaan sitä jauhetaan kuin vanhaa purkkaa. Olkaa kerran kohautetaan ja käännetään katse taas sinne minne pitää.
-Minä en tiedä riittävästi kummastakaan että voisin sanoa mitään järkevää. Kieltämättä Lenan kertomat maantieteelliset perustelut kuulostivat kiinnostavilta, erityisesti Pohjanmereen ja Odysseiaan liittyen. Mutta tämä Troija Toijassa.. Huh. Rankemmanpuoleista, jos saa sanoa.
-Siksi me olemme täällä. Jos jotain vaikka löytyisi tai tulisi mieleen. Tätä meidän täällä oloamme vastustavat monet omistammekin joiden mielestä poliittinen aatteemme ei kestä tällä hetkellä tällaisia epävarmuuksia, että meidän olisi pitänyt valita vain yksi Troija eikä monta, yksi selkeä tarina ja vastaus ja lukittaa se.

-Kuinka monta teillä sitten on niitä? Kysyin aidosti yllättyneenä.

-Kaksi tai kuusi tai kaksikymmentä riippuen siitä miten lasketaan. Tämä Toija ja Cambridgen Cog Magog ovat suosituimmat tällä hetkellä meidän seuramme piirissä. Sitten Ranskassa on Troyes ja pari muuta melko kiinnostavaa ja tietysti Amerikan mantereella muutama ja Portugalin Farosta ja Gadizistakin monet pitävät, Lissabonin nimihän oli alunperin Olyssipo. Siellä on lämmintä ja enemmän raunioita tongittaviksi ja kaikki tietysti puoltavat omia kotikontujaan. Itselläni on perinteitä Intiasta, tai no, ne liittyvät enemmän Atlantikseen siellä Induksen varressa.. Sen tarinan viemänä tai tuomana minä päädyin lopulta tänne pohjoiseen. Käänsin kelkkani kesken kaiken minäkin. Atlantisellahan taitaa olla kymmeniä ellei satoja varmoja paikkoja ympäri maailmaa mutta nyt senkin sijainti on toki selvinnyt ja lukkiintumassa Doggerlandin matalikolle Pohjanmerelle. Kaikki on vihdoin asettumassa oikeille paikoilleen.

-Sieltäkö teidän muinaisharrastuksenne alkoi? Goalta?

-Niin, ja täysin sattumalta. Asuin vuosia retriitissä jossa oli yksi vanha partahullu paikallinen mies joka jauhoi sitä juttua aamusta yöhön kuin loputonta rukousta, siitä on yli neljäkymmentä vuotta jo. En edes muista hänen nimeään enää. Minulla oli omissa senhetkisissä lukemisissani, kirjoituksissani ja itselleni poseeraamisissani jokin ankara tylsistymisen ja masennuksen hetki ja hän sai ujutettua käteeni outoja kirjojaan ja minä satuin herkkänä lukemaan ne ja jotenkin pääni jäi siihen asentoon missä se nyt vieläkin on. Bal Tilakin kirjasta Intian arjalaisten arktisesta kodista, mahabharatasta löytyvistä viittauksista yöttömään yöhön ja pohjoisen tähtikuvioihin se alkoi. Sitten ajauduin luonnollista tietä natsisaksan kansallissosialististen arjalaisteorioiden kautta Pohjois-Eurooppalaisiin taruihin, joihin nyt siis lasken Iliaan ja Odysseiankin.

-Miksi pohjoinen alkukoti miellyttää teitä?

-Koska todisteet niin osoittavat, Thomas sanoi, kaatoi toisesta kannusta ilmeisesti viiniä pikariin ja joi sen tyhjäksi, kuin janoonsa, nyt irvistämättä.

-Tarut voi helposti sijoittaa mihin vain ja miten päin vain viikattuna kun oikein yrittää, sanoin.

-Tästähän me juuri puhumme. Olen vertaillut kaikkia mahdollisia sijoituksia kaikille mahdollisille taruille ja täällä minä nyt olen armeijani kanssa, Thomas sanoi, levitti käsiään ympärilleen ja nauroi.

Väitin kohteliaisuudesta vastaan. -Suomessa ollaan sitä mieltä että tämä kaikki on vain savuverhoa. Että te olette vain koominen keihäänkärki jonka taakse vakavammat asiat kätkeytyvät. Poliittiset liikkeet ja voimat niiden takana. Uusi maailmanjärjestys, rahojen vaihtuvat, uusia uomia etsivät virrat.

Thomaksen kasvot synkistyivät kulmien kohdalta. -Olen aallon harjalla ja suuren aallon voimaa on vaikea hallita. Olen ollut osaltani synnyttämässä tätä liikettä mutta ei se minusta ala eikä minuun lopu. Näen mitä on tapahtumassa, en ole sokea, osaan lukea lehtiä ja muita luonnon enteitä. Keräämme kiinnostusta, kirstuihimme kasautuu myös asiatonta ja ahnetta rahaa, sitä on mahdoton täysin välttää. Skaalautuvan yrityksen normaaleja kasvukipuja.

Hän vilkaisi pitkäpöytään päin, josta muutama ilmeetön pää vilkaisi takaisin. Kysyin:

-Miksi auttaisin sinua?

-Siksi että voit. Salainen suunnitelmani tämän sirkuksen tänne tuomisessa on, jos todella haluat kuulla, vastustaa liiton aggressiivisempaa siipeä joka haluaisi alkaa jo rahastaa poliittisia voittoja niin raukkaraihnassa EU:ssa kuin kaikissa alaisissa maissa joissa suosiomme on poliittisesti merkittävä. Mutta minä haluan pitää tarinat vielä ilmassa, jättää tilaa spekulaatiolle ja epävarmuudelle ja laajenemiselle. Minä oikeasti pidän näistä tarinoista, tästä unelmoinnista. Tästä on kysymys ja tilanne on kireä. Käytin liikaa pelimerkkejä, suututin liian monta isoa ja tylsää tänne tullessani. Tarvitsen jotakin konkreettista täältä että saisin Uudesta Euroopasta unelmoivat epävarmoiksi, edes hetkeksi.

-Voitko puhua EU:stä ja UE:sta noin vapaasti?

-Tämä on kaikkien tiedossa, yleinen puheenaihe.

-Yrität vetää ankarimmilta uskoviltasi maton alta. Kuulostaa vaaralliselta.

-Tämä on ainoita asioita mitä maailmassa tapahtuu nyt. Talous ei kehity, mikään ei tuota rahaa. Se on hyvin vaarallinen tilanne koska silloin arvo on kiinni kuin muinoin maassa, lihassa ja urpojen turpavärkeissä ja perinteinen sota täysin mielekäs vaihtoehto kuten on jo nähty Aasiassa.

-Kyllä elektroniikka ja vekottimet kehittyvät. Aurinkokennot, fuusioenergia, tekoäly, mikropiirit, anturit, kaikki tiede ja sovellukset. Kyllä se siitä taas lähtee jos te hullut osaisitte ottaa rauhallisesti ettekä sotkisi taas kaikkea, vereen.

-Minä yritän miettiä reittiä sellaiseen tulevaisuuteen että niin ei kävisi. Tämä on rauhantyötä, kuin lukko jolla aggressio tyyntyy.

-Kenen aggressio?

-Nyt kultaan taas sidotun rahan raskasliikkeisyyden raivostuttamien rikkaiden aggressio. Rahalla purjehtimisen vaikeus, Thomas sanoi vakavalla naamalla.

Tämäntyyppinen ajatuksenparsi oli se minkä rahanhaalimisen kulttuurityöhön vaihtanut ylirikas aina jossakin välissä möläytti. Kysyin: -Olet tähän mennessä nauttinut tästä menosta?

-No. Minä olen showmies totta kai. Ei tämä muuten olisi ollut mahdollista. Pidän omasta äänestäni, pidän katseista jotka kohdistuvat minuun ja täyttyvät odotuksesta. Kirjani Pohjoisen Valo.. oletko lukenut sitä? Et. Se vain dynamisoi aikaisempien kirjoittajien sisällöt mutta tietysti juuri oikealla historiallisella hetkellä. Oman toimintani keskeinen osa on puhdasta estetiikkaa, pelkkää yksinkertaista sommittelua, rytmiä, oikeaa ajoitusta. Kaikki ideat mitä luet ja näet täällä ovat muiden ideoita. Toki olen ajatellut ajatuksia ja seissyt niiden takana mutta todellisuudessa ne ajatukset olisivat voineet olla joitakin ihan muitakin. Tälläinen paketti oli tänä hetkenä koottavissa, minä näin että se oli mahdollinen ja että se oli mahdollista minulle ja minä tein sen päältäpäin suurella voimalla mutta sisältä varmana ja rauhallisena koska kaikki nämä asiat ja tuntemukset olivat jo maailmassa olemassa pieninä epäjärjestettyinä palasina. kokosin ne vain yhteen.

-Suuren johtajan puhetta. Ammattijohtajan.

-Niin. Ja nyt minä näen että meidän olisi liikutettava tätä liikettä uuteen suuntaan tai se romahtaa tai mikä pahempaa, se alkaa lunastaa lupauksiaan täysimääräisesti, tuolla, ulkona oikeassa maailmassa. Prosessi on käynnissä, kuten olet nähnyt. Ei minulta vuosi sitten kehdattu vaatia asioita.

-Oletko jäänyt vähemmistöosakkaaksi?

-Tavallaan. Tein joitakin virheitä, haukkasin muutamasta kakusta liian ison palasen ja he saivat minut nalkkiin..

-Ketkä saivat?

-Isot pojat, tietenkin. Ruma raha, kuten sanoin. Olin ylimielinen, luulin osaavani pelata sitä peliä koska olin aiemmin yksi heistä mutta ihminen ei ole ajatuksensa ja olemuksensa vaan asento johon hänet painetaan ja pakotetaan. Äh, puhutaan jostain muusta. Puhutaan mieluummin asiaa. Puhutaan purjehtimisesta, ei tuulesta.

-Eihän niissä ole paljon eroa, sanoin.

-Ei, ei ole, Thomas sanoi huoahtaen. Olimme hetken hiljaa, kuuntelimme ääniä ulkopuolelta. Ihmiset virtasivat teltan ohi avajaisia kohti. Sanoin:

-Tämä pohjoinen sijainti on niin ristiriidassa virallisen historian kanssa ettei sille tulla sallimaan minkäänlaisia mahdollisuuksia. Mitkään todisteet eivät tule riittämään. Kumoatte kaiken länsimaisen historian.. yritätte käytännössä vallankumousta. Turha puhua mistään ystävällisestä lukosta.

-Sinulla on vielä toinen jalka vanhassa tieteessä mutta suurimmalla osalla ihmistä ei. Heillä ei ole mitään maallisia ja henkisiä sijoituksia, mitään traditiota, mielekästä jatkumoa missään, he ovat täysin vapaita. Näitkö kaikki iloiset ihmiset tuolla ulkona? Mikä voima heillä on, yhtäkkiä. Heitä ei pidättele mikään. Kevyitä ja sivistymättömiä kuin keijut jotka tämä uusi satu täyttää ja nostaa siivilleen. He vain haluavat että heidän elämänsä tuntuu ja merkitsee taas. Kyse on mausta jonka tämä katsomus elämälle antaa ja se maku on jotakin ihan muuta kuin nämä harmaiden pilvien alla vaivaisina kituneet kitkerät juurekset. Tottakai kyseessä on vallankumous, mutta hidas sellainen. Aloitamme pohjalta, aivan alusta ja etenemme ja katsomme mihin asti tämä hyöky meidät kantaa. Tämän hauskempaa elämää ei ole kenelläkään muulla tarjottavana ja siksi liitokset natisevat. On kyse merkitysten tuhoutumisesta joka on jo tapahtunut. Miten kaikki mitä me teemme on joka tapauksessa mieletöntä ja älytöntä, kaikkina aikoina, kaikissa kulttuureissa. Me olemme mitättömän pieniä ja turhia, kuolemme kaikki kohta ja koko tämä meidän maailmamme on uhan tai vähintäänkin vääjäämättömän muutoksen alla emmekä mahda sille mitään, kaikki oleellinen on käsiemme ja ajatustemme ulottumattomissa. Muutama ihminen vääntää kasaan oleellista

221

koodia tai laitetta tai kemikaalia syvällä megakorporaatioiden uumenissa, kaikki muut: eivät mitään tai korkeintaan teeskentelevät tärkeää pohjattomassa tietämättömyydessään ja sivistymättömyydessään. Mitä mieltä on tehdä mitään, yrittää mitään, kun kaikki kuitenkin raukea tyhjiin?

-Siis ihan perinteistä eksistentiaalista tuskaa?

-Niin, mutta vielä historiallisella ahdistuksella painotettuna. Ei pelkästään ihmisen elämä ole mieletön mutta myös kokonaisten kulttuurien ja sukupuuttoon kuolleiden eliö-lajien elämä on ollut turhaa ja mieletöntä kun maailman möyriessä eteenpäin entisten aikojen unelmat ja pyrkimykset muuttuvat vääjäämättä merkityksettömiksi. Mitä me enää piittaamme tulvaa edeltäneitten ihmisten huolista ja murheista, keskiaikaisten uskovaisten sielujen pelastumisesta, asteekkien verenhimoisesta auringosta, Rooman suuruudesta, miljardien dinosaurusten karjunnasta tippana öljyä rattaissamme? Me nauramme niille tai unohdamme ne tai ainakaan emme samaistu niihin. Me pelkäämme ja tiedämme että meille käy samoin, että meidän nyt niin ah vuorenkorkuiset vaivamme ja erinomaiset suunnitelmamme ovat tulevien sukupolvien mielestä eivät edes typeriä tai naurettavia tai vääriä vaan täysin epäkiinnostavia, tulevaisuuden ihmisen elämään millään tavalla vaikuttavia. Me tiedämme että näin todennäköisesti tapahtuu koska olemme itse hylänneet meitä edeltävien sukupolvien tarinat kerta toisensa jälkeen. Katkos on todellinen, ja yhtäkkiä olemme aivan eksyksissä, emme arvanneet että näin käy, että elämä kävisi sietämättömän raskaaksi ilman tarinaa. Siksi tästä meidän keveästä leikistä on tullut niin vakavaa, se on tulvinut mielemme tyhjilleen jääneeseen tilaan osittain vahingossa ja osittain koska mitään muuta ei ole. Ja siksi että muinaisuudesta löytyy ylihistoriallinen jatkuvuus, tarinat joissa ihmiset ovat ymmärtäneet muistamisen tärkeyden. Tarinat ovat muistamisen dynamiikkaa ja muistaminen on välttämätöntä elämän mielekkyydelle, sen ydinmehu.

-Esineiden historia, se on ihan todellinen kehityskertomus. Ihmiset ovat vain jotain häilyviä varjoja tavaroidensa ympärillä.

-Tuo on hyvin maallinen lähestymistapa.

-Se on arkeologian lähestymistapa. Ensin tutkitaan esineet, sitten arvaillaan ihmiset siihen ympärille jos viitsitään.

-Me yritämme saada jotakin tolkkua ja rauhaa tuohon henkiseen häilyvyyteen. Mitä pahaa on siinä että ottaisimme vakavasti sen mitä meitä edeltäneet kulttuurit voivat meille kertoa? Me olemme saaneet muinaiset tekstit puhumaan näille ihmisille täällä, sinä näet heidän ilonsa.

-Kiiluvat ne silmät vihaa ja väkivaltaakin.

-Meillä on täällä lähipäivinä aivan ihana kokoelma erilaisia taistelunäytöksiä. Että miten Hector ja Akilleus kohtasivat toisensa, miten ryntäys achajien laivoille tapahtui, miten kurjiksi naamioituneet taivaan ja maan reunaa vartioineet pygmit eli lappalaiset kätkeytyivät soille, kaikkea tällaista. Olen ottanut nämä taistelunäytökset mukaan että väkivalta ritualisoituisi, että nuoret suuntaisivat rääkyvän voimansa niihin, ja olen mielestäni onnistunut. Rähinät kanavoituvat ja ovat monelle myös reitti historian vakavampaan harrastamiseen. Tämä Toijan leiri on fantastisin leirimme tähän mennessä koska olemme saaneet niin kauniisti integroitua juuri nämä elämykselliset näytökset historiantutkimukseen. Käymme ohjelmallisesti läpi kaikki Iliaksen tärkeimmät taistelut ja sijoitamme ne tänne maisemaan, kokeilemme mihin ne sopivat ja muodostuuko niistä ehyt kuva. Saman olemme onnistuneet tekemään Odysseian kanssa Pohjanmerellä, tosin vasta karttojen ja yksittäisten purjehdusetappien osalta. Suunnitelmissa on järjestää lähivuosina suuri Odysseuksen harharetkiä simuloiva meriretki mahdollisimman autenttisella kalustolla. Pian kaikki tarvittava tieto on kerätty, ja kuva valmis.

-Miten te täällä metsän keskellä mitään saatte simuloitua? Tämähän pitäisi olla avointa maastoa missä kykenisi liikkumaan taisteluvaunuilla. Aika kaukainen kuvajainen!

-Me hankimme etukäteen hakkuuluvat 140 hehtaarille metsää. Suurin osa kaadettiin jo viime vuonna.

-Ei voi olla totta! Miten se onnistui?

-Ei kovin helposti vaikkei mistään suojelumetsistä olekaan kysymys. Maanomistajat saivat hyvät rahat. Mutta että joku ulkomaalainen tulee ja kaadattaa metsää, siitä ei ole pidetty noin niin kuin idean tasolla.

-Tuntuu kyllä äkkiä ajateltuna hevostelulta.

-Se auttaa myös arkeologisia tutkimuksia kun maastomuodot näkee paremmin.

-Et huomaa suurta typeryyttä tuossa? Väännätte maisemankin teidän fantasianne mukaiseksi. Kas kun ette ole tuoneet tänne puskutraktoreita!

-Tämä oli avointa maastoa pronssikaudella. Ja peltoahan tämä Äijälän ja Toijan välinen alue suurimmalta osaltaan on nytkin ollut. Pieniä meidän hakkuut ovat olleet, ja ihan laillisia. Ja on meillä puskutraktoreita ja kaivinkoneitakin täällä, Orijärven kaivoksella, sinua siellä odottamassa, Thomas sanoi hymyillen.

-Te länsimaiset..

-Ettekö te suomalaisetkin ole länsimaisia?

-Emme me jotka näemme tässä ikuisen tilanteen kun te kuljette pitkin maita ja mantuja ja maalaatte maailman itsenne väriseksi, demonisoitte vastustajat ja tuhoatte ne kuin eläimet. Meillä on täällä tarinoita ja traditiota omasta takaa, erilaisia tarinoita jotka te haluatte tuhota tai kuten nyt väkisin integroida koska ne häiritsevät teidän valloitustarinoitanne. Siitä tässä on myös kyse. Varastatte kaiken arvokkaan ja tuhoatte kaikki pienemmät kulttuuriset nyanssit mitkä vaatisivat teiltä sopeutumista. Et ole Kalevalan tarinoita tasavertaisena vertailemassa vaan haluat laittaa ne taipumaan ja taittumaan, poimitte sieltä minkä lie symmetrianykermän mikä osoittaa suuntaanne ja heitätte muun pois. Se on teidän metodinne, idän aroilta tulleiden kärrykansojen metodi. Lepäätte vasta kun kaikki metsä on raivattu aroksi tai murskattu aavikoksi ja peitetty asfaltilla renkaidenne alle! Ja kaikki arvokas varastettu.

-Nyt sinä puhut jostakin muista kuin meistä.

-Minä puhuin länsimaalaisista. Sinä käytit itse sanaa länsimaalainen. Ehkä kyse on vain vallasta ja voimasta. Ehkä me ugrit olisimme yhtä pahoja jos olisimme yhtä isoja kuin te kurganien perilliset. Minä näen tämän niin, että kun te olette viime aikoina pitkästä aikaa joutuneet kärsimään suhteellisesti enemmän kuin muut matalammalta pudonneet niin lähdette kostamaan sitä kenelle vaan heikommalle jonka löydätte.

-Tämä on muinaisharrastajien festivaali. Sinä luet tähän aivan liikaa. onhan niitä kärsijöitä ja kuolijoita ympäri maailmaa nyt niin paljon ettei laskea pysty!

-Sehän teitä ärsyttää. Ette halua olla samassa veneessä muiden kanssa. Ylevöitätte kärsimyksenne ja väkivaltanne tällä tarinalla. Jos et näe mikä tuon kierteen päässä on niin innokkaat vallanperijäsi varmasti näkevät, sanoin ja katselin konepöytiin päin. Ilmeistä näki että he kuuntelivat kuin eivät kuuntelisi.

Eteisen tatuointikaljuinen mies nousi pienen pöytänsä äärestä, käveli Thomasin luo ja alkoi kuiskutella hänen kanssaan nyt kai jo pahasti myöhässä olevasta ohjelmasta. Heidän seuraansa liittyi pari muuta miestä ja heidän puheensa kiihtyi riidaksi. Yritin kuunnella keskustelua mutta ulkoa kuuluva rummutus ja laulu peitti sen alleen.

Nousin ylös ja menin Lenan luo. Pieni pelon välähdys kävi hänen silmissään kun lojahdin häneen viereensä Thomasin valtaistuimelle ja sähisin hänen korvaansa:

-Sinä saatanan nainen. Minä tarvitsen sinua todistajaksi. Sinä näit ja kuulit sen räjähdyksen joka melkein tappoi minut ja veljeni!

Kun Lena kuuli asiani hän rauhoittui ja sanoi: -En. Olin silloin jo kaukana merellä. Luulin sitä ukkosen jyrähdykseksi.

-Älä valehtele! Miksi sitten hylkäsit minut sinne?

-Nämä miehet täällä käskivät minun lähteä.

-Ketkä näistä.

-Ei hän, Lena sanoi ja osoitti Thomasta, joka nosti juuri päänsä piirin yli ja korotti ääntään. Ihmisiä alkoi nousta, teltan liepeet välkyttivät valoa lähtijöiden kumarrellessa niiden alta ulos innoissaan jutellen. Olisi avajaispuheen aika mutta puhuja itse ei tehnyt vielä elettäkään lähteäkseen. Sanoin Lenalle:

-Mitä on tekeillä. Kuka yritettiin murhata, kuka piti tappaa?

-En tiedä.

-Varmasti tiedät jotain.

-Täällä on nyt tärkeämpiäkin asioita. Puhutaan myöhemmin, paremmalla ajalla.

-Sitten saat minun puolestani ryömiä takaisin helvettiisi, sanoin ja käännyin pois ja istuin takaisin jakkaralle ruokapöydän ääreen. Lena istui kädet jalkojensa ympäri tiukasti kiedottuna ja tuijotti polviensa yli tyhjyyteen kuin pieni lapsi enkä osannut sanoa oliko ele esitystä enkä usko että hän tiesi sitä itsekään.

Thomas tuli takaisin kanankoiven kanssa ja istui tuoliinsa. -Muutama hetki voidaan vielä jauhaa. Olemme jo myöhässä mutta muuta ohjelmaa riittää vielä täytteeksi. Siellä on nyt hyvä sää ja hyvä henki, on parempi odottaa vielä, tunnelma kohoaa yhä. Konradkin ymmärsi sen kun huusin riittävän lujaa.

Katsoin ovensuussa pyörivää ja puhelimeen kiihkeästi puhuvaa kaljua miestä ja sanoin:

-Onko kaikki yhtä laskettua ja lakelmoitua?

-Näyttääkö tämä joltakin kellokoneistolta? Paukkulangalla täällä kaikki on kasassa. Mutta mitäs te tipuset täällä toisianne kiusaatte naamat mutrussa? Teidän matkanne ei tainnut sujua missään maailmojasyleilevässä yhteisymmärryksessä? Kuulinko oikein että maantieteellisten ja teknisten vaikeuksien lisäksi sinulla oli myös joitakin psyykkisiä vaikeuksia tänne tulemisessa?

-Mitä tarkoitat?

-Että oli siinä ja siinä että edes olet siinä.

Kysyin: -Minkä tarinan Lena kertoi matkastamme?

-Kyllä hän kertoi että sai sinut haettua. Että matkanne oli siinä mielessä onnistunut.

-Eikö teitä yhtään ihmetyttänyt että hän saapui tänne ilman minua? Että mihin olin unohtunut? Että tulimme eri matkaa?

-Häntä tarvittiin täällä. Sinä olit kuulemma jäänyt sukuloimaan kesken kaiken. Me arvasimme, ajattelimme ja näimme että tulet kyllä sieltä perästä, hänen perästään.

-Sitten näitte myös kai kaiken mitä kävi.

-Me näimme sen.

-Räjähdyksenkö myös?

-Kyllä.

-Ette kiellä sitä?

-Miksi kieltäisimme?

-Viranomaiset kieltävät. Kukahan siitä oli vastuussa?

-Ei aavistustakaan.

-Isohko paukku kuitenkin.

-Sitä en osaa arvioida. Jotakin outoa siinä oli.

-Ja sekö ei muka ollut teidän tekosianne?

-Mitä järkeä siinä olisi?

-Lena lähti sieltä pois kovin sopivasti, sanoin. Lena huudahti ilkkuen vastaan: -Ari luulee että minä varastin hänen karttansa ja räjäytin hänen mökkinsä!

-Näin kun se tuli taivaalta, mikä se sitten olikin. Olen siitä varma. Kuin vasama, sanoin muistosta äkkiä järkyttyneenä.

-Joskus silmä näkee suunnan väärinpäin. Ehkä ryöstäjät laukaisivat jonkin ansan tai ehkä heidän oma pomminsa räjähti vahingossa. Nopeassa hetkessä kun tapahtuu paljon voi tuntua kuin aika kääntyisi väärinpäin; sitä on tutkittu, sen on tutkimus todistanut.

225

Mielen prosessointi ja muisti tekevät virheen, tapahtumien ajallinen logiikka murtuu. Onnettomuustilanteessa on ihan normaalia että todistajien lausunnot eivät lainkaan täsmää.

-Ehkä niin. Toki, on vaihtoehtoja. Hoet ja hoetutat vääriä vaihtoehtoja mielessäsi kunnes ne muuttuvat oikeiksi ja annat asioiden olla, niinkö?

-Niin. Hoe sinä puolestasi jotakin muuta, jotain mikä rauhoittaa sinut. En halua tänne lisää mitään uusia hermorauniota. Vanhoissakin on pitelemistä.

-No. Oli hieman raskasta tulla melkein murhatuksi. Kukahan se minua yritti tappaa, ja kuinka monta kertaa? Sitä minä yritin Lenalta tivata. Yrittäkää nyt edes teeskennellä arvaavanne jotakin. Muuten ajattelen että se olitte te.

-Valitettavasti minulla ei ole käsissäni jokainen langanpää täällä. Joitain juonia on voinut mennä silmieni ohi. Ei se mahdotonta ole. En ole ehtinyt miettiä mitään omaa moneen kuukauteen, juossut tätä touhua kasaan aamusta iltaan koko kevään. Palavereja toistensa perään kuin loputtomia helvetin kehiä. Kerro mieluummin jotain sinun Kalevalastasi. Sen ajoituksesta, sillä sehän on ongelma. Siis suhteessa Homeerisiin eepoksiin.

-Kuten ehkä tiedätte sijoitan mielelläni Kalevalan tekstejä varhemmaksi kuin virallinen tulkinta. Suomessa on tällainen ylivarovainen ja arka tapa vähätellä, myöhentää ja köyhentää muinaisuutta kaikin keinoin.

-Olen huomannut sen! Se on hyvin omituista. Kalevalan syvimmät mytologiset viittaussuhteet ovat tuhansien vuosien takaa.

-Virallisten tahojen mielestä Kalevalan tarut ovat peräisin aikaisintaan 1800 -luvun alusta, mutta näkemys, että ne olisivat jopa sata vuotta nuorempia, on vahvistunut viime aikoina, sanoin ja nauroimme molemmat. Jatkoin: -Jos jotain poikkeavaa Suomesta haluaa todeta, pitää toteajan olla ulkomaalainen tai kuollut suomalainen. Suomessa tutkijoiden on ollut tapana esittää erikoisimmat teoriansa ja varsinkin ne jotka olisivat olleet uhkana heidän työurilleen vasta eläkkeelle päästyään. Sinun pitää uskoa että tämä maa on todellinen kasarmivaltio, maailman ainoa onnistunut kommunistinen kokeilu, kuin muinainen Sparta. Täällä on alalla kuin alalla vain yksi mielentila, todellisuuden tulkinta, taideteoria, median mieli tai maailmankatsomus kerrallaan sallittu. Tämä teidän kevyt tempoilunne aiheuttaa syvää mielipahaa tuolla jäykissä suomalaismetsissä.

-Meillä on ollut odottamattoman paljon vaivaa täällä. Te olette todella kääntyneet tätä kaikkea vastaan.

-Teidät on uutisissa fasisteiksi nimetty. Se on Suomessa aina koko kansan tahto mikä on virallisesti ilmaistu riippumatta mitä kansa keskenään äliseekään tai vastaan purnaa. Suurin osa sopeutuu sen enempää miettimättä virallisiin lausuntoihin. Onhan toki toisaalta lähempänä totuutta että olette kuin että ette olisi. Siis äärioikeistolaisia.

-Sinua on syytetty samasta.

-Pohjoisen muinaisuudesta kiinnostuminen todistaa sen vääjäämättömästi.

-Tämä on juuri se keskustelu jota en enää jaksa käydä, Thomas sanoi ja kääntyi papereidensa puoleen.

-No ei käydä, sanoin. -Omista tutkimuksistani voin sanoa, että olen tullut järkiini. Tajuan ettei mitään maaston kohtaa voi suoraan miksikään tarun tapahtumapaikaksi osoittaa. Löydöt ovat mykkiä, etäisyydet tarinoihin aina liian pitkiä. Lopulta ei jäljellä ole muuta kuin sanojen sotkuinen vyyhti. Olemassa oleva viittaussuhteiden verkko kestää kaikki tällaiset äkäiset vinot väitökset.

-Miksi olet sitten jatkanut?

-En ole jatkanut.

-Meidän tietojemme mukaan olet.

-Tiedätte enemmän kuin minä.

-Olet liikkunut vanhoilla asuinpaikoilla.

-Se on ollut vain tunnelmointia. Esoteeristä etsimistä, sellaista ylihipelöivää kartoitusta. Ihan oikeita arkeologisia kohteita kylläkin mutta en minä metsässä kävelemällä mitään väitä. Vanhat asuinpaikat ovat aina kauniissa kohdissa maisemaa. Siksi minä niillä hortoilen.

-Haluatko nähdä tekemämme analyysin liikkeistäsi? Olet liikkunut muinaiskohteilla kuin kätköjään harova orava.

Ei kannattanut väittää vastaan. Totuus oli jossakin asioiden välissä. Sanoin:

-Jatkoin koska koin olevani oikeassa, koska kunniaani oli loukattu. Olen keskittynyt yhä enemmän maiseman ja etäisyyksien tutkimiseen ja olen päätynyt.. olemaan eri mieltä itseni kanssa. Olen keskittynyt Pohjaan koska sen päinvastainen sijoittaminen etelään, Pohjolan käsittäminen rannikon vasarakirveskansoiksi voisi paljastaa jotakin uutta. Alueella on myös paljon tutkimattomia löytöjä. Kaikki täsmää Pohjassa.

-Miten se etelässä voisi olla? Eikö pohja ole pohjoinen?

-Pohjaksi, pohjiksi on kutsuttu kaikkia etelään aukeavien lahtien pohjoisia periä, etelään aukeavien tupien peräseiniä. Suurin ja syvin lahti, jopa Suomen ainoaksi vuonoksi kutsuttu on juuri kyseiseen Pohjaan johtava Pohjanlahti. Pohja on hautalöytöjen perusteella yksi suurimpia rantagermaanien asutuspaikkoja rautakaudella ja jo aiemminkin pronssikaudelta asti, jatkuvasti. Hautoja on tuhansittain lahden länsipuolella nyt jo umpeenkasvaneen golfkentän ympärillä ja sen alle diskriitisti jyrättyinä. Minun teoriani mukaan Pohjolan väki on ollut tätä indoeurooppalaista merikelpoisilla veneillä liikkunutta vasarakirveskansaa joka on tullut näille rannoille ensin kivikaudella ja sitten aina uudestaan ja uudestaan; viimeksi rautakaudella skandinaavisina varjageina ja taas samalla asialla, hallinnoimaan kauppareitteinä toimivia jokia, tukkimaan ne linnoilla ja linnakkeilla; verottamalla käytännössä ottaneet haltuunsa Suomalaisten metsästäjien turkiskaupan ja lopulta kristillisellä hallintobyrokratialla koko kansan. Samoin Nokian osakekanta aikoinaan ostettiin valtameren taakse ja yhtiö tehtiin toimintakyvyttömäksi.

-Ja mitenhän se tähän liittyy?

-Tiedätkö mikä Nokia alunperin oli? Se oli nokiatar, Nokianvirran jumaluus, soopeli, maailman kallein turkis jota täältä vietiin rooman keisareille asti ja nokia oli myös soopeliturkisten suojaksi rakennetun hirsisen pankkirakennuksen nimitys. Jos jotain arvokasta on, aina tulee jätkät paikalle. Aina.

-Eli Kalevala kertoisi kohtaamisista Eurooppalaisten maahantulijoiden kanssa?

-Joka on ollut täällä tilanne aina. Uusia teknisesti ja sosiaalisesti dominoivia tulijoita on tullut aikojen läpi aina. Aina kun täällä on vähänkään nokka noussut nälänhädän ylle, aina kun on jäänyt jotain viivan alle on se viety, on tullut uusi viejä. Kalevala ei tapahtunut sisävesien vaan meren äärellä. Se on päivänselvää kenelle tahansa joka on kirjansa edes puolikkaalla ajatuksella lukenut. Myrskyt, etäisyydet, suunnat, sumut, tuulet ovat Itämeren ominaisuuksia ja jos ollaan Itämerellä ollaan väkisinkin varsinaisessa Suomessa, Saarenmaalla ja etelämpänäkin Väinäjoella asti josta historiallinen kuningas Lemminkinnuskin löytyy. Kun tuhma poika Tuiretuinen, yksi Kullervon alku- tai sivumuodoista, lähtee maarahoja eli veroja Pohjolaan maksamaan ja näitä eikä enää omiaan veroaarteita siskolleen kerskuen esitellen hänet vahinko-sukuruttoon houkuttaa, ylittää hän useammassakin toisinnossa meren matkallaan pohjoiseen. Lönnrot kertoo tästä Mehiläisen numerossa vuodelta 1839. Samoin Lemminkäinen raivostuu koska ei saa kutsua Pohjolaan omia jyviään syömään, kuulee pohjoisesta veden yli miten vieraat kolistelevat juhliin ja lähtee perään miekka kutsukorttinaan. Ennen muinoin verotettavat ovat katsoneet olleensa oikeutettuja edes jonkinlaisiin vastapalveluksiin isänniltään.

-Eli mitä väität?

-Että Pohjolan asukkaat olivat Suomen rannikolla asunutta indogermaaneja ja Kalevan kansa Balttiassa asunutta ja pohjoiseen pyrkinyttä sen suunnan suomenkielisten tulijoiden ties monettako pulssia. Uskon nykyään että Länsi-Suomen kalevalaiset paikannimet ovat laulujen laulamisen, eivät varsinaisten tapahtumien jäänteitä maisemassa.

-Eli täysin samoin kuin mekin väitämme että Kreikan ja Välimeren Homeeriset paikannimet ovat siirtyneet epiikoiden mukana, ja että siksi ne ovat maastoutuneet uuteen kotiinsa miten sattuu epäjärjestyksessä.

-Niin, ei nimistöstä synny Suomessakaan mitään mielekästä karttaa. Nolona olen sen lopulta myöntänyt. Vanhin tunnistettu nimistökerros on indoeurooppalainen ja vielä senkin alla on merkkejä muinaisemmasta, täysin tunnistamattomasta kielestä. Mutta pohjimmainen pohja, se on päässäni vielä paikoillaan. Varsinainen asia, se mihin olen päätynyt on tämä: kuin lehtitaikinaa Suomen eri asujia käännetty toistensa lomaan aikojen halki ja ne käännökset olleet jotakin muuta kuin kuvittelemme tietävämme, edes sinä ja minä. Emme todennäköisesti koskaan saa tietää miten kaikki meni ja mikä kauheampaa, emme koskaan saa edes tietää miten asiat menevät, siis juuri nyt. Mitä me tässä nyt toisillemme keskustelemme, siitä tullaan kertomaan valheita; jos osoittaudut voittajaksi sinun historioitsijasi vääntävät jokaisen sanani sijoiltaan haluamaansa suuntaan tai sitten totuuden nivelet ryskyvät toisinpäin jos häviät.

-Eihän tätä keskustelua tarvitse valehdella.

-Et tiedä mikä on perintösi ja kuka sitä hallinnoi. Olemme täällä kuin kirstuun pakattu parvi perhosia. Miten me täältä lehahdamme. Se tulee olemaan jotakin muuta kuin luulet. Tallenteet voidaan hiertää tomuksi valtahuhmareiden alla.

-Hmm, Thomas sanoi ja oli hetken hiljaa kunnes jatkoi: -Näetkö mitään mahdollisuutta että myös Ilias kertoisi mitään tästä suomalaisten ja indoeurooppalaisten kohtaamisesta?

-Eikö se teidän Iliaksenne pitänyt olla puhtaasti teidän keskenäisiä kahinoitanne? Mistä me edes kiistelemme? Kielestä, lihasta, kulttuurista?

-Näistä tarinoista, ei mistään muusta, Thomas sanoi vihaisentylsä ilme naamallaan.

-Jos pysymme tarinoissa ja miten ne olisivat olleet mahdollisia juuri tässä ja täällä niin ainoa selitys on että tänne rantautuneet indoeurooppalaisen sotakirveskulttuurin edustajat olisivat menestyneet jostakin syystä hetkellisesti liian hyvin ja heidät olisi pitänyt palauttaa kuriin ja nuhteeseen, palauttaa vallan häiriintynyt tasapaino. Kaikissa sodissa kautta aikojen yritetään liittoutumalla nujertaa liian hyvin menestynyt, päänsä muiden ylle nostanut sukulainen tai sukukansa. Helenan ryöstö sodan syynä olisi ollut vain tekosyy ja savuverho kuten hyökkääjien syyt ovat aina kunnianloukkauksella kehystettyjä valheita. Voin tutkia kaikkea Kalevalan Pohjolaan liittyvää ja yrittää etsiä sieltä muinaisimpia kerrostumia. Itse olen mieltänyt Pohjolataruston hieman myöhemmäksi mutta voinhan yrittää ajatella Pohjapohjolan ja Toijatroijan yhteen, Helenan ja Sammon yhteen. Ehkä Sampo olikin Helenan, Pohjolan tyttären liian kallis myötäjäinen? No, en kuitenkaan lupaa mitään: En tiedä onko mahdollista sanoa mitään tarkkaa näiden kahden mytologian suhteesta, löytää mitään lukkoja. Taistelut Kalevalassa ovat aivan minimaalisia muutaman kymmenen henkilön sissiretkiä. No, muutamissa toisinnoissa jotka eivät epäsopivuuttaan Kalevalaan päätyneet mainitaan suuri Pohjolan sota johon liittymisen mielekkyyttä mietiskellään. Ja onhan kauan sitten jo vertailuja tehty ja joitakin yhtäläisyyksiä henkilöhahmoissa löydetty kuten esimerkiksi Ilmarisen ja Hefaistoksen seppähahmoissa ja erityisesti heidän automaatio- ja robottifantasioissaan mutta niin tällaisissa arkkityypeissä aina..

-Robotteja? Thomas keskeytti silmät auki levähtäneinä.

-Etkö sinä tätä tiedä? Että sana *automata* on Iliaksesta peräisin?

-Tietysti tiedän! Mutta en tiennyt että Kalevalassa oli myös robotteja!

-No, kullasta ja hopeasta valmistettu vaimo jossa ei kylläkään ollut sisäistä mekaniikkaa. Kuolleen vaimon korvike, kuvake. Ainoastaan Ilmarinen näki sen elävänä surun mielenhäiriössään. Odottakaapas, näin se meni:

229

"Ei orjat hyvästi lietso eikä paina palkkalaiset.
Se on Seppo Ilmarinen itse loihe lietsomahan.
Lietsahutti kerran, kaksi, niin kerralla kolmannella
katsoi ahjonsa alusta, lietsehensä liepehiä,
mitä ahjosta ajaikse, lähetäikse lietsehestä.

Neiti ahjosta ajaikse, kultaletti lietsehestä,
pää hopea, kassa kulta, varsi kaikki kaunokainen.
Muut tuota pahoin pelästyi, ei pelästy Ilmarinen.

Siitä Seppo Ilmarinen takoi kullaista kuvoa,
takoi yön levähtämättä, päivän pouahuttamatta.
Jalat laati neitoselle, jalat laati, käet kuvasi:
eipä jalka nousekana, käänny käet syleilemähän.

Takoi korvat neiollensa: eipä korvat kuulekana.
Niin sovitti suun sorean, suun sorean, sirkut silmät:
saanut ei sanoa suuhun eikä silmähän suloa.

Sanoi seppo Ilmarinen: "Oisi tuo sorea neito,
kun oisi sanallisena, mielellisnä, kielellisnä."

-Tämä oli Kalevalasta, ja seuraava suoraan runolaulaja Simona Sissosen suusta:

    Sitte seppo Ilmarinen

    Meni maata nei'on kanssa,

    Punaposkisen keralla,

    Sitte lauloi tultuansa,

    Yön yh'en levättyänsä

    Naisen kultaisen keralla,

    Hopeaisen morsiamen:

    "Elköhön minun sukuni,

    Heimokuntani heleä

    Naista kullasta kuvatko,

Hopeasta morsianta:

Kylmän kulta kuumottaapi,

Vilun huohtaapi hopea;

Se oli kylki kyllä kylmä,

Jok' oli vasten vaimoani,

Se oli kylki kyllä lämmin,

Jok' oli vasten vaippoani."

-Vähän lunttasin ja lyhensin, sanoin lausunnan läähättämänä. Thomas oli osoitellut poikaa pöydän takana joka nousikin nyt ylös ja lausui heti kuuluvalla äänellä:

"Kuvaneidot kulkua auttoi,
kultaiset, vaan kuin eläväiset impyet kuunaan.
Niill' äly rinnass' on, puhe ääntyvä, mieli ja voima,
neuvomat myös jumalattarien jalot askaretaidot."

Poika istahti takaisin paikalleen, muutama taputus sieltä täältä hämärästä. Sanoin:
-Tiedätkö mikä ero Kalevalassa ja homeerisissa runoissa oli se suurin? Se liittyy myös tähän detaljiin.
-En varmaankaan, Thomas sanoi näreänä.
-Se että Kalevalan sankareita pilkataan iloisen määrätietoisesti. Heidät nähtiin ironisessa valossa kuten Suomessa herrat on aina nähty. Ilmarisen kultaiselle vaimolle naure-taan mutta Hefaistoksen automaatteja ihailtiin, kaikki otettiin tosissaan ja kaikkea vain ylistettiin. Iliaksen automaatit toimivat, Kalevalan eivät. No paitsi Sampo.
-Kyllä Iliaksessa kritiikkiä on myös, varsinkin sodan. Se on osa sen suuruutta, jännite sankaruuden, elämän sankaruudelle uhraamisen ja sodan kasvavien kauhujen välillä. Mutta tuo automaatio- ja robottijuttu on aivan loistava yhteys! Sinä voisit ottaa sen osaksi tutkimusohjelmaasi.
-Mikä se minun tutkimusohjelmani olikaan?
-Ajattelimme että keskittyisit arkeologina tämän alueen kaivoksiin. Sitten on se sinun nimistön vertailusi.. vai onko se nyt jo vanhentunut? Jos mielestäsi Kalevala on ensin ylittänyt Suomenlahden ja sitten kerran vielä kuihtuen vaeltanut lännestä Karjalan kor-piin niin sehän on täysin analoginen meidän väittämämme homeeristen tarinoiden ete-

lään vaeltamisen kanssa. Koko Euroopan alueelta on eri kansanperinteistä löytynyt rikas homeerinen hännästö jota innolla jäljitämme.

-Jokaista todistetta pitäisi tutkia aivan erilaisella tarkkuudella kuin mitä te yhtäkkiä vaaditte, sanoin.

-Toki tämä on tutkimuksellisessa mielessä asiatonta, mutta tämähän on vasta alku. Jos ajattelet asiaa laveasti ja plastisesti hyödyn kannalta..

-Minkä hyödyn?

-Tarkoitan vain sitä, että tämä asia on joka tapauksessa tapahtumassa. Tanskassa, Hollannissa, Norjassa, Ruotsissa ja pian Englannissakin tämä katsomus on lyömäisillään läpi. Padot ovat murtumassa, meitä ei enää tuomita. Suunta on kääntymässä ja nyt olisi oikea aika olla mukana tässä ettette taas putoaisi uuden maailman reunalta alas.

-Uuden litteän maailman, niin! Sanoin naurahtaen.

-Tämä on kädenojennus. Olen suuri suomalaisen mytologian ystävä ja minulle yhteydet ovat päivänselviä. Olisi vain niin mukavaa kun saisimme vähän enemmän sympatiaa virallisen Suomen suunnasta.

Minun oli pakko nauraa ääneen. -Minäkö olen se virallinen Suomi? Sen tempun kun saatte onnistumaan niin onneksi olkoon! Tatuoitte otsaani minkä nimikyltin? Väkisin kannoitte tänne!

-Elämme tällaista aikaa nyt. Perässätulijat perustelkoot ja analysoikoot. Tuomitkoot. Nyt on tämä tuuli ja vauhti, menemme mihin asti se vie. Ja haluaisin muistuttaa että virallisen vanhan tieteen puolella on jo koossa laaja arkeologisten todisteiden kirjo joka kertoo Pohjois-Euroopan alueella tuhansia vuosia jatkuneista megaliitti- ja hautakumpukulttuureista, todisteet pitkänmatkan merimatkoista ja kaupasta, tuhat ja tuhat vuotta jatkuneesta yhtenäiskulttuurista. Ainoa mikä meiltä puuttui suuresta tarinasta oli itse tarina ja tässä meillä on se: Ilias ja Odysseia. Tämä ei ole ryöstö: olemme pystyneet osoittamaan tarinoiden Pohjois-Eurooppalaisen syvätason ja Välimeren eriaikaiset lisät ja sovittavat korjaukset. Robert Graves väitti että Homeerinen tarusto on koko Euroopan perintöä, siitä on paikallisia jäänteitä ympäri mannerta ja tämä on vasta alkusysäys sille kaikelle tutkimukselle jota on tehtävä, joka seuraa tästä. En näe tätä siirtymänä tai ryöstönä vaan laajenemisena: Tarina on kotoisin kaikkialta, myös pohjoisesta. Tämä ei ole meidän näkökulmastamme mikään vallanhimoinen rakenteita rikkova projekti niin kuin tiedotusvälineissä on väitetty vaan päinvastoin eheyttävä ja laajentuva.

-Minulle Kalevalan länteen ja lounaaseen ja Balttiaan sijoittaminen oli eheytystä ja virheen korjausta mutta se tuomittiin väkivallaksi ja fasismiksi.

-Siinä näet, Thomas sanoi.

-Ymmärrän poliittisen päätöksen olla sijoittamatta Kalevalaa Länsi-Suomeen sillä se paljastaisi karusti ruotsinvallan ja Rooman kirkon aikaisen vihamielisyyden paikallista muinaista kulttuuria kohtaan. Kirkkojen koko Euroopan alueella suorittama massiivinen perinnetuho on jotakin aivan järkyttävää ja yhä kielletty aihe. Tätä on Suomessa peitelty jättämällä Kalevala sijoittamatta ja samalla on pyritty tekemään siitä koko kansan vai pitäisikö sanoa kansakunnan teosta. Kalevalassa puhutaan Suomesta, mutta ennen vanhaan Suomi tarkoitti vain Varsinais-Suomea, tätä Suomen lounaista osaa jossa nytkin olemme. Kaikki nimien klusterit sekä suku- että paikannimissä löytyvät täältä. Tämä tieto on haluttu aktiivisesti häivyttää ja tämä tilanne on jatkunut Kalevalan julkaisusta lähtien tähän päivään asti. Snellman käski Lönnrotin poistaa eepoksesta paikannimiä, tehdä siitä abstraktimpi ja Lönnrot teki näitä muutoksia Kalevalan uudempaan versioon. Tämän Kalevalan historian 1800-luvun lopun ja 1900-luvun alkupuolen kieli- ja kulttuurikiistoissa selvitin, heh, viisaasti vasta oman tuhoni jälkeen. Niin hävettävän kevyt minäkin olin. Mutta maailma on niin paksu joka kohdaltaan. Ei se mahdu ihmisen syliin mistään vaikka miten puristaisi.

–No mitä olisit tehnyt toisin?

–Olisin ollut Keski-Euroopasta kotoisin niin kuin te, sanoin.

Thomas naurahti kuivasti. –Hyvä! Haluaisin kuulla lisää, paremmalla ajalla. Haluaisin että piirtäisit kartalle Kalevalan maantieteesi ja vertailisimme sitä Iliaksen maantietee-seen täällä. Että korreloivatko ne, mitä se paljastaisi.

–Vai laitetaanko ne väkisin korreloimaan, sanoin.

–Ei ainakaan heti, Thomas sanoi kasvot peruslukemilla. Hän todella suhtautui kaik-keen kuin kauppatavaraan, räpelsi nopeasti läpi kaiken käsiinsä saaman ja keräsi käyttö-kelpoisen talteen ja heitti turhat tunkiolle. Hänellä ei ollut enää aikaa leikkiin ja vitsai-luun jota tämä hulluus olisi vaatinut ja paljon. Hän katsoi kelloaan, vilkaisi pöytiin päin ja nosti kolme sormeaan ja toisen kulmakarvansa ylös. Sanoin:

–Olen sijoittanut Kalevalan ja Pohjolan välisen kamppailun hyvin laveasti niin aikaan kuin paikkaankin. Olen lähtenyt virallisesta myyttisestä näkemyksestä ja liikkunut sieltä kohti konkretiaa yrittämällä antaa jokaiselle yksityiskohdalle mahdollisuuden sanoa mitä se sanoo, puhua vapaasti välittämättä aiemmista tulkinnoista. Se on vaikeaa ja hidasta, pitää koko valtava aktiivisesti paketoitu mytologia levällään ja auki. Ja katsoa toisella silmällä synkkää hapanta maisemaa niin kuin sinne mitään sopisi.

–Niin, nyt vain vispaat päätäsi vielä enemmän, kasvatat nämä kahdet hämärät rihmas-tomme yhteen, Thomas sanoi. –Me tarvitsemme uutta kasvua. Ihan totta.

–Kaikkia keskiaikaisia linnanraunioita ei ole vieläkään esitetty samalla kartalla ettei kuvaelman päivänselvyys paljastuisi. Haapaniemen linna täällä Kiskossa, Mustion Jun-karsborgin ja Vantaanjoen linnat on täysin häivytetty historiasta ja samoin Porvoon lin-nasta ei paljoakaan puhuta, Kokemäen linnaa ei tutkita vaikka sen paikka tiedetään. Kaikki Etelä-Suomen joet oli linnoilla tukittu ja pääväylä, Kokemäenjoki, kovalla rahalla lopulta Ruotsin tai kirkon, miten nyt haluaakaan sanoa, omaksi ostettu.

–Tuo on jo keskiaikaa mistä puhut, Thomas sanoi hermostuen.

-Niin. Syvyys on suuri, tilanne samankaltainen tuhansia vuosia. Kalevalasta on pystytty erottamaan ajallisia tasoja ja muinaisimmat on osoitettu vähintään kolme tuhatta vuotta vanhoiksi. Vanhempiakin ne voivat olla. Sinähän tunnet varmasti nämä tutkimukset?
-Kyllä, Thomas sanoi.
-Valitettavasti näen tässä meidän kuhertelussamme valtavia ongelmia. Jos minä olen unelmoinut Pohjolasta Pohjassa ja te Troijasta Toijassa eikä näillä kahdella paikalla ole etäisyyttä toisistaan kuin kaksikymmentä kilometriä, pitäisi jonkinlaisia vastaavuuksia olla ja todella paljon! Minä en niitä kuitenkaan näe juuri lainkaan. Maailman suurimmat epiikat samassa läjässä täällä Etelä-Suomen vähäväkisimmässä korvessa! Tämä on mielipuolista. Jotakin todella suurta pitäisi olla mutta mitään ei ole! Sattuu päähän kun tätä hölmöyttä ajattelee, sanoin ja painon kasvoni dramaattisesti käsieni väliin.
-Kalevalan tarinat ovat myöhäisempiä. Ajallinen etäisyys selittäisi erot ja samoin se että paikallinen orjakansa ei ole lainkaan Iliaksen kertomuksen näköpiirissä.
-Kalevalan arkaaisimmissa tasoissa pitäisi olla yhteyksiä.
-Mutta niitähän on. Kuten sanoit itsekin Ilmarinen ja seppä Hefaistos ovat lähes sama hahmo, Ukko ja Zeus muistuttavat toisiaan. Sinä et haluaisi ajatella että Kalevala on toinen tai jopa kolmannen osapuolen sivullinen näkökulma samaan kiistaan? Sotkeeko tämä meidän tarinamme tänne tulo sinun valmiit kuviosi?
-Olen ehdottomasti sitä mieltä että Kalevalan pohjolatarusto kuvaa kamppailua indoeurooppalaisia vastaan. Tai ei edes kamppailua vaan vuosituhansien läpi jatkuvaa alisteista tilannetta. Ihmisiä on sotkenut vain se Pohjolan nimi ja halu pitää tämä tarina tällä suunnalla ja Suomen heimojen sisäisenä, unelmoinnin tahallinen kansalliseksi rajaaminen. Muinaisuudessa ei ole ollut maiden rajoja ja kansojen ja heimojen liikunnallisuus on ollut paljon suurempaa kuin kansallisvaltioissa haluttiin myöntää. Ja Suomessa on absoluuttinen tabu sanoa skandinaaveista mitään pahaa, sekin rajaa ajattelua. Mutta olen sitä mieltä että Kalevala kuvaa taistelua etäännytetymmin ja sadunomaisemmin ehkä siksi että se kuvaa tätä kamppailua jatkuvana tilanteena niin kuin se meidän suomalaisten näkökulmasta onkin. Yksi kymmenen tai sadan vuoden sotaretki sinne tai tänne: todellisuudessa niitä on loputtomassa ketjussa muinaisuudesta tulevaisuuteen. Aina kun täällä pää nousee ylös niin jo siihen nuija pamahtaa. Sampo ja Nokia tullaan aina uudestaan ja uudestaan ottamaan tai poisojentamaan, tämän me jo tiedämme. Mutta varsinainen kysymys kuuluu: Mitä juuri tällä kohtaa olisi voinut olla että tarut kumpuaisivat juuri täältä? En osaa kuvitella mitään riittävän merkittävää.
-Sampo? Jos tarut ovat tähän samaan pisteeseen liittyneet. Naisenryöstö, sammonryöstö, kosio kaiken keskellä, molemmissa, kaikissa eepoksissa.. mikä on korrelaatio, ja mikä Iliaksen todellinen aarre? Tämä on, niin kuin sanoit, se varsinainen mysteeri.
-Etteikö se olekaan Helena? Siis ymmärrän ettei se tietenkään ole, mutta..
-Mikä on Helenan etymologia? Jos hän on, niin kuin hän tietysti on, symboli, niin minkä symboli?

-Yleisin on yhteys Heliokseen eli aurinkoon ja auringonpalvontaan. Helene on myös soihtu muinaiskreikaksi. Auringon palvonta ja vuodenkierron tarkka seuraaminen on ollut huomattavasti mielekkäämpää ja tärkeämpää pohjoisessa kuin etelässä. -Suomen kielestä tulee mieleen sana heleä. Se tarkoittaa vaaleaa tai kirkasta, hehkeää ja loistavaa, sanoin. -Siinähän on yhteys! Tomas hihkaisi. Se voisi viitata jalometalleihin! -Oletko kuullut Saarenmaalle pronssikaudella pudonneesta Kaalin rautameteorista? Soihtu ja kirkkaus sopisi myös siihen. Erään teorian mukaan Sampo olisi ollut meteoriittiraudan ja sen takomisen taidon paljastaminen ja myyminen Pohjolalle. Kymmeniä tonneja puhdasta nikkelipitoista rautaa. Sotatekninen vallankumous, varsinkin miekoiksi taottuina.

Thomas katsoi minua silmät selällään ja huokaisi: -Ooh! Pelkästään tuo möläys oli hintasi arvoinen! Tuosta saa ainakin yhden aukeaman aikaiseksi. Meillä on tuohon suora jatko nimittäin olemassa: miten rautamiekkojen käyttöönotto mursi pronssikauden korkeakulttuurit sekä tuhoamalla keskeisten materiaalien, kuparin ja tinan, arvon ja maailmankaupan että luomalla halvemman ja helposti saatavan ylivoimaisen aseen. Olisi täydellinen voitto jos voisimme osoittaa että meteorirauta olisi molempien myyttien keskellä!

-No tiedät ettei näitä voi näin kevyesti heitellä, vastasin ja annoin mieleni lopulta masentua. Olin keskustelumme aikana arvuutellut Thomasin kehnouden laatua ja aloin kallistua kannalle että hän voitti minut ainakin keveydessä ja nopeudessa ylivoimaisesti. Minulla oli vain pienet vaivoin rönsyävät kansalliset kehäpäätelmäni mutta hänellä kaikki maailman mytologiat samassa pinkeässä pussissa johon minua oltiin nyt kiireellä mukaan survomassa. Tämä kaikki päätyisi katastrofiin, tavalla tai toisella, isompaan tai pienempään.

-Tiedät että voi, Thomas sanoi. Tiedät että sanojen johtuminen suomen kielestä germaanisiin päin tuli tieteellisesti tosiasiaksi vasta 2000-luvun alussa Tanskalaisten ja Saksalaisten tutkijoiden toimesta. Suomalaiset olivat määrätietoisessa nöyryydessään kiistäneet tällaisen vastavuoroisuuden mahdollisuuden.

-Kuinka paljon sinä tiedät Kalevalasta?

-Olen lukenut sitä, ja siitä, paljon. Totta kai.

-Tiedät varmaan että Lönnrot sitä laatiessaan luki kuin piru Iliasta. Suurempi osa samankaltaisuuksista joita kuvittelet näkeväsi on sinne ehkä kirjoittamalla kirjoitettu. Sampo turvotettu ja keskeistetty, Väinämöisen vaimo sensuroitu.

-Sinullako on meitä tarkempi tieto siitä mikä siellä on silkkoa ja mikä ei?

-Minä luulen niin, sanoin.

-No hyvä. Niin varmaan onkin. Saat esitellä niitä heikkoja paikkoja sieltä ettei heti ensimmäiseen vetelään mennä, Thomas sanoi huolestunut ilme naamallaan. Häneltä alkoi aika loppumaan ja minulta hermot. Sanoin:

-Kaikki tällaiset mytologioiden vertailuihin perustuvat konstruktiot jäävät aina lopulta ilmaan leijumaan. Olen lopen kyllästynyt kaikkeen muinaislätinään, omaanikin. Ei tämä yhtälö ratkea kuin konkretialla. Täältä on löydettävä joko paljon pronssikautisia aseita tai alueen kaivoksista on löydettävä merkkejä varhaisen pronssikauden aikaisesta käytöstä tai löytää täältä tai muualta tämän alueen mineraaleihin sopivaa pronssia tai sitten sitä Kaalin rautaa täältä, Tanskasta ja Välimereltä. Äärimmäisen epätodennäköistä, vaikeaa ja kallista ja silti todistusarvoltaan laimeaa. Paras olisi kammata järvien mutapohjia ultraäänellä ja röntgenillä ja toivoa löytävänsä sieltä jotain, mitä tahansa.

-Tunnetko ketään kenellä olisi siihen sopivia laitteita?

-En, valehtelin. Sirin täältä tuottama uusi oma data olisi varsinainen henkivakuutukseni ja vipuvarsi jolla Elsan saisin ehkä kammettua esiin. Halusin säästää sen myöhempään. Jos tietävät Mermaidistani niin sanokoot sen ääneen. Lenan varastaman kartan tiedot olivat tämän seudun osalta merkityksettömät; tiesin sen mutta en sanoisi sitäkään ääneen vielä vähään aikaan. Kuvitelkoot siitäkin jotain hyötyvänsä, kuvitelkoot että minusta ja möläytyksistäni olisi heille iloa että pysyisin ainakin hetken näiden notkuvien pöytien ääressä. Olisi saatava Siri siirrettyä Kiskon Kirkkojärven pohjaa kampaamaan, se data olisi arvokasta varsinkin jos laite ihmeen kaupalla olisi minulle uskollinen. Sirin sekoaminenhan viittasi että sen käyttöjärjestelmä oli murrettu, ehkä veljeni oli sen todella tehnyt ja ehkä tieto nyt pysyikin sen sisässä tai valui eri suuntaan. Sanoin:

-Eikö teillä ole mitään vedenalaista laitteistoa? Sehän on aivan oleellinen osa tämän alueen tutkimusta. Vedenpinnan korkeuden ja jokien virtaussuuntien muutokset ovat jättäneet kerran tärkeitä alueita syrjään ja rauhaan. Järvien hapettomissa pohjamudissa jopa puu voi hyvällä onnella säilyä tuhansia vuosia.

-Meidän laitteemme eivät ole riittävän tarkkoja ja tehokkaita. Meille myytiin petoksella vanhoja malleja. Asia selvisi vasta täällä paikan päällä. Kyllä niilläkin olisi tuloksia saatu, mutta juuri kun mittaukset oli aloitettu, sondit vielä varastettiin.

-Kuinka kauan siitä on?

-kolme viikkoa.

-Mitä saitte kerättyä?

-Käsittääkseni emme juuri mitään, Thomas sanoi ja kääntyi katsomaan papereita edessään. Aloimme molemmat olla uupuneita tähän keskusteluun. Historian puhuminen ei koskaan tule valmiiksi, sillä oli taipumus jatkua ja jatkua, polveilla vailla päätä ja häntää ja samanaikaisesti synnyttää itseään toisesta päästä loputtomasti lisää.

Halusin puhua muusta kuin järvistä ja mudista, ja halusin ärsyttää. Sanoin:

-Eikö Tomas.. Ole itäeurooppalainen nimi? Ehkä Tsekeistä tai Slovakiasta?

-Vanhempani muuttivat Puolasta Hollannin patotyömaille kun olin pieni. Vähän minussa sitä itää on.

-Älä yritä kieltää etteikö jotakin kovin slaavilaista tässä kaikessa olisi: Tämä hurma-
henkisyys, keveys ja raskaus samassa lauseessa, uhka joka vaanii koko ajan kulman ta-
kana ja uskonloikat jotka siksi on tehtävä salamannopeasti..

-Ja sano vielä että tämä on ideologioiden hautausmaa, Thomas sanoi ja auttoi käsil-
lään ilmaa teatraalisesti kauhoen. -Jos siis oikein Venäjälle asti yrität viitata.

-Sitä minä en ollut sanomassa! Pikemminkin ideologioiden rehevä tunkio. Kun
Venäjä on romahdellut omaan iloiseen tahtiinsa historiansa läpi on venäläinen siellä
seassa keksinyt aina uusia fantasioita mieltään piristämään. Nyt kun Eurooppa natisee ja
etsii uutta asentoa sinä olet tuonut sirkuksen kaupunkiin.

-Näetkö sinä täällä paljon venäläisiä, et. Venäläisillä on ihan omat fantasiansa ollut
aina ja omat pulmansa nyt kerrankin idempänä niin kuin oikein on. Mitä tuo sotkeminen
on, lopeta se.

-Teidän vihkoissanne on ihan liikaa kultaväriä eurooppalaiseen makuun mutta sinä et
sitä jostain syystä näe, jatkoin kiusaamistani. -Ei teille lopulta jää kuin avuttoman lau-
man voima ja kysymys mitä sillä tehdä. Huonoa sillä yleensä tehdään.

Thomasin silmistä näki että hän oli juuri lopullisesti väsymässä ja suuttumassa mi-
nuun: -Elämä on, parhaimmillaan, iloinen leikki. Eikö tämä ole iloista leikkiä jos mikä?
Mahdollisimman monille, kaikille jotka kynnelle kykenevät?

Liepeen alta tuli pitkä vihainen nainen, käveli Thomasin luo ja mitään sanomatta alkoi
vetää tätä väkisin hihasta kohti ovea ja samalla vauhdilla ovesta ulos.

-No, nyt minun täytyy lähteä, armoa ei enää ole. Kohta on minun avajaispuheeni vuo-
ro. Hei! Thomas huusi niin kovalla ja kantavalla äänellä että kaikki kavahtivat. -No niin!
Valmiina juhlimaan?

Ihmiset vastasivat huutoihin ensin hiljaa ja sitten uudestaan yllytettyinä lujempaa ja
lujempaa. Kaikki nousivat ylös, kellot kilisivät, yhtäkkiä kaikki karjuivat ja alkoivat teh-
dä lähtöä, hälinä täytti teltan nopeasti.

Äkkiä muun metelin seasta kuului erilaista kovaa karjuntaa. Liepeen alta juoksi mies
joka kaatoi Thomasia hakemaan tulleen naisen rajusti syrjään ja ryntäsi kohotettu käsi
isoa veistä pidellen kohti grillattujen lampaankareitten ääreen kumartunutta Thomasia ja
huusi kovalla, ontolla äänellä jotakin käsittämätöntä jossa oli paljon hoota ja oota, kie-
lestä ei saanut selvää. Thomas ehti nostaa katseensa mutta ei edes pelästyä, hän vain kat-
soi adrenaliinin äärettömäksi venyttämän sekunnin puolikkaan ajan ryntäävää miestä ja
suoraan kohti rintakehäänsä liukuvaa veistä. Teltassa oli vähän väkeä, heidän välissään
ei ollut enää ketään joka olisi voinut pysäyttää hyökkääjän. Juuri kun veitsi nousi iskuun
miehen päähän ja silmiin kohdistui teltan pimeistä kulmista ohuita punaisia säteitä, hä-
nen silmistään nousi höyryä tai savua ja hän romahti kiljuen taljojen päälle sätkimään.
Säteet kohdistuivat nyt miehen nyrkkiin joka mustui ja kärisi, säteet seurasivat sen hei-
luntaa kuin miniatyyridiscosankaria ja kun mies piilotti käden alleen säteet kääntyivät
takaisin päähän joka alkoi ensin savuta ja sitten palaa sieltä täältä syvenevien mustien

kiehuvien reikien ympäriltä. Yksi erillinen säde poltti hänen polveensa ammottavan reiän. Kun mies ei enää liikkunut, säteet himmenivät tähtäyspisteiksi ja paikalle rynnänneet kaksi vartijaa vetivät hänet jaloista raahaten ulos teltasta. Thomas tuijotti miehen menoa pidättyneen jännittyneenä. Palanut liha kärysi, ihmiset yskivät ja yökkivät töniessään toisiaan ulos. Thomas puhui kaikille:

-Odottakaa, kuunnelkaa! Näittekö mitä tapahtui? Kyse oli sekunneista, sekunnin kymmenyksistä. Laite toimi, luojan kiitos, sillä te ihmiset ette! Kuka hän oli? Oliko tämä se sama äijä joka hoki sitä Isse från Odiaan?

-Ei, tämä on nimeltään Rand Maes, vartiopäällikkö sanoi ja luki päätteeltään tietoja miehestä. -Hänen profiilissaan ei ole mitään tähän viittaavaa. Belgialainen, ollut puolueen jäsen kolme vuotta. Ei mitään kriittistä. No, väkivaltaista käytöstä mutta ei aiemmin omia vastaan. Humalassa puhunut levottomia, yrittänyt houkutella muita omaan järjestöönsä, kirjoittanut epämääräisiä tekstejä mutta yleisesti aatteen linjan mukaisia. Alkoholin ja muiden aineiden käyttöä. Asunut neljä vuotta Irlannissa. Kaksi tuomiota. Ei mitään ihmeellistä. Joitakin aiempia yhteyksiä Suomeen, musiikkiharrastukseen liittyviä. Ei merkkejä oudoista rahoista.

Thomasin ilme oli jäätävä. Hän puhui kovaan ääneen kaikille paikallaolijoille:

-Tämä on jo toinen tapaus täällä leirissä kun henkeäni uhataan. En ole halunnut piiloutua enkä aio sitä vieläkään tehdä. On liikuttava ihmisten joukossa, on puhuttava, oltava yksi muiden joukossa. He haluavat eristää minut väestäni. En anna sen tapahtua! Mutta: Kiristetään hieman profiileja, säätäkää laitteet herkemmälle ja varoittakaa ihmisiä että lähelläni pitää liikkua rauhallisesti tai kulmakarvat kärähtävät.

-Selvä, sanoi vartiopäällikkö ja näppäili näyttöään. -Ulkona meillä ei sitten ole näin tehokasta systeemiä kuin täällä sisällä. Voi tulla vahinkoja tunnistuksessa.

-No. Kun lähdetään ulos, lisätään vähän haarniskoja, lisätään vähän kehän sädettä. Ihmiset hitaasti ja yksitellen luokseni. Silmät tarkkoina.

-Hienot on laitteet, sanoin kun ryömin esiin teltan paksun kannatintolpan takaa sahanpurua ikinihkeästä märkäpukuni lahkeista pudistellen.

-Eikö olekin. Riskillä mentiin! Milläs tuollaisia laitteita etukäteen testaat, et mitenkään! Kyllä pysäytti miehen tehokkaasti, aivan uskomatonta. Näitkö miten säteet ensin keskittyivät silmiin ja sitten kaulan hermoihin? No nythän tietävät että tällainen järjestelmä on. Tuskin tulee toista yrittäjää. Ripustetaanko kaveri tolpannokkaan? No ei sentään. Mutta voisi hänet näytille jättää, ainakin hetkeksi. Sanokaa että antavat ruumiin lojua teltan ulkopuolella. Puhukaa vain tästä, niin kuin se tapahtui.

22.

Lähdin epäjärjestyksen ja hermostuneen hälinän seassa ulos. Ruumis oli heti oviaukon edessä, sen yli piti loikata. Sen mustaksi kärventyneitä irvokkaita kasvoja kauhisteltiin, juoru levisi ohivirtaavia ihmisiä pitkin huokuvalla nuotilla. Lena odotti teltan kulman takana. -Aki, hän kuiskasi. Hänen silmissään välähti niin terävästi että oletin hänen aiemman velton huumautuneisuutensa olleen ainakin osittain teeskenneltyä tai sitten kuoleman läheisyys oli puhaltanut hänen päänsä puhtaaksi. En hidastanut hänen kohdallaan. Lena lähti kävelemään vierelläni nolo ilme naamallaan. Tunnelma oli outo: Ympäröivien ihmisten ilo ja hämmennys, rumpujen huumaava pauke ja niiden lomassa murhayrityksen ja kuoleman järkyttämä johtoryhmä vaeltamassa jäykkänä kohti juhlapaikkaa. Sanoin:

-Jo toinen murhayritys?

-Vai monesko. Kuka niitä laskee.

-Noinko kevyesti niihin suhtaudutaan?

-Ei, kyllä ne häntä syövät. Hänhän on jo ihan hermoraunio. Pysyy enää laastilla kasassa koko mies.

-Joskushan se tulee, ihmisen uupumisen hetki.

-Niin. Haluan vain sanoa..

-Mitä minun kartalleni kävi?

-Siitä juuri. Annoin sen Axel Bernhultille. Ohi näiden muiden herrojen. Hän on meidän pronssikautisen kaivostoiminnan asiantuntijamme. Hän oli jo aiemmin huomannut että olit kammannut tämän alueen kaikki kaivokset tarkkaan läpi. Älä pelkää, hän on asiallisimpia kavereita täällä. Menet ja kerrot mielipiteesi niistä hänelle. Toivon että löydätte jotakin, jonkin yhteisen sävelen.

-Tiedettä toivomalla tehdä.

-Tehdäänpäs. Mitenkään muuten mitään tehdä.

-Tuota kuulee täällä, sanoin.

Kävelimme kuraisen kohdan yli. Sitä ei voinut väistää, ihmispaljous ympärillämme oli tiivis massa. Monta askelta muta niljui nilkoissamme asti. Väsyimme, pysähdyimme, horjahdimme, nojasimme toisiimme.

-Minä lähden täältä huomenna, Lena sanoi.

-Sinäkö sait työsi tehtyä.

-Minut käskettiin pois.

-Saanko sinuun yhteyttä mitenkään?

-Et.

-Joskus myöhemmin ehkä?

-Jos tähdet asettuvat oikein.

-No asettele.

-Ei ne niin vain tottele.

-No sano sitten jotakin mukavaa, sanoin. Tunsin kuristavaa ikävää, toveruutta ja himoa Lenaa kohtaan ja kauhua hänen lähdöstään ja tänne yksin jäämisestä. Sama millainen petturi hän oli, ei täällä muitakaan nyt ollut. Katsoimme toisiamme tämän kuran ja metelin keskellä. Olimme jääneet jälkeen johtajista ja huutavat ja hoilaavat leiriläiset virtasivat molemmin puolin ohitsemme. Lena sanoi:

-Olisi ollut hauska purjehtia joissakin.. puhtaammissa vesissä. Olla iloinen näillä meidän merillämme eikä koko ajan huolissaan, ei sitä kaikki osaa. Silmistä sen ilon ja innon näkee. Se on se varsinainen taito, varsinainen voitto, kävi miten kävi. Miten muinainen merimies haaksirikossa on oudon, vieraan, tuntemattoman meren syvyyksiin vajonnut. Luulen että sinä olisit sen osannut. Tyynesti keskellä myrskyä, asian selvittyä.

-Minua ei ole kukaan noin kauniisti kehunut. Että osaisin hukkua..

-Pää täynnä tarinoita turvana.

Hymyilin leveästi, silmäni kostuivat. Suutelimme, hymyilimme. Lena kääntyi ja käveli horjuvin askelin kuraista rinnettä ihmisten poikki metsään. Unohdin sanoa Daklan rikkipotkitusta moottorista, mutta kyllähän Lena sen kohta näkisi ja tekijän arvaisi.

Katsoin kuinka hän katosi puiden taakse ja käännyin sitten kohti tuulessa kevyesti lepattavaa esiintymislavaa harvan männikkökummun takana. Tiiviisti yhteenpainautunut yleisö oli lavan ympäri kaartuvalla mustikoiden ja kanervien peittämällä loivan notkelman rinteillä mäntyjen katveessa. Tunkeuduin ihmisten sekaan aivan lavan viereen. Tästä kulmasta ei nähnyt esiintyjiä vaan yleisön ja katselin ihmisiä ja yritin arvailla kuka heistä on turvassa. Näkikö sen ilmeistä ja eleistä kuinka paljon heillä oli hyvää piilossa, kenellä oli rahaa, sukua tai rakkautta ja ystävyyttä johon turvata hädän hetkellä? Tehtävä oli mahdoton sillä jos ihmiset jotakin nykyään osasivat niin peittää sekä ansaitut kuin ansaitsemattomatkin etunsa. Kohtaavatko samanlaiseen karkeaan pellavakäätyyn pukeutuneet velkainen orpo ja sveitsiläiseen pankkiin miljoonaperinnön piilottanut toisensa silmästä silmään tasavertaisina tuossa näreellä vierekkäin huojuen vai vain tasavertaista esittäen ja oliko heillä toisilleen mitään aitoa tarjottavaa? Oliko tämä kaikki taas vain tyhjiä sanoja ja tyhjää esitystä, nämä kaavut ja kukat ja tanssit ja laulut, vain uuden karumman hierarkian harhanäkyinen alku? Kysymys oli aina sama mutta jotkin tällaiset uusien maailmankausien asennot joihin ihmiset oli ensin pakotettu ja sitten kuin pakkoa lieventääkseen vapaaehtoisesti itsensä antauttaneet saattoivat tottumattomien kasvoilta paljastaa jonkin murtuman tai herkkyyden jota ei tasaisempana aikana näytettäisi. Nyt kaikki näytti samalta, lapsekkaan innostuneelta; ilmeet olivat auki, mille tahansa. Hölmöyttä, hihkumista. Vaaran saattoi haistaa. Oli selvä että sanat olivat herkässä ja kalliita, ne osuivat ja upposivat nyt.

Siitä uusissa uskoissa oli myös kysymys: että edellinen ratkennut peli vihellettiin poikki ja aloitettiin seuraava jossa ainakin hetki voitiin teeskennellä että kaikki ovat veljiä ja siskoja keskenään. Kaikki voisivat lähteä mukaan ja siksi kaikki lähtisivät mukaan sillä ihmeellisellä hetkellä kun vanha oli todettu äkkiä arvottomaksi kuin Rooma. Ajan kanssa eroja ja hierarkioita syntyisi, miljoonat ja muut erot tihkuisivat raoista läpi ja saastuttaisivat lopulta yhteisön mutta juuri nyt verhon raosta katsottuna kaikkien silmät hehkuivat tasaisena kukkakenttänä alkukesän vienossa tuulessa. Aurinko näyttäytyi tummanrepaleista taivasta vasten ja sille taputettiin. Julkirikkaat olivat täällä lavalla ja lavan takana täynnä huolta ja tuhinaa valmistautuessaan soittamaan taas rahvasta kuin muka uutta instrumenttia. Lähtisikö siitä soimaan toivottu ääni? Alkaisiko se vihdoin nöyrtyä hieman, saataisiinko sen voima taas käyttöön?

Thomas astui esiin, yleisö mylvähti kovimpaan huutoonsa. Se kesti ja kesti kunnes muinaistorvet hiljensivät huudon pitkällä pasuunamaisella puhalluksellaan. Juuri kun puhe alkoi vieressäni seissyt iso mies sanoi kovalla äänellä:

-Ja taas sitä paskaa tuutin täydeltä!

Ihmiset hänen ympärillään suuttuivat, joku sätti miestä olemaan hiljaa ja joku tönäisikin. Ihmettelin moista purkausta ja kysyin: -Miten se nyt niin paskaa jo on, ennen kuin mitään on sanottukaan?

-Tietää sen mitä sieltä tulee. Herrojen puhetta, kuuntele huviksesi.

Thomas puhui:

-..ole täällä toteamassa että tämä on Troijan maisema vaan vasta aistimassa sen mahdollisuutta. Käytännön roolileikein ja arkeologian tieteellisin keinoin voimme näyttää toteen että teoria on mahdollinen ja mielekäs. Ymmärrätte varmasti jokainen, että muinaisten keskeisten myyttisten tapahtumien uuteen paikkaan sijoittaminen ei ole helppoa niin henkisesti kuin fyysisestikään, eikä varsinkaan niille muille jotka haluavat nauttia totuutensa annettuna ja valmiiksi annosteltuna. Vaikka haastammekin kaiken haluan kuitenkin säilyttää keskusteluyhteyden muun maailman kanssa ja aito tieteellisyys on siihen ainoa mahdollisuus, ainoa kieli. Vaikka olemmekin saavuttaneet yksimielisyyden Odysseuksen seikkailujen sijoittumisesta Pohjanmerelle on Troija vielä paennut meitä ja tarvitsemme vielä paljon todisteita ja toivon teiltä kärsivällisyyttä. Mitä tarkemmin noudatamme tieteellisiä menetelmiä tutkimuksissamme sitä suurempi mahdollisuus on että tämä unelma muinaisuudestamme muuttuu siksi todellisuudeksi jonka jo oikeaksi tun-

nemme tässä ja nyt. Henkinen perintömme joka on ollut yli kolme tuhatta vuotta maan-
paossa on vihdoin löytämässä aidon eurooppalaisen kotinsa. Vaikka olemmekin
tuhatlukuisena joukkona täällä Toijan maisemassa emme saa puhtaalla joukkovoimal-
lamme väittää mustaa valkoiseksi: Meidän on pystyttävä osoittamaan muillekin että
tämä nyt rytöinen maa on joskus ollut avoin ja että täällä ovat taisteluvaunut voineet
liikkua vapaasti, että muinaisilla kuninkailla on ollut riittävän hyvä syy taistella vuosi-
kausia näillä nyt niin raukoilla rajoilla, että Helenalla ollut kunniakasta lähteä Parisinsa
perään tänne jumalien pakarapuolelle. Meidän on saatava pronssinlujia arkeologisia
todisteita jotta voimme näyttää toteen että tämä kaikki ei ole vain hullun houretta. Ne
teistä jotka saapuivat meritse Aijalan rantaan ymmärtävät varmasti parhaiten miksi
olemme nyt täällä: Jääkauden alas painama, upottama ja taipuneen kallioperänsä hitaasti
ylös veden alta esiin ylöskimmottama Suomi on nyt vajonnut yhdessä kaiken muiden
maiden seurassa takaisin sattuman oikusta juuri sille syvyydelle joka tällä alueella
vallitsi pronssikauden aikana. Meillä on juuri nyt ainutkertainen mahdollisuus tunnistaa
tämä muinainen rannikkomaisema runoissa kuvatuksi. Monestikirottu meri on tällä
kertaa meidän puolellamme, aallot täällä pyyhkivät nyt muinaisen Aichaloksen rantaa!
Olemme analysoineet maisemaa kaikin mahdollisin keinoin ja olemme sijoittaneet
tämän hetkisten arvioiden mukaiset infotaulut Iliaksen tapahtumapaikoille, mutta
jokainen teistä voi ehdottaa perusteltuja tarkennuksia tai muutoksia. Tiedän että monet
teistä osaavat eepoksensa pelottavan hyvin mutta sen lisäksi joukossanne on sinilehvillä
merkatut muistihirviöt jotka osaavat ulkomuistista enemmän kuin neljäsosan Iliaksesta.
Tarttukaa heitä hihasta jos tarvitsette keskustelukaveria mutta muistakaa myös leirin
apissa oleva apuri jonka avulla säkeet on sijoitettu infotauluja tarkemmin kartalle.
Yrittäkää olla kuitenkin törmäämättä toisiinne, meillä on jo useampi puuta päin
törmännyt kyyrykävelijä hoidettavana kenttäsairaalassamme! (naurua)

Toivon että otatte tämän tehtävämme vakavasti ja sitoudutte ohjeisiin jotka teille on
jaettu. Mutta tietysti tämä on myös juhla, suuri juhla arjen väistämättömien vaikeuksien
keskellä; monet teistä ovat tehneet suuria uhrauksia tänne päästäkseen, moni on tehnyt
talkootyötä kuukausia tämän eteen. Kiitos kaikille! (huutoa) Aistin teistä suurta yhteen-
kuuluvuuden tunnetta ja näen silmienne loistavan innosta ja odotuksesta. Huomenna al-
kavat varsinaiset työpajat ja ylihuomenna taistelunäytökset, mutta niistä lisää myöhem-
min, sillä tämä päivä on varattu avajaisjuhlalle. Eli, pidemmittä puheitta: Juhlat alka-
koot! Giortázo!

Ihmiset hurrasivat, viirit ja keihäät heiluivat. Pitkäkaulaiset pronssiluurit törähtivät
taas epävireisesti säreilevän fanfaarinsa. Thomas laskeutui alas tornista ja puhetta jatkoi
kiiltävään teräshaarniskaan pukeutunut lyhyttukkainen tyttö joka yllytti yleisöstä vielä
yhdet aplodit irti ja alkoi sitten kertoa tarkemmin leirin ohjelmasta ja käytännön järjeste-

lyistä. Leirin johtoryhmä odotti tornin alla kun Thomas kiipesi notkuvat puuportaat alas verhojen suojaan. Osa oli iloisia, osa ei.

-Jeesus miten huono puhe! Täydellinen katastrofi! Fredrik sanoi silmäkulmat mustina ärtymyksestä kun kävelimme takaisin teltoille. -Tämä ei ollut se puhe josta eilen keskustelimme.

-Pehmensin sitä hieman, aurinkokin sattui paistamaan, ihmiset olivat iloisia. Ja kuka minä olen etukäteen sopimaan mitä puhutaan. Puhun mitä puhun. Pitää haistella ilmaa, Thomas sanoi ja kääntyili hitaasti kuin jäävuori syyttävien katseiden alla. Fredrik melkein huusi:

-Jos tämä on poliittinen liike niin sinä noudatat linjausta mikä on yhdessä sovittu!

-Eihän minun puhettani ole sentään kokouksessa päätetty.

-Se ei ollut linjan mukainen.

-Minusta se oli. Mitä sanoo Gerhard? Thomas sanoi ja kääntyi minut leiriin taluttaneen nuoren miehen puoleen, jonka villakaapu oli vaihtunut vaaleasta tummanharmaaseen. Hänellä oli auktoriteettia koska muut odottivat äänettöminä kunnes hän viimein sanoi:

-Oli se linjan mukainen, mutta loivahko. Ihmiset eivät pidä kun ovat tänne suurella vaivalla tulleet että heidän johtajansa pitää tätä leikkinä. Kun tämä ei sitä enää ole. Ihan selvästi herätti levottomuutta. Ei ollut riittävän juhlava. Enemmän varmuutta. Kovuutta, selkeyttä ja suunta. Ihmiset ottavat kohta hupinsa muualta. Eikä ole sinun asiasi puuttua käytännön järjestelyihin, alentua niiden tasolle, ja sitten sinä puhuit vielä puutaheinää infotauluista joita ei ole saatu edes painettua saati sitten paikoilleen sijoitettua!

-Kai te annatte armoa edes sen verran että ymmärrätte että se mitä teltassa tapahtui häiritsi minua hieman.

-Ei ole varaa antaa minkään häiritä. Alatko pehmetä. Olet pian vain itsesi himmenevä varjo, Gerhard sanoi vihaisesti.

-Voi teitä, Thomas sanoi piittaamattoman iloisesti ja löi kätensä olalleni. -Myönnän syytökset, mutta keskusteluni tämän Arin kanssa tässä vahvisti epäilyksiäni ja tulin siihen tulokseen että tämän ja muidenkin projektien tieteellisyyteen täytyy kiinnittää enemmän huomiota ja ei, en tarkoita täydellistä tieteellisyyttä, mutta jos me nyt kiirehtimällä pilaamme tämän niin se on sitten pilattu seuraavaksi tuhanneksi vuodeksi. Meillä on iso vastuu että tämä menee oikein. Älkää pojat hätäilkö, pysykää rauhallisina. Olemme vaarassa suistua uskonlahkoksi jos roikutamme olemassaolomme liian huterien lankojen varaan. On parempi että tämä teoria pysyy auki ja mahdollisuutena mahdollisimman pitkään jos mahdollisuutta muuhun ei ole. Leiri on vasta alkanut, katsotaan nyt mitä täältä saadaan kotiin viemisiä ja ruvetaan sitten vasta pauhaamaan jos syytä on. Kyllä täällä vielä puheita pidetään ja ihmisiä villitään. Muistutan teitä että tuota puhetta oli kuulemassa tiedotusvälineitä kahdestakymmenestä maasta. Varsinainen yleisömme oli ihan muu kuin nuo nuoret kiilusilmät tuolla sammaleiden seassa. Halusin että esitys oli mahdollisimman asiallinen. Ei ole kyse vain meidän omistamme, on kyse myös muiden mukaan saamisesta. Se on nyt se tärkeämpi näytös. Ei heitä karvaiset kirveenheiluttajat ilahduta kun kaupunkien kadut ovat täynnä samanlaista sakkia muutenkin. Meitä ei kohta erota mustapaidoista! Teistä jotkuthan niin haluaisivat olevankin, mitä? Thomas sanoi ja jäykisti koko ruumiinsa hetkeksi uhon eleeseen.

Muut tulivat äänettöminä perässä helmat heiluen, kaikki kävelivät epätasaisessa maassa välillä eteensä ja välillä jalkoihinsa vilkuillen ja kai siksi pysyivät hiljaa. Näki miten tottumattomia he olivat maastossa liikkumiseen ja miten heitä ei yhtään innostanut täällä olo. Itse olin niin pettynyt tässä tympeässä mieslaumassa roikkumiseen että yhtäkkiä melkein itkin taas. Ehkä ilmaan oli ruiskutettu jotain herkistymistä edistäviä kemikaaleja.

-Mitä ohjelmassa on seuraavaksi? Thomas kysyi Fredrikiltä, joka selasi sormellaan näyttöä ja luki ääneen:

-Nyt on tuo leiri-info ja sitten ensimmäinen pieni taistelunäytös tai oikeastaan se on enää pelkkä kulkue, sitten on vain ruokailu ja illalla juhlat. Näytös pitää tehdä ilman taisteluvaunuja, ne eivät ole vielä valmiit eikä niille oikein ole sopivaa maastoa tässä lähellä. Taistelu on siirretty ylihuomiseksi ja lähemmäs Toijaa Haapaniemen linnan luo. Siellä on suhteellisen kuivaa sänkipeltoa ja sitä on jyrätty että se kestäisi paremmin. Tätä kuraongelmaa ei kukaan osannut odottaa. Ei Iliaksessa mistään kurasta puhuttu.

-No nythän on satanut joka päivä kuukauden ajan, sanoin väliin kun jotain tiesin.

-Kuraa ei mainittu koska sitä ei vielä pronssikaudella ollut, Thomas sanoi. Nämähän olivat kallioisia ja hiekkaisia merenrantapoukamia silloin. Humusta oli paljon vähemmän. Eikö niin Ari?

-Niin, vastasin. En ollut mitenkään varma asiasta mutta ymmärsin retorisen myöntymisen tarpeellisuuden. Kaivelin hetken kännykkääni ja luin ääneen: -"Rannikon pronssikauden asuinpaikat olivat puustoltaan harvoja alueita, joilla kasvoi pensaita ja ruohoja. Makrofossiilianalyysien perusteella ihminen raivasi jo esihistoriallisella ajalla metsiä tehden tilaa laidun- ja niittykasveille, jotka olivat karjan ravintoa. Laiduntavat eläimet estivät raivattujen alueiden metsittymisen."

Johtoryhmä mulkoili minua peittelemättömän rumasti ja kompasteli näreisiin ja varpuihin. Olipa surkea kokoonpano, inhottavista inhottavin ensimmäinen työpäivä ja uudet työtoverit. Surin Lenan lähtöä enemmän kuin olisin voinut uskoa, olin aivan epätoivoinen. Mitä minulla voisi olla täältä muuta saatavaa kuin vihaa ja hengenmenoa. Mietin pakoteitä, livistämistä, mutta sitten ajatukseni kiertyivät Elsaan ja ryhdistäydyin henkisesti ja lyyhistyin fyysisesti osoittaakseni nöyryyttä ja alhaista asemaani tässä ryhmässä vaikka tuskin sillä oli merkitystä. Minulle tehtäisiin mitä minulle tehtäisiin. Mietin että rahat jotka olin saanut pitäisi siirtää turvaan mahdollisimman pian, nostaa ja vaihtaa, vispata ja sijoittaa, kätkeä ja kuopata. Kenelle ne antaisin? Ei ollut ketään rahan arvoista. Millekään lahkolle tai sisäelinsäätiölle en niitä lahjoittaisi. Ei ollut kuin synkkiä ajatuk-

244

sia. Kaikeksi onnekseni kun olimme kävelemässä keittiötelttojen ohi, suuren harmaan nuotiosavun pölmähdyksen takaa kuului iloinen huuto: -Ari!

Joitakin olemattoman luihuja eläimiä, kaneja tai supikoiria paistettiin hiilloksen yli viritetyllä repaleisen ja mustuneen kanaverkon päällä. Tunnistin muutamia tuttuja saarelaisia savun seasta ja menin tervehtimään heitä. Sitten näin että Timokin oli siellä, vino irvinaamansa savun takaa esiin pilkahdellen. Hän huomasi minut mutta ei Thomasta joka jatkoi matkaa takaisin teltalle muiden mukana.

-Ari, terve! Mahtavaa, selvisit tänne sitten sinäkin!

En osannut esittää iloista vaan töksäytin:

-Melkein meni henki tuolla, ja heilautin kättäni meren suuntaan.

-Ai jaa, Timo sanoi ilmeettömällä naamalla.

-Mitäs te täällä? Näin isolla porukalla?

-Totta kai me olemme täällä, Timo sanoi leuka pystyssä. On täällä muitakin tuttuja. Lorekin on täällä.

-Ai Lore? Sanoin säpsähtäen.

-Se sinua pää kipeänä etsiskelee ja kauheasti kaipailee, Timo sanoi vihjaavasti. Jätin koko asian huomiotta ja sanoin:

-Et paljon mainostanut tänne tulemistanne. Pikemminkin päinvastoin. Olit ihan hipihiljaa siellä Hiittisissä.

-Minulla olisikin sinulle asiaa, Timo sanoi kasvot vakavoituen. -Siitä hylystä. Siitä on täällä tarjouksia tehty.

-Mitä paremmassa kunnossa se saadaan nostettua, sen arvokkaampi se on. Nytkö sinä sen ymmärrät kun on rahasta kyse? Kuka siitä on ja mitä tarjonnut?

-Useampiakin tarjouksia, siitä on pieni kisa käynnissä. Kymmenistä tuhansista on ollut puhe!

-Oho. No aiotteko myydä?

-On puhuttu että myytäisiin. Niin että entisöitäisiin itse se siellä paikan päällä. Saataisiin mahtavat rahat kylälle.

-Älkää kertoko paikkaa kenellekään. Ottakaa kunnon etumaksu. Voi olla että se hylky ei tyydytä ostajaa. Ei siitä ole paljoa jäljellä. Mitä valheita olet täällä siitä maalaillut kaiken maailman kavereillesi!

-Älä jankuta, Timo sanoi, ja hän puhui nyt enemmän ympärillään olijoille kuin minulle. Hän tiesi miltä näytti silmissäni ja yritti haastaa ja ärsyttää minua syyllisyyttään suojellakseen enkä osannut enkä kunnolla edes yrittänyt peitellä inhon ilmettäni. Hän hymyili vinosti, se tarkoitti: et mahda minulle mitään, minä olen tämän pelin päällä nyt.

Raivoni kiehui. Nälkiintynyttä teeskennellyt, valehteleva vanha ystäväni.. ei raukka tiedä mihin on kätensä iskenyt! Voisin painaa pikkusormellani hänen pehmeän kallonsa lysyyn, tyrväistä hänen ruman turpansa kertahutaisulla runttuun, voisin riuhtaista hänen

245

päänsä irti samantien ja se olisi täysin kohtuullista ja kostamatonta mutta annoin olla. Tässä oli liikaa joukkoa koolla, kaikilla puukot hihoissaan. Sanoin:

-Onnea pyrintöihin, ja käännyin pois ja kävelin ripeästi johtoryhmän kiinni. He notkuivat johtoteltan edessä ihmisten kanssa keskustellen. Tungin itseni vihalla Thomaksen viereen ja sanoin: -Saisiko täältä yhden ihmisen ulos.

-Senkö jota etsit?

-Ei, yhden toisen jonka juuri löysin. Käy kauppaa muinaisesineillä.

-Niin kuin me kaikki. Ei ole riittävän hyvä syy.

-Heitätte hänet pois tai minä lähden.

-Kuka hän on?

-Ei kukaan.

-Suomalainen?

-Mitä sillä on väliä, sanoin ja astuin sisälle telttaan Thomasin perässä. Jatkoin: -Onko teillä paljon suomalaisia täällä leirissä?

-Muutamia satoja täällä Aijalassa, mutta suomalaisilla on omakin leiri lähellä Toijaa.

-Kuulin siitä. Ovatko he osa tätä tapahtumaa?

-Eivät, eivät todellakaan ole. He eivät ole muinaisharrastajia, siellä on kaikenlaista epämääräistä sakkia. Hilluvat, kuokkivat, kokevat olevansa jonkinlainen vastavoima. Toki tällainen juhla vetää väkeä puoleensa mutta emme voi ottaa tänne leiriin aivan ketä tahansa, pitäisi olla vilpittömämmin hengessä mukana. Tässä on tämä teema suuressa osassa, roolileikit, eläytyminen muinaisuuteen, yhdessä ideointi, työpajat. Kaikki täällä ovat sitoutuneet leirin huoltoon ja ohjelman järjestämiseen. Emme voi päästää tänne mitään siipeilevää irvinaamaista mystis-lokaavaa roskasakkia. Meillä on ylihuomenna avoimet ovet jolloin tänne saa kaikki ulkopuoliset tulla vapaasti ja pidämme silloin myös medialle tiedotustilaisuuden.

-Suomalaiset ovat siis aiheuttaneet häiriötä?

-Jotakin pientä, tuolla metsissä menee kaikenlaista porukkaa. Törmäilevät joskus toisiinsa, meidän ja heidän pojat. Portilla oli eilen jokin pieni välikohtaus.. ei mitään ihmeellistä. No, toimisto paloi, sitä selvitetään. Te suomalaiset olette vähän kärttyisiä, sen olen huomannut. Ja kännissä kuin apinat koko ajan.

-Tämähän on maihinnousu, ja kuinka mones jos teidän tarinanne on tosi? Herrojen maihinnousuja toinen toisensa perään vuosituhannesta toiseen, suomalaiset siinä seassa milloin kenenkin puolella. Meneehän siinä hermot lopulta. Metsäläisten virkana kuolla viljanviljelijöiden viinoihin ja viinavelkoihin.

-Mikä se sinun kaverisi oli jonka haluat ulos täältä?

-Hän kuljeskelee ympäriinsä ja yrittää myydä viikinkilaivan jäänteitä jotka ovat vasta kaikuja kuvaruudulla. Minun kuvaruudullani.

-Jos haluat eroon hänestä, sano vain nimi.

-Timo Saarela. Ei se ole hänen oikea nimensä mutta sillä hän esiintyy ja sillä hän kai löytyy. Ei minua se valehtelu haittaa vaan se tehottomuus ja laiskuus ja petturuus jolla hän asiaa hoitaa. Haluaa minimoida omat vaivansa ja vaaransa ja maksimoida kunniansa, myy luvatta minun työtäni ja siinä sivussa tuhoaa korvaamattoman muinaismuiston.

-Teimo Saarela, niinkö? Thomas sanoi, korjasin hänen lausuntansa ja hän näppäili näyttöään ja jatkoi: -Vainko hän vai oliko muitakin?

-Hän riittää, kiitos. Muut ovat muita. Onnistuuko se noin? Muutamalla painalluksella?

Thomas sanoi: -Nämä ovat minun juhlani vielä. Jos joku virkailija tupsahtaa tuolta liepeen alta selittämään että ei käy niin sitten ymmärrän että tämä on osaltani ohi, että olen hukkunut omaan byrokratiaani. Tällä sitä on hyvä testata että olenko vielä kahvassa kiinni. Mutta ei tämä sinun Timosi poisto täältä leiriltä sitä sinun ongelmaasi ratkaise, Thomas sanoi ja osoitti sormellaan tablettinsa ruutua.

-Mikä minun ongelmani oli? Ei se laiva iso asia ole.

-Taitaa olla kyse siitä että mistä kili pissii.

-Oli miten oli, sanoin.

-Oli miten oli, kaveri lähtee täältä minuuteissa, Thomas sanoi ja hipaisi sormellaan ruutua. -Noin.

-Kyllä hän ymmärtää ja arvaa mistä on kyse. Ehkä se rauhoittaa hänet hetkeksi. Eikä hän pahimmasta päästä ole, sanoin ja katsoin ympärillemme teltassa kuunteliko meitä kukaan. Ihmiset valuivat paikoilleen kuin muinaisten aikojen naamattomat toimistotyöläiset. -Sitä minä ihmettelen että miten jaksat näitä kaikkia hulluja täällä? Kuin keittäisi perunoita painekattilassa josta on venttiili tukossa. Pakko sinunkin on hullu olla.

-Totta kai, Thomas sanoi hymyillen. -Umpihullu. Hullu on liian lievä sana.

-Miten sinä sen murhayrityksenkin otit niin rauhallisesti?

-Niitä on ollut jo monia, ehkä kymmenen yhtä vakavaa kuin tuo. Uhkauksia kymmeniä tai satoja tuhansia. Kun järjestölle suunniteltiin lippua ja sen pohjaväriksi ehdotettiin sinistä, sain kolmesataa tappouhkausta päivässä. Kun muutimme väriehdotuksen punaiseksi, saimme yli tuhat tappouhkausta alle tunnissa. Nämä siis poimittuna sieltä miljoonien jokapäiväisten solvausten merestä. Että kun jotakin oikeasti tapahtuu, se on kai osittain helpotus. Kuulostaako hullulta?

-Kuulostaa, sanoin.

-No näytänkö minä myös hullulta? Miten hullulta?

-Ensivaikutelma on positiivinen, älyllistä kyvykkyyttä ja virkeyttä, dynamiikkaa ja erotiikkaa, mutta kun päässään laskee mukaan kaiken mitä täällä tapahtuu niin mielikuva kääntyy perversioekseen.. suunpielistä alkaa etsiä olematonta kuolaa, nenän kaari kertoo perinnöllisestä mielenhäiriöstä.

-Pilailetko? Thomas sanoi leukaansa sipaisten.

-Onhan tämä hitonmoinen keko sitä itseään, myönnä pois: suuntahan on vääjäämättä kaikkia mäkiä alas. Liian monia asioita sekoitettu samaan; lahkolainen kokonaisratkaisu ei ole koskaan tepsinyt ihmisen ongelmiin. Muutamaksi hetkeksi olet saanut seuraajiesi mielet lukkiutumaan tähän leikkiin, mutta ei tämä tule kantamaan.

-Puhutko sinä nyt mistä? Minusta vai koko liikkeestä? Äsken se oli minun ihohuokoseni joka sinua ärsytti.

-Äh. Minulla olisi vielä yksi varsinainen asia. Se miksi tulin tänne.

-Odota. Katso ensin tämä, Thomas sanoi ja alkoi lääppiä täpytintään. Sanoin:

-Minun pitää löytää Elsa Ketola. Sinäkö olet se hänen varsinainen panttaajansa? Teeskennellyt tietämätöntä, esittänyt hyvää poliisia minulle? Varoitan sinua.

-Kuuntele. Tämä liittyy häneen. Ovatko jatulintarhat sinulle tuttuja? Ja niiden kutsuminen Troijanlinnoiksi, Troijantansseiksi, neidontanssiksi, neitsyttanssiksi, Troijankaupungiksi? Onko sinulle tuttu Etruskien katakombista löytynyt kuuluisa piirros jossa hevosmies ratsastaa ulos labyrintistä jonka nimi on Troija? Huomenna olisi kiinnostava esitys aiheeseen liittyen, Thomas sanoi, ojensi äkkiä tablettinsa käteeni ja sen ruutua osoittaen jatkoi: -Tällä ryhmällä on ehdottomasti yksi leirin kiinnostavimmista projekteista: Idea homeerisen runon tanssillisesta pohjasta. Että daktyylinen heksametri on syntynyt muinaisten piiritanssien askelkuvioiden rytmistä ja mikä hurjinta: idea miten tanssi liittää juhannussalot ja jatulintarhat ja siis runot toisiinsa ja tähän maisemaan. Että tästä riitistä olisi Saksasta täydellinen ylöskirjaus vielä niinkin myöhään kuin 1600-luvun alusta, puistomestarien tai sokkelomestarien suorittamista kurkitansseista. Uskomaton, mutta ehkä ratkaiseva kehitelmä. Erittäin kiinnostava kehitelmä, se lukko mitä olemme hakeneet. Katso sitä, Thomas sanoi olkani yli oikeaa kohtaa pitkästä artikkelista etsien. Ojensin käteni suoriksi ettei hän ylettynyt laitteeseen ja ymmärsi vetää sormensa pois.

Pyyhin artikkelia hajamielisesti. Se ei ollut samaa sarjaa kuin aiemmin näkemäni, taitto yritti olla tyylikäs eikä räväkkä. Kuvia jatulintarhoista, juhannussaloista ja valkokaapuisista tytöistä tanssimassa sokkelon keskelle viritetyn salon ympäri nauhat käsissään. Luettelo erilaisista sokkelomalleista ja jonkinlaisia matemaattisia kaavioita niiden muodoista ja rakenteista. Laskin sen eteeni pöydälle ja sanoin:

-Jatulintarhojahan on pitkin rannikkoja Itämeren ympäristössä mutta eniten Suomessa. Satoja vaiko tuhansia ja tuhoutuneita tuntematon määrä, pronssikaudelta todistetusti vain muutamia kymmeniä. Ovathan ne pelkkiä kiviä kehissä ja siksi hyvin vaikeita ajoittaa. Sanan jatuli yleisin selitys on muinaisskandinaavien ja saamelaisen mytologian jotuni, jääjättiläinen. Lappalaisten tarinoissa jatulit olivat alkeellinen luolissa asunut metsästäjäkansa, joka asui pohjoisessa ennen heitä. On kevyesti spekuloitu että he olisivat voineet olla Euroopan viimeisiä Neandertaliaisia.

-Norja on täynnä tarinoita jättiläisistä ja myös yksisilmäisistä jättiläisistä, varsinkin Bergenin seudulla. Meidän tarinassamme kykloopit asuvat Torghattenilla, kuuluisalla yksisilmäisellä vuorella joka on Odysseuksessakin kuvattu. Laajemmin kyklooppitari-

noita löytyy kansantarujen versioina Atlantin rannikolta aina Baskien Tartalosta saame-
laisiin asti.

-Ai? Sanoin. -Eikö muualta?

-No, Syyriasta ja Serbiasta myös, jos tarkkoja ollaan, mutta emme me ole, Thomas
sanoi nauraen. -Saamelaisten versiossa Staalo-jättiläistä huijaava Kauras-sankari sanoo
nimekseen "Minä itse" eikä "Ei-kukaan" niin kuin Odysseus. Kun ihmisaivoille person
jättiläisen pojat saapuvat paikalle Kauraksen paettua teurastamansa porontaljan avulla
Staalon kodasta ja nähtyään heille rakkaan hirvaan nahan he kysyvät isältään kuka sen
on tappanut. Isä vastaa "Minä itse" ja pojat tappavat raivonpuuskassaan isänsä. Tämä
versio tarinasta on rankempi, hauskempi ja todennäköisesti alkuperäisempi, Thomas sa-
noi.

-En ole koskaan tuota kuullutkaan, sanoin ihmeissäni ja nolona.

-Tämä "Minä itse" korreloi paremmin sen kanssa mitä Odysseus varsinaisesti oli: Kir-
jallisuuden ensimmäinen kohtaloaan ja itseään peilaava ja epäilevä, siis moderni hahmo.
Lähes kaikissa aikojen halki kantaneissa tarinoissa on sama vapauden ja kohtalon väli-
sen jännitteen teema, kuten Sofokleen Antigonessa ja se on myös Akilleuksen keskeinen
dilemma. Sana kohtalo voidaan vaihtaa sanaan uhoaminen tai yhteisön paineeseen. Seu-
raavaa merkittävämpää aiheen haltuunottoa saatiinkin sitten odottaa kaksi ja puoli tuhat-
ta vuotta Hamletiin asti. Don Quiotehan ei epäillyt itseään ja todellisuuden hahmotusky-
kyään kuin vasta kuolinvuoteellaan.

-Jaha, sanoin. -Mutta tuossa saamelaisten versiossa ei ole seivästä tai siis mastoa ol-
lenkaan.

-Siinä on rautainen grillivarras kuten suurimmassa osassa tarinan yli sadasta ympäri
Eurooppaa kerätystä versiosta. Valkohehkuisena loistava oliivipuumasto, hah! Täydelli-
nen virhetulkinta. Etkö ole ehtinyt yhtään tutustumaan leirin materiaaleihin? Siellä tästä
on vaikka mitä.

-Tarkoitus oli tuossa merimatkan aikana käydä sitä läpi mutta siitä tulikin sitten vähän
monipolvisempi reissu. En ole perehtynyt kunnolla, anteeksi. Tällaisia samanlaisia Le-
nan tyrkyttämiä läpysköjä muutaman selasin merirosvojen hyökkäysten välissä. Siitä on
vuosia aikaa kun olen viimeksi epäuskoisena naureskellen lukenut tästä teidän teorias-
tanne ja nyt näyttää että se on täydentynyt ja kehittynyt oikein erinomaisesti, rönsyillyt
kaikkiin mahdollisiin ja mahdottomiin ilmansuuntiin ja ulottuvuuksiin. Ei se täällä Toi-
jassa vielä silloin ollut kun siitä viimeksi luin.

-Ei. Se on ollut vähän pitkin poikin, Thomas hymähti.

-Olen toivottomalla takamatkalla kaiken tämän suhteen. Viime vuosina minun mieleni
on kulkenut päinvastaiseen suuntaan, poispäin saduista ja unelmista. Kieltämättä olen
ollut masentunut.

Thomas katsoi minua tyytymättömänä ja murahti jotakin mutta käänsi sitten katseem-
me takaisin artikkeliin. -Tässä on kartta jatulintarhojen sijainneista. Ryhmä väittää että

jatulintarhat ja juhannussalot ja niiden eri versiot eri puolilla Eurooppaa kuuluivat mui-
noin yhteen. Että niiden sijainnit korreloivat tietyllä logiikalla.

-Mitä todisteita siitä on? Tuo on minulle kaikki ihan uutta, sanoin väliin.

-Niin se oli minullekin. Juhannussalkojen ja toukosalkojen ympäri tanssitaan yhä
Suomen ruotsinkielisillä alueilla, Ruotsissa, Saksassa ja Englannissa, Balttiassa ja
Baskimaassa. Tanskasta perinne eli enää parilla saarella kunnes kuoli sattuneesta syystä,
mutta siitä on tarkat tallenteet ja tutkimukset ja muistiinpanot olemassa ja sitä on herä-
tetty henkiin heidän uusyhteisöissään ympäri maailmaa. Brittein saarilla salkojen nimi
on maypole ja juhlat liittyvät satokauden alun hedelmällisyysriitteihin. Salon huippuun
kiinnitetyistä nauhoista kiinni pitävät tanssijat muodostavat sisäkkäisiä ristiinkiertäviä
piirejä ja tanssi saa eriväriset liinat kietoutumaan pylvään tai toistensa ympäri kauniiksi
kuvioiksi jotka avataan päinvastaisesti tanssimalla. Tämä meidän tanssiryhmämme täällä
leirillä esittää että jatulintarhat markkeerasivat salkojen ympäri tanssittujen askelten reit-
tiä. Ehkäpä jopa niin että ketjuna tanssivat nuoret olisivat laittaneet kivet paikoilleen
osana tanssia tai sen lopuksi. Salkona olisi ollut muinaisten laivojen irrotettava masto
jonka merimiehet olisivat kantaneet aina lähellä rantaa sijainneelle juhlapaikalle. Ja että
näille piiritansseille löytyy vertailukohde Kreikasta, vanha kansantanssi syrtos, jota tans-
sitaan yhä Iliaksen daktyylisen heksametrin mukaisesti ja että rytmillinen vastaavuus
löytyy myös Brittein saarten maypole -tansseista. Ja nämä pylvään tai maston huipusta
laskeutuvat nauhat ovat ne Ariadnen langat, joiden avulla minotauroksen sokkelosta sel-
vittiin ulos.

-Eli..

-Eli tämä laitteisto olisi ollut Homeeristen runojen muistiinpainamisen apuväline ku-
ten tanssi ja laulu ovat aina olleet eeppisten runojen apuna. Alkukesän juhlassa nuoret
olisivat esittäneet pitkän talven aikana vanhoilta sukutaitajilta oppimiaan runoja. Meillä
on vain hämärä aavistus entisaikojen talven pituudesta ja pimeydestä ja mitä sen
täyttäminen on vaatinut. Ja että runojen muistamiseen ja esitystaitoon olisi luonnollisesti
liittynyt suurta yhteisöllistä kunniaa ja että ne olisivat olleet myös keskeinen osa
alkukesän pariutumis- ja hedelmällisyysriittejä.

-Oho. Tuohan voisi olla jotain, jos se olisi totta.

-Miten niin ei ole, Thomas sanoi. Hän ei enää hymyillyt.

-Tytötkö tämän asian tanssimalla päättävät, sanoin.

-Älä tytöttele. Olen ollut tästä itse hyvin kiinnostunut viime viikkoina kun kuulin että
tätä on onnistuttu viemään näin onnistuneesti eteenpäin. Tähän liittyy valtava määrä tut-
kimusta ja yksityiskohtia, en pysty tätä koko aihetta sinulle tässä purkamaan. Kysymys
kuuluu: Onko tällä kivisellä rukousnauhalla mitään yhtymäkohtaa Kalevalaiseen myto-
logiaan?

Mietin hetken ja kaivoin muististani jotakin sopivaa ja sanoin:

250

-Samporunoja laulettiin nimenomaan keväällä kylvöaikana ja ihan aktuaalisen kyl-
vönkin aikana. Kylvettävät viljanjyvät siunattiin samporunoilla. Sammon viralliseksi ja
abstraktiksi tulkinnaksi on muodostunut maailmanpuu tai maailmanakseli joka pyörii
kuin mylly ja pyörimisellään tuottaa elämän ja kasvun ja kaikki muutkin maailman il-
miöt, siis samantyyppinen kuin skandinaavisen mytologian Yngrasdil ja kaikkien mui-
denkin mytologioiden maailmanpuut ja -akselit mutta lievällä mekanistisella makuvi-
vahteella. Liettuassa on Toukokuun lopussa muinaisjuhla nimeltään Samboriai, joka on
käytännössä täysin sama juhla. Liettuasta ovat kotoisin myös taivaankantta kannattele-
van maailmanpuun, kupolen, parhaat erittelevät kuvaukset: Miten juurissa soivat kanklet
eli kanteleet muinaisten vanhojen ja viisaiden muistoksi, rungoissa ja oksistoissa surise-
vat arkipäivän hyörinän mehiläiset ja latvustossa lentävät kuolleiden sankarien haukat.
Mutta mitään suoraa yhteyttä sammon ja labyrintin tai sammon ja piiritanssin välillä ei
tietääkseni ole ellei tätä myllymäisyyttä siksi lasketa ja jollei epiteettiä kirjokansi sitten
tulkitse jonkinlaiseksi labyrinttimaisuudeksi. Minähän tulkitsen kirjokannen kirjaksi ja
kirjoitukseksi. Äännepohjainen aakkosto syntyy helpoimmin soinnittomissa kielissä.
-Mielenkiintoista. Sinä voisit selvittää asiaa.
-Mutta täytyyhän niiden tyttöjenkin tietää siitä jotain. Eikö tässä esitteessä ole mitään
Kalevalasta? Outoa.
-Ei siinä ole. Nämä Kalevalan integrointipyrkimykset ovat melko uusi asia meillä
Pohjoisen Liitossa, täytyy nolona sanoa. Ole hyvä, ota heihin yhteyttä, Thomas sanoi,
poimi pöydältä esitteen ja ojensi sen selkä edellä eteeni. Hänen ilmeensä oli outo, hän
katsoi minua kuin eläintä, vahti reaktioitani. Otin esitteen käteeni.
He kutsuivat itseään Kuukuuhkijoiksi. Takakannessa oli ryhmäkuva nimineen ja alla
kartta heidän leiristään. Ensimmäisenä listalta iski silmiini Elsan nimi ja tunnistin hänet
kuvasta istumassa keskellä valkoinen pellavaliina päässään. Vaatteet olivat hänen itsensä
ompelemat, ne olivat samat mitä hän oli käyttänyt vuosittain Sääksmäen Ritvalan helka-
juhlissa. Hänen kasvonsa olivat onnelliset, ehkä jopa hysteeriset, ne loistivat ties mitä
valoa.
-Minä tiedän nämä ihmiset, sanoin järkytyksestä monotoonisella äänellä. Kuvassa oli
Elsan lisäksi monta tuttua, Kaisa, Kaarina, Laura ja.. Mimmi. Miten se oli mahdollista,
miten hänkin oli mukana tässä? Oliko hänkin ollut jo täällä leirissä? Kaikkiko minulle
valehtelivat? Kääntelin lehteä kädessäni, yritin selvittää milloin se oli painettu ja milloin
kuva otettu mutta mitään tietoja en saanut silmiini. Nuuhkin mustetta, kuinka vanhalta
se haisi. Sivistymätöntä lehdentekoa.
-Niin, Thomas sanoi eläimellisen lukutuokioni jälkeen.
-Olet keskustellut heidän kanssaan?
-Olen tietysti.
-Elsa Ketolan kanssa? Tunsin hänet.. tunnen hänet, sopersin.
-Hän mainitsi sinut.

-Siksikö olen täällä? Eikö kyse ollutkaan Lenasta?

-Ei. Olimme epävarmoja miten tieto vaikuttaisi sinuun. Siksi kehitimme muita kehiä. Ehkä et olisi tullut tänne jos olisit tiennyt hänen olevan täällä.

-Päinvastoin. Olen täällä koska tiedän hänen olevan täällä.

-Meillä oli päinvastaista tietoa. Ei aina voi päältäpäin tietää miten miehen kunnia muodostuu. Fredrik! Thomas huusi niin että se kuului ulos asti.

Fredrik tuli liepeen alta tyytymätön ilme kasvoillaan.

-Tämä Elsa Ketola, Thomas sanoi esitettä heilauttaen.

-Hän lähti valitettavasti pois täältä joitakin päiviä sitten, Frederik sanoi.

-Lähti? Lähti minne?

-Poistui leiristä.

-Mille asioille?

-Seuraanko minä jokaista heiluvaa helmaa.

-Heidän huomista esitystään olen mielihalulla odottanut, Thomas sanoi pettyneenä.

-Ei sitä ole peruttu. Ei sota yhtä tyttöä kaipaa.

-Minä kaipaan, Thomas sanoi ja osoitti minua sormella. -Ja hän myös. Vai kaipaatko?

En tiedä olisiko kannattanut avata suutani. Viha nousi putkiani pitkin ja pusersi aivoihini ajatuksia joita en itse ehtinyt ajatella. Sanoin:

-Elsa on yhä täällä leirissä. Tämä mies tietää missä häntä pidetään, sanoin intensiteetillä joka sai Fredrikin kavahtamaan kauemmas.

Thomas sanoi posket tyytymättömyydestä pullahdellen:

-Ei voi pitää paikkaansa. Kyllähän täältä yksi tyttö löytyisi. Kamerat ja kaikki valvonta. Eikö voida katsoa tallenteista missä hän on tai milloin lähtenyt?

-Voidaan, toki voidaan, Fredrik sanoi ja alkoi räpeltää konettaan.

-No, selvittäkää, heti, naurettavaa! Thomas sanoi kädellään ilmaa pyyhkien.

Muutamia johtoryhmän jäseniä jolkotteli sisään vilkkaasti keskustellen ja kaikki istuivat omille paikoilleen ympäri pitkäpöytää ja teltan pimentoja. Meidät nähdessään he vaikenivat vähitellen, kääntyivät vaieten koneitaan kohti. Murhayritys ja Thomasin avajaispuheen ankeus olivat vieneet värin kaikkien kasvoilta. Ja teltassa yhä leijuva ohut häivähdys palaneen ihmislihan karmivasta hajusta. Kukaan ei kyennyt koskemaan pöydille kylmenneihin ruokiin ja niitä alettiin kerätä pois. Katsoin kaikkea matkan päästä, kuin kaukaa mieleni pohjalta. Olin niin hätääntynyt Elsasta etten osannut ajatella järkevästi, kysyin Thomasilta: -Miksi hän pyysi minut tänne?

-Kai hän halusi esitellä tutkimuksiaan, mitä oli saanut aikaan. Tehdä sinuun vaikutuksen. Auttaa sinut tähän uuteen alkuun.

-Minä häneltä mitään alkuja halua! Milloin näitte hänet viimeksi?

-Siitä on vähän yli viikko.

-Minulle sanottiin että hän on kadonnut jo paljon aiemmin. Tai että hänelle on käynyt täällä huonosti.

-Ei minun tietääkseni. On täällä ollut monenlaisia välikohtauksia ja jännitteitä. Eihän se mahdotonta ole, ei tietenkään, että jotakin ikävääkin olisi.. Ihmiset suhtautuvat intohimoisesti maailmankatsomuksiinsa ja täällä ne ovat nyt sulia, niitä taotaan uusiin muotoihin. Törmäyksiä tulee, rajujakin. Täällä on paljon ihmisiä jotka eivät halua toistensa olevan täällä.

-Näin kuvia hänen pahoinpitelystään. Helposti hän voisi olla myös kuollut.

-Me selvitämme hänen sijaintinsa, Thomas sanoi. -Odota nyt hetki.

Vereni virtasi, ylähuuleni nousi, hampaani paljastuivat. -Tämä on se kohta jossa te menetätte otteenne. Minut on otettu tänne iskemään hampaat kurkkuunne kun ei se näytä muilta onnistuvan! sanoin kovaan ääneen.

-Mikä ihmeen aggressio? Thomas sanoi kauhuissaan kun näki vihani ja perääntyi muutamia senttejä. Liikuin häneen kiinni.

-Sinä selvität missä Elsa on nyt, sanoin ja tartuin korostetun hitaasti hänen rinnukseentaan kiinni. Vartijat ottivat askeleita kohti mutta pysähtyivät Thomasin käsieleellä. Hellitin otteeni ja istuin alas. Thomas oli yllättävän rauhallinen ja sanoi:

-Varo lasereita. Frederik! Löytyykö sitä naista? Täällä kaivataan jo tietoa.

-Viimeinen paikkamerkintä on suolta lähellä Kurkelanjärveä, Frederik huusi ruutunsa takaa.

Sanoin: -Miten loppuu paikannus. Suohon uppoamalla, vai upottamalla?

-Ei lopu, jotakin muuta sen täytyy olla. Aktiivista vastustusta, häirintää. Suo ei ole riittävän syvä estääkseen näitä laitteita, Thomas sanoi.

-Mistä sitten on kysymys?

-Emme tiedä. Jotakin outoa. Ei pitäisi olla mahdollista.

-Minä menen sinne heti, sanoin ja aloin tehdä lähtöä napsimalla viimeisiä ruoantähteitä pöydästä.

-Tästä on sinne seitsemän kilometriä. Voimme viedä sinut.

-Ei, minä kävelen, sanoin hotkimiseni välistä. -Käyn matkalla siellä Orijärven kaivoksella ja tyttöjen vanhalla leiripaikalla, ne näkyivät olevan samalla suunnalla. Jos kuulen yhdenkin vihjeen että te olette olleet hänen katoamisensa takana, että hänelle on tapahtunut jotakin, että hän.. minä tulen ja tapan teidät. Isken ensin sädetykkinne ja sitten päänne palasiksi. Sinun pääsi, ja sinun pääsi, sanoin ja osoitin vuorotellen Thomasia ja Frederikiä.

-Se oli selkeästi sanottu, Thomas sanoi.

-Kun ajattelee selkeästi on helppo myös puhua selkeästi, mumisin teatraalisesti suu täynnä ruokaa ja nousin ylös. Kun olin kumartumassa liepeen ali ulos Thomas huusi perääni. -Ari!

Vanhempi mies oli ilmestynyt Thomasin viereen ja käveli ripeästi luokseni.

-Tässä on kokeellisen arkeologian asiantuntijamme Nicholas Baum. Saatte keskenänne sopia esityksesi yksityiskohdista.

Nicholas oli kuusikymppinen hyvin asiallisen näköinen mies lukuun ottamatta pitkää ja haituvaista partaa joka oli kuin ohut kravatti monimutkaisesti kirjaillun pellavapaidan päällä. Kättelimme. Hän oli aksentista päätellen Ranskasta tai Belgiasta. Puhuimme kaikki englannin, saksan ja ruotsin sekametelisoppaa, grecogermaania, kuka mitenkin murtaen. Mies jatkoi:

-Olette siis A. Vuormaa. Pidin esseestänne "Läntinen teoria".

-En minä ole muistaakseni sellaista kirjoittanut. Sekoitatte minut nyt johonkuhun toiseen.

-Ei, luin sen tänä aamuna, se on osa festivaalin ennakkomateriaalia.

Käännyin katsomaan Thomasta. Niskaani kihelmöi.

-Niin, muokkasimme erästä kirjoitustasi, jonka julkaisit vuosia sitten. Et ehkä muista sitä, Thomas sanoi.

-Mikähän teksti se oli?

-Se liittyi ajatukseen joidenkin Kalevalan vanhempien osien ajoituksesta pronssikaudelle, Nicholas sanoi. Thomas kääntyi Lenan puoleen kuiskimaan eikä varsinkaan katsonut enää tänne. Tämän kammottavan luihunko kanssa minun pitäisi työtä tehdä.

-Olenko minä kirjoittanut sellaista joskus?

-Niin, sellaista se on. Joku saattaa joskus lukea jotain mitä on tullut joskus kirjoitettua, Nicholas sanoi.

-En minä enää ole sitä mieltä, sanoin.

-Jaa, sinun tekstisi on edelleen sitä mieltä.

-Ette te saa sitä ilman lupaa julkaista!

-Saamme. Meillä on sopimus. Kyllä sinulle korvaus maksetaan.

-Saanko lukea tekstin? Onko sitä muokattu paljon?

-Totta kai saat lukea sen. Paljon tai vähän, mikä on paljon?

Astuimme Nicholaksen kanssa teltasta ulos. Kävelimme hetken hiljaa vierekkäin vilkuillen toisiamme, jalkojamme, ihmisiä ympärillämme. En olisi jaksanut puhua hänen kanssaan, olin uupunut ja ylirasittunut. Olin ottanut esitteen mukaani, tutkailin epäselvää infokarttaa Kuukuuhkijoiden leirin ja jatulintarhan sijainnista. Kartantekijällä ei ollut alkeellisintakaan ymmärrystä kartografian perusteista. Nicholas vaihtoi sävyä ja veti suoraan nyrkillä päin kasvojani: -Kuuntelin keskusteluanne Thomasin kanssa. En puutu sen asiasisältöön joka oli kevyt mutta viitaten ylimieliseen käytökseenne haluan huomauttaa, että mikään vaatiminen ei tule kysymykseenkään. Meillä on materiaalia ajalta jolloin asuit Jyväskylässä ja toimit turvamiehenä. Materiaalia jota oikeudella ei vielä ole.

254

-Mikä ihme lause. Mistä te puhutte, sanoin ja kiersin esitteen rullalle nyrkkini sisään. Olin odottanut jotakin tällaista.

-Tiedät kyllä, Nicholas sanoi.

-Tämähän on ihan suoraa kiristystä.

-Kun et hienovaraisempia vihjeitä ymmärrä.

-Sanokaa sitten tarkasti mitä haluatte.

-Ajattelet niin kuin ajattelit. Kirjoitat niin kuin ennen kirjoitit. Löydät yhteyksiä, et jaarittele.

-En tiedä onnistuuko, sanoin vielä vähän uhmakkuutta ääneeni puristaen.

-Eiköhän. Sujuihan se jo tuossa.

-Saahan sitä keveästi kielensä päältä niitä näitä heitellä.

-Suomessahan on myös poikkeuslait voimassa?

-Kyllä. Mitä teillä on minusta?

-Turvakameroiden tallenteita pahoinpitelyistä. Ilman työlupaa ja ilman koulutusta tehdyistä. Meillä on myös vartiointifirman sisäiset julkaisemattomat muistiinpanot tapahtumista. Haluatko tietää mitä uhreille on käynyt?

-Ei, en. En halua. Ei ne mitään hyviä ihmisiä olleet kukaan.

-Vaan eivät muita pahempiakaan, vai olivatko? Tuomio ja täytäntöönpano samassa ihmisessä, onhan se nykyaikaa. Tehokasta ja halpaa.

-Monet olivat aseistautuneita.

-Myös se poika jolta väänsit käden poikki kaksi vuotta sitten jouluna?

Horjahdin, istuin penkille ja painoin pääni käsieni väliin. Eihän tälläisiä asioita muista, halua muistaa. -Olivat murtautuneet marketin kylmiöön, vastustelivat.. tein työtäni, sanoin. Rinnassa värisi ja värähti.

-En minä sinulta nytkään mitään muuta pyydä kuin että tee työsi josta sinulle maksetaan. Huomiseksi olisi hyvä olla jo materiaalia. Tulet mukaan paneeliin tai siellä näytetään videohaastattelu missä kerrot löydöistäsi. Kymmeneen mennessä pitäisi olla teksti valmiina tarkastajilla. Saat lukea meidän muokkaamamme tekstin. Voit ottaa sen myös malliksi, sovittaa sitä suuhusi sopivaksi, ole hyvä, Nicholas sanoi ja pyöräytti puhelintaan naamani edessä ja kopautti sillä otsaani. Hän jäi seistä toljottamaan ylivoimaisena ylleni. Kai hän odotti reaktiotani.

Istuin hiljaa katsettani nostamatta ja mietin. Yritin laskea kaikkia asioita yhteen mutta en saanut mitään tulosta ulos. Mietin kaikkea laidasta laitaan, väkivallasta Pr:n kautta kavereihini, pläräsin pääni sekavan silpun läpi mutta mitään suunnitelmaa ei syntynyt. Olin liian sekaisin, liian väsynyt, liian järkyttynyt. Nicholas taputti minua olkapäälle ja käveli pois.

23.

Kirveiden äänet kaikuvat notkelmassa; ensin kahden kirveen pilkkojen tasarytminen vuoropuhelu ja sitten kolmen kirveen iloisesti laukkaava kierto. Neljä hirsitaloa ja muutama muu pienempi aitta rakenteilla, puolipaljaita hikisiä miehiä runkojen kimpussa ähisemässä. Kävelen väsyneimmän ja lähimmän luo, hän laskee kirveensä ja kääntyy puoleeni, pitää mielellään tauon. Kysyn iloisella ilmeellä:

-Mitä täällä rakennetaan?

-Muinaisia taloja tai muinaisten talojen mukaelmia. Meillä ei ole kaikkia työkaluja eikä kaikkia tietoja ja taitoja mutta sävellämme ja arvaamme loput. Tiedätkö mikä tästä tulee?

-En, sanoin ja katsoin ihan normaalilta näyttävää hirsimökkiä.

-Akilleuksen talo Aigialoksessa, Achaelaisten leirissä.

-Siis täällä Aijalassa, sanoin hymyillen. Olin jo oppinut jutun juonen.

-Jos niin haluat. Onko Akilleuksen talon kuvaus tuttu Iliaksesta?

Kun kielsin, kirvesmies puhkesi lausumaan vakavalla naamalla:

"Salvos siin oli honkainen sekä kattona kaislaa,
urhojen niittelemää noroniityilt' untuvalatvaa;
taaja oli myös pihan saartava paalutusaita,
pölkkypä honkainen, yks ainoa, salpana portin"

-Oho, sanoin.

-Kuten Troijan muuritkin, mäntyhirsistä tehdyt. Ei ole Kreikassa tälläistä suoraa puuta.

-Ei ehkä saarilla mutta pohjoisen vuorilla vaikka kuinka paljon.

-Ai sinä tiedät?

-Joo, valehtelin. Halusin olla eri mieltä, nypyttää hermoa. Mies jatkoi:

-Puolasta Vistulan suiston mudasta ylöskaivetussa pronssikautisessa hirsitalossa oli sama porttirakenne kuin Akilleuksen talossa. Hirsitalo, hirsiaidat, hirsiportit.

-Ja hirsiäijä varmaan myös, sanoin.

-Mitä?

-Kuten sanoin on sitä suoraa honkaa ollut Anatoliassa muinoin.

-Onko?

-Sehän kaikki hakattiin ja eroosio vei maat jo monta sataa vuotta ennen Kristusta. Korkeakulttuurit tuhoavat aina luontonsa ja sitten itsensä. Jäljelle jää venkura väki, kuten täälläkin.

-Minä en usko sinua noista Anatolian suorista männyistä. Ehkä vuoristossa onkin, mutta ei rannikon lähellä. Foinikialaisetkin asettuivat asumaan Libanonin setrimetsien ääreen kun ei muualta välimereltä moisia laivanrakennukseen soveltuvia puita löytynyt.

-Libanoninsetri kasvoi myös Koillis-Turkissa.

-Kasvoiko?

-Aikoinaan, sanoin kasvot peruslukemilla.

-Ei tukkeja ole voinut pitkiä matkoja kuljettaa. Hisarlikin lähellä ei puita ollut. Miten sitten selität sen virheen kun Odysseus tunki suoran oliivipuisen maston kykloopin silmään? Oliivipuusta tehdyn maston! Oliivipuu nähnytkään suoraa päivää! Eikä ikinä ole käytetty mastona. Selvä aikojen saatossa syntynyt virhetulkinta joka on selitettävissä tarinan siirtymisellä ja alkuperäisen puulajin virhetulkintana. Saarnia on siksi mastoksi epäilty, tai jalokuusta eli pihtaa. Sanan muuntuminen elato:sta elaié:ksi olisi ymmärrettävä ympäristössä jossa tarun alkuperäistä puulajia ei ole.

-Jaa, eikö se sitten ollutkaan grillivarras? Semmoista minä viimeksi kuulin. Mutta en minä siitä rupea sen enempää vänkäämään. Olen muilla asioilla liikkeellä. Täällä jossain piti olla jatulintarha ja juhannussalko, yhteen naitettuina.

-Ne ovat niityllä tuon metsän takana. Tai mitä niistä on jäljellä.

-Mitä niille kävi?

-Joku poltti salon. Kivet potkittiin pois. Kai se liittyi johonkin riittiin, siis se salon poltto. Kivien potkiminen, mitä taas kuulin puhuttavan, oli vain ilkivaltaa tai silkkaa sekoilua. Jotain vihanpitoa siellä oli. Suomalaisia.

-Onko ne tytöt vielä siellä jotka sitä salkoa pitivät?

-En tiedä. Mene katsomaan, kirvesmies sanoi kääntyen pois ja jatkoi pienin iskuin salvomistaan.

-Olen menossa, sanoin hänen hikiselle selälleen ja kävelin eteenpäin tuoreen pihkan tuoksussa mutta käännyinkin takaisin ja sanoin kovaan ääneen että hän varmasti kuulisi:

-Entäs tämä seuraava talo sitten?

Kirvesmies nosti selkänsä takaisin suoraksi ja sanoi nyt hieman jo ärtyneenä:

-Se taas on Odysseuksen talo, pohjoisittain tulkiten. Teorioitahan nämä talot ovat, eivät tosiasioita. Siinä on samanlainen sammas, hirrestä tehty maailmanpuu uunin rakenteessa kuin löytyi vielä 1800-luvulla vienankarjalaisista taloista. Muistatko että Odysseuksen ja Penelopen sänky oli rakennettu puun ympärille? Ei löydy Kreikasta sellaisia puita.

-Eikö me just puhuttu että löytyi?

-Ei me mitään sellaista sovittu!

-Jos teidän koko perustelu perustuu siihen että Kreikassa ei ollut suoraa puuta niin hohhoijaa, sanoin. Miehen ilme ja ote kirveestä koveni.

-Ei se ole mikään varsinainen peruste. Varsinainen asia on Iliaksessa ja Odysseiassa kuvattujen talojen samankaltaisuus Itämeren ympäriltä löytyneiden muinaisten talolöytöjen kanssa. Se se varsinainen luu on tässä. Leivinuunin tukirakenteessa oleva symbolinen maailmanpuu..

-..Voi olla mikä tahansa puu, sanoin. Ei sen täydy olla Odysseuksen talon puu. Ja eikös Odyseuksen talossa puu ollut aviovuoteen ympärillä tai sen yhtenä jalkana symbolisesti kuvaamassa Penelopen ja Odysseuksen liiton syvyyttä ja kestävyyttä?

-Samankaltaisuutta on, et voi sitä kieltää. Pohjoisilta kansoilta inuiteilta Siperian samojedeille asti löytyy asunnoista maailmanpuuta symboloivia rakenteita. Yksi ikivanha ja nopein tapa pystyttää kota oli kietoa suuri talja kuusen rungon ympärille niin että taipuvat alaoksat toimivat kattoruoteina. Välimerellä Odysseuksen asunto oli eksentrinen poikkeus mutta pohjoisessa aikansa shamanistisen normin mukainen. Ja Odysseys oli shamaani nimenomaan, koko hänen matkansa oli shamaanin matka.

Venkoilin vielä ja sanoin:

-Puusymboliikkaa on loputtomasti kaikkialla. Et voi poimia kahta pistettä ja hokea niiden yhteneväisyyttä. On tutkittava kaikki samantyyppiset ilmiöt tilastollisesti.

Kirvesmies nosti kirveensä otsaani osoittamaan ja sanoi samalla:

-Jos minä halkaisen sinun kallosi ja vertaan että molemmat puolet ovat samaa paskaa täynnä niin kelpaako se sinulle tilastoksi?

Peruutin sanaakaan sanomatta Odysseuksen tuoreen talon kulman taakse ja käännyin vasta kun kuulin taas kirveen nyt ärtyneen nopeannapakat iskut puuta vasten. Kävelin ripeästi polkua pitkin mäen yli puiden taakse ja näin salon.

Pikimustaksi hiiltynyt runko oli pystyssä mutta kaksikymmentä astetta vinossa. Siitä roikkui mustuneita raippeita jotka olivat olleet kai koristenauhoja tai kukkaseppeleitä. Kaivoin Pr:ltä saamani kuvat Elsasta esiin ja yritin vertailla ympäröivää maisemaa ja maaperää niissä näkyviin, mutta kuvat olivat enimmäkseen pimeitä ja minun oli muutenkin vaikea katsoa niitä irvistämättä. Yhdessäkään ei näkynyt salkoa eikä kiviä. Ne olivat joko ennen salon pystytystä otettuja tai sitten pahoinpitely oli tapahtunut jossakin muualla. En voinut tutkia kovin suurta aluetta ja tämä oli kaiken kuulemani perusteella pahoinpitelyn todennäköisin tapahtumapaikka. Kuvissa ei ollut paikkatietoja, ne oli huuhdeltu. Kävelin aukiota ristiin rastiin katsellen eri suuntiin josko joku puiden törhö osuisi yhteen yökuvien mustien siluettien kanssa mutta ei, se oli toivotonta. Suljin silmäni ja näin näyn Elsasta. Pakotin hänet päässäni tähän maisemaan. Hän vaeltaa tuolta heinien läpi jotka kahisevat raskaina mutta tuulen pintakuivattamina mek-

258

konsa helmoihin.. ei, ei auta, siitä tulee pelkkä hupikuva itseäni varten. Seisoo siinä ja tuijottaa minua silmät lautasina, hymyilee kuin rastas. Ei auta, hän ei liiku niin kuin pitäisi, en ole mikään mestarietsivä, hän vain seisoo ja tuijottaa minua, mikään ei kerro mitään siitä mitä täällä tapahtui, tässä väärässä paikassa.

Heilumistani hetken aikaa kauempaa katsellut nainen käveli luokseni isoa luonnonkukkakimppua tai oikeastaan sylyllistä kantaen. Hän Kysyi:

-Etsitkö linjoja?

-En, sanoin.

-Tutkitko rikospaikkaa?

-Tavallaan. En ole poliisi. Ystäväni katosi täällä, sanoin. Elsa Ketola.

-Ei sano mitään, nainen sanoi ja katsoi ympärilleen vakavana:

-Joidenkin mukaan tämä on jumalien kosto siitä että tämä troijanlinna ja tämä salko väkisin yhdistettiin väärässä paikassa, väärin tarkoituksin, väärin ajatuksin, liian nopeasti. Että asioiden on syytäkin jäädä piiloon kuten muinaiset halusivat.

-Miten se sitten olisi pitänyt tehdä?

-Saanko esittäytyä? Olen Dinna Fjolroy Hesturin saarelta Färsaarilta. Olen Føroyskur dansurin asiantuntijana täällä, nainen sanoi ja hänen asentonsa kohentui, hän kohensi myös heiniä ja kukkia sylissään. Hänellä oli monikertainen tumma villahame ja räikeän sinivalkopunainen Helly Hansenin purjehdustakki kaiken muinaisen päällä. Hän oli niin terve ja suora kuin ihmisen oli mahdollista olla.

Kun kysyin, mitä hän täällä kaukana tekee, hän kertoi että Färsaarten piiritanssia pidetään parhaiten säilyneenä esimerkkinä kaikkialla Euroopassa tanssituista kehätansseista, joissa pääpaino oli tanssin aikana lausutuilla eeppisillä runoilla. Sanoin:

-Seitsenkehäinen, klassisen labyrintin muotoinen tanssi kuten Kuukuuhkijat väittävät, eikö se ole mahdollinen?

-En ole koskaan sellaista nähnyt meillä luonnostaan muodostuvan. Mutta ei se mahdoton ole. Jos sitä tarkoituksella yrittäisi, ehkä. En kritisoi tätä siitä ideasta vaan tämän salon liittämistä jatulintarhaan. Että nauhat olisivat pitäneet salon, laivan irrotettavan maston pystyssä, olisivat olleet alunperin maston koristetut tukinarut.. ehkä, mutta niin kuin kaikkeen muuhunkin täällä, tähän on kasattu liikaa asioita äkkiä, tutkimatta, kerralla.

-Sanoit että joku muu ajatteli niin. Tämän rikkoja.

-Kyllä minäkin ajattelin niin mutta en silti rikkonut sitä, Dinna sanoi irvahtaen. -Enkä ole ketään yllyttänyt. Olen puhunut rauhallisesti tämän asian ympäriltä. Minä uskon siihen teorian osaan jossa troijanlinnan kivet voisivat olla piiritanssin "kiveys".

-Entä miten kivet olisi laitettu paikoilleen?

-En usko että tanssijat olisivat kantaneet kiviä tanssin aikana vaan laulun päätyttyä, skiparin saavutettua tanssijoiden muodostaman labyrintin keskuksen tai uloskäynnin.

259

Tai ehkä laulun loputtua katsojat olisivat tuoneet pysähtyneille piiritanssijoille kiviä jotka olisi siirretty kädestä käteen ja pudotettu paikoilleen ja siten labyrintti olisi muodostunut. Erilaiset jatulintarhojen muodot olisivat kuin kivillä kirjattuja kuvia kulloisenkin tanssin lopullisesta muodosta. Ehkä kivikehiä on tällaisen suurissa juhlissa onnistuneen kehäytymisen jälkeen voitu käyttää vähemmällä väellä saman runon läpitanssimiseen ja -laulamiseen. Runojahan harjoiteltiin vuoden ympäri isommissa ja pienemmissä piireissä, perheen kesken ja sitten suurissa juhlissa kilpailtiin esimerkiksi esilaulajan virasta, jonka sai kulloisenkin runon paras taitaja.

-Käytännön hyöty siis myös. Kuin jättimäisiä rukousnauhoja, muistin apuvälineitä, sanoin ihmeissäni.

-Aivan. Euroopan muinaisuuden vuosituhansien läpi on kulttuurisen kunnian virtaaminen laulullisen muistamisen kautta ollut päivänselvää. Aina on milloin mikäkin mullistus tullut ja on unohdettu kulloinenkin runokorpus mutta tilalle on kasvanut jälleen toinen yhtä massiivinen kulttuurin pysyvyyden lukoksi. Muutamalla sadalla tai tuhannella runolla ei pidetä yhteiskuntaa pystyssä mutta kun niitä on kymmeniä tuhansia ja niitä ja niiden ylisukupolvista muistamiseen perustuvaa ylläpitämistä onnistuneesti väitetään pyhäksi, kun niihin vilpittömästi uskotaan, kun uskotaan mahdollisuuteen että kuka tahansa voi päätyä ikuistetuksi runoon.. siellä muinaisuudessa, tanssissa ja laulussa, on toimivan yhteiskunnan ydin ja ranka jota on mahdoton tuhota.

-Niin, ihminen on runollista byrokratiaa luova olento. Miten ihanalla intensiteetillä milloin mistäkin saatavilla olevasta hylkytavarasta on kyhäilty mitä tähtitieteellisempiä organisaatiohimmeleitä.

-Voi sen noinkin nähdä, Dinna hymähti.

-Eikö ole järjettömän epätodennäköistä olettaa että Homeerisista runoista ei olisi jäänyt mitään jälkiä paikalliseen tarustoon jos niitä on kaikkialla laulettu niin vimmatusti kuin väitätte? Että niiden katoaminen syntysijoiltaan olisi niin totaalinen?

-Vastaavuuksia löytyy mutta onko se paljon vai vähän on makuasia. Satunnaisia mytologisia vastaavuuksia on paljon mutta mytologiathan vastaavat toisiaan muutenkin, kaikkialla, ajan ja paikan yli yhtään yrittämättä. Suorien säilymisien olemattomuutta voisi selittää esimerkillä Irlannin eeppisistä runoilijoista ja ylimyslaulajista, fileistä, jotka joutuivat oikeudelliseen vastuuseen laulaessaan valheita ihmisistä. On tapauksia joissa valheita ylimyksistä laulaneet tapettiin. He olivat arvoasteikossa heti kuninkaan alapuolella ja käyttivät todellista valtaa yhteiskunnassa, he vastasivat tiedonvälityksestä, vain heillä oli siihen oikeus. Jos heidän edeltäjänsä olisivat vaeltaneet etelään kuten teoria esittää ei eeppisistä runoista olisi jäänyt jäljelle kuin hajanaisia rippeitä. Eeppisten runojen sisältöjä vahdittiin, filit olivat druidien kulttuurin jälkeläisiä, kulttuurin jossa tiedot välitettiin suppeassa piirissä suusta suuhun vuosituhansien ajan.

-Juurihan sanoit että Färsaarilla kaikki osallistuvat runojen muistamiseen, sanoin. -Ei mitään korkeakulttuurista piilottelua, vaan päinvastoin!

-Färsaarten piiritanssi olisikin tässä kontekstissa pienen talonpoikaisen yhteisön kokoonkyhäämä korvike vailla oikeaoppisuutta vahtivaa ylimystöä. Pienessä saariyhteisössä hierarkia on väistämättä matala.

-Sanoit ettet usko salkoon. Salkotanssithan ovat kuitenkin laajassa ja vaihtelevassa kirjossaan selvästi jonkin muinaisen yhtenäiskulttuurin jäänteitä.

-Vienanmerellä Bolshoi-Zayatskyn ja Solovetskyn saaren labyrinteissä on keskellä säilyneet kivikasat jotka ovat voineet olla salkoa tai mastoa tukemassa. Näistä kohteista ei ole vielä tehty tarkempia tutkimuksia eikä edes ole selvää metodia millä voisi todistaa keskellä olleen salon, mitkä arkeologiset merkit tai jäänteet todistaisivat sen. Puu katoaa, jälkiä jättämättä.

-Et kannata salkoa koska niistä ei ole Färsaarilla traditiota. Teillähän ei siellä puut pahemmin kasva. Ihminen aina palvoo oman nurkkakuntaansa mahdollisuuksia, sanoin ja näin miten Dinna ärtyi. Hän sanoi:

-Luuletko ettei meidän laivoissamme ollut mastoja? Valitettavasti minulla ei ole nyt aikaa ja halua väitellä tästä asiasta. Tulkaa symposiumiimme huomenillalla, hän sanoi ja ojensi esitteen jostakin helmojensa alta, kääntyi ja käveli yrtteineen pois. Katsoin esitettä. Se alkoi otsakkeella:

Färsaarten pimeät talvet saavat luovuuden virtaamaan!

Ja jatkui:

"føroyskur dansur" , Färsaarten kansantanssi, on muinainen kehätanssi jonka tunnettu historia ulottuu varhaiselle keskiajalle. Färsaarilla kaikkialta muualta Euroopasta kirkon kieltämänä taantunut perinne on säilynyt lähimpänä muinaista muotoaan. Tanssia tanssitaan kehässä jota esilaulaja, skipari, tuhansien laulujen tuntija, johtaa. Vuorolaulun säestämä tanssi voi jatkua monotoonisesti tuntikausia, vuorokausien ympäri, ja juhlat päiväkausia. Kun kehään suurissa juhlissa liittyy enemmän ja enemmän väkeä, alkaa kehä luonnostaan polveilla ja joskus ja varsinkin jos niin halutaan kehän sisään syntyy toinen kehä ja useampiakin. Tanssivat ja laulavat ihmiset virtaavat hitaasti eteenpäin pitkin tätä sisäkkäisten kehien muodostelmaa, he ottavat kaksi askelta vasemmalle ja yhden oikealle ja jatkavat laulamista käsi kädessä läpi yön, läpi talven, läpi elämän. Färsaarten traditionaaliset balladit, kvæðit, ovat pitkiä ja eeppisiä, niitä on koottu yli 44 000 säkeistöä; niiden määrä vertautuu homeerisien ja kalevalaisten runojen tai lähisukulaistensa skandinaavisten saagojen määrään. Eristyksissä syntynyt valtava runojen massa on mielekäs tässä tanssillisessa, yhteisöllisessä kontekstissa, jossa niiden perinteinen käyttö ja käyttöarvo on yhä nähtävissä. Ne ovat syntyneet täyttämään poisvirrannutta alueen runouden toista suurta vaihetta, saagoja, jotka saarilla säilyivät syystä tai toisesta vain osittain, ehkä kansainvaellusaikojen ilmastoromahtamisen monien nälänhätien ja väestökatojen myötä.

Suljin vihkosen ja yritin katsoa minne Dinna oli kadonnut. Hän oli samoilla linjoilla Elsan tulkinnan kanssa mutta ilmeisesti loukkaantunut protokollarikkeestä jonka Elsan ryhmä oli tehnyt rynnätessään paikalle ja rakennettuaan tämän liian näyttävän, liian hatusta vedetyn ja hänen traditiostaan poikkeavan dramaattisen demonstraation. Niin monet kokevat omistavansa muinaisuuden niin monin ja jyrkin tavoin, jokaisen mielikuvamuinaisuus kasvanut kuin juuret tai rihmasto omasta henkilökohtaisesta ja kansallisesta historiasta jotka molemmat ovat myös enimmäkseen väärin muistettuja ja kuviteltuja, huterasti milloin mihinkin tarpeeseen hoettuja.

Elsan kokema väkivalta ja salon tuho liittyivät varmasti jännitteeseen jonka hän oli ehkä tajuamattaan tänne kepeästi tuonut. Mimmihän sanoi että Elsa oli täällä tekemässä kristillistä lähetystyötä ja silloin tämä kaikki muinaispuhe olisi ollut vain hämäystä, ehkä jopa tahallista ärsytystä. Tai sitten Elsa olikin tosissaan tämän tutkimuksensa kanssa niin kuin itse uskoin ja oli pettänyt Laajasalon lahkolaisensa ja häntä olisi kostettu siitä. Tai sitten lahko oli jotakin muuta kuin ulospäin väitti olevansa. Menin vain enemmän sekaisin kun yritin ajatella mitä Elsan mielessä oli liikkunut. Minun oli saatava lisää tietoa.

Lähdin Dinnan perään. Olin nähnyt hänen kävelevän Odysseuksen talon suuntaan. Juoksin ensin mäelle ja sitten hiivin mäen yli mäntyjen takaa mökkiä kohti. Pilkkeen ääni loppui ja näin kuinka Dinna halasi ja suuteli suututtamaani kirvesmiestä. Toivoin että he erkanisivat toisistaan mutta he suutelivat lisää, hieroivat toisiaan, kaivoivat kätensä vaatekerrosten alle, nauroivat ja painautuivat toisiaan vasten ja vilahtivat Odysseuksen talon sisään tekemään mitä arvata saattoi. Kirosin ja istuin alas puun juurelle vahtimaan taloa. En ollut tunnistanut maisemaa kuvista, mutta sen pystyisi joku kone tekemään millisekunnissa. Sirillä olisi tarvittava laskentateho ja tunnistuskyky taivaissansa mutta en pystynyt ottamaan siihen yhteyttä nyt. Paras vaihtoehtoni olisi jutella noiden kahden höyläämättömällä lautalattialla narauttelijan kanssa. Hermoni meni, en jaksanut odottaa heidän täyttymystään. Mistä sitä tietää miten kauan jossakin rituaalisessa muinaisnussimisessa kestäisi. Halusin vastauksia heti. Nousin ylös ja hiivin talon kulmalle. Katsoin ympärilleni, muita kirvesmiehiä ei näkynyt, he olivat toisen talon takana, puhetta ja naurua kuului. Ovenpieleen nojasi taltta ja puinen nuija. Poimin sen käteeni.

Tempaisin Odysseuksen talon oven auki ja ryntäsin sisään. Mies ponkaisi itsensä Dinnan päältä nopeasti ylös. Löin häntä nuijalla päähän ja hän tömähti alas niin että lattia notkui. Tartuin Dinnaa ranteesta ja pidin lujaa kiinni, ehkä vähän myös väänsin. Sanoin rauhallisesti:

-Ei hätää. Haluan vain kysyä muutaman kysymyksen lisää.

-Oliko tuo välttämätöntä, Dinna sanoi synkän tyynesti tajutonta miestä katsoen.

-Elsa Ketola, sanoin. Ilmeeni oli kai niin vakuuttava että Dinna sanoi heti:

-Näin heidän harjoittelevan esitystään. Kyllä, se ärsytti minua. En ehtinyt puhua heidän enkä hänen kanssaan. Minun ihmiseni eivät sitä tehneet. Kuulin että olisivat tuhonneet sen itse, osana jotakin rituaalia tai silkkaa sekopäisyyttään. Itse riehuneet, omissa liemissään. Katso itse miten sekaisin ovat.

Dinna kaivoi mekkonsa alta puhelimen, räpelsi sitä hetken ja ojensi sen minulle. Ruutu oli täynnä tekstiä:

"Pyhä geometria tarkoittaa suhdejärjestelmää jonka avulla etsijä kykenee värähtelemään taajuuksilla jotka johtavat haluttuun henkiseen päämäärään. Labyrintti vie kulkijansa matkalle joka yhdistää hänet maailmankaikkeuden syvimpiin luomisen ja elämänkierron periaatteisiin. Tyhjyydestä kumpuava ja sen kaotiikkaa vahtiva ja valjastava maailmanpuun hierarkia on monien muinaisten uskontojen pohjalla muodossa tai toisessa. Labyrintti on kuva puusta, kuva maailmasta puuna, äärettömänä hermostojen hierarkiana. Ojennamme omat mielemme oksat väräjämään tähän samaan suureen tyhjään tuuleen joka puhaltaa kaikkeuden läpi."

Dinna kelasi eteenpäin ja esiin liukui kuva Elsasta, tekstin kirjoittajasta. Siinä hän hymyili täynnä onnea kuin palje, silmänsä kuvaajalle, minulle, loistaen. Hän katsoo minua kaukaa, vuodesta nolla.

Niin paljon kuin Elsa minua oli pilkannut, miten hän nalkuttamalla nalkutti minut lopettamaan typerät touhuni ja nyt hän tekee itse samaa! Olen aivan sekaisin, ei hän voi olla tosissaan. Täällä kuin huutomerkkinä tanssien kaikkien kasvoilla. Joku osa hänestä on ehdottomasti petosta; kristillinen kova lahkolaisuus tai tämä muinaishulluus, ne eivät sovi mitenkään yhteen eikä varsinkaan minun homeerinen solvaamisenikaan. Vai ovatko ne nyt yhtä ja samaa, samaa häikäisevää hysteriaa vain kiertyvän kristallin eri kulmasta taittuen? Jokin tässä kaikessa ei täsmää. Joku osa on oltava esitystä, esitystä ehkä jopa minulle, mutta mikä? Mitä minun pitäisi ymmärtää, mitä muka tehdä?

Kysyin: -Missä tämä ryhmä on nyt?

-Se hajosi, katosi metsiin. Eivät he pois lähteneet, ovat he jossakin täällä, Dinna sanoi kirvesmiestään hoivaten. Mies alkoi voihkia ja virota, lähdin ulos ja kävelin lähimpään pöheikköön ja sitten kohti Orijärven kaivosta muutaman kilometrin päässä. Suunta oli samalla kohti Kurkelanjärveä josta viimeinen digitaalinen merkki Elsasta oli.

Kävellessäni mietin Elsaa ja minua. Jokin virhe kommunikaatiossamme oli aina ollut. Ehkä pidin hulluuteni liian omanani alun umpiheilumisen jälkeen, en halunnut Elsaa mukaan radikalismiini. Halusin suojata häntä, estin ja ohjasin häntä pois mutta nyt näen että hän olisi halunnut senkin osan minusta. Ehkä estämiseni oli vain yllyttänyt häntä. Hänen ilmeensä, äänensä, metsä ympärilläni.. silmäni tulvivat märiksi, istuin mättäälle hieromaan niitä. Itkin vaikka analyysini saattoi olla väärä. Meillä oli vaikka mitä vielä välillämme, kaikki, ja kaikki kesken, tajusin sen nyt. Olin kieltänyt sen mutta Elsalle ei kieltoni ollut kelvannut, hän oli tiennyt paremmin. Hän oli lähtenyt hakemaan minua, täältä, tästä maailmasta.

En kestänyt ajatusta.

Päätin kävellä pois koko paikasta. Kävellä suoraa tietä takaisin Jyväskylään ja anoa takaisin työni ja häpeäni. Minulla oli rahaa nyt, tarkistin vielä saldoni ja siirsin sitä ääneen rukoillen toisille tileille turvaan ja katsoin kartasta mistä lähin bussi menisi. Saattue Salontietä huomenna kello kymmeneltä aamulla Helsinkiin. Kävelisin kaksikymmentä kilometriä metsien ja yön läpi tien varteen ja unohtaisin kaiken tämän, hylkäisin Elsan kuvajaisen ja tämän hulluuden. Selvitköön itse, selvittäköön itse päänsä, paremmin hän selviäisi yhä ilman minua jos minua ei olisi sekoittamassa ja sotkemassa kaikkea. Mitä minä hänelle sanoisin, jotakin hirveää taas. Ei järkeä pelastaa ketään vuotavasta veneestä jo uponneeseen veneeseen. Otin ensimmäisen askeleen, otin toisen eikä ajatukseni muuttunut. Kukaan ei katsonut perääni, kukaan ei lukenut ajatuksiani, metsä otti minut sisäänsä ja oloni helpottui. Tämä oli oikea päätös, voimistuin ja reipastuin, hengitin syvään. Mutta vasta vaivaiset sata metriä käveltyäni niskakarvani nousivat pystyyn. Olin kuullut jotakin, jonkin pienen epäluonnollisen naksahduksen.

-Psst, Ari! Kuului puun takaa. Katsoin mutta siellä ei ollut ketään. Ääni tulinkin itse puusta, pienestä oksanreiästä. Kumarruin lähemmäs puuta. Se puhui.

-Ari, et saa lähteä pois. Mene takaisin, ole siellä, se sanoi. Oksanreijässä oli kai mikrofoni.

-Missä, kysyin ja kiersin samalla puun ympäri.

-Et saa lähteä nyt, ääni sanoi. Pieni äkäinen liekki leimahti ja savupilvi tuhahti reiästä nenälleni, pelästyin niin että lensin selälleni kanervikkoon. Mikä lie laite tuhosi itsensä ja melkein näköni. Oliko se veljeni Ismon ääni joka puusta kuului? Kaiutin oli huono, ääni diskanttisen kimeä, saatoin kuulla mitä halusin. Nousin ylös ja tongin reikää, siellä oli vain mustaa tuhkaa.

Istuin alas kivelle mutta en enää itkemään. Mietin kuka sondin olisi voinut puuhun laittaa, kuka vartioi leiriä ja yrittäisi pysäyttää minut, hämätä minua, sekoittaa ajatukseni taas kerran, taittaa ja kaulita ja kääntää mieleni voitaikinaa ties monettako kertaa, letittää sitä palmikoille. Sondi, niitä täytyi olla paljon, tuhansia, vai miten se olisi muka tänne osattu laittaa, upottaa puuhun, suoraan satunnaiselle polulleni? Istuin ja istuin kunnes nousin, katsoin kelloa ja lähdin synkkänä kohti koillista. Ajatukseni muuttui, joku pystyi muuttamaan ajatukseni. No, minulla oli mistä valita niitä nyt kuin kortteja pakasta.

24.

Avolouhos, ainainen arpi maassa. Vihertävien lampien täplittämä rotko aukeaa äkkiä edessäni. Ruosteisessa verkkoaidassa enemmän reikiä kuin ehjää. Saa tästä langasta vaikka monen pitkänsiiman koukut vielä tehtyä. Kumarrun aidan läpi ja laskettelen hiekkarinnettä alas montun pohjalle. Tulen tänne takakautta metsien läpi juosten, olisi tänne teitäkin ollut mutta hermoni vaativat ankaraa lepuutusta, pyyhin hikeä ohimoiltani. Mikään ei halua kasvaa täällä, yhä liikaa kuparia ja muita metalleja maaperässä. Kolme isoa uutta kaivinkonetta kauhat kehässä keskellä kaivosta toimettomina. Jäljistä päätellen ne olivat raapineet maata vain vähän, varovasti kääntyilleet, ajelleet neuvottomina sinne ja tänne pitkin leveitä kannaksia vesialtaiden välissä.

Yksinäinen mies astuu ulos parakista koneiden takana. Kävelen hänen luokseen. Hän huomaa minut mutta ei paljon reagoi, lukee laitettaan. Kysyn lähelle päästyäni:

-Axel Bernhult?

-Allekirjoitan osan papereista sillä nimellä.

-Päivää. Ari Vuormaa.

-Jaha, mies sanoi odottavan ilmeettömänä. Kysyin:

-Eikö nimeni sano sinulle mitään?

-Ei.

-Entäs Lena Lagerhorn?

-No kukas hän nyt sitten on?

-Yhden sortin muinaistutkija. Hän sanoi antaneensa sinulle kartan.

-En ole saanut keneltäkään mitään karttaa. Ikinä kuullutkaan mistään Lagerhornista tai sinusta sen puoleen. Joku suomalainen minulle tänne luvattiin, mutta sillä oli kyllä ihan eri nimi, eikä hän tullut.

Kirosin niin että ärriä lenteli suupielistäni. Alex perääntyi askeleen taaksepäin. Höynäytystä höynäytyksen perään, perkele! Sama sc, ei siinä mitään, mutta hevon kaikki perse kuitenkin! Mikä on tämä haiseva huijaus joka vain syvenee ja syvenee kuin iänkaikkisuuden mätä lokakaivo? Potkaisin kaivinkonetta ja sanoin: -Anteeksi. Minut tänne varta vasten kävelytettiin sillä oletuksella että sinulla on minun karttani ja me sitä yhdessä tihrustaisimme.

-Ja mitä siinä kartassa olisi ollut?

265

-Rasteja lähinnä. Pieniä ja himmeitä. Olen täällä pyörinyt joskus.

-Samoilla asioilla kuin me?

-No tavallaan, tai päinvastaisilla. Minulla se oli suppeahkoa suomalaissekoilua, teillä tuota paneurooppalaista jättinavankaivelua.

-Kyllä historia, mitä muinaisempi, pitää ehdottomasti olla ylikansallista. Siitä on esimerkkejä vaikka kuinka mikä sen kansallisen muistelun laatu on, miksikä se taantuu tai äityy.

-Äityyhän se ylikansallinenkin näemmä.

-No äityy. Mitä kansallisia kehäpäätelmiä sinulla täällä sitten oli?

-Minulla olisi tuossa Kalevalan Pohja parinkymmenen kilometrin päässä tuohon suuntaan mutta ei se taida teitä kiinnostaa, sanoin ja huitaisin kädelläni eteläkaakkoon.

-Ehkä se vähän kiinnostaakin, Axel sanoi ystävällisesti ja katsoi minua nyt tarkemmin. -Ariko se nimi oli?

Kättelimme. Kysyin:

-Mikä on teidät saanut panostamaan näin voimakkaasti tähän Orijärven kaivoksen tutkimiseen?

-Nykyään harva historioitsija enää uskoo että pelkkä naisenryöstö olisi riittävä syy maailmansotaan, oli nainen sitten miten kaunis, rikas tai ylhäinen tahansa. Naisten- ja vaimojenryöstöthän olivat muinaisina aikoina tärkeitä pienten yhteisöjen sisäsiittoisuuden välttämiseksi ja siksi tämä rikkova rikollinen teko oli lähes kaikissa muinaisyhteisöissä kanonisoitu sallituksi vähintäänkin tarinoiden tasolla. Orjakauppa ja siihen liittyvä seksuaalinen väkivalta oli merkittävä osa muinaista sodankäyntiä.

-No miksei se kelpaa teille selitykseksi Helenan kohdalla?

-Helenan ryöstön taustalla on ollut jotakin muuta, rikkauden liiallinen kertyminen Troijaan, vallan häiriö jota on sitten joukolla lähdetty tasapainottamaan. Uskon että naisenryöstö on vain tarinan pinta, virallinen totuus. Kautta aikojen ihmiset liittoutuvat ylivoimaa tai ylivoiman uhkaa vastaan, että joku uusi tulokas on kasvamassa uudeksi hegemoniaksi ja se pitää pysäyttää. Sama ilmiö on sodissa aina ollut: muut liittoutuvat voimakkainta vastaan, Eurooppa Napoleonia ja maailma Hitleriä vastaan. Jokin yksittäinen draama on voinut laukaista suuren sodan käyntiin kuten Sarajevon laukaukset ensimmäisen maailmansodan, mutta laajempi tilaus, muokattu henkinen maaperä on ensin ollut olemassa. Tarinan mukaan Helena vei mukanaan Spartasta Troijaan suuren omaisuutensa ja sen on toki ollut mahdollinen syy mutta ei ehkä riittävä innostamaan kaikkia kansoja liittymään sotaan. Uskon kuitenkin että Helena on ollut abstraktimpi taloudellisen vallan siirtymän merkki. Hän oli kunniaan liittyvä tekosyy, jonka hyökkääjä aina keksii oikeutuksekseen. Jos hyökkääjä voittaa, valhe lauletaan todeksi ja voitonsymboli lunastetaan. Helenan sodanjälkeinen sekava ja ristiriitainen elämä useissa eri ristariitaisissa tarinalinjoissa vihjaa ettei hänellä ollut aitoa olemassaoloa.

-Kenen oikean ihmisen elämä muka on täysin looginen ja mielekäs? On hän voinut olla todellinenkin. Siihen aikaan yksi ihminen on voinut olla merkittävä, muutama varastettu kirstullinen pronssia voinut muuttaa historiaa. Sopivaan tai väärään paikkaan joutuneet todelliset ihmiset symbolisoituivat, tiivistyivät ja taipuivat toistettaessa myyteiksi ja tarinoiksi.

-On totta että vieraanvaraisuuskoodin rikkominen on ollut muinaisina aikoina vakava rikos varsinkin ylhäisten kesken, sillä se on ollut elintärkeä liikkuvuuden ja kaupankäynnin mahdollistaja tuhansien vuosien ajan.

-Mitä tarkoitat vieraanvaraisuuskoodilla?

-Kesti-isännyyden velvoitetta tarjota turva ja majapaikka matkalaiselle ja vastavuoroisesti vieraan hyvä käytös. Tämä oli oleellinen osa pronssikaudella kehittynyttä liikkumista ja kaupankäyntiä. Kaupankäynti toki nojaa kaikkina aikoina aggressiivisesti kulloisia sopimuksia ja lakeja vasten ja rikkoo niitä jos rikoshyöty on riittävän iso riskeihin nähden. Veneillä liikkuneet pronssikauden ylimykset muistuttivat tässä viikinkejä: he olivat kauppiaita tai roistoja tilanteen mukaan, he arvioivat plastisesti rehellisyyden ja rikollisuuden hyötyjä ja haittoja jokaisena hetkenä, jokaisessa uudessa kohtaamisessa. Mutta kesti-isännyydestä keskenään sopineiden heimojen tai kansojen piti voida luottaa olevansa toisiltaan turvassa. Paris hyväksikäytti Meleanuksen vieraanvaraisuutta Helenan viettelemiseksi. Se oli törkeä tapakoodin rike ja taloudellinen petos, jättimäinen talousrikos. Ja pitää muistaa, että noina muinaisina aikoina ihmisiä on ollut todella vähän ja ylhäisiä vielä vähemmän, yhteiskunta ja kaikki byrokratia on ollut ylimysten välisiä traditionaaliseen kunniaan perustuvia sopimuksia samoin kuin rikollisjärjestöillä ja hyväveliverkostoilla yhä nykyäänkin. Mitään ei unohdeta, kaikki kostetaan, se on ainoa laki, ja lain teksti on myytti ja saaga. Sota alkoi hyvitysretkenä ja Troijalaiset olisivat voineet maksaa itsensä siitä ulos mutta kieltäytyivät. Kunniakysymykset ovat meidän aikamme ihmisille ehkä vaikeimmin avautuvia muinaiseen käytökseen vaikuttavia voimia. Iliaksen keskeinen teema on Kleos joka sananmukaisesti käännettynä tarkoittaa huhua, mutta klassisessa mielessä se tarkoittaa sotilaskunniaa tai kunniaa joka sankarin kuoleman jälkeen jää muiden kerrottavaksi ja jota Iliaksessa erityisesti Akilleus tavoittelee ja sen äärellä kipuilee, sen mielekkyyttä ja mielettömyyttä kerta toisensa jälkeen voihkien punnitsee. Sotilaskunnia oli ainoa tapa jolla sankaruus tai ylempien kastien miehisyys ja arvostus oli saavutettavissa muinoin; esimerkiksi Odysseuksen meriseikkailut eivät sitä tuottaneet kuten käy ilmi Telemachuksen, hänen poikansa turhautuneesta kommentista:

"Toisin säätelivät tuon toki taivahiset tuhomielet,
häipyä antoivat hänen kun ei ihmisen kuunaan,
ilman jälkeä. Niin suris mä en taattoni surmaa,
kumppanijoukossaan jos maalla ois sortunut Troijan
tai sylissä ystävien sodan laattua heittänyt hengen.

Silloin kummun kaikki ois luoneet hälle akhajit,
kuulun pojalleen hän jättänyt ois nimen, maineen.

-No tuottihan se kunnian, Odysseian!

-Se onkin jo huomattavasti modernimpi teos, Axel sanoi vakavalla naamalla mutta al-
koi hymyillä että olisin ymmärtänyt vitsin. Axel jatkoi: -Ehkä se on nimenomaan kirjoi-
tettu siksi että ihmiset olisivat voineet mieltää myös tutkimusmatkailun ja seikkailun
kunniaa tuottaviksi. Mutta on totta mitä sanoit, meistä katsottuna jokainen tuon ajan ih-
minen on ollut autenttinen ja harvinainen, suurmies tai -nainen, niin, lähes jumalallinen.
Ei heidän kuvauksensa ole tässä suhteessa ollut häiriintynyt vaan asiallisempi kuin me
jälkimodernit ehkä ymmärrämme. He ovat todella seurustelleet vapautuneesti jumalien
kanssa, jumalankaltaisessa vapaudessaan taivutelleet tuulta ja lakeja, tehneet mitä huvit-
tanut ja ottaneet itsensä tosissaan kuin lapset. Miten riemukasta aikaa se on ollut! No,
toki riemukasta näille ylimyksille joita eepoksissa kuvataan eikä ehkä niin hauskaa niille
vähemmille kansoille joiden päällä he ovat seisseet ja maanneet. Ohimennen mainitaan
hautajaisissa uhrattujen orjien lukumäärä härkien sisäelinten alttarille sijoittelun jälkeen,
Alex sanoi nolo ilme pitkästä puheestaan punehtuneella naamallaan.

-Puhuit aiemmin tasapainosta sodan syynä. Mikä olisi tämän kurjan pohjoisen Toijan
yhtäkkiä rikastuttanut ja tehnyt tuhoamisen arvoiseksi?

-Yksi mahdollisuus on nimenomaan tämä kupari ja muut kaivannaiset täällä. Suomen
vanhimmat kaivosalueet sijaitsevat Toijan läheisyydessä täällä Orijärvessä, Äijälässä,
Aurumissa ja Metsämontussa. Mineraalien kirjo on ollut laaja: kuparia, kultaa, hopeaa,
lyijyä ja sinkkiä. Iilijärvessä tuossa kahden kilometrin päässä on yhä kaivamaton kulta-
esiintymä. Ja kaikki nämä esiintymät ovat olleet pinnallisina muinaisten ihmisten saavu-
tettavissa. Kallio täällä on liian kovaa mihinkään suureellisen kaivamiseen eikä pronssi-
kautisia jälkiä ole tietenkään helppo tai edes mahdollista löytää myöhäisemmän laajan ja
tehokkaamman kaivostoiminnan alta. Inhottaa ajatellakin projektin mahdottomuutta.

-Mikä täällä viittaa pronssikauteen, siis ilman arkeologisia todisteita?

-Metallien olisi täytynyt olla melko rikkaassa muodossa että niitä olisi voitu pronssi-
kaudella hyödyntää. Tiedetään että näissä kaivoksissa 1700-luvulla kuparimalmin pitoi-
suus oli parhaimmillaan yli kymmenen prosenttia eli hyvin korkea. Pronssikaudella olisi
tietysti käytetty hyväksi vain kaikista rikkaimmat ja helpoimmin tavoitettavat esiinty-
mät. Eikä kaivettujen määrien ole tarvinnut olla suuria aiheuttaakseen häiriön pronssin
varhaisessa symbolitaloudessa, herkällä hetkellä jopa muutama sata kiloa on riittänyt
muuttamaan hauraita voimakenttiä tai ainakin uhmaamaan ja uhkaamaan niitä.

-Oletteko tehneet lyijyisotooppien analyysiä tästä kuparimalmista täällä?

-Emme. Se on noloa. Oletko sinä tehnyt?

-Ei minulla ole ollut sellaiseen mahdollisuuksia. Mutta tuskin se olisi vaivan arvoista.

268

-Olen samaa mieltä, Alex sanoi vinosti taas hymyillen. Tiesimme molemmat että lyijyisotooppien analyyseillä pystyttiin tilastollisesti arvuuttelemaan pronssiesineiden alkuperää. Jokaisella malmiolla oli tyypillinen lyijypitoisuutensa ja radioaktiivisten lyijyionien hajoamisjäänteistä pronssin summittainen alkuperä ja ikä voitiin päätellä. Mutta jos malmi olisi isotooppimarkkeriltaan jo olemassa olevia muistuttava ei tutkimuksesta olisi mitään hyötyä. Tällaisia toisiaan muistuttavia kuparimalmioita oli Euroopassa useita ja mahdollinen todiste olisi siis joka tapauksessa hutera suuntaan tai toiseen varsinkin kun kyse olisi tällaisesta pienestä kaivoksesta. Kysyin:

-No oletteko löytäneet mitään? Mitään muuta?

-Emme. Alimpien kuonakasojen pohjista pitäisi löytää kemiallisia merkkejä pronssikautisesta toiminnasta.. Hyvin vaikeaa ja hyvin epävarmaa. Pronssikautinen ja keskiaikainen kaivostoiminta eivät poikkea toisistaan juuri lainkaan niin käytännöllisessä kuin kemiallisessakaan mielessä.

-Ei 1700-luku ole keskiaikaa, sanoin.

-Se on kaivostoiminnassa lähempänä keskiaikaa kuin 1800-lukua, jolloin kehitystä tapahtui paljon. No, missä ne sinun rastisi täällä ovat? Onko sinulla siis jokin haju missä muinaiskaivokset olisivat täällä todennäköisimmin sijainneet? Nyt etsimme neulaa heinäsuovasta. Miten löytäisimme kaivauksillemme edes jonkin mielekkään lähtökohdan?

-No mitä Ilias sanoo kaivostoiminnasta?

-Ei mitään. Hyvin kiusallista, Axel sanoi.

-Jos ehdotat sitä syyksi ja sitä ei ole Iliaksessa.. eikö koko logiikka ole outo?

-Muinoin kaivoksia suojattiin ja salattiin niin tehokkaasti kun kyettiin. Ei niistä puhuttu eikä reiteistä niille. Metallien kauppareitit oli jaettu jyrkkiin osiin ettei kukaan yhden osan hallinnoja tuntisi ja voisi oppia sitä kokonaisuudessaan. Se on sama mitä teollisuuden alihankintaketjuissa nykyään tarkkaan vahditaan: etteivät orjafirmat saavuta kykyä valmistaa kokonaista tuotetta. Erään tulkinnan mukaan Minotaurus oli kaivoksen labyrinttimäisten käytävistöjen vartija, poispelottelija. Kaivoksista kerrottiin aina kauhutarinoita että uteliaat olisivat pysyneet loitolla samoin kuin merimiehet suojelivat reittejään merihirviöillä.

Katselin ympärilleni. Olimme keskellä Orijärven avolouhosta ja oli täysin selvää ettei tästä ollut mahdollista löytää mitään, moderni kaivostoiminta oli murskannut kaiken alleen. Ainoat jäljet löytyisivät ympäröivästä metsästä maaperäkarttojen avulla. Olin vuosia sitten kävellyt kehiä näiden kaivosten ympärillä ja merkinnyt metsiin kohtia joissa jotain löytymisen mahdollisuuksia saattaisi olla. Mutta nyt jos karttaa Axelilla ei ollut ajattelin olla hiljaa ja säästää tietoni myöhempään hetkeen. Ne saattaisivat pelastaa vielä henkeni.

Sanoin: -Yksi Sampoteorioistani oli että Pohjan pohjolalaiset olisivat tarvinneet etelän Ilmarisen taitoja kaivostoiminnan aloittamiseen tai kehittämiseen. Siksi minä täällä liikuin aikoinani. Yritin etsiä samoja jälkiä mitä te nyt etsitte. Että Sampo olisi ollut joko kaivostoiminta täällä tai sitten raudankäsittelyn opettaminen pronssia vielä käyttäville Pohjalaisille.

-Sama paikka, eri eepos. Aika hassua.

-Sama umpinainen, mykkä maisema. Sama idioottimainen mielikuvitus, sanoin ja naurahdimme lyhyesti. Jatkoin: -Tämä monotoonisen mekaaninen selitys sopii suomeen koska suomalaisethan ovat monotoonisia ja mekaanisia, ja nauroimme taas.

Axel sanoi:

-Britannian suurin pronssikautinen kaivos Ormessa, Walesissa, ja vanhin Rossin saarella Irlannissa tuottivat tuhansia tonneja kuparia joka levisi myös Manner-Euroopan puolelle. Ormin mineraali oli kuparikarbonaattia eli malakiittia ja siitä kupari oli erittäin helppo erottaa kuten myös malakiitti ympäröivästä kalkkikivestä.

-Täällä on gneissiä ja muita kovia kivilajeja. No on tässä kalkkikiveäkin, mutta kaikki on ollut, jos siis mitään on ollut, tuhat kertaa vaikeampaa.

-En kiellä sitä mutta.. pieni innovaatio, jokin uusi asia, kuten sanoit, pelkkä häiriö voimien kentässä, uhka joka olisi korjattava..

-Sellaisesta ei ole mitään havaintoa, ei ainakaan tässä maisemassa.

-Muistutan että Ormen pronssikautinen historia löydettiin vasta aivan äskettäin 1700-luvun kerrostumien alta kuten Paryn ja Rossin saarillakin. Täällä teillä kukaan ei ole koskaan tosissaan uskonut tällaisen kerrostuman olemassaoloon eikä mitään niin vanhaa ole siis edes yritetty etsiä ja löytää. Jälki olisi lähes mitätön tämän kaiken jälkeentulleen kuonan alla.

-Kuinka suuresta kuparimääristä pitäisi olla kyse että sillä olisi mitään merkitystä? Siis voimatekijänä, uhkana?

-Kuten sanoin, ei suurestakaan. Ormesta on arvioitu kaivetun kuparia 25 ja 2000 tonnin väliltä ja kaivos oli todella iso, maanalaisia käytäviä on yli kahdeksan kilometriä. Se oli Euroopan suurimpia varhaispronssikautisia kaivoksia. Kun merentakainen kauppa vilkastui, kaivos hylättiin koska kuparia sai halvemmalla Manner-Euroopasta.

-Onko määrien arviointi todella noin epämääräistä?

-On. Ormia on tutkittu paljon ja silti on mahdotonta antaa tarkempaa arviota. Kerätyn malmin pitoisuutta ei myöskään voi nykyisistä jäljistä päätellä. Sanooko Kalevala mitään kaivostoiminnasta?

-Röyhistin rintani ja lauloin:

"Herhiläinen, Hiien lintu...
Viskoi Hiien hirmuloita,
Kantoi käärmehen kähyjä,
Maon mustia mujuja,

Kusiaisen kutkelmoita,
Sammakon salavihoja
Teräksenteko-mujuihin,
Rauankarkaisu-vetehen."

-Eli mitä?

-Kalevalassa puhutaan lähinnä raudasta ja sen takomisesta. Nuo runossa mainitut oli-
vat erilaisia aineita, joita todella lisättiin raudan karaisuveteen. Myös mehiläisvahaa käy-
tettiin terien karkaisussa ja pronssin valamisessa. Näillä kaikilla aineilla on todettu ol-
leen omanlaisensa vaikutus raudan kiderakenteeseen. On epävirallisia kehitelmiä että
rautaa olisi valmistettu Suomessa tai lähialueilla jo muinaisina aikoina, että Kalevalan
raudantekokuvaukset olisivat hyvin vanhoja, jopa pronssikautisia. Mutta rauta saatiin
suorautana, järviin ja soiden pohjiin pelkistyneinä ruostemöykkyinä jotka olivat normaa-
lia malmirautaa helpompi saada käyttökelpoiseksi ihan vain erilaisin takomismenetel-
min. Sitten on tietysti se Saarenmaan Kaalin rautameteori, sen yhä kesken oleva tutkimi-
nen, varsinkin miten ja minne sen rauta on kadonnut.

-Minä vuonna se putosikaan?

-Arviot vaihtelevat paljon tutkimusmetodeista riippuen, mutta viimeisimmät monitie-
teelliset arviot ovat luokkaa 1690 - 1450 eKr.

-Sopisipa mainiosti, jos nuo luvut hyväksyy, Axel sanoi silmät laajeten. Kysyin: -
Onko Iliaksessa kuvauksia meteorin putoamisesta?

-Iliaksessa on useampia taistelunaikaisia taivaallisia tapahtumia. Athene ilmaantuu tu-
lipyrstöisenä meteorina, joka oli niin kirkas että näkyi keskellä päivää. Tämä ilmestys ja
sen tulkinta mahdollisti sodan jatkamisen sen jälkeen kun Meleanuksen ja Parisin väli-
sen kaksintaistelun olisi se sovitun mukaisesti pitänyt päättää. Sen lisäksi on eriasteisia
jyrinöitä ja maan tärähtelyjä ja punaisia pilviä ja ukkosta keskellä kirkasta päivää, mutta
ei isoa meteorin iskua kesken sodan. Athenen näyttäytyminen on tulkittu meteorin ohi-
lennoksi ilman törmäystä. Riittävän loivalla kulmalla saapuessaan se voi kimpoilla ilma-
kehän tiivistyvällä reunalla kuin leipäkivi lammen pinnalla.

-Kalevalassa Kaalin törmäyksestä on lukematon määrä detaljeja: Iskun aiheuttama
tsunami, taivaan pimeneminen, kapaloihin kärventyneet lapset, naisten palaneet kasvot
ja rinnat. Varsinkaan näitä viimeisiä detaljeja ei otettu todesta ennen kuin Chelyabinskin
meteori Venäjällä 2013 poltti satojen ihmisten kasvot ja silmät ja sytytti verhoja
palamaan kirkkaudellaan. Kalevalan mytologisen suuren tammen voi käsittää iskemän
nostattamaksi räjähdyspilveksi; Kaalin meteorin on arveltu räjähtäneen Hiroshiman
atomipommin voimalla. Nopeasti nousevaan räjähdyspilveen liittyvä salamointi on
runoissa myös mainittu. Detaljit ovat tarkkoja ja niitä on paljon, voisi melkein väittää,
että Kaalin meteori on Kalevalaisen runoilun tärkein alkupiste. Se on vaatimalla vaatinut
selitystä ja muuten mykähköt ugrit ovat pakon edessä puhjenneet laulamaan. Mutta kun

271

Kalevalan historiallisuus on kielletty, niin ei näitä saa sanoa eikä aikaan ja paikkaan sijoittaa. Tällainen todellinen merkkitapahtuma olisi liian hyvä mittatikku myönnettäväksi.

-No mitä Kalevala sanoo tarkalleen tästä meteorista?

-Kalevalassa Lönnrot on yhdistellyt tällä kohdin melko monipolvisia aihelmia yhteen. Ensin kuu ja aurinko ovat tulleet Päivölään kuusen oksalle Väinämöisen soiton houkuttelemana josta Pohjan Akka on ne onnellisesti nukahtaneina rautavuorensa sisään vanginnut. Jotenkin samassa rytäkässä kaikki muukin tuleen liittyvä taito ja valo on maailmasta kadonnut. Ilmarinen yrittää takoa kuun ja auringon korvikkeet muttei onnistu, joten Ukko ylijumala joutuu hommiin:

"Tulta iski ilman Ukko, valahutti valkeata
miekalla tuliterällä, säilällä säkenevällä;
iski tulta kyntehensä, järskytti jäsenehensä
ylähällä taivosessa, tähtitarhojen tasalla.
Saipa tulta iskemällä. Kätkevi tulikipunan
kultaisehen kukkarohon, hope'isehen kehä'än.
Antoi neien tuuitella, ilman immen vaapotella
kuun uuen kuvoamaksi, uuen auringon aluksi.
...
Impi tulta tuuitteli, vaapotteli valkeaista,
tulta sormilla somitti, käsin vaali valkeaista:
tuli tuhmalta putosi, valkea varattomalta,
kätösiltä kääntelijän, sormilta somittelijan.
Taivas reikihin repesi, ilma kaikki ikkunoihin.
Kirposi tulikipuna, suikahti punasoronen,
läpi läikkyi taivosista, puhki pilvistä pirisi,
läpi taivahan yheksän, halki kuuen kirjokannen."

-Ja kun meteori iskee maahan:

"Sitte sinne tultuansa Tuurin uutehen tupahan
panihe pahoille töille, löihe töille törke'ille:
rikkoi rinnat tyttäriltä, neitosilta nännit näppi,
turmeli pojalta polvet, isännältä parran poltti.
Äiti lastansa imetti kätkyessä vaivaisessa.
Tuohon tultua tulonen jo teki pahinta työtä:
poltti lapsen kätkyestä, poltti paarmahat emolta.
Se lapsi meni Manalle, toki poika Tuonelahan,

ku oli luotu kuolemahan, katsottu katoamahan
tuskissa tulen punaisen, vaike'issa valkeaisen."

-Kun Väinämöinen ja Ilmarinen lähtevät etsimään tulen putoamiskohtaa he tapaavat matkalla ilmattaren, joka kertoo silminnäkijähavaintoja:

"Tuli tuosta mennessänsä, valkeainen vierressänsä
ensin poltti paljo maita, paljo maita, paljo soita;
viimein vierähti vetehen, aaltoihin Aluen järven:
se oli syttyä tulehen, säkehinä säihkyellä.
Kolmasti kesäisnä yönä, yheksästi syksy-yönä,
kuohui kuusien tasalle, ärjyi päälle äyrähien
tuon tuiman tulen käsissä, varin valkean väessä.
Kuohui kuiville kalansa, arinoille ahvenensa.
Kalat tuossa katselevat, ahvenet ajattelevat,
miten olla, kuin eleä: ahven itki aittojansa,
kalat kartanoisiansa, kiiski linnoa kivistä."

Axel kuunteli lausuntaani hiljaisena. -Tarkasti ja hauskasti on tallentunut. -Eikä tässä ole läheskään kaikki, sanoin. -Näistä runoista voi vetää sellaisenkin joh-topäätöksen että Kaali ja Kaleva ovat samaa juurta. Niin kuin sanasta tuki tulee tukeva niin sanasta kali tulee kaleva. Kali on eestin saaristomurteissa puinen kanki, kalikka, masto tai vipu, ehkäpä siis maailman putoava akseli, meteorin hohtava pyrstö:

Tuli tuhmalta putosi
läpi karsun rautaharkon
Keskelle Kalevan järven
alta parran autuaan
polvelta pyhän jumalan

-Tuon verran muistan näitä äkkiä tästä kieleni päältä ulkoa. Helposti voisi luoda sellaisenkin kehitelmän, että Kalevanpojat, Kaalinpojat, maailman murtuneen akselin vartijat myivät meteorirautansa Pohjolaan ja sitten katuivat sitä katkerasti jälkeenpäin ja yrittivät hakea sen takaisin tajuttuaan möhläyksensä mittakaavan, kokonaisen maa-ilmankauden mullistavan ja päättävän materiaalin ja siihen liittyvien tekniikan ja taidon merkityksen. Tai sitten se vain ryöstettiin heiltä ja paikallisilla ei ollut siihen muuta sanottavaa kuin kirjailla nämä sadut siihen laimeaksi kunniaksi päälle. Nainen Kalevalassakin tällä raudalla ostettiin, mitäs muuta. Ilmarisen kosiotyöt voidaan tulkita meteorirautaan liittyviksi: Kuumia, kekälemäisiä käärmeitä kerättiin rautaharavalla tuliselta pelloilta paksut suojarukkaset käsissä eräässä toisinnossa. Oma haravansa oli lammen pohjan naaraamista varten. Kaalistahan ei ole löytynyt moderneillakaan metodeilla kuin muutamia kiloja rautaa, kaikki on kultaakin kalliimpana muinoin kerätty tarkasti talteen. Ja kuten varmasti tiedät kaikki varhaispronssikautinen rauta mitä on tutkittu on meteoriperäiseksi todettu.

Alex luki vielä hetken laiteeltaan kai äsken lausumaani Kalevalan kohtaa ja sanoi sitten:

-Ehkä meteori oli myös se petollinen heleä Helena. Meni ja putosi vihollisen syliin äärettömine rautarikkauksineen ja se piti hakea pois. Kreikkalaisessa mytologiassa on kuvaus joka sopisi erittäin hyvin juuri tämän meteorin putoamiseen. Phaethon halusi ajaa isänsä aurinkovaunuilla todistaakseen sukujuuriaan epäilleille ystävilleen olevansa auringonjumala Helioksen poika, mutta joutui paniikkiin, menetti vaunujen hallinnan ja oli syöksymässä alas taivaalta uhaten tuhota koko maan piirin. Zeus pelasti maailman syöksemällä Phaethonin salamaniskulla Eridanos-jokeen, joka oli Hyberboreassa eli kaukaisessa pohjolassa. Phaethonin sisaret, heliadit, muuttuivat häntä itkiessään poppeleiksi ja heidän kyyneleensä meripihkaksi. Meripihkahan osoittaa juuri Itämeren itärannikolle. Ja pronssisia hevosten vetämiä aurinkovaunuja on löytynyt kaksi kappaletta Tanskan soista ja ne liittävät tämän tarinan nimenomaan pohjoisen pronssikauden mytologiaan ja auringonpalvontaan.

-Milloin tämä Phaeton putosi?

-Emilio Spedicaton mukaan vuonna 1470 eKr. ja Napierin mukaan vuonna 1320 eKr. Nämä vuosiluvut ovat siis saatu muinaisia tekstejä vertailemalla. Sopivat hyvin Kaaliin.

-Onko mitään pohjoisen jokea ehdotettu Eridanokseksi?

-Vaikka mitä pitkin poikin Eurooppaa mutta kumma kyllä ei mitään näin pohjoisesta, vaikka Hyberborea selvästi tässä tarussa aina mainitaan ja jopa historioitsija Massilian Pytheas kierteli vuonna 325 eKr. pohjoista Eurooppaa sekä Hyberboreaa että Eridanosta etsien. Hän kävi myös Thulen saarella jossa hänelle "Näytettiin jatkuvasti paikkaa, jossa aurinko lepää", mutta eipä löytynyt Eridanosta sieltäkään. Mutta toisaalta pitää muistaa että ehdottelijat aina ehdottavat kotiseutujaan myyttien tapahtumapaikoiksi. Taidat sinäkin siitä tietää jotakin, Axel sanoi minua alta kulmiensa katsoen.

-Hmm, sanoin ärtynyttä esittäen.

-Eräs nimen perusteella sopiva ehdokas olisi Saksan ja Tanskan rajalla pohjanmereen virtaava Eider. Se on myös hyvää meripihka-aluetta ja sen edustalla olisi myös Heligoland-saari, johon liittyy rikas mytologia. Eriadanoksen suulla oli tarujen mukaan meripihkasaari.

-Miksei sitten Väinäjoki? Olisi paljon lähempänä Kaalia ja keskellä meripihka-aluetta myös. Onko Tanskassa mitään meteorilöytöjä pronssikaudelta jotka sopisivat Phaetoniin?

-Lähin on Puolan Moraskon kraateri, mutta törmäys on ajoitettu noin vuoteen 3000 eKr. ja se on ilmeisesti ollut kadoksissa kunnes löydettiin uudelleen vasta vuonna 1914 ja useita jopa satojen kilojen rautamöykkyjä löytyy alueelta edelleen. Se ei ole ollut koskaan palvonnan kohteena kuten Kaali on ollut 1700-luvulle asti.

-Eli vaikuttaa että se Morasko olisi liian aikainen?

-Niin. Mutta ei tämä muutenkaan mukava puheenaihe ole, Axel sanoi.

-Mikä?

-Että puhumme raudasta ja meteoreista kun pitäisi puhua kuparista tässä kaivoksessa.

-Anteeksi. Olen sellainen kevyt höytypää että lähden ilolla jokaista leijuvaa langanpäätä tavoittamaan. Ei minulla ole mitään valmista kaavaa täytettävänä niin kuin sinulla, kunhan hortoilen ja puhelen juuri niin pehmoisia ja kevyitä kuin huvittaa. Jokainen meidän hölmö lauseemme pitäisi halkaista sadanteen osaansa jos tähän järkeä haluaisi.

-No onhan tämä kaikki tietysti pelkkää ahneutta mitä tässä hädissämme yritämme.

-Minä silti jatkan sinun kiusaamistasi hölinällä raudasta, tai siitä että pronssiin eli vaskeen ei Kalevalan runoissa liity mitään taitoa tai tekemistä. Se viittaisi että vaski olisi ollut tuontitavaraa näillä laulumailla. Paitsi eiväthän tämän kaivosalueen hallinnoitsijat olisi olleet Kalevalaisia laulajia eikä tämä se alkuperäinen laulumaa vaan Eesti ja Latvian rannat ja Väinäjoen seutu, varsinkin pronssikaudella.. Äh, minulla liikkuu nyt maisemat liian lujaa päässä. Tämä on liian hölmöä edes minulle.

Alkoi sataa. Alex kyyristi selkäänsä ja sanoi:

-Ehkä sitten niin. Mutta on vielä yksi lanka, yksi juonne, nimittäin Orichalcium, vuorikupari, mystinen Atlantiksen mineraali joka esiintyy monissa muinaisissa teksteissä, esimerkiksi Platonin Critaksessa. Sen olemusta ei ole yrityksistä huolimatta selvitetty tyydyttävästi. Sitä on epäilty valkokullaksi, siis hopean ja kullan sekoitukseksi tai sitten platinaksi mutta varsinkin joksikin pois käytöstä jo muinoin jääneeksi pronssiseokseksi. Sisiliasta Gelan satamasta löytyneestä hylystä löydettiin kupariseosta, jossa oli sinkkiä ja lyijyä ja se on yksi vahvimpia ehdokkaita orichalciumiksi.. ja kaikkia kolmea metallia oli täällä Toijassa, vieläpä pinnallisissa esiintymissä.

-Syntyykö niiden ja kullan seoksesta mitään kiinnostavaa?

-Sinkin ja kuparin puhdas sekoite on kupronikkeliä, ja se on vaaleaa vaikka suurin osa siitä on kuparia. Roomalaiset käänsivät orichalciumin aurichalciumiksi, kultakupariksi, jota löytyy myös luontaisesti sekoittuneena. Orichalciumia on kuvattu väriltään valkoiseksi ja siksi platina ja valkokulta ovat myös epäiltyjen listalla. Pitää muistaa että Rooman aikaan nimeä väärinkäytettiin osittain tietoisesti, jopa messinkiä kutsuttiin orichalciumiksi vaikka tiedettiin että sitä se ei ole voinut edes roomalaisajalla olla. Tiettyjen messinkikolikkojen arvoa haluttiin nostaa tätä mystistä yhteyttä korostamalla. Sitä on kuvattu myös vaaleana hehkuvaksi kupariksi, johon oli sekoitettu jotakin muuta kuin tinaa, pronssin normaalia ainesosaa. Pseudoaristotelisten tekstien mukaan siihen olisi sekoittunut calamiini-mineraalia, joka on itse asiassa joukko sinkin oksideja joita kuparia ja pronssia sulattaessa kertyi uunin reunoille erilaisina pitoisuuksina. Jos tällaisia muinaismasuunien mineraalijäänteitä löytyisi olisin enemmän kuin varma tästä kaikesta. Mutta pitäisi olla keino tunkeutua kuin röntgenillä maamassojen läpi ja.. valitettavasti se on täysin mahdotonta. Kenelläkään ei ole sitä aikaa ja rahaa jotka tämä tolkuton tutkimus vaatisi. Tai sitä uskoa. Edes sillä voimalla joka meillä täällä on nyt. Tämä alue on liian laaja.

-Eikö voisi tehdä koekairauksia?

-Olemme tehneet niitä mutta mitään ei ole löytynyt. On ollut vaikea saada tänne asiallista kalustoa, näiden jättimäisten typerien kaivurien lisäksi siis. Kaikkeen mielipuoliseen ja näyttävään on rahaa kyllä löytynyt.. Ja alueen vuokrasopimus raukeaa vuoden vaihteessa. En tiedä ehdimmekö. Tämä koko touhu polkaistiin liian lyhyellä varoitusajalla pystyyn. Tutkimusprojekteja on sätkitty kasaan ja teippailtu kiinni miten kuten. En oikein ymmärrä mistä on kyse. Kuin ei yhtään välitettäisi mitä täältä voisi oikeasti löytyä.

-Kieltämättä koko tässä touhussa on outo haju. Kuin tämä kaikki olisi vain kulissia, iso lavaste.. täällä ei ole oikeasti mitään muuta kuin tätä.. puhetta.

-Onko tällä alueella mitään pronssikautisia löytöjä?

-Ei oikeastaan yhtään mitään virallista.

-Ei mitään?

-Vähemmän kuin missään lähialueilla. Lännessä on Salo ja Halikko jotka ovat suomen pronssikauden merkittäviä seutua ja pohjoisessa on Suomusjärvi, yksi kivikauden tärkeimpiä löydösalueita Suomessa, mutta tämä alue on kahdenkymmenen kilometrin säteellä löytöjen suhteen ihan korpimaata.

-Oho, Axel sanoi.

-Aukko pistää silmään Suomen muinaislöytöjen karttaa kun katsoo. Siksi minä täällä pyörin koska epäilin että täällä jotain on jäänyt etsimättä ja löytämättä. Mutta mitään en minäkään löytänyt. Pelkkiä aavistelun mahdollisia paikkoja, kierosilmän unelmoijan maisemaan väkisin kutomia epätodennäköisyyksiä. Luulen että se minun karttani on jo katsottu läpi ja todettu ettei siinä ole mitään arvokasta, mitään selkeää mihin tarttua. Ja voin sanoa sinulle, vaikka joku meitä tässä kuuntelisikin, että ei siinä todellakaan ole mitään.

-Minä jotenkin oletin että.. jotain edes olisi. Edes siellä Toijassa.

-Siellä ei varsinkaan ole mitään.

-Oho.

-Onhan toki mahdollista että jotain vielä löydetään, sanoin.

-Ei näillä vehkeillä, Axel sanoi ja heilautti kättään ensin kaivinkoneiden suuntaan ja osoitti sitten omaa ohimoaan. -Eikä tälläkään. Olen liian kaukana kaikesta tästä.

Seisoimme hetken puhumatta ja kuuntelimme sateen yltymistä. Kysyin:

-Oletko ehtinyt kirjoittaa tutkimuksistasi täällä?

-En ole kirjoittanut vielä mitään. Väkinäinen pakko saada näyttäviä tuloksia on niin päivänselvä että en saa asioita ja ajatuksia kauhultani taipumaan.. kökötän täällä kuonakasojen päällä ja katselen neuvottomana koekaivausten kohtia mutta ei meillä ole mitään todellista tietoa mihin iskeä. Sinä jökötät siinä edessäni kuin mikäkin toivo. Ja nyt sanot ettei mitään toivoa ole.

Kävelin vähän ympäriinsä. Katsoin kirkkaanvihreän veden täyttämään kaivoskuiluun ja mietin että Siri voisi sieltä jotain löytääkin mutta päätin olla hiljaa. Potkaisin lähimmän kaivurin telaketjua ja kysyin:

-Mitä näillä pitäisi muka tehdä?

-Toivat ne tuohon ja käskivät kaivaa. Näön vuoksi kauhoin vähän sieltä täältä mistä oli vähiten haittaa. Laitan työmiehet taas töihin kun herrat sattuu paikalle. Huomenna ovat tulossa haastattelemaan ja kuvaamaan artikkelia varten. Siihen mennessä pitäisi joku isompi monttu saada aikaiseksi, ja väittää siitä jotain. Eli nyt.

-Niin. Olen nähnyt miten kevyttä täällä kaikki on. Mutta nyt minun täytyy lähteä. Että asia pysyisi keveänä.

-Älä nyt vielä lähde. Yövymme tuolla kaivostornissa, sinne mahtuu hyvin yksi törppö lisää, Alex sanoi ja osoitti korkeaa pyramidimaista puutornia louhoksen reunalla. -Tätä meidän juttuamme, tätä piisaisi öitten halki puhuttavaksi. Otettaisiin vähän miestä väkevämpää. Sauna olisi myös.

-Ehkä minä tulen vielä takaisin, sanoin.

-No yritä tulla, ja mahdollisimman pian. Voi nimittäin olla äkkilähtö meidän ryhmällä edessä.

Taputin Axelia olalle. -Sinä tämän toivottoman ja ankean tehtäväsi äärellä tunnut järkevimmältä ihmiseltä jonka olen vähään aikaan tavannut. Tuolla leirissä sen sijaan.. olen kyllästynyt kauniista kuolemasta unelmoiviin. Tulla tänne kaivauksille pois leiristä olisi varmasti paras vaihtoehto.

-Mutta toivotontahan tämä on miten päin tahansa tätä katsoo.

-Mutta hauskaa! Tai koomista, Sanoin pirteätä esittäen.

-Kiitos. Palataan. Näkemiin, Axel sanoi pää painuksissa.

-Näkemiin, sanoin ja kun olin kääntymässä pois mieleeni tuli pieni ajatus ja sanoin: -Hei. Voisiko paikannimi Orijärvi olla yhteydessä Oricalchiumiin? Mitä ori-etuliite tuossa tarkoittaa?

-Oros on vuori, suora käännös on vuorikupari kuten jo sanoin.

-Ori tarkoittaa Suomessa nuorta uroshevosta mutta viron kielessä orjaa ja Orijärven länsipäässä onkin paikannimi Orjanperä josta voi päätellä että se on saattanut olla nimen alkuperäinen merkitys täällä. Tämä voisi viitata kaivoksen muinaisuuteen ja niihin aina muinaisella ajalla liittyneeseen orjatyöhön.

-Kuulostaa hauskalta, Axel sanoi väsyneesti ilahtuen. -Minä kirjoittelen tuon sinne sekaan ja siihen ympärille jotain kiehkuroita. Minulla on jo muutama kappale muinaisten kaivosten olemattomista työoloista ja mitä jäänteitä ihmisistä kaivoksiin jää. Laitan tekstin sinulle näillä lisäyksillä, niin palataan sitten asiaan. Lisään nimesi tekijöihin, jos siitä vaikka olisi sinulle hyötyä.

-Selvä, tehdään niin. Ilmoitan jos jotain tulee mieleen. Nyt pitää mennä, näkemiin!

Käännyin jo pois mutta Alex huusi heti perääni:

-Ai niin, nyt vasta muistin! Iliaksessahan on yksi erikoinen rautakimpale! Ihan lopussa, kun Akilleus lupaa taistelussa kuolleen ystävänsä Patrocluksen hautajaisissa hänen kunniakseen järjestetyn ottelun voittajalle viiden kilon möhkäleen "itsestäänvalautunutta" rautaa. Tämä muistotaistelu oli Rooman gladiaattoritaistelujen esikuva.

-Mitä rautaa se oli?

-Se oli möykky meteorirautaa, jonka hän on ottanut sotasaaliina Troijasta.

-Mitä?

Axel kohensi asentoaan ja lausui:

"Otti esiin meteoriitin Akhilleus,
jota Eetion voimiensa tunnoissa oli heitellyt
ennen kuin Akhilleus hänet iski hengiltä
ja toi tämän rautamöykyn laivoilleen muun saaliin kanssa."

-Eetion oli Hectorin appiukko, vanhemman polven mies siis. Ehkäpä Troija ja sen liittolaiset olivat saaneet kerättyä itselleen suurimman osan meteoriraudasta siis jo edellisen sukupolven aikana. Kaalin törmäyksen ja Troijan sodan ajoitukset sopivivat kohtuullisen hyvin.

Päätäni kuumotti. Kysyin: -Sano mikä on säkeiden numero!

-Se on luvusta kaksikymmentäkolme, rivistä 826 eteenpäin, Alex sanoi omaa laitettaan katsoen.

Kelasin tekstikohdan esiin ja luin Mannisen vanhan käännöksen:

"Toi valuharkkoisen diskoskiekon nyt Akhilleus,
aimo jot' Eetion monet heittänyt heitot ol' ammoin,
vaan hänet hengeti lyönyt ol' askelnopsa Akhilleus,
senkin laivoilleen sotasaaliin muun kera vienyt."

-Kuten huomaat tässä ei ole sanaakaan meteoriitistä. Kiekonheittoa, jumalauta!

-Sitä on käännetty eri tavoin eri kielissä ja eri aikoina. Usein se on vain jonkinlainen epämääräinen valuraudan möhkäle, joskus raakarautainen kuin kuulanheittäjän kuula tai moukari. Meteori on outouttaan käännetty näkymättömiin mutta siellä se alun perin on.

Tällaisten vuosituhantisten väärinymmärryspolkujen myötä on alkuperäisestä tekstistä moni muukin detalji himmennyt.

-Voisiko se että sukupolven tai pitempäänkin on möhkälettä vain viskelty pitkin mantuja viitata siihen ettei sitä olisi osattu vielä tuolloin muokata?

-Ehkä, mutta hieman myöhemmin mainitaan että kuka tahansa maanviljelijä saa siitä auraansa terät tehtyä. Kuin että raudankäsittely olisi yleinen taito. Tällä kohdin on ajallista hajaumaa ilmeisesti paljon kuten monissa muissakin säkeissä. Eeppinen runo toki imee itseensä detaljeja kuin pölynimuri vuosituhansien varsilta.

-Mutta eikö tässä nyt ole kuitenkin linkki jos missä! Tartuin Alexia nyt molemmista olkapäistä ja yritin pakottaa häntä hymyilemään. -Hitto, unohdetaan kaivos ja isketään tuohon meteorirautaan kiinni! Siitä on pakko olla kyse.

-Anteeksi mitä?

-Että.. se on se lukko mitä on etsitty!

-Mutta eikö koko sota voisi olla sitten yhtä hyvin Virossa?

-No voisi kyllä. Piru vieköön, sanoin äkkiä lamautunein kasvoin.

-Voi voi, siinäkö nyt menee sinun rakas Troijasi! Ja Pohja puheiltasi!

-Mitään minun rakkaitani ne ole olleet koskaan, varsinkaan Toija! Maksettuna miehenähän minä täällä unelmoimassa olen. Saahan se Virossa olla tai missä vain, se on se ja sama. Ilmarinen ja Väinämöinen vaelsivat meteoriittikraaterille kahden päivämatkan verran pohjoiseen eli olisivat hyvinkin voineet lähteä Väinäjoen tienoilta Latviasta. Ja kyllä se meren yli Pohjaan se rauta voitiin viedä, tai ryöstää. Pohjolan pronssikautinen voimakeskittymä on sen voinut saada haltuunsa. Sen takominenpa ei sitten niin helppoa ollutkaan, siihen tarvittiin taas Ilmarista apuun joka saattoi alunperin olla pohjoiseen meteorin perässä saapunut kiertävä seppä alueilta jossa rautaa jo osattiin käsitellä. Ilmari on saattanut alunperin olla Inmar nimeltään.

-Ja Pohjola-Troijasta rauta ryöstettiin sitten Iliaksen Danaalaisten Tanskaan Naue II rautamiekoiksi ja niiden polku merikansojen kansainvaelluksen kärjessä Mykeneen ja itäiselle Välimerelle onkin jo melko selvä, Alex sanoi.

-Tässä on se kohta missä nämä kaksi mytologiaa yhtyvät, edes vähän, yhdellä vaivaisella sanalla. Kamala soppa tästä kyllä syntyy.. Entäs! Se Orichalcium, mikä sen toinen nimi olikaan?

-Aurichalcium.

-Jos se viittaakin sen taivaalliseen alkuperään, tuo kulta, aur, aurinkoon, josta meteori oli palanen kuten muinoin uskottiin? Että orichalcium olisikin ollut meteoriraudan nimi?

-No, tuskinpa, mutta mietitään, Alex sanoi väsyneenä ja märkänä. Homma oli kerta kaikkiaan taputeltu hänen puolestaan, hän oli äkkiä aivan uupunut. Huterien ja hölmöjen puhuminen saattoi kieltämättä olla raskasta.

Kättelimme, sanoimme näkemiin. Alex raahusti työmaakoppiin ja minä kävelin verkkoaidan reiästä takaisin metsän sisään. Miten tämä nyt vakuuttavalta vaikuttava ajatuskulku Sammosta meteoriittina oli mennyt minulta niin totaalisesti ohi kaikki nämä vuodet? Olinko todella halunnut pysyä Suomen rajojen sisällä kuten kaikki haukkumani suomalaiset suppea-aivot, olinko kateuttani estänyt itseäni ajattelemasta asiaa loogiseen loppuunsa? Olin vasta muutama vuosi sitten siirtänyt mytologiani painopistettä Varsinais-Suomesta Suomenlahden yli etelään ja kai siirto oli yhä nihkeä henkisesti, kaikenlaista roinaa tippui kyydistä pitkin tahmeita mielen polkuja. Tiedänhän minä että tämä kaikki on tällaista kunnia-ajattelua, kunnian väkinäistä väkisin haalimista, mutta samassa huonossa ajattelussa on jokainen itse kuin mistä muita aina syyttää, mikä milloinkin on se satunnainen kunnian piiri ja vaihtuvat ovat aikojen halki kunnian ruostuvat avaimet. Huteraa on kaikki ajattelu, se itseään vähättelevä suomalainen nöyristelykin, uhoa sekin on, ja miten ankeata anti-uhoa! Tämä sentään on hupaisaa, sen voin puolustuksekseni sanoa. Samaa kurjuuteen tuomittua omahyväistä kehäpäätelmää ihmisen ajattelu aina oli yritti se sitten ylös, alas tai vaakatasoon. Kuinka kauan tämän ymmärtämiseen kuluu, se on ainoa kunnian mitta, ja mitä sitten tekee, kun virheensä tajuaa, kun kaikki aikaisempi mikä tahansa satunnainen, hetkellinen kunniakkuus-logiikka on murskattu, se on se varsinainen asia. Mikä hupi ja häpeä kun tajuaa ettei järkeä ole eikä tule, uusi terhakka hölmöys nostaa vääjäämättömän turpansa tuoreesta verestä.

Höyrysin halki sateisen metsän, ei minun tarvinnut edes suunnistaa.

Ja miten Pohjoisen Liitto ei ollut tätä raudan mahdollisuutta muka huomannut! Oliko tämä idea jätetty minulle löydettäväksi? Tällähän he minut saavat vasta pauloihinsa kun itse innostun tästä, perhana soikoon. Niin sen täytyy olla. Tänne kaivokselle minut ujutellen houkuttivat, teippaavat maahan lojumaan jätettyihin raatoihin väärennettyjä lupalappuja. Ei, en voi olla niin tärkeä.. Koko ajan varovammin pitää köpötellä ajatusten haarautuvia polkuja. Koko Elsa on ansa, arvaahan sen, minulle viritetty. Mutta mitä muuta voisin muka tehdä kuin mennä tätä rataani kuin joku aivoton ohjus, ajatukset pelkkiä syöksyn koristeköynnöksiä? Lopetanpa tämän vouhotuksen.

Kävelin kohti Kurkelanjärveä. Vaivoin sain mieleeni miksi olin sinne menossa; vaikka miten vastustelin niin päähäni mahtui nyt tuskin muuta kuin uusi idea Sammosta. Siihen sopivat kaikki ennen eriytyneet maalliset ja taivaalliset teoriat, se liitti ne yhteen, todellakin, kuin sammas, akseli. Kaikki detaljit alkoivat loksahdella kohdilleen monotonisen mekaanisesti. Miten Sammosta jäi Kalevan kansalle vain murusia jäljelle mutta ne murusetkin tuottivat suurta rikkautta.. ja miten Sammaksen, taivaanakselin päässä oli kultainen nuppi, hehkuva meteori.. en keksinyt yksityiskohtaa mikä ei tähän kehitelmään sopisi. Ilmarinen, taivaan takoja.. Kalevalan raudan aikaisempi ajoitus oikaisisi monet entisten tutkijoiden ankeuttavat aikaväännelmät. Hitto! En pystynyt ajattelemaan muuta, kompastelin sammaleisiin lahokantoihin ja revin kasvojani märkiin oksiin, menin ryteikössä kuin vauhko hirvi kyljet höyryten. Kyllä kaksi mytologiaa vaan on paljon parempi kuin yksi, yhdessä kasassa kaksi! Ja tällainen valtava rautamäärä, se olisi löy- dettävissä, sen jäljet näkyisivät kun sitä nyt osaisi vihdoin etsiä oikeasta paikasta, maailmalta!

Äkkiä muistini silmiin lävähti salama taivaalta, räjähdys, kääntyvät maat, veljeni nii- den alla. Mahaani kouraisi. Oliko se joku alkukuva, idea joka oli annettu, kuin täky josta napata kiinni? Miten korskeita ajatuksia ketjussa toistensa jälkeen. Että joku mieltäni näin tarkasti ohjaisi, näin isoilla voimilla. Eihän se voi olla muuta kuin turvonneen mie- leni harhaa. Tätä hoin itselleni ja kävelin eteenpäin, yritin laantua, yritin hengittää.

25.

Tarkistin kartalta Gerhardin antamaa koordinaattia. Se oli Kurkelanjärven etelärannan kuusikkoisessa niemessä. Sinne kävelisi puolessa tunnissa Jylyn ja Kärkelän ruukin kautta. Tulin Jylyntietä alas ruukin työnteijöiden 1700-luvun mökkien ohi ja kävelin kosken yli pientä puusiltaa pitkin. Isossa tallissa oikealla hirnahti hevonen mutta ketään ei näkynyt kartanolla eikä sivurakennuksissa. Yritin köpötellä hölmön ja vaarattoman näköisenä selkä kyyryssä pihapiirin läpi. Käännyin vasemmalle ja kävelin Sorttilantietä kohti Kurkelaa. Vettä satoi. Nimistä ja maisemasta näki selvästi miten Lohjanjärvi, Hiidevesi ja muut Länsi-Uudenmaan isot järvet olivat ennen virranneet tätä läntistä reittiä Suomenlahteen. Muinaisen virran kovertama mahtava laakso näkyi yhä maisemassa tien vierellä luikertelevan mitättömän Kärkelänjoen ympärillä. Kun virta on muuttanut suuntaansa ja uomaansa on se varmasti ollut järkyttävää ihmisille ja on se voinut olla vaikeaa itse joellekin. Se on voinut venkoilla uutta suuntaansa vastaan ja tulvia takaisin vanhoille reiteilleen silloin kun tilanne on ollut labiili ja varsinkin jos vedenjakaja on ollut kovaa kalliota ja rajatila on pysynyt pitkään epämääräisenä. Tällaisessa tilanteessa Iliaksessa kuvattu Scamanderin äkkinäinen alkukesän tulva joka hukutti kymmenittäin sotureita taistelun keskellä ei ole mahdoton. Vuoristoisessa maastossa joet tulvivat helposti mutta se tapahtuu tuntien sisällä rankkasateesta ja on yksinkertainen ennakoida. Kallistin maisemaa pääni sisällä ja katsoin miten vedet hölskyivät, yritin maistella oliko missään lähellä sitä köngästä millä kohtaa vesi oli miettinyt menemisiään. Jossain tässä Jylyn lähellä se on ollut, ehkä Kalakoskella jossa ei nyt ollut kuin kapea, mitätön järvi. Taas uusi detalji joka on ollut mahdollinen täällä. Päätäni alkoi hiertää, ideoita poksahteli, oli pakko kirjoittaa niitä muistiin. Samalla mieleeni muistui se minulta vaadittu virallinen teksti ja sain mieleeni kirjoittaa kaikesta tästä jonkinlainen hysteerinen sekametelisoppa. Se pitäisi kirjoittaa sellaisella kierteellä että kultahattuiset puusilmät sen hyväksyisivät mutta että siinä olisi edes jokin lievä kritiikin kulma johon voisin vedota jos joku ulkopuolinen siihen huomionsa kiinnittäisi. jokin järkevä tai "järkevä" kommentti tähän kaikkeen, ja saada se julki jotenkin jos se ei Gerhardin ja Frederikin suodatinten läpi menisi.

Istuin alas kivelle ja kaivoin esiin Nicholaksen päähäni kopauttaman tekstin ja luin sen läpi. Alkoi sataa kovempaa ja ryömin ison kuusen alle suojaan. Sikäli kun ollenkaan muistin mitä alkuperäisessä oli ollut, oli sitä väännetty rajusti vinkuraan. Tämä herrojen muokkaama teksti oli täynnä hurmeisia hoviniiauksia. Aloin kirjoittaa, vääntää vastakierteitä kierteisiin. Kirjoitin tunnin ja kaksi, kirjoitin kaksi eri versiota, oikean ja väärän, molemmat täynnä hölmöä hölinää. Tunsin tämän teorian paremmin kuin olin kenellekään kertonut, sain runoiltua uskomattomat ummet ja lammet. Kun olin Alexin innoittamana höpissyt hieman ohi suuni ei ollut enää mitään syytä piilotella tietojaan. Mietin hetken paperille kirjoittamista mutta joku senkin näkisi. Kirjoitinkin lopulta kolme versiota; arvatkoon minkään niistä oikeaksi. Kirjoitin kikattaen laitimmaisen täyteen solvauksia.

Sää kirkastui kävellessäni viimeiset kilometrit Kurkelanjärvelle. Järven eteläpuolella oli metsäinen niemi jossa oli ollut kolme mökkiä. Tänne tytöt siis olivat paenneet turvaan. Hiivin hiljaa eteenpäin ja pian näinkin edempänä polun mutkassa liikettä. Niemen kapeimmalla kohdalla oli kaksi poikaa vartiossa mutta he eivät kiivaalta keskustelultaan huomanneet kun ryömin rantaa pitkin heidän ohitseen. Jatkoin kontaten loivan kalliorinteen yli kun järkyttävä näky pysäytti minut niille sijoilleni.

Pienellä sammaleisella aukeamalla oli kuusi puolialastonta tyttöä polvillaan isossa jatulintarhassa jonka kivet olivat betoninpalasia kai paikalla olleen talon tai mökin sokkelista. He ojentautuivat eteen ja taakse kädet aaltoillen ja pyörien, jonkinlaista matalaa tavulaulua ja pyhää mutinaa kuului. Tunnistin yhden tytöistä Kaisaksi, siksi tytöksi joka asui Elsan ja hetken minunkin kanssa Dagmarinkadulla. Eipä ollut hänkään sanonut mitään täällä olostaan.

Tytön nousivat äkkiä ilman eri merkkiä ylös, tarttuivat nauhoihin joiden toinen pää oli ollut rullalla heidän edessään maassa ja toinen kiinni salon huipussa. He alkoivat laulaa samalla kiertäen kivikehien kaaria salon ympäri:

Yhtenä iltana lausuttais ei sanaakaan
Yhtenä iltana ois lupa koskettaa vaan
Koskettaa toista, ja toinen ois tuntematon
Vierasta koskettaa loimutessa auringon

Yhtenä iltana vannoisi rakkauttaan
Yhtenä iltana maailma ois kohdallaan
Yhtenä iltana aikuiset lapsia ois
Laulaa ja leikkiä maailma vieläkin vois

Yhtenä iltana paljon jos viiniä jois

283

Yhtenä iltana unohtaa pelkonsa vois
Yhtenä iltana kuoleman pyörteestä pois

Laulu oli alkanut hiljaisena kuiskauksena mutta oli noussut kuin parahdukseksi, huu-doksi, kimeäksi kurkkulauluksi kovaa ja korkealta. Laulu oli selvästi moderni mutta mi-nulle outo. Yhdistettynä tarkkaan ja monimutkaiseen koreografiaan vaikutus oli järkyttä-vä. Se sai minut ja muutaman aukion reunalla seisovan täysin lamaantumaan. . Nyt yh-teislaulu hiljeni kuiskaukseksi, tanssin suunta kääntyi ja tanssijoiden nauhat alkoivat purkaa ilmaan punomia verkkomaisia kuvioitaan:

Yhtenä iltana ei olis historiaa
Yhtenä iltana alusta vois aloittaa
Yhtenä iltana väisteltäis ei Jumalaa
Yhtenä iltana ei paettais kuolemaa

Yhtenä iltana paljon jos viiniä jois
Yhtenä iltana unohtaa pelkonsa vois
Yhtenä iltana kuoleman pyörteestä pois

Ymmärsin näiden nuorten hysterian, samaa minullakin oli sisälläni ja vasta vähän ai-kaa sitten pois taittuneena. Dramaattinen aika tekee ihmisistä dramaattisia, kuoleman kiihtyvä kellotaajuus saa tarttumaan jokaiseen tarjoukseen jonka aika heittää eteemme voimalla jossa ei ole järjen hiventäkään eikä säveltä pääse kukaan elävä pakoon. Pääni humisi omaa nuottiaan tämän näyn edessä: Jokainen nainen kuin kultaa hohtaen, jokai-nen henkäys ilmaa kuin viimeinen. Ei ole halua muistaa eilistä koska perusteet ja mah-dollisuudet ovat niin muuttuneet: on pakko unohtaa mikä edellistä sukupolvea, edellistä, eilistä minää liikutti ja keksiä uusi maailmanselitys, näistä palasista, näistä jaloissa pyö-rivistä sirpaleista tässä ja nyt.

Rohkaisin mieleni ja astuin esiin puun takaa. Heidän vielä paikoillaan aaltoilevana jatkunut tanssinsa loppui, mutta vain yksi peitti paljaat rintansa käsillään ja vain yksi näytti vihaiselta ja kääntyi pois. Kukaan ei ollut pelästynyt. Katsoin melko häpeilemättä kauniita tyttöjä jotka lukivat vaikutustaan kasvoiltani. Huusin:

-Ettekö te palele?

-Sinä se kylmältä näytät! Vai miksi täriset, huusi yksi tytöistä ja muut nauroivat.

Kaisa tunnisti minut ja käveli luokseni. En ollut ennen nähnyt häntä alasti. Hän oli kuin ei olisi ollut lainkaan häpeissään. -Ari! Mitä pidit meidän pikku esityksestämme si-nulle?

-Ai minulleko se oli?

-Sinulle sinulle.

-Mistä tiesitte että olin tulossa.

-Etiäinen lensi korvaan.

-Et koskaan Töölönkadulla tuolla tavalla kekkuloinut, sanoin ja osoitin häntä sormella.

-Ei ollut mitään syytä, Kaisa sanoi ilkeillen. -No. Olet vihdoin tullut Elsaa hakemaan. Sanoin: -Et viimeksi kun puhuimme kertonut olevasi täällä.

-En. Hän kielsi.

-Miksi?

-Hän sanoi: Älkää kertoko hänelle miten minut löytää. Minä kerron miten minut löytää.

-Voi helvetti.

-Niin.

-Ja tämäkö on teidän pakoleirinne? sanoin ja katsoin ympärilleni.

-Meidän esityksemme tuhottiin ja meitä uhkailtiin.

-Silloinko Elsa katosi?

-Ei. Hän yritti selvittää kuka tuhosi salon ja sellaisella retkellä hän katosi. Hän ajatteli myös että hän oli syypää meihin kohdistuneeseen aggressioon ja että hänen täällä olonsa olisi vaaraksi meille muille ja lähti ehkä myös siksi pois, meitä suojellakseen. Ei hän näin ääneen sanonut mutta olen varma että hän ajatteli niin.

-Milloin viimeksi näit hänet?

-Tule, mennään muualle puhumaan, Kaisa sanoi ja pujottauduimme ympäröivän kuusikon puolipimeään. Katsoin miten kuolleet alaoksat raapivat kevyesti hänen valkoisia olkapäitään ja kylkiään vaaleanpunaisille häpyville viiruille ja miten neulasten matto jousti hänen paljaiden askeltensa alla, miten hänen pakaransa hohtivat kuin kuu harmaata metsää vasten. Kaisa kääntyi ja sanoi:

-Elsalla oli jotakin meneillään. Ennen lopullista katoamistaan hän häipyi päivittäin kesken töittemme eikä kertonut mihin meni. Ajattelimme että hän olisi tavannut jonkun täällä, mutta ei vaikuttanut siltä että hän olisi ollut kehenkään ihastunut. Senhän ihmisestä näkee. Hän kulki koko ajan kovana, mielensä sisällä. Tapasi ihan johtoryhmää, sen pystyimme päättelemään.

-Mistä?

-Hänen puheluitaan ei estetty, ja hän sai liikkua täällä vapaasti.

-Ettekö te saa?

-Tuli ulkonaliikkumiskieltoja ja muitakin rajoituksia levottomuuksien jälkeen. Ne ovat yhä voimassa. Mutta ne eivät koskeneet häntä missään vaiheessa.

-Miksi minä sitten pystyin soittamaan sinulle tänne?

-Se olikin outoa, hyvin outoa. En minä muuten olisikaan sinulle vastannut. Minä oikein pelästyin ja siksi olin kai niin vihainen.

285

Soitin Elsan lähettämiä viestejä Kaisalle. -Tiedätkö sinä mitään näistä? Näitkö hänen lähettävän näitä tai puhuiko hän näistä koskaan?

-Ei. Olimme ensimmäiset viikot yhdessä koko ajan enkä nähnyt hänellä mitään laitteita. Mutta vähän ennen katoamistaan näin että hänellä oli taas puhelin ja hän käytti sitä. En tiedä oliko se hänen omansa vai täällä annettu.

-Puhelimet olivat kiellettyä?

-Ainakin hyvin paheksuttua. Johtajilla tietysti saa olla mitä vain.

-Puhuiko hän koskaan minusta?

-Ei. Sain sen käsityksen että hänellä ei ollut enää kiinnostusta sellaiseen.

-Mihin sellaiseen?

-Miehiin, läheisyyteen, eikä ainakaan sinuun. Hän puhui aina vain tutkimuksistaan, historiasta, perinteistä, uskosta, tanssista, laulusta. Hioi askeleitaan tuntikausia. Pidän Elsasta kyllä mutta hän ei päästä ketään lähelleen, on kauhean sulkeutunut. Sellaisia ihmisiä on näissä kuvioissa paljon.

-Minkälaisia?

-Että empaattisuus virtaa vain rituaalien ulkoisten merkkien kautta.

-Onko tuo sinun alastomuutesikin vain rituaalin ulkoinen merkki?

-Voi jeesus, Kaisa sanoi väsyneesti. Hän samalla kiusoitteli minua ja oli kuin muka ei kiusoittelisi. Tuplateeskentelyä mutta mitä se minua haittasi. Sanoin:

-Anteeksi. Sen sulkeutuneisuuden hän oppi ehkä minulta.

-Näytä niitä viestejä vielä. Ehkä ymmärrän niistä jotakin. Ehkä ne liittyvät johonkin täällä, Kaisa sanoi ja selasimme Elsan minulle lähettämiä homeerisia säkeitä uudelleen läpi. Kaisa sanoi: -kaikki ovat Iliaksesta mutta tämä yksi on ihan keksitty mukaelma.

Luimme sen yhdessä, se kuului:

"Vaan hitahatpa on hevot sulla.
Kun maahan sauhuna sielu upposi uikuttain
niin silloin kivikynnykselle Iris ilmestyi ja sanoi:
Minä olen äitini ruumiinjäsenet."

Kaisa sanoi että se oli tehty aidoista mutta erillisestä säkeestä yhdistelemällä. -Näethän ettei siinä ole mitään mieltä.

-No en kyllä oikeastaan näe, sanoin. -Vaikea minun on ymmärtää niitä oikeitakaan lainauksia. Ymmärrän että hitaat hevot viittaavat järjenjuoksuuni mutta miksi hän olisi tehnyt tämän?

-Ehkä tunnistusohjelmat eivät erota sitä kun se on tehty noin, ehkä se mahtuu lipumaan huomaamatta verkkojen läpi. Mutta me tunnistamme. Siinä on jotakin minkä meidän pitäisi huomata ja ymmärtää. Viimeistä riviä vähän ihmettelen. Se on gnostilaisesta runosta *Ukkonen, täydellinen järki*.

-Väitätkö muistavasi koko tekstin niin hyvin että huomaat epäaidon säkeen heti? -Meidän tutkimusprojektimme käsittelee muinaisia mieliinpainamistekniikoita, erityisesti rytmillisiä ja tanssillisia. Tuon äsken kuulemasi Hectorin laulun me painoimme mieleemme kertakuuntelulla. Me tanssimme mielessämme kun kuuntelemme laulun ja laulu tulee meistä ulos vailla vaivaa milloin tahansa kun tanssimme saman tanssin uudestaan vaikka vain mielemme sisällä. Se on nyt kuin lastenleikkiä, se tapahtuu melkein itsestään. Meidän väitteemme oli että laulamalla ja tanssimalla pitkät runoelmat on muistettu, osana vuodenkierron riittejä jotka yhdistyvät tällä paikalla ja että runojen muistajat on palkittu, tällä paikalla, tässä tapahtumassa, elämällä.

-Olipa se pitkä ja vaikea lause, varsinkin alastomalta naiselta. Siis vaikea minulle, sanoin naamaani irvaten.

-Törppö. Saksasta löytyi mielenkiintoisia jäänteitä sokkelotansseista vielä 1600-luvun loppupuolelta, jolloin ne on kirjattu muistiin. Miten sokkeloisäntä on opettanut seuraajilleen lauluja ja koikkelehtivia kurkitansseja, miten puistosokkelon keskellä on kasvanut jalopuu, tammi tai pylvässaarni. Kalastajien ja merenkävijöiden tuulenlaannuttamista ja saalisloitsuja pidämme myöhäisenä korvikekäyttönä. Me olemme keränneet nämä jäänteet yhteen kuin sammon kadonneet kappaleet. Miksei Sampo olisi voinut olla myös tämä, riittiin lukittu muistiinpainamistekniikka. Tiedät että sammas tarkoittaa pylvästä.

-Joo joo, sanoin hieman ylimielisesti.

-Labyrintti, ei siis sokkelo, jossa voi olla monta reittiä ja ulospääsyä, on muinaisin abstrakti kuvio joka on löydettävistä kaikkialta maailmasta, kaikilta mantereilta, ja se oli myös pohjoisen pronssikauden keskeinen ornamenttiaihe. Labyrintti on siis juuri tämä muoto jonka tässä näet, keskeisten kehien muodostama polku kohti keskipistettä ja takaisin. Elsa löysi yhteyden klassisen labyrintin seitsemän kehän ja Homeerisen runon säkeistörakenteen välillä juuri salkoa ja nauhoja hyväksikäyttäen. Kivistä koottujen jatulintarhojen kivet vastaavat säeparien määrää ja homeerisia runoja luettaessa tahtia iskenyt sauva vertautuu tuohon maailmanpuusalkoon. Ei tämä idea ole ihmeellinen: se on tehty niistä aineksista mitä täällä on ollut aina tarjolla: Kesän korkea aurinko, rantojen pyöreät kivet, veneiden mastot, tulet ja kukat, pariutumisen pakko, laulu ja tanssi, talvien loputon pimeys. Muuta ei ole ollut ja niin tämä juhla on kestänyt ja kasvanut näillä rannoilla tuhansia vuosia. Tätä väitettä ei vielä ole hyväksytty edes Pohjoisen Liiton hullujen seassa kuten olet huomannut. Joku halusi estää koko idean esittämisenkin.

Totuus oli että olin jo niin mieltynyt uuteen rautaiseen meteoriteoriaani että en enää jaksanut innostua troijanlinnoista. Tuo tutkimuslinja johtaisi vain iankaikkiseen vatvomiseen, siitä olin varma, runon ja kielen loputtomiin merkitysklustereihin ja blaa blaa, mutta en sanoisi epäilyäni ääneen jos vain saisin mitenkään pidettyä suuni kiinni. En saanut vaan sanoin: -No tuohan on kaikki silkkaa hysteriaa.

Kaisa ei kuitenkaan suuttunut. -Nyt on kylvön aika. Nyt kylvetään kaikenlaisia siemeniä. Katsotaan mikä itää ja mikä ei, mikä jaksaa kasvaa, näissä mielen hämärissä, Kaisa sanoi painaen otsamme vastakkain ja suuteli minua koko hennonviileän vartensa voimalla. -Oho, sanoin sormieni päät hänen ohuella uumallaan. -Sinun pitää uskoa että minua ei kiinnosta teidän tutkimuksenne, ajatuksenne, uskonne eikä korkeat lihanne. Haluan vain löytää Elsan.

-No sanooko se outo säe sinulle mitään?

-Ei yhtään mitään. Entä sinulle?

-Ehkä hän yrittää sanoa, että.. en tiedä.

-Kukas se Iris taas olikaan?

-Jumalten, erityisesti Heran viestinviejä, sateenkaari. Okeanidi Elektran tytär, jonka kertaumanimi oli Ozomene, monihaara. Elektra tai electrum oli myös meripihkan nimi. Hyvin hinkattu meripihka hehkuu pimeässä himmeän sinisenä ja antaa myös pieniä sähköiskuja kosketettaessa.

-Siihenkö sen arvo perustui?

-Se oli muinaisuuden ainoa aine jossa sähköilmiöt olivat selkeästi näkyvinä käden ulottuvilla. Siitä tehtyjen korujen uskottiin suojelevan kantajaansa varsinkin pahantahtoisilta loitsuilta ja jopa myrkytyksiltä ja taudeilta. Ai niin, ja Iriksen isä oli merenjumala Thaumas.

-No onpa siinä vinkkiä! Viestejä ja viestinviejiä kyllä riittää ihan yllin kyllin, puhahdin tyytymättömänä ja täpistelin valokuvat pahoinpidellystä Elsasta esiin ja iskin ne Kaisan eteen. Kaisa katsoi niitä ihmeissään ja kauhuissaan. -Minulla ei ole mitään tietoa tällaisesta! Tämä ei ole meidän juhlistamme tämä kuva. En tunnista näitä ihmisiä. Ehkä tämä on siltä tuhon jälkeiseltä illalta kun Elsa lähti leiristämme.

-Eikö teillä ollut täällä muka mitään omia riitoja? Puhuin juuri äskettäin Färsaarelaisen tutkijan kanssa, joka oli ärtynyt teistä ja tästä teidän kehitelmästänne. Hän väitti että te itse keskenänne riitelitte ja sekoilitte.

-Kun Elsa viipyili metsäretkillään, niin muutama mukana norkoillut poika yritti ottaa ohjat käsiinsä. He alkoivat esiintyä herroina meille. Sellainen ruipelo jätkä ja pari kaveriaan. Ehkä he tekivät tuon Elsalle.

-Ovatko he vielä täällä?

-Ei, hoidimme heidät pois. He tulivat kipeiksi. Söivät jotain sopimatonta, Kaisa sanoi iloisesti hymyillen.

Hän selasi kuvat vielä kerran läpi ja vähitellen hänen ilmeensä kirkastui. -Nämä ovat tanskalaisten leiristä. Tunnistan muutamat kasvot ja suuri osa näistä vaatteista on Tanskan suolöytöihin perustuvia. Muidenkin maiden harrastajat käyttävät niitä omien mukaelmiensa pohjina mutta nämä ovat erityisen uskollisia esikuvilleen.. ja tuossa on Jon, hän oli yksi niistä leirissämme notkuneista pojista.

-Missä tanskalaisten leiri on? Kysyin ja kaivoin leiri kartan ja illan ohjelman esiin.

-Se on pääleirin itäpuolella. Sinne on tästä noin kuusi kilometriä. Tuossa, Kaisa sanoi ja iski sormensa esiteen karttaan.

-Ei kaukanakaan teidän troijanlinnanne alkuperäisestä paikasta. Mitäs sanot jos me menisimme ja iskisimme tämän teidän tolppanne keskelle tanskalaisten leiriä. Eiköhän saataisi vastauksia.

-Tai pahasti turpiimme.

-Aiotteko te lymytä täällä piilopaikassanne leirin loppuun asti? Mitä järkeä siinä on. Teidän esityksennehän on vielä ohjelman mukaisesti tänä iltana! Kaikki kynnelle kykenevät ovat tulossa tilaisuuteen, olisimme turvassa ihmisjoukon keskellä. Thomaksenkin pitäisi olla siellä turvamiehineen. Lupaan järjestää teille suojelua.

-Odota, minä kysyn mitä muut ovat mieltä, Kaisa sanoi ja käveli nuotion ääressä juttelevien leiriläisten luo. Odotin hetken kun he puhuivat kiihkeästi keskenään ja kävelin sitten hitaasti heidän luokseen. Kaisa kääntyi puoleeni ja sanoi:

-Me pidämme sen esityksen tänä iltana. Me kannamme tämän salon sinne juhlapaikalle ja laulamme laulumme ja esitämme esityksemme. Ehdimme kun nyt heti lähdemme, Kaisa sanoi ja katseli ympärilleen. -Missäs jätkät on kun pitäisi hommia tehdä? Ne livahtaa aina kalaan jos ei koko ajan vahdi!

Kaisa oli jo lähdössä rantaa kohti kun sain hänet kiinni ja sanoin:

-Elsa ei siis ehtinyt olla tässä leirissä?

-Ei, tulimme tänne hänen katoamisensa jälkeen.

-Minulle annettiin tämä koordinaatti.. Olisiko täällä mitään hänen tavaroitaan?

-On, otin ne talteen.

-Näytä.

Menimme Kaisan telttaan. Hän puki vaalean pellavamekon päälleen ja alkoi sukia hiuksiaan puisella harjalla. Hän oli nopea ja hermostunut, ärtynyt jopa nyt kun päätös esityksen pitämisestä oli tehty, näki miten hän mietti kaikkea asiaan liittyvää. Pengoin reppua jonka Kaisa oli minulle ojentanut.

-Mikä tämä on? Kysyin ja poimin esiin kultalangalla oudosti sikinsokin kirjaillun kangastilkun.

-En tiedä, hän sanoi kietoen hiuksensa nutturalle. Naisen pukeutuminen ja laittautuminen on aina mielenkiintoista katsottavaa lähes samalla tavalla kuin miehen pukeutuminen ei ole.

-Älä siinä toljota, Kaisa ärähti.

-Anteeksi.

Hypistelin pientä kangaspalaa; siinä oli tarkemmin katsottuna ainakin kolmea erilaista metallilankaa erilaisilla punoksilla kirjavien villalankojen seassa. Se ei missään nimessä ollut mikään muinaismukaelma. Näin ohuita metallilankoja ei entisaikojen seoksista olisi edes saanut tehtyä. Osoitin tilkkua ja kysyin:

-Onkohan tämä oikeaa kultaa tässä?

-Kyllä se varmaan on.

-Miksi luulet niin?

-Miksi luulisin jotakin muuta? Me kudomme kaikenlaisia kankaita. Ihan myyntiin asti. Tuo on joku testipala.

-Mikä tämä sinun mielestäsi on?

-Ehkä jonkin korun tai koristeen osa. Meidän pitäisi lähteä nyt. Minä menen etsimään poikia. Voit ottaa sen mukaasi jos haluat, Kaisa sanoi ja singahti teltan liepeen alta ulos. Jäin penkomaan puolityhjää reppua. Kynä, joku voide, pieni musta taittoveitsi. Tunnistin sen hätkähtäen. Siinä oli tulusrauta, lamppu, hätäpilli ja kompassi samassa ja se kellui vedessä. Se oli kevyt, hieno ja kallis, olin ostanut sen Elsalle lahjaksi, tyhmäksi lahjaksi, väärällä hetkellä. En muista oliko syntymäpäivä vai joulu vai mikään mutta sen muistan että olin juuri lähdössä toista tai kolmatta kertaa Jyväskylään ja Elsa oli täysin kilahtanut, hän oli huutanut: -Ja tämäkö minua muka suojelee? Tämäkö pitää minut hengissä täällä? Tämäkö suojelee minua saatana kaikelta? Hän huusi ja hyökkäsi minua kohti naama vääränä veistä heiluttaen. Sain iskun torjuttua, mutta ranteeseen tuli syvä haava. Vedin hihaa ylös, siinä arpi vielä oli.

Räkäpaperi ja mitä lie sekalaista tauhkaa. Otin veitsen ja sujautin sen taskuuni ja katsoin vielä kerran kangaspalaa. Hypistelin siihen ommellun paksun päärmeen päästä päähän läpi ja tunsin sen sisällä jotakin kovaa. Katkoin metallineuleet taittoveitsellä nitkutellen. Sisältä paljastui pieni kapea piirilevy, kuin jonkinlainen sim-kortti mutta se ei ollut mitään tuntemaani mallia, leveyttä ei ollut kuin kolmisen milliä. Sen pinta kiilsi sateenkaaren väreissä kun pyöritin sitä sormieni välissä kuin pitkulaista kalansuomua. Teltan ulkopuolelta kuului lähtöhuutoja ja sujautin piirilevyn ja veitsen rintataskuuni ja ryömin teltasta ulos.

Salko oli painava, se oli tuoretta puuta ja vielä kostea. Meitä oli kantajia kymmenen, rannalta oli saatu haalittua kolme poikaa kiinni. Neljä onnistui jäämään järvelle ja he tulisivat perästä. Olkapään ja salon väliin laitettiin taljanpalaset ja niin lähdimme kävelemään raskas runko olallamme kohti pääleiriä. Suurin osa matkasta oli hiekkatietä mutta muutaman sadan metrin jälkeen oli selvää että tästä tulisi silti viheliäistä. Loivatkin mutkat tiessä aiheuttivat vaivalloista sivuaskellusta ja kompurointia. Sanoin edelläni kävelevän Kaisan selälle: -Siellä näkyi olevan se teidän tuhottu salkonne vielä pystyssä. Eikö sitä voisi käyttää?

-Ei missään nimessä, Kaisa sanoi. -Huono karma, ynnä muuta uskomiseen ja tyyliin liittyvää.

-Entäs kaataa lähempää joku puu? Äkkiähän sen karsisi ja kuorisi.

-Etkö jaksa kantaa?

-Kyllä minä jaksan. Jaksatko sinä?

-Ihan hyvin. Usko jo, tämä on hyvä salko, paras salko. Sen pitää olla viivasuora, ja tämä on. Me olemme löytäneet monia lauluja jotka liittyvät salon ja maston kantamiseen. Ne lievittävät rasitusta, Kaisa sanoi ja alkoi laulaa ehkä gymrinkielistä laulua johon muut yhtyivät yksi toisensa jälkeen. Mikäs siinä, ehkä laulu saikin hetkeksi unohtamaan olkapään kivun. Kun laulu loppui kysyin: -Miten tämä teidän riitteihin tukeutuminen ja kaikki hurmeinen ylähenkisyys suhtautuu arkeologisiin ja antropologisiin väitteisiinne? Eikö tässä ole ristiriita, ettekö te sotke kaiken.

-Kuka tekopyhä kyklooppi siellä minun selkäni takana mölisee?

-No. Kun kaikki ovat alkaneet tälle samalle ladulle niin sitä vain yritän haarukoida että millä hiton logiikalla kukin sitä tekee.

-Mitä olet täällä leirissä tästä kuullut tai lukenut on labyrinttien ympärille jo kauan sitten kehittynyttä New age -henkisten harrastajien kaanonia. Meillä on ryhmässä yksi vanhempi nainen joka on tuonut tämän koko esoteerisen kulttuurin mukanaan. Emme ole halunneet tai voineet häntä estää, sillä hänellä on ollut valtava määrä todellista tietoa labyrinttien ja sokkeloiden historiasta ja meidän on täytynyt vain sietää kaikki se runsaus. Laulaa hänenkin laulujaan.

Olin ymmälläni. Kysyin: -Puhutko siitä Färsääreläisestä?

-Ei, tämä on Sue Wilt, englantilainen. Otimme hänet mukaan että hän vähän rauhoittuisi. Ja hänellä on ämpärikaupalla tuohta ja hän käyttää sitä, varsinkin ihmisiin. Hän se on meidänkin tutkimuksemme rahoittanut. Estetiikka mitä näit ei ole siis ihan omaamme.

-No sitten. Onko hän täällä?

-En ole nähnyt pariin päivään. Hän katoaa metsiin aina välillä.

-Eikö ihmisiä hitto soikoon saa haettua täällä?

-Joitain ei saa. Ovat käyttäneet paljonkin vaivaa muuttuakseen näkymättömäksi tietoliikenteelle, datankeräykselle, tunnistamiselle ja analyyseille. Tämä Sue Wilt kulkee selkä kyyryssä varmaan kolmekymmentä kiloa erilaisia häly- ja häivevaatteiden riekaleita niskassaan, reppu ja syli täynnä kristalleja ja esoteerista elektroniikkaa. Tuolla hän on mennyt koko leirin ajan pitkin ryteikköjä loveen lankeamassa. Oikean ley-linjojen risteyksen tai energiapatsaan löydettyään heittää hetkeksi vaatteensa pois ja pyörii kuin ruttoinen porsas turpeessa ja ulvoo mitä lie siansaksalaisia loitsujaan sienivaahdot suupielistä roiskuen. Olen nähnyt miten hän pakottaa muita mukaan sekoiluunsa, varsinkin nuoria miehiä, jos saa ne kiinni. On saanut kulkea hyvinkin yksin viime retkillänsä.

-Onkohan hän tulossa iltajuhlaan?

-En tiedä. Luulisi.

-Voisitko ilmoittaa kun näet hänet taas. Haluaisin kysyä häneltä Elsasta, sanoin mutta oikeastaan halusin kysyä esoteerisesta elektroniikasta ja häivekankaan riekaleista.

26. Iltajuhlat

Ilta oli jo hämärä kun viime voimillamme raahustimme juhlapaikalle. Aukiolla oli muutamia kokkoja joista yhtä kosteana käryten sytytettiin; muhkea raskaasti pullahtava savupilvi etsi hitaasti reittiään viileän ilman läpi. Pitkän marssimme aikana oli ensin anottu ja sitten osoitettu uusi jatulintarhan paikka hieman sivummalla, aukion pohjoisella rinteellä, ja salolle oli kairattu siisti reikäkin valmiiksi. Kukaan ei protestoinut syrjäistä sijaintia vaan tyytyväisinä romautimme salon maahan reiän viereen ja urkenimme kuka mihinkin läjään lojumaan, puuskuttamaan ja voihkimaan. Viimeinen puoli kilometriä metsän läpi oli ollut sietämättömän raskasta pujottelua painavan tukin kanssa kalliokumpuilevassa maastossa. Ei kukaan järkevä mastoa kauaksi merenrannasta kanna, sen nyt ainakin jokainen tajusi.

Nosto sai odottaa; joku väkkärä poika pantiin etsimään olisiko lähistöllä sopivia kiviä kehän rakentamista varten. Jos niitä ei löytyisi niin hakisimme vanhat kivet tuhotusta troijanlinnasta noin kilometrin päästä, tuskin niitä kukaan oli vienyt.

Vähän lojuttuani ja toettuani katselin ympärilleni. Ihmisiä valui pienemmissä ja isommissa ryhmissä aukiolle. He liikkuivat levottomasti raiskiolla; aukihakatun metsän pohja ei ollut soma niitty vaan kivikkoinen mukelo eikä siitä ollut helppo löytää mukavia olemisen kohtia. Ehkä tästä esteettisestä ja funktionaalisesta kelvottomuudesta sikisi se liiallinen aggressio, jota seuraavissa esityksessä nähtiin.

Salon pystytyksen kanssa ei kiirehditty. Ehkä kuukuuhkijat halusivat tehdä sen rauhassa myöhemmin kun hämärä olisi laskeutunut. Kun he alkoivat kaikessa rauhassa syödä eväitään ja höpisemään jonninjoutavia lähdin kiertämään aukiota aikani kuluksi. Kaisa vannotti minut palaamaan viimeistään puolen tunnin kuluttua, olinhan heidän täälläolonsa pantti ja turvaaja. Kaisa toivoi että yrittäisin saada johtoryhmän turvamiehineen paikalle. Heidän tanssinsa olisi illan viimeinen esitys; tavallaan hyvä että aikaa levätä ja valmistua oli riittävästi mutta keskiyöllä kaikki olisivat varmasti myös hyvin humalassa, kiihkoissaan ja sekaisin; välikohtausten riski olisi suuri. Lupasin pitää silmäni auki vaikka uskoni leirin organisaation tasoon ei ollut kovinkaan korkea. Johtoryhmä ei ehkä uskaltaisi liikkua rahvaan joukossa keskellä yötä pimeässä.

Ohjelma kertoi että taistelunäytös oli juuri alkanut. Suuntasin notkelmaan jonka pohjalle oli tehty toisiinsa niinellä sidotuista ohuista laudoista kymmenmetrinen lava. Keskellä oli verijälkiä joita joku pallopoikaa vastaava kävi pyyhkimässä hätäisesti ennen seuraavaa ottelua. Yleisö karjui pojan pois. Siihen oli tislaantunut karummannäköistä äijää kuin mitä olin täällä leirissä aiemmin nähnyt. Seuraavat ottelijat astuivat notkuville laudoille ja huudettuaan nimensä ja kiltansa he pukivat kypärät päihinsä ja hanskat käsiinsä ja taistelu alkoi ilman sen suurempia seremonioita. Luin ohjelmasta että kyseessä olivat leiriturnauksen alkusarjan viimeiset ottelut, taisteluita oli ollut viime viikon aikana jo satoja. Kaikkia muinaisia taistelutekniikoita sai käyttää, tyyli oli vapaa. Ottelu päättyisi ensimmäiseen haavaan, lukkoon tai luovutukseen.

Haarniskoidut miehet kiersivät toisiaan selät kyyryssä. Kilpi oli toisella pieni ja pyöreä ja toisella iso ja nelikulmainen. Miekat ja kilvet kilisivät ja kolisivat toisiaan vasten eikä touhu näyttänyt kovin ihmeelliseltä, tulosta ei tuntunut tulevan ja miehet vain kyräilivät ja väsyivät kunnes äkkiä pienikilpinen kiilasi kilpensä reunan isomman kilven taakse ja riuhtaisi voimakkaalla vedolla tasapainonsa menettäneen vastustajansa kyljelleen maahan niin että laudat notkahtivat. Kaatunut kiljahti mutta se ei estänyt pienikilpistä iskemästä, hän iski miekkansa maassa makaavan kylkeen ja tämä parkaisi niin karmeasti että kaikki katsojat järkyttyivät sisälmyksiään myöten. Avustajat ja toimitsijat ryntäsivät kehään ja keskeyttivät taistelun. Yksi taltutti hurratun voittajan koikkelehtivalle kunniakierrokselle ja muut tutkivat maassa makaavaa häviäjää ja tämän kyljen haavaa, jota sidottiin muutamia minuutteja ja sitten häviäjä nostettiin pystyyn ja hänet talutettiin aplodien saattelemana hevoskärryyn, joka vei hänet saman tien pois. Miesvaltainen yleisö oli tyytyväinen näkemäänsä mutta huusi kovaan ääneen solvauksia kun kerrottiin kymmenen minuutin tauosta ennen seuraavaa ottelua. Tauko johtui siitä että kärryjä oli vain yksi käytössä ja sen paluuta sairaalateltalta piti odottaa. Logistis-byrokraattinen selitys tuntui minustakin koomiselta verenhajusta laajenneiden silmien ja sierainten seassa.

Lähdin kävelemään eteenpäin nopeasti tiivistyvässä väkijoukossa. Aukio oli jo täyttymässä; tietä pitkin pääleirin suunnasta luikerteli tulijoiden tiheä käärme ja metsän kumpuilevasta kyljestä loikki silloin tällöin yksittäisiä ihmisiä kuin yltyvän rankkasateen suuria sadepisaroita. Kävelin suurimman kokon luo joka roihusikin nyt jo liekit iloisesti tummansiniselle taivaalle leiskuen, paloon pakotettu märkä puu kihisi ja kiehui, liekki veti savut mukaan rajuun pyörteeseensä. Ympärillä ihmiset taputtivat käsiään ja lauloivat ja huusivat innostushuutoja rivissä oleville nuorille, jotka nopeaan tahtiin aina vuorollaan ottivat juoksuvauhdin vinoa lankkua pitkin kohti liekkejä ja hyppäsivät sen läpi kauhusta kiljuen. Jonon keskimmäisen tytön vapaana liehuva pitkä tukka syttyi hypyssä ritisten palamaan ja kaikki katsojat kiljuivat mutta eivät vain kauhuissaan vaan enemmänkin innoissaan, liekit sammutettiin kikattaen ja hihkuen. Heihin ei näyttänyt sattuvan; viimeisenä ohjelmanumerona pitkä tyttö käveli hitaasti kokon läpi kädet levällään niin että hänen kaapunsa syttyi leimahtaen tuleen ja astuttuaan ihmisten kauhukavahtavan piirin keskelle se paloi hänen päältään pois vielä liekehtivät riekaleet taivaalle kokon vetopyörteen imemänä nousten. Hän jäi mustuneen alastomana iho savuten tai höyryten nauramaan hysteerisesti kun hänet käärittiin kosteisiin kankaisiin. Temppu onnistui niin hienosti että sen täytyi olla ennalta hyvin harjoiteltu. Vaikutus katsojiin oli ensin järkyttävä mutta kun nähtiin ettei kummallekaan tytölle ollut käynyt mitään vakavaa, alkoivat kaikki hurrata hysteerisesti. Alastomuus näytti olevan trendi täällä, se oli valjastettu osaksi useampia rituaaleja. Historiasta tiedetään että ylevöitetty alaston ruumis oli usein sodan airut. Ensin alastomat naiset innostavat miehet mukaansa ja kun miehet intoutuvat riisuuntumaan kuten 1930-luvulla, sota onkin jo ovella ja eteisessä; on annettu merkki että liha ja henki ovat jäännöksettömästi liikkeen käytössä.

Toinen savunhajuista ja mustuneista tytöistä räväytti silmänsä minuun ja käveli luokseni. Läheltä näin että hänen ihossaan oli ohuelti kuin kalkkimaalia tai jotakin vaaleaa tahnaa joka oli kai jotenkin suojannut ihoa. Hän tarrasi käsivarteeni ja tuli aivan lähelleni, palaneiden ihokarvojen haju oli vahva. Hän tuijotti minua vaaksan päästä hullunkiilto silmissään. Ympärillä pyöri metelöivien ihmisten naamioverkko. Vaatteita heitettiin tuleen. Hän veti minut alas kyyryyn, kyykkyyn, polvilleen rikkipoljettuun kuraiseen turvemuhjuun ja sanoi vielä savuten:

-Minä olen Hansina. Minulla on sinulle viesti Elsalta.

Hän kaivoi puhelimen savuavasta tukastaan, se oli kostea ja tiukoilla palmikoilla eikä siitä ollut palanut kuin irtonaiset hiukset. Sieltä jostain seasta hän sen veti esiin ja sanoi:

-Näitä ei saisi olla.

-Mitä.

-Videoita tai edes kuvia. Ne käskettiin tuhota mutta minä en tuhonnut. Kesti monta päivää saada ne muutamat kuvat hänen äidilleen suomalaisten leirin kautta. Mitä siis Elsan äkkinäisen laulamisen jälkeen tapahtui, oli että kesti hetken ennen kuin Mark sai käännöksen korvaansa ja löi sitten heti. Kaikki olivat kieltämättä tilanteen ja erilaisten aineiden huumaamia, mutta se mitä näet kuvissa ei ole puhdasta piittaamattomuutta vaan silkkaa sekavuutta ja osittain jopa järkytystä. Pikakäännöksessä tapahtui virhe, kuten arvaat.

-Mitä te söitte, sieniä?

-Kyseessä oli se hermoferriitti joka menee aivoihin ja reagoi sähkökenttiin ja jopa musiikkiin.

-Olen kuullut siitä. Varjoaineista kehitty kollektiivinen huume, mielet liikkuvat samaan tahtiin, reagoivat ulkoisiin ärsykkeisiin synkronissa.

-Se on aiemmin ollut aivan ihanaa mutta tuona yönä se muuttui. Ehkä ärsykkeitä oli liikaa, musiikki ja tunnelma moninkertaistui ihmisten sisällä ja tuli sitten tämä ja muitakin ylilyöntejä. Mark oli niitä alkukristillisiä ja häntä loukkasi Elsan yhtäkkinen kalevalariekkuminen kesken yhteisen mielen soljuntaa. Ihmettelin minäkin sitä. Tuntui kuin

Elsa olisi halunnut repäistä itsensä irti, ärsyttää tahallaan. Ei se poissulaminen, yhteis-
mielisyys kaikille sovi. Se voi aiheuttaa äkkinäistä paniikkia myös.

Hansina näytti videon. Vaaleisiin kaapuihin pukeutuneet tytöt tanssivat piirissä suuren
kokon ympäri laulaen kovaan ääneen:

"Itsepä lienet Herra Kiesus,
Kun mun elkeeni sanelit!
Pane minua Herra Kiesus,
Pane minua, minnes tahot,
Soihin, maihin portahiksi,
Porttojen polettavaksi,
Jaloin päällä käytäväksi!

Pane minua Herra Kiesus,
Pane minua, minnes tahot,
Silloiksi meren selälle
Lahopuiksi lainehille,
Joka tuulen turjotella,
Laajan lainehen laella!

Pane minua Herra Kiesus,
Pane minua, minnes tahot,
Tunge hiiliksi tulehen,
Kekäleiksi valkiahan,
Joka tulen tuikutella,
Valkiaisen vaikutella!"

-Mikä tuo laulu oli? Hansina kysyi. -Se tuntui pelottavalta meistä. Elsa yllytti suoma-
laiset laulamaan sitä. Ehkä se ei kääntynyt hyvin.

-Se on Keskiaikaista kalevalais-kristillistä hysteriaa. Ehkä vähän outo ollut alunperin-
kin ajatus tuossa. Matleenan vesimatka Kantelettaresta. Hyvin kuuluisa runo Suomessa.
No ettehän te sitä tietenkään tunne.

-Miten niin muka emme?

-Teillä on suut täynnä sitä saagojen ja viikinkiaikojen muhevaa pullaa joka tursuu ja
peittää kaiken alleen.

-Uskon nyt mitä Elsa kertoi sinusta. Että olet tähtitieteellinen, monomaaninen idiootti.

-Mitä muuta hän sanoi?

-Että tämä leiri on tärkeämpi kuin kukaan ymmärtääkään. Ei mitään sen tarkempaa.
Rasittuneita ilmeitä, jäykkiä eleitä, poissaoloa. Outo, parantumaton ihottuma.

-Missä hän on nyt?

-Hänet vietiin sairaalateltoille mutta seuraavana päivänä hän ei ollut enää siellä. Yritin selvittää hänen katoamistaan mutta minut raahattiin lopulta väkivalloin ulos ja uhkailtiin.

-Missä sairaalateltat ovat?

-Ihan siellä johtotelttojen takana.

-Minä lähden sinne.

-Hän ei ole enää siellä.

-On siellä joku joka nyrkkiä tottelee, sanoin ja nousin ylös. Lähdin kauhomaan reittiä ihmisten välistä kun näin silmäkulmassani salaman välähdyksen ja kun käännyin ihmeissäni katsomaan moista etikettirikettä näin Timon poseeraavan profiilin liekkejä vasten. Hiivin ihmisten takana lähemmäs ja jäin tarkkailemaan häntä hetkeksi. Timolla oli rinkka selässään eikä hän ollut juhlapukeissa niin kuin muut. Jotakin hän kiihkeästi toiselle partasuulle käsimerkein avustaen selitti. Ehkä kyse oli äskeisestä valokuvasta jota ei olisi saanut ottaa. Kävelin heidän luokseen ja sanoin hieman ivallisesti Timolle:

-Hyvä. Sinä oletkin jo kerännyt kimpsusi ja kampsusi. Matkalla takaisin Hiittisiin?

Timo säpsähti nähdessään minut mutta otti sitten tylyn ilmeen ja sanoi: -Ei, olen matkalla suomalaisten leiriin. Sinäkö minulle häädön järjestit?

-Kun et muuten touhuistasi herennyt. Et puhetta ymmärtänyt.

Timo lientyi liehittelemään. -Ari, se oli turha juttu, pikkujuttu! Siitäkö sinä suutuit. Unohdetaan se hylky, se oli vaan sellainen interfeissi millä pääsin tänne puheyhteyksiin, loin kontakteja! Täällä on muutama tärkeä tyyppi ja sen veneen avulla sain sen verran näkyvyyttä ja nimeä että pääsin heidän puheilleen. Sitä se oli, usko minua, pääsin diileihin kiinni!

-Miksi sinun pitäisi päästä mihinkään yhteyksiin, mihinkään diileihin?

-Sitä kautta saisin edistettyä niitä meidän teorioita.

-Anteeksi, mutta mistä teorioista sinä nyt puhut? On vähän sakeana teoriaa ilma.

-Kaikista, koko tarinasta, vaikka Euroopan hydronymioista, olen minä niistä sinulle kertonut, etkö muka muista? Että tahallaan on jätetty suomensukuisten kielten päivänselvä ilmenemä huomiotta siellä syvimmässä tasossa, almissa ja salmissa, ja miten suomensukuiset hallinnoivat turkisten ja meripihkan kauppaa Pohjois-Italian joille asti ja heidän kirjanpitonsa levitti kirjoitustaidon Eurooppaan! Po-joen varhaispronssikautiset riimut, ne on selvää suomea! Arvaat että täällä nämä herra isoherrat sukii tästä tarinasta karvat suoriksi, ei täällä kukaan tätä meidän asiaa aja jollei sitä itse tee! Foinikialaisten käyttämä nimi meripihkalle oli meripihka, tiedätkö!

-Minäkö olen tuollaista puhunut? Meripihka on muistaakseni ihan uusi sana. Mitä sinä sekoilet?

-Etkö muka piru muista?

-On tullut puhuttua kaikenlaista, sanoin synkeänä. -Ei mikään meidän saduksemme enää asetu, kaikki on liian ohutta. Ohut saa olla että niissä jotain näkee. Timo taisi olla aika humalassa, sillä hän ei luovuttanut. -Minä olen löytänyt vaikka mitä, arvaa mikä on viimeisin? Kaanaankoira! Joka eli tuhansia vuosia villinä Israelin aavikoilla. Se on ihan yks yhteen karjalan karhukoira! Kato nyt näitä! Timo huusi ja esitteli kuvaa kahdesta samannäköisestä mustavalkokuvioisesta koirasta. -Onhan ne, sanoin. -Ja tässä on eurooppalaisten ja Israelin pronssikautisten sikojen geenikartta. Katso! Israelin siat on tuotu pronssikaudella Euroopasta, se on tässä vääjäämättömästi todistettu! Ja mikä kaikista lähimpänä geenikartalla, katso: Suomalaiset maatiaissiat.

-Hmm. Mutta sinä olet joka tapauksessa lähdössä täältä.

-Saatanan paska! Timo huusi naama vääränä ja hyökkäsi kimppuuni. Löin pikku tällin suoraan hänen naamaansa ja hän kaatui maahan verta valuvaa nenäänsä pidellen ja samalla pudonnutta puhelintaan ihmisten jaloista hamuten. Kukaan ympärillämme tuskin katsoi suuntaamme. Timo parkui: -Sinä se pahin olet, et anna muiden väittää tai löytää mitään! Putsaat kaiken kilpailevan pois pöydältä niin kuin olet herroja syyttänyt mutta nyt voimasi tunnossa teet täsmälleen samaa! Kuinka törkeä voi ihminen olla!

-Sinä se valehtelit minulle, petkutit minua määrätietoisesti ja monella tavalla. Esitit köyhää minulle. Et edes kunnon ateriaa antanut siellä saarella. Se oli se varsinainen törkeys.

-Ei meillä mitään rahaa ollut! Timo ulisi naama veressä kontillansa.

-Olen kuullut että oli. Ja valehtelit veneestä. Mikä mies veneestä valehtelee, sanoin ja kävelin pois.

Kiersin ihmisistä väljempää metsänreunaa nyt soihtujen ja valmiin jatulintarhan ympäröimää salkoa kohti kun yläruumiinsa siniseksi maalannut nainen hyppäsi eteeni tanssien paljaat rintansa vinhasti puolelta toiselle heiluen ja koivunoksista tehty viuhkansa kuin kolmimetrinen vasta ympärilleni ilmaan merkkejä piirrellen. Viuhka oli kuuma ja tuoksuva, sitä oli pidetty kokon liekeissä, sen lehdet kytivät ja kärysivät vielä. Hän siveli sillä kasvojani, tuli äkkiä lähemmäs painoi pääni tanssivien rintojensa väliin ja tarttui samalla kuin ohimennen lujaa ranteestani ja veti sivuun ensin lähimpien puiden väliin ja sitten syvemmälle ryteikköön ja kun vähän vastustelin, hän väänsi käteni äkkinäisellä liikkeellä selkäni taakse niin että rojahdin polvilleni sammaliin. Hän asettui taakseni ja heitti monikertaiset hameenhelmansa yllemme ja kuiskasi pimeydessä korvaani: -Aki Vuormaa? Olemme hieman pettyneitä. Emme ole kuulleet sinusta pihaustakaan.

Kysyin kenestä hän puhui ja hän vastasi yhdellä sanalla interpol. Uskoin häntä koska hänen ylitsevyöryvien tuoksujensa seasta erotti myös epäsopivan kalliin parfyymin häivähdyksen. Hänen täytyi olla Sue Wilt. Sanoin ettei minulle ollut annettu mitään selkeitä ohjeita ja että olin odottanut jonkinlaista yhteydenottoa tai selvitystä koko ajan. Nainen sanoi: -Tarkoitus oli kommunikoida teille annetun kaikulaitteen välityksellä mutta sen käyttöjärjestelmä oli murrettu jo tehtaalla. Olemme käytännössä olleet täydessä pimennossa teidän suhteenne. Virhe on meidän, meillä ei ollut varajärjestelmää. Laitteen piti olla turvallinen ja suojattu. Koko kallis tuotantolinja oli saastuneena tuhottava.

-En huomannut siinä mitään vikaa.

-Ettekö?

-En, valehtelin. -Mitä nyt tapahtuu?

-Olet päässyt lähelle Thomas Wisenholzia ja voisit..

-Hän ei oman arvionsa mukaan ole tämän liikkeen johdossa enää pitkään. Tänne Toijaan tulo on ilmeisesti kiristänyt johdon välit katkeamispisteeseen.

-Siitä on viitteitä, Sue sanoi. Ihmetellen katsoin miten hänen siniraidallisten kasvojensa vaikutelma ailahteli oranssien liekkien lepatuksen tahtiin äärikahjosta asialliseen. Sanoin: -Että ei kai minun mitään järjetöntä tarvitse tehdä jos asiat etenevät itsestäänkin oikeaan suuntaan?

-Ei. Kerätkää tietoa johtoryhmästä ja muista toimihenkilöistä ja heidän suhteistaan, rahoituksesta, mistä tahansa, kaikki detaljit ovat arvokkaita. Yhteystietoja, nimiä, mitä vain. Kaikki mikä voisi auttaa meitä arvioimaan milloin se tarkalleen tapahtuu. Koska silloin on helvetti irti. Olisi outoa jos se tapahtuisi täällä, hallitsemattomasti.

-Miksen jää kiinni tästä? En ymmärrä tätä varomisen ja varomattomuuden sekasotkua! Olen teidän kaikkien kasvoilla kuin joku linnunlika jota kukaan ei muka huomaa.

-Vielä 1800-luvun lopussa Cornwallissa lastenhoitajilla oli tapana sanoa huoneensa leluilla sotkeneille lapsille että "nyt sinä olet keskellä Troijan kaupunkia", tarkoittaen että lapsi oli keskellä sotkua ja hämmennystä. Informaatiota on nyt ilmassa niin paljon ettei kukaan tiedä mikä on se viimeinen jyvä joka katkaisee kamelin selän, Sue Wilt sanoi ja päästi käteni irti mutta hypähtikin hajareisin selkääni ja puristi kylkiäni niin että luut taipuivat. Kai hän yritti tehdä minuun vaikutuksen ja onnistui. Hän liikutti sykkivästi hehkuvia sormuksia täynnä olevaa vasenta kättään ympäri kehoani.

-Pelaatte minulla jotakin peliä, ähisin hänen altaan.

-Voi olla ettet ole enää minkään arvoinen. Sitä mietitään että mihin pataan sinut pannaan, mihin pöytään, mihin tikkiin isketään. Sinulla on työt vielä ihan tekemättä, hän sanoi ja kopeloi samalla minua joka puolelta nyt molemmilla käsillään. Salamannopeasti hän vetäisi rintataskuni vetoketjun auki ja kaivoi Elsan mikrosirun esiin ja piilotti sen loputtomien hameidensa hetteikköön. -Minä otan tämän.

-Mikä se on?

-Se selvitetään.

-Missä Elsa on?

-Hän on turvassa.

-Tiedätte siis missä hän on?

-Emme kerro sitä sinulle vielä. Että pysyt täällä.

-Hän on siis täällä? Hah!

Nainen iski kämmenillään korvilleni niin että päässäni soi ja katosi jättäen vielä käryävän jättivihtansa viereeni lojumaan. Kierin hetken kivuissani päätäni pidellen ja nousin sitten ylös ja horjuin takaisin puiden ja oksien välistä kohti juhlivien ihmisten liekkien edessä heiluvaa siluettia. Kävelin tanssivan meren läpi ja hitaasti aloin korvien sointien takaa kuulla taas rumpujen rytmit ja ihmisten huudot ja laulut. Suuntasin salolle ja näin yleisökehän reunalla Kaisan, hän vilkutti minulle ja käännyin pujottelemaan häntä kohti samalla esitystä katsoen. Kymmenet eriväriset nauhat laskeutuivat salon huipusta tanssijoiden käsiin ja muodostivat ilmaan värikkään jatkuvasti muuttuvan verkoston tanssijoiden risteävien liikkeiden punoma. Jatulintarhan polut olivat lähes täynnä ihmisiä ja katsojista virtasi jono sokkelon aukolle josta hitaasti yksi kerrallaan uusi tanssija liittyi rytmiin ja lauluun mukaan. Tanssijat liikkuivat vierekkäisillä poluilla aina päinvastaisiin suuntiin, askeleita otettiin vuoroin vasemmalle ja oikealle, käsiä nostettiin ja laskettiin, nauhat punoivat alati muuttuvia kuvioitaan. Esitys oli hypnoottinen ja sen suosio oli täydellinen, ihmiset tunkivat tiiviiksi massaksi kehän ympärille. Esiintyjät lauloivat oudolla kielellä ja vieraalla nuotilla ja tanssivat troijanlinnan polkuja yläruumistaan nopeasti suunnanmuutosten mukaan kääntäen kuin hieroglyfien kaksiulotteiset hahmot. Jalat polkivat tahtia polvet korkealle nousten mutta pehmeässä maassa äänet vaimenivat, kuului vain matalaa epätahtista töminää. Kuukuuhkijat olivat kehissä jo sisempänä ja ulkokehillä oli paljon ulkopuolisia ensikertalaisia jotka eivät osanneet laulua ja sekosivat askeleissaan, mutta he oppivat koko ajan ja hauskaa heillä näytti olevan. Kieli oli ehkä muinaiskreikkaa, en saanut sitä paikannettua, sitä venytettiin oudosti säkeiden ja askelten mukaan. Muistelin että liettuan kieli sopi luonnostaan parhaiten heksametriin, sitä se saattoi myös olla. Leppoisaksi mielletyn piiritanssin näkeminen tällaisena tarkasti orkestroituna, lähes mekaanisesti etenevänä konstruktiona oli todella hätkähdyttävää. Laulu oli kovaa ja ilmeetöntä, siinä oli tuskin yhtään välimerellistä aistillisuutta mutta silti se sai ihmiset mukaansa, he taputtivat rytmiä silmät loistaen, hyppivät ja tanssahtelivat hypnoottisen monotonisen laulannan mukana. Esitys oli täydellinen menestys; Syrtosta homeerisen trombin tahtiin, kaikki tajusivat idean hauskuuden ja suuruuden. Innostuin itsekin ja notkahtelin kohti Kaisaa ja lähimmän soihdun lepattavaa valoa. Silloin pimeästä takaa kuiskattiin -Ari? Ja kun käännyin, kaksi rotevaa miestä raivasi eteeni äkkiä tyhjän tilan kolmannelle joka löi isolla puisella piikkinuijalla sellaisen iskun keskelle mahaani että menetin heti kivusta tajuntani. Kivun ja pimeyden kapeassa raossa ehdin kuvitella että minua olivat lyöneet kaikki hylkäämäni ihmiset kuin kosto yhteen haarniskaan pukeutuneena.

27. Tilanteen optimointi

-Uskoivatko he? Kuului pimeydestä.

-Näyttää siltä. He ovat tuhonneet kaiken.

-Saivatko he tiedot?

-Kyllä, kaiken.

-Epäilevätkö he?

-Eivät he voi kaikkea epäillä. Jotakin heidänkin on uskottava.

-Ei uskon varaan voi mitään laskea.

-Voi. Nimenomaan laskea.

28. Valvontakeskus

-Silmät, te kalloon upotetut limamuljuvat pallot, nähkää! Nyt tarkennatte, nyt on viimeinen härmistyvä hetki! Kohta kyllästyn teidän huijarintuhruun, tähän koko kurjan pääni sisään väkisinmunittuun maailmaan.. jo alkoi aivojen alamäki, suonten rasvoittuminen, molekyylien murtuminen, hampurilaiset, ranskalaiset, happoöljyt. Yrittäkää nähdä nyt kun on vielä vähän aikaa, vähän aikaa ajatella! Ottaisi vähän piristeitä, se voisi auttaa. Hetkeksi nousee ranka suoraan ja tuntuu että todellisuus näyttäytyy, mutta mitään siitä ei saa talteen, mitään todistusta ei ole. Liian, liian monta muuttujaa vielä vaikka melkein kaikki on jo kuollut, liian moni poimija on tyhjää jo nuollut..

-Äläs räppää työajalla, kuului ivallinen ääni takaa.

-Tämä on liian raskasta! En pysty katsomaan kymmentä ruutua samaan aikaan. Mikä helvetin idea, kuka luulee ettei yöllä tapahdu mitään. Yöllä tapahtuu kaikki varsinkin kun on noin valoisaa kuin tuolla, katso nyt! Rypevät tuolla kuin viimeistä päivää hytkyvissä kasoissa ja minun pitäisi tuolta raajojen sekamelskasta raportoida herroille mitä tapahtuu!

-No raportoi. Minä vaan pilailin. Kirjoita noita runojasi, pane ne eteenpäin.

-Enkä pane.

-Teet mitä pystyt. Automatiikka hoitaa loput. Teet pieniä havaintoja ja muistiinpanoja, tämä kaikki tallentuu ja merkinnöistäsi saattaa olla jollekin ylemmälle ratkaisevaa iloa. On vaikea arvioida mikä on oleellista.

-Minä en mitään nappia enää paina.

-Siellä on sata pientä vihreää miestä iloisena odottamassa että pääsevät sinun paikallesi painamaan nappia kun napin painamisen aika on.

-Nytkö puhutaan napeista. Fred puhui luista ja koirista.

-Mistä?

-Että jos et tartu siihen luuhun jota sinulle tarjotaan tai joka putoaa kuormasta niin joku toinen nappaa sen turpasi edestä. Että tämä on vain petojen leikkiä.

-Mikä tämä.

-Kaikki.

-Niinhän se on. Ei ole muita leikkejä jäljellä.

-Se on vale! Se on tarina jolla ihmiset houkutellaan virkamiehiksi tappamisen ja valehtelun hierarkiaan. Ne jotka luista ja napeista unelmoivat ovat pelkkiä koiria ja byrokraatteja jotka nuolevat kuolaa kehässä toistensa suupielistä. No niin, petolauman hierarkia, totuus pedoista, siitä ei kukaan unelmoi mitä se oikeasti on, haarovälien ja peräpäiden nuuskimista, taistelua paikasta laumassa, pään asettamista oikeaan kulmaan mielihalulla. Menee vaan nyt niin helposti vinoon herrojen ja pomojen raivoryntäävät laumat.

-Hmm. Et puheitasi varo.

-Mm. Mitä se minua koskee. Kunhan ei rimmaa.

-Kyllä noin levottomat puheet huomataan.

-Etkö juuri yllyttänyt? Minä olen täällä valvonut monta päivää. Ihan virallisia lääkkeitä olen syönyt, mitä niissä on, piristeitä ja jotain halpaa totuusseerumia? Kusettaa koko ajan. On ihan naurettavaa ettei tänne saada lisää työvoimaa. Onko tahallista.

-Tässähän minä olen.

-Etkö ole siinä vain kyttäämässä ja kiusaamassa.

-Ei, minä olen päästämässä sinut lepoon.

-Okei. Mutta kaksi tässä vähintään pitäisi olla, kolme mielellään. Ja yöllä varsinkin.

-Eihän ilmassa ole kuin puolet drooneista.

-Siellä on yli sata mikrofoniakin, kuka niitä kuuntelee? Supattelevat pimeydessä sikin sokin säkeitään niin kuin tuuli suhisisi.

-Kyllä niitä kuunnellaan. Kaikki tallennetaan. Koneet jauhavat.

-Miksi tässä pitää ihminen olla jos koneet osaavat kaiken paremmin?

-Yleiskatsaus, pienet vivahteet, maut ja hajut, ihmiskasojen runous.

-Runoilijoitako tänne nykyään palkataan?

-No onhan siinä riskinsä, mutta koeta kestää. Sinun räpistäsi pidetään.

-Ihanko totta?

-Ihan totta. Ei sinulla ole mitään hätää.

-Tahallaanko minua väsytetään täällä? Siis tahallaanko nämä työolot on tämmöiset, että sekoaisin? Halutaan että puhelen levottomia ohi suuni?

-Lähde nyt vaan siitä. Kuudelta takaisin sitten.

-No, helvetti, minä lähden nyt.

-Miten sillä sankarilla on mennyt?

-Se etenee hyvin, kuin unissakävelijä. Joskus se liikahtelee niin kuin se ajattelisi jotain, nykii hetken epävarmasti paikoillaan, mutta palaa aina takaisin polulle.

-Entä se nainen?

-Katso itse. Siinä se taas istuu sängyn reunalla. Nousi tunti sitten.

-Hyi hitto. Eikö se mitään tottele? Eikö siihen mikään tepsi?

-Ei.

29.

En kuollut. Olen unessa. Olen maailmassa.
Minulle on tapahtunut jotakin, ehkä pahaa.
En tunne jalkojani, en tunne käsiäni. En ole pimeässä, olen pimeydestä tehty. Olen
liuennut mereen.. makaan pohjan päällä kylmänä vetenä. Tuuli puhaltaa pintaani.
Ajattelen.. kuin katsoisin kaikkea. Vihani kertoo että saan viimeisen sanan, saan kos-
taa. Että nousen täältä.
Tunnen hengittäväni.. valoa.. en tunne veistä.
Olen noussut aallon heittämänä, aalto hakee minut kohta. Jos on aalto, on lämpöä jos-
sain pimeyden takana.
Tässä kaikki mitä ehdin ajatella. Yritän huutaa. Rikokset muistetaan, rikokset koste-
taan, tuhanteen polveen.

30.

Herään tunteeseen että joku näkee minusta unta. Tärisen telttasängyssä ilman peittoa rinta ja maha paljaana. Olen heikko, jäykkä ja rampa. Nostan päätäni, se nousee millin. Muistan ja tunnen että minua lyötiin. Sormeni haparoivat varovaisesti kohti mahaa. Se tuntuu kipeältä mutta myös omituiselta, kuin mahaa ja rintakehää peittävien siteiden alla olisi ollut kimmoisaa hyytelöä joka muljasi omia aikojaan. Mietin minuutin kuinka vakava tilanteeni oli mutta en saanut siihen ajattelemalla selvyyttä. Suolethan liikkuvat hitaasti sykähdellen ihmisen mahassa koko ajan mutta sitä ei yleensä tunne. Nyt aistin joka liikkeen ja se oli hyvin epämiellyttävää, ehkä joku syvä sympaattinen tai parasympaattinen hermo oli vaurioitunut iskusta ja tullut näkyväksi. Yritin nousta ylös mutta en kivulta onnistunut.

Valkotakkinen lääkäri nousi väsyneenä sängyltä muutaman potilaan päästä kuullessaan ähkimiseni ja tuli luokseni. Nostin tärisevän nyrkkini hänen kasvojensa eteen ja mumisin umpeenkuivuneella suullani ensin jotain epäselvää ja sitten:

-Onko täällä yksi suomalainen tyttö?

-On. Siinä, Lääkäri sanoi ja näytti viereisellä sängyllä makaavaa tajutonta tyttöä. Se ei ollut Elsa vaan joku muu. Hänen täytyi olla Laajasalon kommuunin Kerttu joka oli tullut leiriin Elsan kanssa samaa matkaa. -Eikö ole muita?

-Vain tämä yksi tuotiin. Muistan hyvin, olin itse täällä sinä iltana.

-Etkö valehtele, työsi puolesta?

-En tietenkään.

Katsoin tyttöä vieressäni. Miten harmaa ja ohut hän olikaan. Juuri ja juuri tunnistin hänet. -Olisiko hän voinut soittaa minulle?

-Ei missään nimessä. Tuossa hän on maannut tippa käsivarressaan kuusi päivää.

Lääkäri oli hetken hiljaa ennen kuin puhui lisää.

-Meidän täytyy vain odottaa. Virvoitus on tehtävä hitaasti. Belladonna on arvaamaton aine. Tai hulluruoho, niiden kanssa neidit noidat leikkivät. Heillä meni ilmeisesti kasvit tai annokset sekaisin. En tiedä mitä he tarkalleen yrittivät. Aivosähkökäyrissä on vielä outoja poikkeamia. Huomenna tai ylihuomenna lopetamme vähittäin seduktion. Mutta sinä, käy takaisin makuulle. Sinulla on sisukalusi melkoista verihyhmää. Älä ihmettele jos virtsassasi on verta.

Ähisin takaisin makuulle. -Etkö muka tiedä että he käyttivät hermoferriittiä.

-Se oli vain osa coctailia. Se aine on jo poistunut heidän elimistöstään.

-Miksi kenellekään muulle ei käynyt näin?

-En tiedä mutta kuten sanoin melkoista sekoilua aineiden ja pitoisuuksien kanssa. Huonoissa huumeissa marginaalit ovat kapeat ja ennustettavuus heikko.

-Tunnen miten suoleni muljaa, sanoin ja pitelin mahaani surkeana.

-Alueen hermot ovat traumasta ja sen aiheuttamasta tulehduksesta ärtyneet. Niiden viestit ovat voimistuneet ja pääsevät tajuntaasi asti; erikoinen häiriötila mutta sen pitäisi mennä pian itsestään ohi. Mitään suurempia vaurioita ei kuvissa näkynyt. Pieniä säröjä munuaisissa mutta ne korjaantuvat itsestään. En ole antanut sinulle muuta kuin ihan perinteisiä tulehduskipulääkkeitä ja antibioottia. Ole iloinen että niitä vielä oli.

-Onko syyllisistä mitään tietoa?

-Mistä syyllisistä? Syyllisistä mihin?

-Tämä oli murhayritys tai pahoinpitely!

-Minulle sanottiin että olit saanut vamman taistelunäytöksessä.

-Aha. Kuka sanoi.

-Kärrymies joka sinut toi muiden raatojen kasassa. Että nuijalla oli isketty. Ihossasi on tylppien piikkien jälkiä. Jollakin toisella ottelijalla oli samanlaisia murskatussa päässään.

Se siitä, ajattelin. Kysyin Kerttua vilkaisten:

-Onko kukaan käynyt katsomassa häntä?

-Yksi tyttö, joka päivä.

-Joko hän tänään kävi?

-Ei.

-Ehkä siis odotan hetken.

-Se on hyvä idea. Minä menen nyt, on noita rumia murtumapotilaita tuolla, lääkäri sa- noi ja osoitti villakangasverhoa joka jakoi teltan kahteen osaan. Takaa kuului muutamaa eri vaikerrusta. Verhon raosta laahusti itkevä teinipoika, joka piteli vasemmalla kädellä oikean käsivartensa tynkää ja vaikersi: -Sattuu..

Lääkäri otti hellästi kiinni pojan rinnasta ja vasemmasta olkapäästä ja pyöräytti hänet ympäri ja työnsi takaisin toiselle puolelle sanoen tulevansa kohta. Kysyin:

-Mikä se oli?

-Ihmiset.. tekevät mitä vain, nykyään, kuuluakseen joukkoon. Sikamaista että anne- taan alaikäisten päättää itse noin vakavista asioista. Kädessä oli kuolio, oli pakko leikata. Oli kivuissaan painanut sitä maata vasten, en saanut yhteyttä omaisiin, en saanut lupaa lähettää häntä pois. Ja noita muitakaan runneltuja tuolla jotka pitäisi.

-Miksi et itse lähde pois?

-Miten täältä metsästä meren takaa lähdetään, ei mitenkään. Enkä minä näitä voi tänne kuolemaankaan jättää.

-Aika kahjoja kaikki.

-Nuoria internationalisteja. Uuden ajan iloisia ihmisiä.

-On tahallaan vedetty rajuksi tämä touhu.

-Kyllä me tiedämme mitä heistä valmistetaan. Mutta toisaalta, tämä on pirteää elämää verrattuna kaikkiin muihin kadonneisiin..

-Mihin kadonneisiin?

-Tänä aikana kun nuoret ovat digitaalisten kemikaaliensa takana tuijottamassa tyhjyyteen, myyneenä itsensä pilkkahinnalla tietokoneiden sieluiksi.. olen sitä mieltä että tämäkin yhteisöllisyys on arvokasta. Siksi minä tänne suostuin, uskoin tähän siksi että tämä on kuitenkin toimintaa ja liikettä oikeassa maailmassa, kunniakas reitti alemmas, lähemmäs maata. Vaikka tämä on järjetöntä. Minä olen saksalainen, minä tiedän kyllä mihin tämä viittaa ja johtaa. Muutamassa vuodessa tämä äityi taas tällaiseksi. Mitä se on kohta, en viitsi ajatella.

-Niin, sanoin.

-No niin, lääkäri sanoi ja kumartui ja katosi villaverhon raosta murtumaosastolle.

Jäin makaamaan Kertun viereen. Kuuntelin hänen olematonta hengitystään, vertasin sitä omaani, luin hetken. Nuokuin puolitajuttomana ja mietin pahoja tekojani. Unelmoin miten kaiken pitäisi olla, unelmoin että kaikki ratkeaa, edes keskinkertaisesti. Oli mahdotonta ajatella mitään, oikeasti, olin poissa pelistä. Hengittelin, mietin tulisiko joku katsomaan minua. Tiesikö kukaan että olin täällä, piittasiko kukaan? Tulisiko joku kohta hoitamaan minut lopullisesti pois päiviltä?

Havahduin kun oviverho kahahti ja sisään lehahti nuori sinimekkoinen nainen, joka nähdessään minut kääntyi ympäri ja ryntäsi takaisin ulos. Syöksyin kivusta välittämättä ylös ja könkkäsin hänet kiinni keskellä kuraista aukiota. Tempaisin hänet ympäri ja hämmästyin kun tunnistin hänet Laajasalon Mimmiksi. Kähisin: -Mitä helvettiä täällä tapahtuu? Mitä sinä täällä teet? Mihin te olette Elsan sotkeneet?

-Päästä irti! Minä huudan!

Kiristin otettani ja Mimmi lopetti rimpuilun eikä huutanut, tuijotti vain vihaisena kulmiensa alta. Pitelin toisella kädellä mahaani, olin melkein kaksinkerroin kun sihisin hampaideni välistä: -Kerrot kaiken mitä tiedät. Menemme kauniisti tuonne ruokalaan. Vastustele tai valehtele niin pieksen sinut kuin rotan, ihan varmasti, minä lupaan, sanoin ja näin hänen katseestaan miten kammottavalta näytin ja että hän uskoi minua. Tärisin kivusta, raivosta ja ihme kyllä myös nälästä.

Hän totteli eikä huutanut. Kävelimme ruokalaa kohti, hän edellä perä kuraisella polulla nuljaten ja minä jäsenet raskaina mutta joka solu punaisella. Vasemmalta kuului Valdemarin iloinen huuto: -Aki, hei, jätä tytöt rauhaan, älä väsytä itseäsi rakkauden töissä!

Tule iltapäivällä teltalle, meidän pitää käydä sinun materiaalisi läpi, oletko unohtanut, sinun pitää valmistautua, olet illan palaverin pääesiintyjä! -En ole unohtanut! Huusin vastauksen ja työnsin Mimmin edelläni ruokalan telttaan. Istutin hänet lähimmän pitkäpöydän päätyyn että pystyin vahtimaan häntä samalla kun tilasin itselleni lautasellisen puuroa. Mitään muuta ei ollut enää tarjolla, hyllyt notkuivat tyhjyyttään, juotavaksi sain kannullisen vettä. Raivosin niin että kassaneiti kutistui kaksi senttiä mutta parempaa ei silti tiskin alta löytynyt. Iso keko tahmeaa puuroa oli, kuin vuori.

Mimmi luikerteli edessäni kun kauhoin limaista kauraa suuhuni ja puhuin puuron seasta: -Miten sinä täällä olet?

-Minä olin vain sinun vuoksesi Laajasalossa käymässä. Olen ollut täällä koko ajan.

-Ai jaa! Miksi sellainen esitys piti järjestää?

-Pr halusi että siellä Laajasalossa oli joku tuttu sinua vastassa.

-Hänkö se täällä asti naruja vetelee?

-Ei kai täällä sentään, Mimmi sanoi. -En minä ole sinulle mitään valehdellut, en aiemmin enkä nytkään. Korkeintaan olen jättänyt jotain kertomatta.

-Mitä?

-On totta että Elsa ei ollut mikään lauman valkoisin lammas. Hänet otettiin Laajasalon kommuuniin koska hänen mainittu armas äitinsä maksoi kertyneet velkamme vähän yli vuosi sitten. Elsa oli siellä aluksi hoidossa.

-Mikä hänellä oli? Tuberkuloosi?

-Hän oli vakavasti masentunut ja oli yrittänyt itsemurhaa, viillellyt itseään. Pr halusi Elsan meille koska muuriemme suojissa oli käytössä todellisia pakkokeinoja ja virallista kovempaa hoitoa. Ja kyllä hän paranikin pian.

-En ole aivan varma siitä, sanoin.

-Kuinka niin?

-Ihan kuin hän olisi entistäkin epätoivoisempi.

-Ei se meidän vikamme ole. Me hoidimme hänet jaloilleen. Äitinsä oli rasittanut hänet katkeamispisteeseen.

-Ai miten muka? Kysyin ja ihmettelin, miksi Mimmi oli nyt niin kohtelias ja varovainen. Kai näytin niin pahalta ettei hän uskaltanut enää syyttää ja haukkua minua.

-Hän ehti olla heidän perhefirmassaan vajaan vuoden töissä. Se oli ollut kai liian raskasta. Pr oli yrittänyt ajaa Elsaa kiireellä sisään yhtiöön.

-Mitä Elsa siellä teki?

-Kaikenlaista. Enimmäkseen tiedotusosastolla. Mainontaa ja julkaisujen valvontaa, sisällöntuotantoa, tietotekniikkaa, sosiaalista mediaa. Ja samalla opetteli yrityksen johtamista äitinsä rinnalla. Hetken hän sitä vilpittömästi yritti.

-Rakentaminen ja kiinteistöbisnes ovat suomessa aina olleet moraalisesti haperoa toimintaa. Millaistahan se on kuntapoliitikon omistamassa rakennusfirmassa? Mereen vajoamassa, mätänevässä kaupungissa? Olen siitä rumia tarinoita sivukorvalla kuullut. Minun aikanani Elsa pysyi kaukana siitä. Voi luoja! Eihän tästä ota selvää enää Erkkikään.

-Kuka Erkki?

-Se on vain sanonta.

-Kerttu liikkuu öisin.

-Mitä!

-Vaihtaa asentoa. Ei ole täysin tajuton. Tietyin kellonajoin hän herää levottomana kuin näkyjä nähden. Puhuu pienistä miehistä, "äijistä" kuin pahinkin dementikko.

-Hyi hitto.

-Nyt se on vähentynyt. Olen monta yötä valvonut hänen vierellään.

-No missä Elsa on?

-En tiedä. Se empaattista esittävä lääkäri valehtelee. Hän tietää aivan varmasti missä Elsa on. Hänet tuotiin tänne samalla kertaa Kertun kanssa.

Mietin hetken puuroa kauhoen ja sanoin: -Sano kumpi Elsan tuhosi, väkivalta vai se töhnä aivoissa?

-Molemmat, Mimmi sanoi kasvot tuskaisina.

Silloin Gerhard astui ruokalan oviverhon alta sisään, käveli suoraan luoksemme ja istui viereemme pöytään. -Kuulin että olet loukkaantunut.

-Niin, sanoin puuroa syöden.

Gerhard jatkoi: -Kyselet varmaankin Elsasta.

-Niin. Missä hän on?

-Me pidämme hänestä hyvää huolta. Mutta silti hän ei enää ehkä herää. Hänen vaivansa ovat moninaiset. Täällä on hankala hoitaa muita kuin kaikkein yksinkertaisempia vammoja.

-Jos uhkaatte hänen henkeään..

-Hän on itse allekirjoittanut leirille tullessaan sopimuksen.

-Minkä sopimuksen?

-Hän on sitoutunut Asgard-lakiin. Meillä on täysi oikeus toimia hänen suhteensa miten parhaaksi näemme.

Pidättelin itseäni, puristin puista lusikkaa niin että se taipui. Sanoin rauhallisesti: -Jos saan toimittaa hänet nyt heti sairaalaan leirin ulkopuolelle suostun kaikkiin ehdotuksiinne. Mikään muu ei käy.

-Hän pysyy täällä sairaalassa leirin loppuun asti. Hän..

-Hän on sairaalassa? Sanoin ponkaisten ylös kohti ovea.

-Odota! Ei hän siellä ole, sanoin väärin. Et löydä häntä, sinut pysäytetään. Odota rauhallisesti niin tämäkin asia ratkeaa itsestään. Illalla onnistuneen esityksesi jälkeen vapautamme hänet. Nyt sinua kaivataan toisaalla. Tulet mukaani Kirkkojärven rantaan. Koko johtoryhmä on siellä. Suuri taistelunäytös on alkamassa.

-Onko Thomas siellä?

-On.

Minun oli pakko saada Thomas kiinni ja pysäyttää tämä uhkailu. Mutta jos jo nyt puhuttiin tähän tyyliin, kortit pöytään iskettyinä, oliko kaikki jo liian myöhäistä? Ihmettelin omaa elämääni, että vielä olin siinä. Puuro suussani, miksi olet niin herkullista?

Jätin puuronlopun Mimmille ja lähdin Gerhardin perään. Matkaa rantaan oli puolitoista kilometriä. Tie kaartoi Kurkelanjoen vartta palaneen Kosken kartanon ohi, Metsämontun kultakaivoksen ohi, Lapinkylän muutaman talon pihapiirin läpi umpeen kasvaneen Lapinlahden rantaan. Emme puhuneet matkalla mitään. Keskityin vihaan, kipuun ja kävelyyn.

Kapean lahden toisella puolella aukesi laaja Kirkkojärveen loivasti laskeva peltoaukea joka jatkuu pienten metsäsaarekkeiden täplittämänä pohjoista kohti Toijaan saakka. Pellon reunassa suuri sotajoukko on valmistautumassa taisteluun tai sen esitykseen. Liput ja viirit liehuvat, rummut takovat rytmiharjoituksia, hevoset hirnuvat ja astuvat paikoillaan. Kävelen löyhien miesryhmien välistä kohti järveä.

Tämä on umpeen soistuneiden lahtien ympäröimä Pitkäniemen pää. Niemen päässä laituri, laiturilla johtoryhmä osoittelemassa käsillään sinne ja tänne. Thomas näkee meidät, hyppää huteralta laiturilta alas eteeni heinikkoon. -Ari! Kuulimme että loukkaannuit taistelussa. Oletko kunnossa?

-En, en ole. Eikä se mikään taistelu ollut vaan mikä lie pahoinpitely tai murhayritys.

Thomas ohitti lauseeni ja sanoi lahden yli osoittaen:

-Kohta alkaa suuri taistelunäytös. Otoksia Iliaksen kahdennestakymmenennestä viidennestä luvusta. Kun Patrolkos saapuu sotavaunuilla taisteluun. Niitä vaunuja tässä vielä odotamme. Mitä me tekisimme, tässä on vartti aikaa. Lähdetään soutamaan! Thomas sanoi ja osoitti rannan kaisloissa lojuvaa lahoa soutuvenettä. -Soudetaan lahden yli tuonne joukkojen luo. Muut saavat kiertää. Minulla on sinulle asiaakin.

-Vuotaakohan se, sanoin.

-Asiako? Varmasti.

-Ei mitään rituaali-itsemurhaa minulle, sanoin.

-Näytänkö minä niin epätoivoiselta?

-Et, mutta haiset.

-Epätoivonko voi haistaa?

-Kyllä.

-Miltä se haisee?

-Samalta kuin pelko, mutta makeammalta.

Thomas hymähti vastaukseksi ja nosti oikean kätensä ylös sormet levällään. Jokaisessa sormessa oli muinaisten mallien mukaan tehty sormus. Hän kiersi muut sormet nyrkkiin niin että vain nimetön jäi pystyyn ja sanoi:

-Näetkö tämän joka hehkuu himmeän sinisenä?

Pienin suun yli pyyhkivin käsimerkein Thomas ilmaisi että ehkä järven keskellä meitä ei kuunneltaisi. Sormuksen hehku ilmaisi kaiketi kenttien vahvuudet, se sai sähkönsä suoraan ilmasta ja ihmisen ihosta.

Työnsimme veneen vesille. Se oli märkä ja turpea sateiden jäljiltä, se piti joten kuten vettä. Tuuli oli pieni ja aallot liplattelivat, keulasta tirskahteli iloisia pikku laineita aina kun lahoilla airoilla varovasti veti. Takanamme johtoryhmä liikehti levottomasti huomatessaan karkumatkamme. Se viittilöi suuntaamme ja kaivoi kännyköitä helmoistaan.

-Mitä sinä haluat sanoa? Sanoin.

-Vuosia on ollut selvää ettei tarina ja historiantulkinta voi edetä tämän pitemmälle. Koko tämän valtavan teorian todistaminen on käytännössä mahdotonta. Taru ei tartu maisemaan. Minä tiedän sen niin kuin sinä ja moni muukin ja kohta se valkenee kaikille. Siksi tämä koko liike on alkanut keikkua ja kallistua, alkanut etsimään uutta suuntaa. Ylemmäs emme enää pääse ja siksi poliittisia voittoja halutaan nyt alkaa lunastaa. Tämä retki oli viimeinen yritykseni saada ihmiset taas innostumaan, nostamaan mieltänsä hieman ylempiin kulmiin ja laveampiin maisemiin.

-Sinut yritetään syrjäyttää, sanoin.

-Minut on jo käytännössä syrjäytetty. Saan olla vielä hetken esillä, mutta voin puhua enää vain moderoituja linjapuheita. Tämä leiri oli viimeinen suuri esiintymiseni, viimeinen jossa saan puhua suoraan ihmisille.

-Mitä aiot vielä sanoa?

-Sano sinä.

-Miten niin minä.

-Sinulla on vielä nälkää.

-Ei ole.

-Uit näissä samoissa vesissä.

-Ei ne ole samoja vesiä vaikka miten sekottaisitte. Jos tässä mitä teet on mitään arvoa sen pitäisi kestää, siis aikaa. Satunnehan on jo korkea katedraali. Jos se on valettu ja romahtaa, sinä olet koominen, ja jos se on totta, kaikki muut ovat. Ei voi käydä hyvin.

-Ainakin tämä on tarina minkä voi kertoa. Ei sen suurempaa kukaan muinainenkaan ole voinut toivoa tarinan ja tulen äärellä miettiessään: kenestä meistä voisi jotain kertoa, ottaa tai olla ottamatta opiksi.

-Eivät tarinat ole samanarvoisia. Ettäkö mikä tahansa suusta pullahtava tarina olisi voitto.

-Olen pelkää puhetta. Anteeksi että sotkin sinut tähän. Arvaat että jos minulle käy huonosti niin niin käy myös sinulle. Näet mikä kireys, mikä teeskentely täällä vallitsee.

Katso miten he vihaavat sinua nyt kun täällä soutelemme! Ja minua tietysti jo pitkään ties miten monesta syystä. Oma vikani; päästin tuon rälssin syntymään ja annoin sen rauhassa koveta omille kierteilleen.

-Oletko minut tänne joksikin riidankylväjäksi ottanut?

-Ei se ollut ajatus mutta siltä se nyt näyttää. Tulit jonon ohi kuin mikäkin minimekkoinen pimu. Johtoryhmässä on ainakin kaksi vakoojaa, siis ihmisiä jotka raportoivat eri turvallisuuspalveluille. Lena oli yksi.

-Ai, sanoin yrittäen esittää yllättynyttä. Ehtikö hän pitää esitelmänsä?

-Minkä esitelmän?

-Menneisyydenhallinnasta.

-Ei.

-Onko hän vielä hengissä?

-On sellainen politiikka, sellainen kauhun tasapaino, että vakoojien annetaan tulla ja mennä. Kauniisti vain vihjataan milloin on oikea hetki lähteä.

-Minäkin olen sellainen, sanoin.

Tomas katsoi minua vinosti hymyillen. -Kiitos kun kerroit vaikka olihan se jo tiedossa. Kenelle sinä raportoit, omasta mielestäsi?

-Tanskalle ja interpolille, kai. Se jäi jotenkin epäselväksi.

-Miten niin epäselväksi?

-En saanut mitään selkeitä ohjeita. Minuun otettiin täällä yhteyttä. Palkan sain jo etukäteen.

-Maksavatko he enemmän kuin me?

-En tiedä tarkalleen mitä te maksatte, sanoin. Siinä oli optio. Ja Lenanhan kanssa minä palkoista puhuin.

-Ai? No se tekee tilanteen kyllä epäselväksi. En toisaalta ymmärrä miksi tänne halutaan lisää valvontaa, sillä tämä leiri on jo täysin läpäisty ja ympäröity. Emme me pärjää tiedustelussa ja vastatiedustelussa, se on vain sellaista leikkiä ja esitystä. Jokainen sana mikä täällä sanotaan tallentuu ja tulkitaan moneen kertaan.

Pieni drooni lensi rannasta ja asettui leijumaan veneen ylle puoli metriä päittemme yläpuolelle. Se sanoi: -Tulkaa rantaan heti. Ei ole turvallista. Vene vuotaa.

Katsoimme jalkoihimme ja veneen pohjalla oli viisi senttiä vettä. Emme olleet kuumine päinemme huomanneet mitään.

-Me tulemme rantaan, Thomas sanoi ja drooni lensi pois.

Thomas auttoi soutamistani melomalla veneen pohjalta poimimallaan laholla laudankappaleella. Rantaan oli parisataa metriä. Sanoin: -Tämä vene on haapio, merkittävin pohjoisen puuveneen alkumuoto. Ensimmäinen limilautainen vene koko maailmassa. Ensimmäinen jossa muinaisen ruuhen merikelvottomat pyöreät laidat ruoteilla levitettiin ja lukittiin arktisista nahkaisista veneistä kopioituun muotoon. Tästä löytyy Suomesta identtisiä jäänteitä kuuden vuosituhannen ajalta. Tätä samaa juurta kaikki limilautaiset

311

veneet ja laivat ovat jabegaan, batellaan ja Baskien traineraan asti. Traineran nimi tulee trainasta, joka on sardiiniverkon nimi. Kuten raina tarkoitti Suomessa alunperin vedettävää verkkoa.

-Oletko tosissasi?

-Olen. Vähintään kuusi tuhatta vuotta tätä samaa venettä tehty täällä kuin rukousta. Niin kuin näet nyt se on elvytetty tämä taito mutta ei kovin hyvin kun meinaa meiltäkin tässä henki mennä. Tämä on huonosti tervattu väärällä tervalla ja muodon levitys on laiskasti tehty, sanoin ja laidoista tarttuen keikutin liian pyöreälaitaista venettä. Thomas otti myös laidoista kiinni, mutta pidätelläkseen heilumistani ja hieman kauhuissaan sanoi:

-Väitätkö että tämä oli isompien laivojen esiaste? Viikinkien ja venetien laivojen?

-Ei ole venetien veneitä vielä kukaan löytänyt. Tuollahan oli teillä rannassa yksi foini-kialainen laiva mutta olikohan se ihan aito esitys. Oli taidettu pohjoista kohti kammeta ilman lupia sitäkin.

Thomas ei kommentoinut vaan katsoi vettä jaloissaan. -Selviämmekö me rantaan täl-lä?

-Jos en polkaise saappaallani tähän umpilahoon pohjaan reikää, sanoin ja nostin jalka-ni ylös kantapää jäykkänä ja lopetin soutamisen.

-Mitä?

-Kerro mikä suhteesi Elsaan oli. Lyhyesti yhdellä lauseella. Ehkä kahdella.

Thomas tuijotti silmiini, yritti nähdä monotoonisella äänellä latelemani uhkauksen taakse. -Kyllä, olin hänestä kiinnostunut. En saanut vastakaikua.

-Kuka sai?

-Hän oli muun johtoryhmän kanssa tekemisissä enemmän. Eniten Frederikin. Hänen tarinaansa piti säätää ja integroida. Heillä saattoi keskenään jotakin ollakin.

-Eikö hänen katoamisensa ihmetyttänyt?

-Jos totta puhutaan en edes ehtinyt huomata sitä. Täällä on ihmisiä kuin kuplia kiehu-vassa vedessä.

-Hänen tappamisellaan uhkailtiin minua. Gerhard uhkasi, juuri äsken. Pitävät häntä panttina.

-Niinkö? No se on kyllä asiatonta.

-Olen samaa mieltä.

-Souda nyt meidät rantaan niin selvitetään asia. Minä kaivan sen Elsan sinulle heti esiin. Minä lupaan.

-Hyvä on, sanoin ja jatkoin soutamista. Johtoryhmä oli rannan mudassa meitä vastassa ja kolme riuskaa vartiomiestä rykäisi haapion rantamättäälle niin voimalla että vene kat-kesi ja jäimme Thomasin kanssa puolikkaillemme hölmistyneinä istumaan. Purskahdin nauramaan.

-No olihan se laho!

Kaikki katsoivat veneen jäänteitä järkyttyneinä. Väänsin airoja maata vasten ja ne napsahtivat helposti poikki. Naurahdin taas iloisesti mutta minua katsottiin todella vihaisesti. Mitään sanomatta kaikki kääntyivät pois Thomas keskellään. Kuin jokin outo lintulauma pienine kuraräpyläisine askelineen, pitkine kaapuineen, kääntyilevine päineen ja helpottuneenhuolestuneine äännähtelyineen.

Thomas kurottui minua kohti ja sanoi:

-Minun täytyy nyt mennä. Minä hoidan sen asian, nähdään myöhemmin, Thomas sanoi ja näin hänen silmistään miten avuton hän oli, miten kaikki ilme pakeni hänen kasvoiltaan. Katselin hänen selkäänsä kun hän kätteli kohta itseään suurempia herroja. Miten oppi kiteytyi hänen ympärillään, miten molekyylit tönivät häntä muotoonsa, ylhäältä ja alhaalta.

Gerhard muljahti joukosta esiin ja tarttui olkapäähäni.

-Sinulle tuli nyt tarkennus ohjelmaan. Kierrät kaikki suomalaisten leirit läpi ja yrität puhua niille järkeä.

-Miksi?

-Meidät on piiritetty tänne. Huoltoautojen kimppuun on hyökätty, varastoja ryöstetty.. Täällä on neljä tuhatta ihmistä pian ilman ruokaa ja mitään huoltoa.

-Kai te vesitse saatte täydennyksiä?

-Saamme vielä mutta jos suomenlahden merirosvot liittoutuvat heidän kanssaan kuten on huhuttu.. Meille on tulossa huomenna kaksi isoa ruokakuljetusta, toinen suoraan Saksasta ja toinen Virosta. Ne on pakko saada tänne perille.

-Niissä merirosvoissa on paljon virolaisia, tanskalaisia, ruotsalaisia ja venäläisiäkin. Ne tottelevat rahaa, tuskin heillä on mitään teitä vastaan sinänsä. Teette sopimuksen. Minä saan heihin yhteyden yhden tuttuni kautta, sanoin ja ajattelin tuskissani Timoa. Miten hän minua kiusaa jos nyt menen pyytämään häneltä apua.

-Hienoa. Kuinka kalliiksi se tulee?

-Muutamia kymmeniä tuhansia, ehkä kymmenys tai kaksi lastin arvosta. Mitä ne porukat tuolla metsissä ovat jotka teitä vainoavat?

-Taivaannaulalaisia, militanttisaamelaisia ja joku karhuporukka..

-Karhunuskoisia?

-Niin, ja ihan vain näitä täkäläisiä, paikallisia asukkaita. Väittävät että täällä olisi jotain pyhiä paikkoja joita häpäisemme. Se on tuulesta temmattu järjetön väite. Tuntuvat olevan liiankin innoissaan meidän kiusaamisestamme. Kuin joku yllyttäisi heitä kimppuumme.

-Teistä on kirjoitettu pahasti. Ja olettehan te pahojannekin jo ehtinyt täällä tekemään, tekstienne mukaisia, sanoin.

-Se on kyllä harmillista. Meillä on budjetissa vaikka miten paljon rahaa, ei se siitä ole kiinni vaan huonoista järjestelyistä. Tänne tuli paljon enemmän osallistujia kuin odotimme.

-Sanoit aiemmin että ryöstely oli harkittua.

-No, onhan se harkittua kun leiriläiset yrittävät estää oman nälkäkuolemansa!

-Ja jos minä teen mitä pyydät, sinä pidät Elsan hengissä?

-Totta kai. Onko joku sanonut muuta? Vapautamme hänet huomenna. Saat nähdä hänet sitten heti. Hän on ollut hoidossa, hyvässä, tarpeellisessa hoidossa. Asia ei ole mustavalkoinen. Hän on loukkaantunut kuten kai tiedät.

-Pahoinpidelty!

-Pahoinpitelyssä loukkaantuu helposti.

Narskuttelin hetken hampaitani ja sanoin rauhoituttuani: -Pystytkö katsomaan missä henkilö nimeltä Timo Saarela on nyt?

-Hänkö on yhteyshenkilösi?

-Hänellä on yhteyksiä Suomenlahden rosvoihin. Älkää yrittäkö ohittaa minua. On varmasti parempi että minä menen puhumaan hänen kanssaan.

-Onko? No olkoon niin. Odota niin katson hänen statuksensa, Gerhard sanoi ja tutki hetken laitettaan. -Ahaa, hänet on häädetty leiristä, Thomas on itse antanut käskyn. Onko tämä sinun tekosiasi?

-Voi ollakin, sanoin.

-Hänen paikannuksensa on yhä päällä. Hän näyttäisi olevan suomalaisten leirissä nyt. Tuossa on hänen sijaintinsa, Gerhard sanoi ja näytti pistettä karttaruudulla. Se oli pohjoisessa lähellä Toijaa. Sanoin:

-Selvä. Otan yhteyttä kun saan tietää mitä he vaativat.

-Se ei välttämättä onnistu. Tässä on kaikenlaista häirintää välissä. Ota sen sijaan tämä, Gerhard sanoi ja kaivoi taskustaan kultaisen luottokortin ja ojensi sitä minua kohti.

-Tuoko muka toimii siellä? Sanoin epäuskoisena mutta kun sain sen käteeni, tajusin sen paksuudesta ja painosta että se todella oli kultaa ja naurahdin iloisesti. Gerhard kaivoi taskustaan vielä muutaman samanlaisen lisää ja niitä kädessäni hölskytellen lähdin kohti pohjoista epämääräisesti kääntyilevien sotajoukkojen välistä pujotellen.

31.

Jätin johtoryhmän liehuvat liput taakseni ja kävelin poltetun kaskipellon yli kohti pohjoista jossa muutaman kilometrin päässä Toija ja suomalaisten leirin piti olla. Mustassa maassa oli ristiin rastiin kärryjen jälkiä ja kun nousin loivaa rinnettä ylös sen takaa notkosta tuli näkyviin iso laatikkomainen hevoseton vaunu jonka haljennutta pyörää alaston hiilestä ja tuhkasta mustanharmaaksi värjäytynyt hikinen mies väänsi sorkkaraudalla ja kirosi.

Kärry oli nelipyöräinen ja hyvin karkeaa tekoa: venkuraa kakkosnelosta ja huonoa höyläämätöntä vajaakanttista lautaa. Haljennut rengaskin oli tehty kakkosnelosen pätkistä ristiin naulaamalla ja liimaamalla ja oli osittain palasina miehen ympärillä. Kävelin hänen luokseen ja katselin mitä hän teki, en ollut yhtään ivallinen, omasta mielestäni.

-Painu helvettiin, mies älähti katsettaan nostamatta.

-Liimaa epoksilla, minä ehdotin. Se oli jo tietty vittuilua.

-Tajuatko sinä paljonko tässä on painoa päällä? Et tajua.

En voinut pidätellä hymyäni ja sanoin: -Ettekai te tosissaan usko että täällä on ollut tällaisia vaunuja pronssikaudella? Kuka vaan näkee ettei ne kestä tässä mökelikössä menoa.

-Kuule, siihen aikaan täällä kasvoi tammea ja saarnea ja muita jalopuita jotka olivat paljon kestävämpiä kun tämä höttöhavu, mies puhisi ja jatkoi kääntyen renkaan puoleen: -Naulattu saatana nauloilla akseliin kiinni! Koko akseli pitäis vaihtaa. Sääliksi käy. Euroopan omistajat taas asialla!

-Mitä höttöhavua? Eikös mänty ole nyt kovempaa kuin koskaan?

-Tämä puu on umpimatoista sekundaa. Katso tätä työnjälkeä! Tämä voisi olla joku somiste tai lavaste muttei mikään oikea kärry. Näkee ettei ole uskonut asiaan se joka tämän on kyhännyt. Minut tänne hälyttivät. Herrat poistu takavasemmalle.

Olisin halunnut kysellä lisää mutta hetki ei tuntunut otolliselta. Miehen naama ja koko pää punoittivat ärtyneenä sieltä mistä hikivirrat paljastivat ihon harmaan tuhkan alta. Kävelin kädet selän takana vaunun ympäri. Kaskettu rinne laskeutui loivasti kauempana siintävää Kirkkojärveä kohti ja muuttui puolessavälissä juuri leikatuksi heinäpelloksi, jolla mönkijä veti pientä paalauskonetta perästään tasaisin väliajoin söpöjä heinäkuutioita pellolle pullautellen.

Kaskipellon ja vihreän heinäpellon rajalla oli kolme ehjää sotavaunua hevosineen ja haarniskoissa kiiltelevine ohjastajineen. He viittilöivät kiihkeästi mönkijän kuljettajalle joka ei tuntunut huomaavan miehiä vaan ajeli hitaasti heinävanan päältä paalaamista jatkaen. Kävelin mustasta maasta esiin tunkevien vadelmien ja horsmien yli ja huomasin että olipa joku istuttanut pienelle alueelle heiveröä viljaakin joka juuri iti. Lopulta mönkijä kaartoi miesten luo ja kun ehdin lähemmäs, olikin riita jo käynnissä. Vaimeasti kolahteleva pronssimies huusi:

-Sinä olet myynyt nämä pellot meille! Sinä teet juuri niin kuin käsketään!

-Sopimuksessa seisoo että viljelen näitä. Siihen viljelyyn kuuluu tämä oja, harmaahaalarinen maanviljelijä sanoi rauhallisesti jarrukahvaa painellen. Hän heilautti sitten itsensä mönkijän selästä ja kyykistyi puhdistamaan oikean etupyörän kuraista jarrulevyä heinätukolla.

-Missähän sellainen sopimus on? Pronssinen mies kysyi.

-On se.

-Tuskin siinä ojaa mainitaan.

-Jos tätä peltoa viljelen niin tässä on oja. Ei sitä tarvitse erikseen mainita.

-Näet ettei tästä pääse näillä kärryillä yli. Tee salaoja tähän. Kyllä se korvataan, lähetät vaan laskun.

-Ei tässä ole aikoja mitään salaojia kaivella. Tämmösellä ruikulla sähkömönkijällä mitään ojahommia tehdä, maanviljelijä sanoi ja osoitti uutuudenkarheaa laitetta haarojensa välissä.

-Väliaikaisesti täytät tämän ojan nyt heti.

-En täytä.

-Sinulla on rahaa näistä maakaupoista kuin Kroisoksella! Huusi toinen hieman liian kireään hopeiseen rintapanssariin pukeutunut keski-ikäinen mies ja heilutti miekkaa kädessään.

-Mitä sitte.

-Olette luvanneet auttaa kaikessa tänä kesänä! Se kuuluu sopimukseen.

-Ojasta ei ole ollut mitään puhetta, viljelijä sanoi.

-Laitat tähän edes siltarummun, ja tasoitat ja tamppaat, saatana!

Minua käännyttiin katsomaan kun potkaisin hiiltynyttä karahkaa.

-Pitäisi olla asussa, pronssimies sanoi ja katseli märkäpukuani ärtyneenä. -Tässä alkaa kohta taistelunäytös joka kuvataan.

Mulkoilin miehiä minkä kehtasin ja sanoin: -Esitän Artemista. Missäpäin se suomalaisten leiri on?

-Tuolla se on kolme kilometriä pohjoiseen, Haapaniemen linnasta itään. Sinne on kielletty menemästä.

-Ei kyydillä pääsisi? kysyin maanviljelijältä, mutta tämä ei vastannut mitään vaan jatkoi mönkijänsä räpeltämistä.

-Artemis on nainen lyhyessä tunikassa, hopeinen äijä sanoi ärtyneenä kolahtaen.

-Minä olen menossa sinne johtoryhmän lähettämänä, sanoin.

-Voimme viedä sinut sen osan matkaa kuin on tätä avointa peltoa. Nuolenkantamaa lähemmäs me emme metsää emmekä sitä leiriä mene. Hyppää kyytiin.

Kaikki kolme vaunua ajoivat jonossa ojan yli. Ne nitkuivat ja heiluivat ja viimeinen juuttui takarenkaistaan ojaan kiinni vaikka hevonen riuhtoi sieraimet isoina. Toinen vaunuista jäi auttamaan sitä mutta minun hopeinen kuljettajani jatkoi matkaa taakseen katsomatta. Satuin huomaamaan verijäljet vaunun pohjalla ja kysyin:

-Olitko eilen ajamassa sairaalakuljetuksia?

-Ei eilen ollut näytöstä. Se oli toissapäivänä.

Hitto. Olin nukkunut kokonaan yhden vuorokauden yli. Leiri lähestyi jo loppuaan, huomenna oli viimeistä edellinen päivä. -Satuinko minä olemaan kyydissä?

Hopeinen mies vilkaisi minua. -Eihän raatoja niin tarkaan tule katsottua. Ja pimeääkin oli. Ja minulla on kantomiehet erikseen. En koske raatoihin.

Se siitä; tuskin selviäisi kuka minua iski: Timo, Interpol, Dinnan puuseppämies, Lore, tanskalaiset, veneensä rikkomisesta suuttunut Lena vai joku johtoryhmästä tai sitten ihan joku muu. Ehkä iskussa oli oleellista sen hetki, ehkä minut haluttiin juuri sillä hetkellä pois pelistä, ehkä olin saamassa tai saanut jotakin selville. Hetkeä ennen olin kuullut Hansinalta että Elsa oli viety sairaalaan ja saattoi yhä olla siellä mutta ehkä hänet oli tajuttomuuteni aikana siirretty muualle. Sairaalassa Mimmi ja Frederik veivät huomioni ja samalla näin sairaalan kuin olisin tutkinut sen. Ohjailun tunne oli kalvava ja läpäisi kaiken. Ärsyttävää, turhaa ja turhan monimutkaista ajattelua; Yhtä hyvin voisin uskoa jumalien johdatukseen. Sanoin hopeiselle kuljettajalleni:

-Ettehän te voi olla tosissanne näiden hiton rumilusten kanssa.

-Muinaisessa Kreikassa taisteluvaunujen käyttö oli hyvin vähäistä ja muistutti Persialaista tapaa jossa nopeista vaunuista ammutaan jousella, heitetään keihäitä ja pysytään turvallisen matkan päässä jalkaväestä. Sen sijaan Ceasarin Gallian sota -teoksessa on tarkka selvitys kelttien Galliassa ja Brittein saarilla harjoittamasta taisteluvaunutaktiikasta ja se on täsmälleen sama kuin Iliaksessa kuvattu.

-No minkälainen se sitten on? Kysyin.

-Vaunu on isompi, tällainen kuormavankkuri kuin tämä, ja sen päätarkoitus on kuljettaa raskaasti varustautunut ylimystaistelija taistelupaikalle pirteänä ja viedä hänet nopeasti turvaan kun voimat ovat loppu tai tilanne muuten huono. Tämä taistelumuoto oli ylimysten etuoikeus, he saattoivat myös valita halusivatko ohjastaa vaunua vai jalkautua itse taistelun ratkaisukohtaan. Caesar oli yllättynyt tällaisen jo hänen aikanaan muinaisen taistelutavan käytöstä ja myös sen ainakin hetkellisestä tehokkuudesta vielä roomalaisella ajalla. Hän päihitti taisteluvaunut lopulta samoin keinoin kuin keskiajan Helvetialaiset gawaltwaufen-joukot lopettivat koko haarniskoitujen ritarien kulttuurin Nancyn taistelussa 1477: Tiiviimmällä muodostelmalla ja pitemmillä maahan tuettavilla keihäillä ja tapparoilla.

-Samalla idealla Aleksanteri suuri onnistui valloituksissaan, ratkaisevaa oli hänen isänsä Filippoksen kehittämän syvemmän falangin hetkellinen ylivoima. Pari metriä pidemmät keihäät, yksi rivi sotilaita lisää ja koko maailma oli taas polvillaan! Niin pienestä se on ollut kiinni ja niin jäykkää ja hidasta kehitys siihen aikaan etteivät muut kyenneet muuttamaan kymmeniin vuosiin taistelutapojaan. Roomalaisethan jo innovoivat joka hetki, heitä ei kiinnostanut taisteluiden traditionaaliset kunniallisuudet, he barbarisoivat vastustajansa ja huijasivat niitä minkä kykenivät, loivat kunniallisuuden epäsymmetrian jota on jatkettu menestyksekkäästi nykyajan sotiin asti. Tässä te omalta osaltanne kauniin virheellisesti versioitte sitä, sanoin taas tahallisesti haastaen. En voinut sille mitään, halusin aina nähdä miten ikävä ajatus uppoaa vastentahtoisten aivojen voihin.

-Tässä onkin sinun pysäkkisi, hopeinen mies sanoi ja pysäytti hevoset ohjaksista nykäisemällä. Eläimet alkoivat heti näriä hentoa sänkeä. Kun en heti ymmärtänyt liikahtaa nosti hopeinen mies miekkansa rintaani vasten.

-Nyt menet, hän sanoi.

Hypähdin avonaisesta perästä pehmeälle sängelle. Maa oli kosteaa, renkaat olivat jättäneet syvät vanat pellon kuraan. Sanoin: -Kiitos tästä. Sinulle olisikin käynyt kohta köpelösti.

-Kuinka niin?

-Katso itse. Kärryt olisivat juuttuneet kiinni minä hetkenä hyvänsä. Tämä pelto ei nyt oikein kanna sitä. Taitaa teidän esityksenne mennä täysin saveen. Ja tuolta voi tulla kohta nuolta, sanoin ja osoitin synkkää männikköä sadan metrin päässä idässä.

Hän kurottautui äkkiä lavalta minua kohti ja yritti huitaista miekalla mutta otin pienen taka-askeleen ja se siitä. En osaa sanoa kuinka tosissaan hän oli. Hän ymmärsi että alas hyppääminen ei kannattaisi, voisin saada hänet sillä hetkellä paljain käsin nurin. Hän huusi hevosilleen ja läiskäytti ohjaksia taitavasti niiden kylkiin paukauttaen. Hevoset nykäisivät kärryjä ensin varovaisesti mutta vasta muutaman riuhtovan voima-askeleen jälkeen ne saivat ne liikkeelle. Hän käänsi kärryt ympäri ja kasvatti vauhtia alamäkeen minua kohti, mutta muta hidasti vauhtia niin että hypähdin helposti sivuun. Hän ei yrittänyt lyödä minua enää miekallaan mutta heristi sitä ja irvisti äänettömästi mennessään ravan lentäessä renkaista päälleni.

Henkäisin, huokaisin ja aloin kävellä pohjoista kohti järven ja metsän välissä. Katselin sivusilmällä oliko metsässä liikettä, mutta mitään ei näkynyt. Metsänreuna läheni askel askeleelta. Oliko minut tänne kuolemaan lähetetty?

Nuotionpohjia, uudempia ja vanhempia, mutta ei muuta. Hortoilin metsänreunaa Toijaa kohti mutta mitään leiriä ei Timon koordinaatista löytynyt. Jatkoin syvemmälle metsään kun nälkä yltyi äkkiä sietämättömäksi. Nenäni yliherkistyi ja kaikki, koko maailma tuoksui hyvin herkulliselta ja jouduin hamuamaan maasta ketunleipiä ja mustikanlehtiä kitkeräksi möykyksi suuhuni. Miltä maistuu kaarna? On silläkin maku, ei se paha ole, sekaan vaan. Yritin muistella miten myrkyllisiä vuokkojen juuret olivat tähän aikaan vuodesta vai olivatko ollenkaan. Horsmaa nyt ainakin voi syödä kuinka paljon tahansa!

Nenäni kulmasta virtasi hermon sisään kypsyvän lihan tuoksu. Sain sille suunnan kuin kai eläin saa ja kävelin sitä kohti rytöjen ja kallioiden yli magneetin vetämänä.

Haju voimistui. Seutu oli nousevaa ja laskevaa kallionyppylää, hankalakulkuista ja kituliasta maastoa. Kiipesin viimeisen kallionyppylän yli ja näin nuotiolla pataa hämmentävän miehen. Hän oli jo nähnyt minut ja huusi möreällä äänellä: -Arii, Syömään!

Kävellessäni hänen luokseen katsoin miestä tarkemmin. Ääni oli oudosti tuttu mutta kasvoja tuskin näki valtavan kuontalon takaa. Paljaat paksut käsivarret ja hihaton lammasturkki, jonka alta pilkotti paksu nahkahame tai kai muinaissepän essu. Puupölkky istuimena ja toinen pöytänä jolla musta ohut tietokone. Sitten jokin liike ja varsinkin vaivoin pidätelty hörötys sai minut tajuamaan kuka hän oli ja huudahdin:

-Oletko sinä, jumalauta, Perttuli?

-Täällä minä olen Kollo. Sano Kollo.

-Kollo. Kollo. Minkä helvetin takia kaikki sanovat olevansa jotakin muuta kuin ovat?

-Kaikki *ovat* jotain muuta.

-Onko Pr täällä?

-Olen sairauslomalla. Hän ei tiedä tästä.

-Saisit kenkää jos tietäisi.

-En saisi. Olen pannut dataa talteen hänen touhuistaan. Ei hän pääse minusta eroon kuin tappamalla, eikä sittenkään. Mitä sinä täällä teet?

-Etkö muka tiedä?

-Haluan kuulla sen sinun suustasi. Että mitä itse luulet täällä tekeväsi.

-Saatte kuulemma yhteyksiä merirosvoihin, sanoin.

-Emme saa. No, ehkä joku täällä saa. Paitsi kuten näet ettei täällä ole ketään.

-Sinä saamarin luikuri, ei tule suoraa sanaa sinun suusta. Miten minä uskoisin mitään mitä sanot. Onko täällä sellaista kaveria kuin Timo Saarela.

-Ei tietääkseni.

-Olisi tullut toissa päivänä tai eilen. Paikannus osoitti tänne.

-Mistä?

-Tuolta Pohjoisen Liiton leiristä.

-Ja mihin?

-Tarkalleen tähän sinun pirun pataasi! Sanoin ja näytin Perttulille karttaa puhelimestani. Hän teeskenteli hämmästynyttä: -Ihme juttu! Kuka on osannut rastin tökätä tuohon, ja padan. Timoo! Perttuli huusi pataan. -Ei näy padassa kuin lampaan palasia. -Kuulin että teillä täällä olisi hyvät tiedot. -Mistä?

-No tarkka kysymys. Minulla on sukellusrobotti joka mölisee asiani maailmalle. Haluaisin tietää että onko minulla mitään kauppatavaraa sen sisässä enää. Sillä voi olla jotakin tekemistä sen kanssa että onnistunko pysymään hengissä.

Perttuli kysyi Sirin mallin ja sijainnin ja istahti pölkyn päälle ja kumartui koneen ääreen. Hän sanoi: -Ei, sitä ei näy. Joko toisella puolella on jotakin aivan uutta salaustekniikkaa tai se ei mölise.

-Se sanoi että se ei osaa ajatella mölisemättä.

-No, mitään normaalia radioyhteyttä se ei ainakaan käytä. Voin tutkia vielä muutamat aliaallot ja sellaisen mekaanisen relay-tekniikan mitä jotkut käyttävät, eräänlaisia elektronisia ketjukätköjä siis, mutta se kuuluisi puheessa, siinä olisi virheitä.

-En minä huomannut. Jotain se valitti.

-Mitä?

-Että jotenkin sen oli elo vaikeaa.

Kollo naputteli hetken konettaan ja sanoi: -Olit oikeassa. Piti hakea vähän tarkemmin ja rumemmin. Niin että tämä kone paljastui. Kyllä, kaikki Sirin keräämä data virtaa lyhentämättömänä Tanskaan. Ja mikä hauskinta, sieltä takaisin leiriin.

-Mitä se tarkoittaa?

-Ilmeisesti jotain mätää tanskanmaalla. Tanskan pakolaishallintohan on jo Pohjoisen liiton hallussa vaikka näin ei virallisesti myönnetä. Ja muut puolueet on nyt viimein ilmeisesti taivutettu, solutettu ja ostettu. Tämä on ihan oleellinen tieto. Kiitos, Kollo-Perttuli sanoi, sulki tietokoneen ja löi sen kirveellä säpäleiksi.

Mietin hetken. Jos näin todella oli, niin Senaatintorin vene oli Pohjoisen liiton lähettämä, kai vain minua hämäämään ja vakuuttamaan. Ajatus kirkastui päässäni: Mitä tahansa mieleeni tästä tulikaan ja mitä tahansa yritinkään, oli se suurella todennäköisyydellä juuri se mitä minun haluttiin ajattelevan ja tekevän. Jokin juoni odotti vielä toteutumistaan, mutta mikä? Minulla ei ollut siitä edelleenkään aavistustakaan. Olin varmasti historian surkein salapoliisi, en edes tajunnut mikä tämän sotkun keskellä oli se varsinainen mysteeri. Koko Sue Wiltkin oli ehkä pelkkää esitystä kuten suurin osa Lenaakin. Ja Elsa.. Joku tietää liian hyvin että sen naisen kohdalla aivoni alkavat väpättämään ja menettävät kaiken holttinsa.

Kollo kauhoi lihapataa kuin ärsyttääkseen. -Me olemme sinun peräisi vähän katselleet. Hyvinhän sinä olet niiden hullujen seassa selvinnyt, hullu kun olet itsekin.

-Ketkä te? Kysyin ja hivuttauduin samalla lähemmäs.

Kollo ei sanonut mitään vaan kaivoi karvaliivinsä alta puhelimen ja ojensi sen parin näpäyksen jälkeen minulle. Siinä ei ollut ruutua eikä näppäimiä, ei oikeastaan mitään muuta kuin kaksi pientä mikrofonin reikää molemmissa päissä. Laitoin sen korvaani vasten. Kuola valui suupielistäni, käteni tärisivät.

-Hei, se olen minä, veljeni iloinen ääni kaikui kirkkaana kaiuttimesta. Melkein huusin: -Missä sinä olet? Oletko kunnossa?

-Olen! No, hikisesti. Melko vauhdikasta ollut viime päivät että en ole päässyt oikein yhteyksiin. Muilutin muutaman puhelimen sinne leiriin että voidaan puhua hetki.

-Onko tämä suojattu linja?

-Tämä puhelin on kuule.. No, Kollo voi kertoa tarkemmin. Yritän hoitaa sinut ulos sieltä jotenkin järkevästi jossain vaiheessa. Tuntuuko että siellä vielä selviää?

-Mitä tarkoitat?

-Onko siellä miten vaarallista.

Kerroin suurin piirtein mitä leirissä oli tapahtunut mainostamatta epäilyjäni ja vaihtelevia vaaratilanteitani. Olin lamaantunut, en tiennyt ollako iloinen vai vihainen, kai olin molempia. Veljeni, räjähdyksestä asti, oli ollut ensimmäinen epäiltyjeni listalla, kaikkien mahdollisten epäilysten kaikilla mahdollisilla listoilla. Omahyväinen ylimielisyytensä yhdistettynä kaikkiin taitoihinsa ja ainainen kiusaamiseni historia.. päätäni särki, mahassani kurni kipeästi. Koko maailma haisi kypsyvältä lihalta. Ismo sanoi: -Varovainen kannattaa olla. Kuten ehkä olet huomannut, siellä on isoja ihmisiä seassa. Melkoista seurustelua sinulla!

Töksäytin: -Sinä löysit sen kullan.

Hetki hiljaisuutta. Sitten veljeni sanoi:

-Mistä arvasit?

-Tunnistin tilaamasi talopaketin pohjan ilmakuvista jotka poliisi näytti minulle iskun jälkeen.

-En muista ikinä katsoneeni mitään talopaketteja.

-Katselimme yhdessä esitettä joka lojui vuosikausia eteisen lipaston laatikossa. Minä muistan. Kuistilla joskus kymmenen vuotta sitten. Nuorina. Kävit talon pohjan ja kaikki tekniset ominaisuudet ihaillen läpi ja haukuit rintamamiesmökkimme jälkeenjääneisyyttä, häpesit sitä. Ehkä olit siinä iässä että hoit minulle kuin omanasi mitä olit isältä kuullut tai toistelit jotakin lukemaasi.

Hetken vaikenemisen jälkeen veljeni sanoi:

-Kun kerroit että sinulla on Mermaidin anturit tiesin että paljastuisin jos toisit sen talolle. Minulla on aika paljon velkoja tutkimuksistani. Tarvitsin sen kaiken ja vähän päälle. Maksan kyllä osasi takaisin. Rahaa on tulossa, paljon. Asiat etenevät nyt, hyvin ja nopeasti.

-Mistä se kulta löytyi?

-Kellarin kaivosta niin kuin oltiin joskus ajateltukin. Piti vain etsiä tarkemmin, pumpata kaivoa puoli päivää tyhjäksi ja mennä viiden metrin syvyydeltä betonirenkaista läpi kaksi metriä sivuun. Ihan mahdoton paikka.

-Miten keksit sen?

-Keksin vain. Lopulta kuin ei ollut muuta keksittävää.

-Kuinka paljon sitä oli?

-Kolmekymmentä kiloa. Ei se ole isokaan kasa. Pieni omaisuus.

-Olisin halunnut nähdä sen.

-Otin siitä valokuvan.

-Nähdäänkö me.

-Joskus varmaan jos eletään.

-Tai kuollaan, sanoin raivoani pidätellen ja heitin puhelimen metsään.

Miksi veljeni kertoi nyt äkkiä kevyesti ja ohimennen löytäneensä kullan vaikka tiesi varmasti että saa päälleen ikuisen vihani? Miksi asiaa ei olisi voinut sanoa silloin paikan päällä kasvoista kasvoihin? Tämä puhelu saattoi tietysti olla vain puhetta taas.

-Hei! Huusi Kollo vihaisena mutta vaikeni ilmeeni lähempää nähtyään ja lähti etsimään puhelinta kanervien seasta. Se oli kai arvokkaampi kuin olin tajunnut, mutta kun Kollo tuli takaisin hän pudotti puhelimen kourastaan pölkylle ja iski sen saman tien säpäleiksi kirveensä hamaralla.

-Ai jaa? Tuoko on sinun varsinainen virkasi täällä? Kysyin häneltä kun hän rinta koholla katseli työnsä tuloksia ympärillään näreikössä.

-No, myönnän että tämä oli ehkä tarpeetonta, mutta mitä helvettiä.

-Sinä teet töitä.. minun veljelleni?

-En suoraan hänelle. Olemme törmäilleet. Mutta se mitä hän sanoi tuosta laitteesta.. Siinä on tietysti kvanttikryptopiiri ja.. kai sen voi sanoakin. Siinä on ihan mitätön nelibittinen puhdas kvanttipiiri joka toimii viilentämättömällä sirulla joka maksaa muutaman vuoden päästä parikymppiä.

-Mitä se tarkoittaa?

-Täydellistä salausta, toimintaa ilman verkkoa tai taivasta. Läpäisyä. Sitä se tarkoittaa. Se on se laite, minkä maailma haluaa. Tai yksi versio siitä.

-Ilman verkkoa? Onko se siis radiopuhelin?

-Sitä on mahdoton häiritä tai salakuunnella ja kantama on käytännössä koko planeetta. Kolmeen osaan epälineaarisella puolijohdekristallilla jaettujen kvanttilomittuneiden fotonien avulla tuotettuja aliaaltoja ja sen sellaista, Kollo sanoi ja oli silmin nähden ylpeä monimutkaisesta lauseestaan, ja jatkoi:

-Petrimaljassa kasvatettu puolijohde kuin viidakko. Elektronit liikkuvat siellä monimutkaisten superpositioiden ilahduttamina. Ujutimme kaksi tuollaista viidakkoa vastakkain niin että syntyi vielä Casimirin ilmiö virtuaalisten hiukkasten kanssa siinä välissä.

Sieltä utuaa sitä ultrasirkeää säteilyä mitä käytämme kantoaaltona. Kaikki tämä näkymätön raskas sähkömagneettinen töhkä mitä ilma tässä ympärillämme vielä suurella vaivalla viuhuu muuttuu turhaksi kun tuo tekniikka saadaan maailmalle jos saadaan. -Mitä tarkoitat? Kysyin ja kauhoin padasta ihanan pehmeitä lampaan- ja juureksenpaloja suuhuni. Olin uskaltanut lähestyä pataa omasta möyhöämisestään innostuneen Perttulin nenän edessä. Hän tuskin huomasi kun tartuin kauhaan. En enää kuullut mitä hän sanoi, ruoka oli niin hyvää ja liukeni kitusiini niin mielipuolisella voimalla. -Mitä luulet että tuolla ja täällä tapahtuu? Mitä luulet että miehet metsissä mökeltää? Luuletko että etelän herrat huvikseen heiluu näillä raukoilla rajoilla? Ostitko nahkoineen ja karvoineen tuon muinaisnäytelmän mitä metsien täysille saleille esittävät?

-Ei kai yritysten asioita kirveillä ja miekoilla ratkota, sanoin pää syvällä padassa kaikuen. Söin piilossa isoja kuumia suullisia suupielet hölpöten. Syömiseeni oli täysin kohtuutonta.

-Ratkotaan. Aina on ratkottu. Aina kun ovat jotain halunneet eikä ole annettu ovat tulleet ottamaan isomman oikeudellaan. Kun ei myyty heidän hinnallaan, ilmaiseksi. Siksi ei myyty että kaikki hinnat olivat liian halpoja tästä tavarasta, Kollo sanoi samalla puhelimen piirin osia näreiköstä poimien ja vielä pienemmiksi kevyin tarkoin iskuin paloitellen. Yritin katsoa, oliko seassa mitään Elsan sirua muistuttavaa.

-Missä minun veljeni on? Nostin kyyrystä kipeän selkäni suoraksi, pidin päätä ylhäällä että suuntäyteinen kuuma ruoka ei polttaisi huuliani, mutta käräytinkin kurkkuni ja pompin paikoillani kuin klovni.

-Vuosikymmeniä Siuron linnavuoren sisässä on tehty tutkimusta Nokian muinaisilta raunioilta puolustusvoimille turvaan siirrettyjen kriittisten radiotekniikoiden pohjalta. Kaikkea minkä olisi voinut patentoida ei patentoitu vaan vietiin vuoren sisään. Onnistuimme estämään vakoilun ja varkaudet kaikkien näiden vuosien ajan. Ehkä meidät unohdettiin hetkeksi, ehkä unohdimme itse itsemme hetkeksi. Ystävien lupaukset ystäville ja kollegoiden kollegoille pitivät, ilman rahaa, vain sanan voimalla. Vieraille vieraita ja mutkikkaita käyttöjärjestelmiä pinoissa väärien piirilevyjen päällä päällekkäin, siinä koko suojauksen ja hämäyksen metodi. Ja keksimme koko ajan lisää, ja aina vain mutkikkaampia, ja ne luulivat ja luulevat että pihvi on siellä kuin muinoin Symbianin sotkuissa. Hah! Huusi Kollo taivaalle. -Saa tulla yrittämään!

-Eli hän on siellä Siurossa?

-En minä niin sanonut. Mutta sen paikan he ovat nyt saaneet haarukoitua ja sinne he ovat kohta menossa nämä sinun transatlanttiset ystäväsi. Jos minulta olisi kysytty niin sieltä olisi vuoren sisästä pitänyt jo aikaa sitten lähteä. En tiedä mitä peliä veljesi enää tässä vaiheessa yrittää pelata kun pitäisi vain paeta ja piiloutua. Ilmeisesti hän esittää että siellä olisi jotakin vielä ainutkertaisempaa josta yrittää käydä kauppaa viime voimillaan kuin mikäkin vuorenpeikko, Kollo sanoi ja käveli padan luo ja katsoi sen sisään. Hänen kasvoilleen levisi epäuskoinen ilme.

-Mitä helvettiä? Koko puolikas lammas? Ahne porsas! Syötkö sinä aina noin?

-Vain jos on ruokaa, sanoin irvaten.

-Saatanan Vuormaan petturisiat! Kollo huusi kai puoliksi leikillään ja löi minua kauhalla lujaa takamukseen kun juoksin virnistäen karkuun. Kollo huusi perääni: -Siellä on muuten sun kaipuusi kohde, ja osoitti kauhalla eteeni toiseen savuun.

Nuotion äärellä kyykkivä pieni saamelaisasuinen mies kääntyi katsomaan ensin ääntä ja sitten minua kun sen suunnasta tulin ja sanoi iloisesti:

-No mikäs lullinlälly sieltä läntystää.

-Lihavaras vaan. Saiskos vähän häiritä?

-Mikä ettei. Sehän kuulostaa melkein siedettävältä, että vähän. Ja että ihan varas, rehellinen sellainen.

Omituinen oli suomalaisten leiri. Nämä kaksi likaista miestä omissa savupilvissään eikä mitään muuta, missään ketään, tuskin maata tallottu. Lämmin lammas mahassani teki minut niin iloiseksi että hymyilin koko rasvastakiiltävällä naamallani ja kysyin ympäripyöreästi, ja mielestäni kohteliaasti:

-Mistä asti sitä on tänne tultu?

-En minä ole mistään asti. Sinä olet itse ties mistä. Sinä se niitä rajoja perässäs vetelet.

-Minä?

-Mitä se minua liikuttaa, samaa venytettyä ja vanutettua taikinanaamaa joka iikka. Puhupa tunti, puhupa päivä mukavia siinä. Viikon päästä olet munasillasi.

-Mitä tämä mies oikein puhuu? Huusin Kollolle.

-Ei se ole mies, Kollo huusi takaisin savun takaa.

Katsoin noen mustaamaa naamaa tarkemmin ja mikä ettei, saattoi se nainenkin olla. Ääni oli kovin käheä.

-Mustanaama korvesta, sinun ensimmäinen lauseesi, se näkyy sinun silmistäsi. Työnnät minua joka lauseella kauemmaksi ja samalla kuvittelet että luulet olevasi, näkee että yrität olla luontevasti, poseeraat siinä mättään päällä kuin viaton orava, pahinta lajia. Koko elämänsä viettänyt mäillä ja mäjillä, aijai miten ihanaa, poseeraamassa luontevaa ihmistä, puita ja vesisankoja halaamassa. Oliko sinulla jotain asiaa?

-Kuka täällä asioista päättää. Sinäkö, kysyin.

-Kuka nyt kolkkahattua kuuntelisi. Näet jotta ei täällä ketään ole. Kuka on missäkin. Muutaman nuoren täällä opetin kuivaamaan haukia. Se on se suurin saavutus, minun petokseni. Eivät etelän ihmeet tienneetkään miten hyvää kuivattu hauki voi olla. Annetaan ilmaa ja aurinkoa. Maku muuttuu, rakenne muuttuu. Sitte uitetaan ja syyään, aijai. Ei olisi saanut kertoa. Nyt ne tietää.

-Minut lähetettiin pyytämään että voisitteko olla tappamatta Toijan leiriläisiä. Se tuntuu vähän liialliselta minustakin.

Lappalainen tonki hiillosta tikullaan. Ei saanut selvää halusiko hän että se palaa paremmin vai huonommin. Savu ainakin yltyi.

-Kun käydään varastelemassa ruokaa ihmisiltä, jotka keikkuvat nälkäkuoleman rajoilla niin se se on liiallista. Ei siihen voi vastata kuin olemalla liiallinen. Tähän ei muutosta tule eikä se ole minusta kiinni. Jokainen tekee mitä tekee, oman arvionsa.

-Leirillä oli ongelmia huollon kanssa. Ihmisiä tuli paljon enemmän kuin odotettiin ja ruokakuljetuksia ryöstettiin. Tämä on se varsinainen asia. Huomenna on tulossa kaksi huoltolaivaa. Jos ne pääsisi perille ilman ongelmia. Vaikka korvausta vastaan, sanoin ja iskin pari kultaista korttia kolkkahatun käteen niin että kilahti.

-Huominen on hyvä päivä. Katsotaan sitä sitten huomenna. Mitä matoja siellä viljan seassa tulee.

-Katsokaa.

-Katsotaan huomenna kuka keneltä vie ja mitä, varas, saamelainen sanoi sylkäisten viimeisen sanan ja kääntyi takaisin nuotion savuun. Kullat hän kai otti, ne katosivat jonnekin puvun poimuun.

Yritin vielä aloittaa keskustelua: -Olen lukenut että saamelaisessa mytologiassa olisi joitakin yhtymäkohtia homeeriseen runouteen. Että löytyisi niitä yksisilmäisiä Tromssan kyklooppeja, ja se koko lampaan tai poron mahavilloissa pakeneminen, ei luolasta vaan kodasta. Onko sellainen tarina teillä, onko siinä perää?

-Mitä se varas siellä vielä puhisee. Ehkä joskus toiste.

-Voi olla että ajat huononevat niin että tämä on viimeinen hetki puhua nämä asiat läpi ennen kuin kaikki unohtuu.

-Sitten unohtuu. Miten paljon on kaikesta unohtunut, suurin osa. Ehkä se mitä minäkin hetkenä muistetaan on se asia mikä pitääkin muistaa eikä muuta. Ihmisen päähän kai mahtuu vain kaikki se mitä siellä milloinkin on.

-Sinulta taitaa olla turha kysyä enää mitään.

-No mitä vielä? Älä nyt suutu, saamelainen sanoi ja kohensi pientä tuhkasta tunkevaa lepattavaa liekkiä. Kai hän kiusasi sitä ajankulukseen.

-Niistä kurjiksi pukeutuneista. Käsittääkseni teillä on ollut sellaista traditiota.

-Millaista?

-Että on kurjiksi naamioiduttu. Metsästyksessä tai sotimisessa? Sellaista väitettiin tuolla.

-Ja mitä siitä?

-Sellainen kuvaus on Iliaksessa. Troijalaisesta tukijoukosta joka hyökkäävät kurjiksi naamioituneina. Pygmit, jotka asuivat Oceanuksen, merijoen eteläpuolella ja vartioivat taivaan ja maan reunaa. He olivat jatkuvassa sodassa kurkia vastaan. Saamelaisethan pitävät kurkia huonona enteenä? Että nimikin oli tuonenkurki. Ja paha kurki. Puhun tästä koska Iliaksessa on useita mainintoja kurjista ja kreikassa kurkia ei tavata kuin ohikulkumatkoillaan. Troijaan sotimaan lähteneet laivat olivat kurjilla koristetut.

-Muistutapa minua että mikä se sinun varsinainen asiasi olikaan?

-Että ette tappaisi leiriläisiä. Että päästäisitte rahtilaivat tulemaan.

-Varsinainen asia on se että josko maailmassa jauhettaisiin vähemmän paskaa. Uskotko että se on se varsinainen asia ja oletko sinä sillä vai vastakkaisella?

-Joku täällä aina juttua vääntää, sanoin. -Parempi olisi että paremmat vääntäisivät.

-Vääntäisivät, mitä? Hyvän vääntämä paska on yhtä paska kuin paskan paska, lappalainen sanoi ja kääntyi niin nuotiota päin että ymmärsin keskustelun päättyneen. Kävelin takaisin Kollon luo ja sanoin:

-Mikä hiton tyyppi tuo oli? Eikö täällä ole ketään muita?

-Siellä on nyt se suuri taistelunäytös käynnissä. Kaikki halusivat nähdä sen. Minä täällä sinua lampaan kanssa odotin.

-Anna puhelin.

-Miksi?

-Pitäisi soittaa yksi puhelu.

-Ei niitä loputtomasti ole.

-Jos et mäiskisi niitä rikki koko ajan.

-Turvallisuuskäytäntö. Viisi minuuttia puhelu max.

-Eikö ne olekaan turvallisia?

-Sinä soitat tavalliseen maailmaan.

-Ymmärrän.

Soitin Pr:lle. Hän vastasi heti. Sanoin:

-Heippa täti.

-No hei poikani. Miten siellä menee?

-Vaikea sanoa. Kukaan ei ole sitä mitä sanoo.

-Tervetuloa todellisuuteen.

-Sano mille asioille sinä minut tänne panit.

-Sille mille sanoin, sillä millä olet. Elsaa etsimään. Onko löytynyt?

-Ei ole löytynyt. Eikä löydy.

-Olisi hyvä jos löytyisi. Yritä nyt vaan. Vai onko parempaa tekemistä.

-Et ole tainnut kertoa puoliakaan mitä täällä tapahtuu. Perttulia tässä juuri mulkkaan silmästä silmään kuin jotain metsän petoa.

-Ai, Pr sanoi ja katkaisi puhelun. Ojensin puhelimen Kollolle, joka nosti tietokoneen pölkyltä siksi aikaa pois kun iski tämänkin puhelimen sitä vasten säpäleiden pirstoksi, noukki muutaman osan essunsa taskuun ja asetti tietokoneen takaisin pölkylle ja sanoi: -Tämä voisi kiinnostaa sinuakin, Kollo sanoi kuvaruutua osoittaen. Kumarruin hänen viereensä ja mieleeni tuli että kylläpä ihminen voi haista monin tavoin pahalta. Oli uskomattoman vaikea mieltää hänet siksi valkokauluspaitaiseksi teknotaksisuhariksi jona opin hänet tuntemaan.

-Hän lähti, kai johonkin tapaamiseen. Katso.

Kuvassa hoikka, yläselästä hieman kyyry mies kävelee mättäiden yli kahden turva-miehen saattamana, puhumatta, nopein hiipivin askelin. Kesti hetken ennen kuin tajusin että se on Thomas, nujerrettu, tärisevä, levoton. Levottomuus johtuu ehkä puvusta kes-kellä metsää, ehkä se on vain vaikutelma kun olin nähnyt hänet aina taljoissa ja karvois-sa ja kauhtanoissa joissa hän osasi olla itsevarmasti silmäänsä räpäyttämättä kuin harva. Istuvassa puvussa tuossa metsäpolulla hän oli pois paikoiltaan ja se kai oli tarkoitus, osa nöyryytystä. Kysyin:

-Yrittääkö hän livahtaa kenenkään näkemättä?

-Niin kai. Hän hiipii autolle, helikopterille, pois.

-Pitäähän hänen tietää että hän näkyy. Saatko selville mihin hän menee?

-Saan. Se maksaa hieman jos haluamme vain tiedot Thomasin liikkeistä mutta paljon enemmän jos haluat että kukaan ei tiedä että meillä on tiedot hänen liikkeistään.

-Miksi se on niin kallista?

-Sähköistä tiedonsiirtoa pystytään aina jäljittämään. On mahdollista kierrättää tiedot ei-sähköisinä jolloin jäljitettävyys katkeaa. Tiedot tulostetaan perinteisinä kirjeinä ja kir-joitetaan uudelleen käsin eri tietokoneella tai kuvasta otetaan kameralla vino vääräväri-kuva jotta bittikartat eivät ole enää yhteneväiset. On arvioitu että tiedostoja siirretään ny-kyään analogisesti paikasta toiseen satojen miljoonien arvosta vuodessa. Se on täysin näkymätön uusi iso bisnes josta ei paljon puhuta. Informaationpesu. No, me emme sitä tarvitse eikä kohta enää kukaan muukaan. Minä kyselen vähän, panen pari kaveria asial-le.

Kuvassa valkoinen auto katosi metsään, kamera ei seurannut perässä, se pystyi vain kääntämään päätään puunkolossaan, lintu tuli nokkimaan sitä vihaisena.

-Ehkä hän menee lääkäriin? Ehkä murhayritys vei häneltä hermot. Ehkä hän ei pidä leirielämästä. Ehkä hän on teeskentelijä, puuhaa jotakin muuta ihmisten selkien takana. Tai luovutti kun touhu meni liian kovaksi.

-Olisihan hän voinut lähteä hevosella ratsastaen tai taistelurattailla jos olisi halunnut. Mutta tietäväthän ihmiset täällä että tämä kaikki on leikkiä ja poseerausta. Saa rooliasun riisua. On osa esitystä että hän lähtee nöyryytettynä. Mutta kuka tämän draaman esittää ja kenelle, sitä ei voi vielä tarkalleen tietää. On minulla toinenkin tallenne joka voisi kiinnostaa sinua.

-No?

Kuvaruudulle ilmestyi eilisiltainen taistelunäytös, jossa saksalainen ryhmä esitteli ku-vaelmansa tai ennallistamansa esityksen Thermopylaen kuuluisasta taistelusta. Mitä esi-tys täällä teki, se jäi epäselväksi. Tarkoitus oli selosteen mukaan esitellä tiiviin falangin toimintaa irrallisemmassa muodostelmassa taistelevaa vihollista vastaan, mutta persia-laisten esittäjiä ei ollut riittävästi, he eivät muodostaneet ylitallottavaa massaa vaan pa-kenivat ihan oikeasti kauhuissaan tajutessaan ettei falangi osannut eikä pystynyt pysähtymään. Vasta mäntyihin törmätessään kilpien ja keihäiden lukkomuodostelma hajosi nauravien poikien kellahdellessa irti toisistaan.

Kollo kelasi taaksepäin ja zoomasi keskelle taistelua. -Tuo fryygialaiseksi pukeutunut tyyppi tuolla, Kollo sanoi ja osoitti ruutua ja tarkensi kuvaa lähemmäs ja lähemmäs niin että hänen suippokypäräinen yläruumiinsa täytti koko kuvan.

-Mitä hänestä?

-Katso kun hän saa miekasta iskun kylkeensä. Hänen paitansa repeää, mutta siellä alla on toinen paita joka ei anna periksi. Ei milliäkään.

-Tuo musta aluspaita?

-Niin. Sen tunnistaa tuosta sauman punoksesta ja tekstuurista. Se on Naton uusinta grafeenipanssaria. Seitinohutta, kevyttä, joustavaa, hengittävää ja pysäyttää kaiken mahdollisen jäykistymällä timantinlujaksi kun siihen kohdistuu riittävän suuri paikallinen kiihtyvyys. Katso miten hän ottaa iskun vastaan. Ei edes henkeä hauko.

-Mitä se merkitsee?

-Että noita saa ostaa jostain kaupasta tai että ei saa. No ei todellakaan saa. On määritelty kriittiseksi materiaaliksi. Mitkä lie mysteerihämähäkit kutovat tuota.

-Eli?

-Tuo mies on Naton sotilas. Tai siltä ilmansuunnalta.

-Onhan täällä kaikenlaista kyttääjää paikalla. Ei se minua ihmetytä.

-Laservalossa grafeeni tuottaa helposti tunnistettavan sirontakuvion. Huiskin yhden kameran kanssa eilisiltaisissa juhlissa strobovalojen seassa, kukaan tuskin huomasi mitään. Kolmekymmentä tuollaista paitaa löytyi.

-Se on jonkinlainen iskuryhmä. Mutta mitä vastaan?

-Sano sinä. Sinähän se salainen agentti olet.

-Eniten epäilen että täällä on vallanvaihto menossa. Että Thomas on syrjäytetty ja sotilaat ovat varmistamassa ettei levottomuuksia pääse syntymään. Rahamiehet tämän leikin taustalla eivät ole olleet tyytyväisiä häneen enää vähään aikaan.

-Miksi?

-Kai hän on heidän mielestään liian pehmeä, liikaa historiasta ja liian vähän politiikasta kiinnostunut. Ehkä hän on ymmärtänyt tämän itsekin ja suostuu lähtemään.

-Voi olla muitakin syitä.

-Kuten mitä?

-Sanoin vain, että voi olla muita syitä.

-Sano nyt mitä!

-Esimerkiksi miksi tuollainen vallanvaihto pitää tehdä juuri nyt? Se on todella vaarallista näissä olosuhteissa. Ei tuo leiri ole ollut alusta astikaan aivan sitä mitä se esittää olevansa.

-Mitä tarkoitat?

-Heidän suoja-alueensa ulottuu yli kymmenen kilometrin korkeuteen.

328

-Onko se paljon?

-Se on todella paljon. Se on epäilyttävän paljon. Se on valtioiden ja suurten firmojen korkeus. Se kertoo ettei tämä todellakaan ole mikään hippikommuuni. Olemme yrittäneet saada erilaisia valvontalaitteita leirin yläpuolelle, mutta kaikki on pystytty tuhoamaan tai muuten estämään. Heillä on drooneja ja lennokkeja kaikissa korkeuksissa kuin suoraan armeijan ohjesäännöstä. Pallolla teimme ylilennon ensin viidessä ja sitten viidessätoista kilometrissä mutta molemmat sokaistiin. On meillä siellä kameroita ihan maata pitkin vietynä, joka toisessa puussa on joku pikku nappi, yksinkertaisia laitteita jotka vain tallentavat ja jotka käydään myöhemmin hakemassa pois tai jotka lähettävät keräämänsä datansa kerran ja tuhoutuvat. Mutta livekuvaa on vaikea saada, lähetykset peilataan sekunneissa ja minuutissa on joku käynyt tuhoamassa kameran. Siksi meillä on siellä ihmisiä.

-Minulle sellainen nappi jutteli.

-Mitä se sanoi?

-Se minua nuhteli.

-Ei voinut olla meidän vehje se. Omituista. Omituista.

-Minä olen siellä monen lähettämänä, tiedätkö sen?

-Tiedän.

-Eiköhän minulta kohta jo töpseli repäistä seinästä.

-Ei tämä jatku enää pitkään. Ja niin kauan kuin sinusta on hyötyä heille, saat olla rauhassa. Onko sinusta?

-Eiköhän. Olen ihan sukkana siellä. Minulla on siellä leirissä jo valmiit tekstit jotka pitää vain allekirjoittaa. Verellä tietysti kyllä.

-Hah hah, Okei! Ole varovainen.

-Olen.

-Me vähän sinun perääsi katsomme.

Sanoin terve ja lähdin kävelemään kohti leiriä mutta kesken kaiken pelko valtasi minut. Ilman Thomasta ja Lenaa minulla ei olisi enää mitään turvaa kun johtoryhmä alkaisi levitellä vapautuneesti jäseniään. Mutta ei ollut muutakaan mahdollisuutta kuin palata leiriin, antautua pyörteen armoille ja yrittää löytää kurimukseen kurkkuun kadonnut Elsa.

32.

Kävelin järven soista rantaa. Minulla oli sellainen vaisto että vesi antoi turvaa vaikka olinkin nyt varmasti väärässä, tässä oli avointa peltoa vasemmalla puolella parisataa metriä. Olisin aivan avuton ja vailla suojaa jos joku kohti tulisi. Kai pelkäsin metsää ja sieltä lentäviä nuolia, en tiennyt mitä muut suomalaiset minusta nyt miettivät ja oliko heillä edes mitään muuta johtoa tai johtajaa joka pitäisi heidät kurissa kuin kohtaamani kaksi sekopäätä. Siksi menin niin rannassa kuin pystyin. Vastaan tuli pieni rinne jonka päällä oli pellolta kerättyjen siirtolohkareiden kasa jonka ympärillä kasvoi katajia ja heinää. Puiden ja kasan takaa kurkkien näen ensin joukkojen liput ja sitten itse sotajoukon. Tuhat soturia sekalaisissa, polveilevissa riveissään, molemmilla reunoilla kolme taisteluvaunua kiiltävät soturit kyydissään. Hermostunutta liikehdintää paikoillaan, pienet erilliset ryhmät liikkuivat ilman yhteistä ohjausta. Näkee ettei ole mitään suunnitelmaa, ettei missään ole mitään suunnitelmaa. Vastassa ei ole ensin ketään mutta sitten metsän reunasta erottaa pientä liikettä puiden välissä. Siellä olivat kai suomalaisten joukot. Osa oli turkeissa ja muissa muinaispuvuissa mutta melkein puolet olivat ihan moderneissa tuulipuvuissa tai muuten huonosti pukeutuneina ja räikeinä. Oli selvää ettei tilanteessa voitu mitään ennallistumaa esittää, nyt oli puolitosi kyseessä. Metsästä satoi nuolia satunnaiseen tahtiin ja joukot kääntyilivät levottomina kantaman rajoilla tietämättä mitä tehdä. Kukaan ei halua asettua nuolien ulottuville, joukot peräntyvät miten kuten rauhallisesti hortoillen taaksepäin vailla todellista taistelukykyä. Tilanne oli pysähtynyt ja levoton kun metsästä lensi drooni jotakin suurta möykkyä, ehkä pommia allaan kantaen. Kun se lensi ylitseni näin että se oli katkaistu ihmisen pää ja sitten hulmuavista kiiltävänharmaista hiuksista tajusin ja tunnistin kauhuissani että se oli Thomasin irtileikattu pää jonka katkaistusta kaulasta satoi vielä tuoreita veripisaroita. Drooni lensi keikkuen kauhukavahtavien joukkojen editse heille karmeaa kuormaansa ilkkuen esitellen. Kun ihmiset tunnistivat pään levoton liikehdintä ja meteli yltyi. Drooniin yritettiin osua nuolilla ja kuului myös laukauksia. Pian se nousi ylemmäs pariinkymmeneen metriin, odotti dramaattisen hetken ja päästi pään irti metallikourastaan. Kuului epäuskoinen nouseva kohahdus kun pää lähestyi kiihtyen maata mutta maahan osuessaan se kimposikin takaisin ilmaan kuin kuminen pallo mikä se siis ilmeisesti olikin, kuminen 3d-tuloste. Kun sotajoukko ymmärsi erehdyksensä sen ääntely alkoi yltyä raivokkaaksi mylvinnäksi ja karjunnaksi. Irvapilkka oli osunut kohdalleen sillä äsken vielä umpiarka sotajoukko kierähteli hetken paikoillaan ja alkoi sitten uudelleen terästäytyneenä edetä kohti metsää ja nuolenkantamaa.

Lähimpänä minua ja rantaa noin kolmensadan metrin päässä oli mustapukuisia miehiä kuin Akilleuksen myrmidoneja tiiviissä muodostelmassa. Ne erottuvat muista räikeän rauhallisella mattamustuudellaan. Sen täytyi olla sitä paljasta ja nyt paljastettua grafeenia, miten se söikään kaiken valon. Moderneja taistelijoita muinaisten seassa vailla häpeää. Kun muu joukko eteni kohti metsää tämä musta ryhmä erkanee muista ja lähtee marssimaan minua kohti, se näkee minut jollakin elektronisella aistillaan. Olipa hölmöä kurkkia katajien takaa kuin piilosta. Lähden kävelemään kuraisen sänkipellon yli nyt jonkinlaiseksi laihaksi turvaksi muuntunutta suomalaismetsää kohti josta jo satelee nuolia tiivistyvänä rintamana etenevään ja suojautuvaan sotajoukkoon. Nuolet lentävät niin nopeasti ettei niitä näe ennen kuin ne joko kilpistyvät pirstoutuen hyökkääjien suojiin tai onnistuvat osumaan kiljahtavaan uhriinsa. Lähemmäs metsää tullessaan osumien määrä kasvaa ja ensin hetkeksi huutamaan pysähdyttyään joukko aloittaa hallitun, hitaan perääntymisen. Ei ole mitään selkeää taistelua, ei kunniakasta vihollista, vain kasvavia tappioita, ja ainoa järkevä teko on paeta paikalta.

Olen sadan metrin päässä metsänreunasta ja nyt kevyesti hölkäten lähestyvä myrmidonien ryhmä erkanee selkeästi muusta joukosta. Pääjoukko seuraa ihmetellen tätä modernia taisteluyksikköä johon alkaa sataa nuolia metsästä. Nuolilla ei ole mitään mahdollisuutta myrmidonien suuria läpinäkyviä rynnäkkökilpiä ja grafeenipanssareita vastaan. Kun kiihdytän vauhtiani hekin ryntäävät juoksuun ja yrittävät leikata eteeni. Saatan ehtiä metsän suojaan juuri ja juuri, mutta odotan myös nuolta rintaani minä hetkenä hyvänsä, mistä suunnasta hyvänsä. Silloin sotajoukon takaa ryntää renkaat kuraa sutien mönkijä joka ajaa minut kiinni muutamassa sekunnissa. Olen nyrkit pystyssä valmiina hyppäämään sivuun mutta sitten näen että ajaja onkin sama maanviljelijä joka aiemmin riiteli kärrymiesten kanssa salaojasta. Hän pysähtyy renkaat kurassa liukuen eteeni ja sanoo: -Hyppää hölmö kyytiin, jos haluat elää.

33.

Ajamme ensin peltoa pohjoiseen ja sitten lähes umpeenkasvanutta hiekkatietä kilometrin metsän syvyyteen. Autiolta näyttävä talo niin elinkelvottoman synkeässä kohdassa että ei tunnu mukavalta kun maanviljelijä hidastaa sen kohdalla ja ajaa liuskaa pitkin kellariin, hyppää kyydistä ja vetää raskaan metallisen liukuoven perässämme kiinni. Hetki on pimeää, sitten syttyy valo. Maanviljelijällä on ase molemmissa käsissään. Hän osoittaa niillä minua, ei, hän pyöräyttää ne ympäri kädessään ja ojentaa niitä minua kohti ja sanoo:

-Katos näitä Naganeita.

-Mitä ne on?

-Venäläisten upseerien aseita toisesta maailmansodasta. Ja tässä on minun viisi suomikonepistooliani kauniissa rivissä. Deaktivoinnit on kaikista deaktivoitu, hän sanoo ja osoittaa työkalujen yläpuolella katonrajassa olevaa konepistoolien riviä.

-Entäs tämä? Kysyin ja osoitin lattialla pienten suksien päälle asennettua konekivääriä.

-Se on Maksimi sisällissodan ajoilta. No nämä on vähän tämmöisiä.. sukukalleuksia mitä on kertynyt, ja kuolinpesistä. Nuo pystykorvat oli suossa monta sukupolvea, sitä suvussa aina joku äijä vuorollansa jutteli. Oma pikku asekätkentä, isoisän isoisäkö se oli, vai sen isoisä. En meinannut löytää vaikka paikka oli tarkalleen tiedossa, ne olivat vajonneet kahdeksan metrin syvyyteen. Pidetty täällä kellarissa, maanviljelijä sanoi. Tämmöinen näyttely.

-Minä en aseista niin tiedä, sanoin.

-Ei nämä ole hääpöisiä, ei näillä metsästää oikein viitsi. Pystykorvilla pystyisi mutta niistäkin on piiput vähän syöpyneet. Mutta tulepa tänne. Nämä voikin jo sinua kiinnostaa.

Hän ohjasi minut olasta vetäen seinäkkeen taakse jossa oli pieni työkaluvarasto kapeine hyllyineen. Seinällä omassa telineissään oli pronssiset kypärä, rintapanssari, nilkkasuojat ja kilpi.

-Tuolta pellosta ne nousi yksi kevät, routa punki esiin semmosesta pehmeemmästä kohdasta, lähteen notkelmasta jonka turpaa olin vuosikausia yrittänyt tukkia. Oioin sitä vähän suoraksi että sain seinälle laitettua. Kellarin seinälle, kaapin taakse siis.

-Miten te oioitte sitä?

-No mitä, taoin vähän vasaralla.

-Ei muinaismuistoja saa takoa! Vasaralla!

-No tulipahan taottua.

-Se on tärkeä löytö, suuri löytö, sanoin ja haukoin henkeäni.

-Hyvin minä sitä taoin. Näinhän minä ettei ne mitään tavallisia auton pölykapseleita ole. Vähän vaan vääntelin, vai vääntelinkö.

-No, vääntelitkö?

-No, vääntelin. Kypärä murtui siinä hommassa mutta korjasin sen epoksilla.

-Korjasit epoksilla, voihkin otsaani pidellen.

-Niin, nyt sitä pystyy pitämään päässä ihan hyvin. Tein siitä vähän väljemmän. Pienet oli valitettavasti päät ennen muinoin.

-Tiedätkö sinä mitä ihmisen hiki ja ihorasvat tekee pronssille?

-Jumalauta käytä mitään ihorasvoja! maanviljelijä huusi loukkaantuneena.

-Ihossa on rasvaa aina, ihon omaa rasvaa, rauhasista!

-No, sanotaan nyt vaikka näin ettei mene vääntämiseksi: Minä olen niitä paremmin pitänyt kuin moni täällä. Et ehkä halua kuulla enempää.

-Onko sinulla tietoja muista löydöistä tältä alueelta?

-No, sanotaan nyt vaikka näin, että en kerro. Kun olen luvannut olla kertomatta. Muutamia on näitä, kun on rytyssä pellosta tullut, niin rytympään sotkettu ja menemään heitetty. Ei montaa tietenkään. Ja miekkoja, parista olen kuullut, tai muutamasta. Vaivihkaa olen kerännyt tänne mitä olen käsiini saanut. Idea on ettei niistä aleta puhumaan, se on ihan selvä. Jutut menee kieroon nykyään. Alkavat kylillä juoruamaan. Sehän tiedetään ettei tässä maassa näistä maista saa mitään korvauksia jos panevat jonkun pellon tuosta museoksi. Arvo menee isolta alueelta plus tulee partajaakkoa pihaan jatkuvana solkena kuten on nähty nyt kun homma on livenny. Minä olen niitä näitä poiminut ja talteen laittanut, toisin kuin moni.

-Sinulla on tässä varusteet pienelle armeijalle, sanoin ja katsoin ympäri varastoa joka oli historiallisesti mullistava.

-No, pienelle ja pienipäiselle. Kokeile vaikka. Ei ole minulle ainakaan sukua.

Ujutin kypärän päähäni. Ihme kyllä se sopi. Sanoin: -Näiden on tarkoituskin olla tiukkoja, eikä näissä alkujaan edes mitään pehmusteita ollut. Voi mieletöntä, voi mieletöntä!

En osannut kuin huokailla ja olla järkyttynyt. Kääntelin päätäni, toljottelin silmikon kapean raon läpi ympäriinsä hämärässä kellarissa ja mietin että tässäkö oli varsinainen todiste kaikesta tästä hulluudesta? Pääni huojui raskaan kypärän sisällä. Kypärää oli kä-

sitelty monin tavoin asiattomasti, sitä oli hiottu ja kiillotettu ja jokin lakkakin sen pin-
nassa nyt oli.

-No jos kypärä sopii niin puepa säärystimet kanssa ja ota kilpi tuosta telineestä. Koko
sotisopa. Miekkoja on siinä isossa vetolaatikossa.

-Onko täällä peiliä? kysyin kun olin saanut koko varustuksen ylleni. Vähän liian pien-
tä kaikki oli, mutta painoa oli silti yli kaksikymmentä kiloa. Toikkaroin ympäri ahdasta
kellaria hölmö ilme naamallani, heilutin raskasta miekkaa ja mölisin siansaksaisia taiste-
luhuutoja. Kun maanviljelijä otti minusta kuvaa yläkerrasta kuului summerin rääkäisy.
Pelästyin niin että pellit kolisivat. -Mikä se oli?

-Talo on ympäröity liiketunnistimilla. Elikot alkavat liikkua hämärissä. Ammun jänik-
set ikkunanraosta ilmakiväärillä ja peurat jalkajousella. Pari puolimätää omenaa koivun-
oksalla roikkuvassa rapumerrassa houkuttimena. Halvempaa lihaa ei ole! Eläimet ei
mahda mitään, niillä on isot, herkät nenät ja niiden raukkojen polut risteää tässä. Tule
katsomaan, viljelijä sanoi ja kiipesimme ensin portaat kellarista tupaan ja sitten ylös
pieneen makuuhuoneeseen. -Yritä olla kolistelematta! Ne ovat oppineet aroiksi jo.

Mies katsoi hohtavaa tietokoneen ruutua pimeässä huoneessa. -Jahas. Ei ole jänöjä nä-
mä. Siellä hiippaa sitä mustaa miestä. Minulle luvattiin että metsässä piti olla kunnon
sulku mutta pääsivät kuitenkin läpi näin pian. Katso.

Katsoin tietokoneen ruudulla olevaa lämpökameran kuvaa. Puiden takaa vilkkui pu-
naisia päitä. Oranssin ruumiin edessä näkyi rynnäkköaseiden musta siluetti sinivioleteis-
sa käsissä.

-Pojat palelevat, maanviljelijä sanoi iloisesti. -Saat nähdä ettei ne kauaa jaksa tuolla
pensaissa kökkiä. Siellä on kuitenkin meikäläisiäkin vielä jossain.

Olin peloissani. Kai minusta oltiin nyt vihdoin päästämässä viimeisiä vähiä ilmojani.
Näimme ruudulta, miten kolme hahmoa erkani muista ja käveli rauhallisesti kohti taloa.

Ovelta kuului koputus. Kuiskasin:

-Mitä tehdään?

-Avataan ovi, maanviljelijä sanoi ja käveli portaat alas. Hiivin perässä niin hiljaa kuin
haarniskoineni kykenin. Asetuin sormimerkillä naulakkoon piiloon kun maanviljelijä
avasi oven. Sotilas sanoi:

-Matti Susikari?

-Paikalla, maanviljelijä sanoi hötkähtäen kuin hölmö varusmies.

-Onko ollut menijöitä? Etsimme yhtä märkäpukuista miestä.

-Saa tulla katsomaan, Matti sanoi ja asekädestä riuhtaisemalla repäisi sotilaan sisään
samalla paiskaten oven kiinni. Hyökkäsin esiin piilostani ja iskin tasapainoaan hakevaa
sotilasta miekanlappeella kevlarkypärän suojaamaan takaraivoon niin lujaa että miekka
katkesi tylpästi helähtäen. Sotilas romahti onneksi tajuttomana eteisen matolle mutta
minä jäin tuijottamaan hajottamaani muinaismuistoa.

-Voi hiton hitto!

-Älä sure. Haetaan kellarista uusi miekka sinulle mutta ensin mennään maihin, Matti huusi ja veti minut perässään lattialle. Samassa kun rojahdimme tajuttoman sotilaan taakse oven läpi viuhui konetuliaseiden vaimennettuja sarjoja. Ainoastaan puun repeily, säleiden lentely ja luotien sirinät pitkin eteistä pitivät meteliä. Painauduimme litteinä sotilaan taakse jonka ruumis hytkähteli luotien osumista. Huohotin kauhuissani mutta Matti ei. Kun hiljaisuutta oli kestänyt hetken kysyin:

-Sinä kun olet tuollainen yhden äijän armeija niin sano miten päästään täältä pois!

-Ryntäät tuosta suoraan tuonne vastapäiseen ryteikköön kun minä suojaan. On minun laitteistoissa moodi ihmisillekin.

Protestoin hädissäni vastaan. -Niillä on luodinkestävät grafeenipuvut. Katso nyt! Ei mene ammukset läpi näistä kavereista, sanoin ja kääntelin suojanamme makaavaa kommandoa johon muutama luoti oli kilpistynyt. -Visiirikin ja kypärä on luodinkestäviä.

Matti sanoi rauhallisesti: -Tuodaan konekivääri kellarista yläkertaan ja pannaan peli soimaan. Kyllä ne tanssii kun Maksiimi laulaa! On siinä sen verran iskuvoimaa. Jätkät on yhtä mustelmaa vähintään. Jo on kumma jos eivät väistä. Ja puet tämän kaverin ihmekamppeet päällesi.

-Pitäisin kyllä mieluummin nämä pronssikautiset, sanoin surullisena rintapanssariani klähmien.

-Helvetti! Kaunis ruumisko sinua enemmän kiinnostaa?

Raahasin kommandon maata pitkin perässäni eteisestä keittiöön ja riisuin hänen pukunsa vaikeasti rähmälläni maaten. Pelkäsin koko ajan uusia luotien sarjoja ja ties mitä muuta, mutta ulkona oli hetken hiljaista. Nousin kyyryyn ja kurkin ikkunoista nopeasti mitään näkemättä. Lieden päällä kattilassa oli keitetty peruna, otin sen lupaa kysymättä ja söin sen suuhuni. Näin miten pieni lähes äänetön minidrooni lensi ikkunan ohi ja kiersi koko talon ympäri meitä kyyläten. Riisuin itseni alasti ja puin grafeenipuvun päälleni ja hetken sitä ihmeltyäni vedin sen päälle takaisin pronssiset sääri- ja rannesuojat, rintapanssarin ja kypärän. Jotakin uutta ja jotakin vanhaa, olin tyytyväinen. Näytti kuin minulla olisi ollut naisten alusvaatteet villakerraston päällä.

Kannoimme konekiväärin kellarista ylös toisen kerroksen ikkunaan. Jalustaa ei tarvittu; konekivääri kiinnitettiin pöytälampun jalkatukeen. Matti siirsi tietokoneen petaamattomalle sängylleen ja veti työpöytää sivuun niin että konekivääri asettui ikkunan eteen. Silloin metsästä kuului huuto.

-Ari Vuormaa!

-Mitä! Huusin takaisin.

-Tulkaa heti ulos talosta kädet ylhäällä!

-En voi!

-Miksette?

-Oon just paskalla!

-Kolme minuuttia! Sitten tulemme sisään, voimalla, ääni sanoi.

-Okei! Huusin takaisin iloisesti.

-Ei kuulosta hyvältä, maanviljelijä sanoi.

-Ei. Mutta tuolla tempulla sain nuo minuutit meille. Kyllä sanat on halpoja! Nyt se pomo ei kehtaa enää rynniä tänne kun tuli aikataulu luotua, hah! Anglosaksit aina hämääntyy vessajutuista.

-Onko näin?

-On. Germaanit olisivat antaneet vain minuutin. Mikä on suunnitelma? Tästäkö sinä ammut ja minä juoksen ovelta suoraan metsään? Sinähän osut minua selkään jos juoksen tuosta keskeltä!

-Odotas, maanviljelijä sanoi ja veti minut perässään yläkerran käytävän yli toiseen pieneen makuuhuoneeseen. Siellä pyylevä aikamiespoika oli kumartuneena tietokoneen ääreen sormi takoen hiiren välityksellä kuvaruudulla räiskyvän konekiväärin liipasinta.

-Nyt saatana Jouni pelit seis! Matti sanoi ja riuhtaisi pojaltaan kuulokkeet päästä pois.

-Mitä vittua! Jouni kiljaisi naama punaisena. Hän oli täysin uppoutunut peleihinsä ja tuiki tietämätön mitä talossa ja ympärillä tapahtui. Matti sanoi:

-Tule! Saat ampua Suomi-kp:llä! Ihmisiä!

-Mitä helvettiä!

-Nyt ylös siitä! Maanviljelijä huusi ja retuutti poikaansa niskasta ylös. Poika vastusteli mutta könösi itsensä kuitenkin kiroten ja kitisten ylös. -Minä mitään ihmisiä ammu!

-Mitään muuta koko ikäs harjotellu saatana! Etköhän ammu! Ei ne kuole!

-Mitennii ei kuole!

-Hän sanoi että niillä on sellaiset panssarit. Että sattuu vaan, Matti sanoi ja osoitti minua sormella samalla kai vastuun siirtäen.

-Ai jaa. Kuka uskoo.

-Sinä uskot. Nyt tulet. Ollaan nimittäin kusessa joka tapauksessa.

-Tämähän se sitten on syypää, Jouni sanoi ja mulkkasi minua.

Hölinä ja riitely sai minut pelästymään vielä enemmän. Sanoin: -Minun on parempi antautua. Vaikka pääsisinkin pakoon niin teille käy täällä huonosti.

-Eiköhän meille käy köpelösti meni tämä homma miten päin tahansa. Mene nyt, Matti sanoi ja molemmat asettuivat aseidensa taakse, Jouni nojasi rumpulippaan ja mahansa pöytää vasten ja katsoi tyynesti minuun.

Kävelin alas reikäisen ja repaleisen ulko-oven viereen ja tönäisin sen kilvellä auki. Huusin: -Älkää ampuko! Minä tulen ulos!

Metsästä laukesi tulituksen ryöppy. Syöksyin makuulle ja suojauduin kilven taakse mutta luodit eivät osuneet taloon, metsässä oli kiihkeä lähitaistelu käynnissä. Pian kolina, karjunta ja ammunta laantui ja talon luo juoksi sateen kastelema pronssihaarniskainen joukko. Se kääntyi ympäri, polvistui ja laski modernit rynnäkkökilvet tiiviiksi kaltevaksi seinäksi metsää kohti, josta alkoikin nyt kohdistua ensin yksittäisiä laukauksia ja pian yltyvää ammuntaa sotajoukkoa ja taloa kohti. Maanviljelijä avasi tulen yläkerran ikkunasta konekiväärillä ja metsän laukaukset harvenivat ja lakkasivat hetkeksi. Pronssisoturien johtaja karjaisi minulle: -Ari! Heti riviin sieltä! Nyt mennään! Tunnistin huutajan äänen. Se oli Perttuli. Verta valui hänen rintapanssarinsa alta, sade huuhteli sitä hänen paljaita reisiään pitkin pihan vesilätäköihin. -Saatanan Vuormaan äpäräkakarat! Äkkiä, mene toiseen riviin. Meillä on edessä kovemmat kilvet. No niin, pojat! Taas mennään, kolmosella!

Piirittäjät epäröivät ylimääräisen sekunnin nähdessään haarniskamme ja kypärämme kiiltelevän levottomina valokeilojensa sateessa. Otimme kolme tapailevaa, kiihtyvää askelta rintamana eteenpäin ja kun meitä kehotettiin ampumisen uhalla pysähtymään, kyyristyimme, nostimme kilvet eteemme suojiksi ja ryntäsimme juoksuun. Maksimi ja konepistooli ampuivat ylitsemme metsään ja metsä edessämme kipinöi; hetken epäusko ja hämmästys ja pronssi pelastivat henkemme. Huusimme keuhkojemme pohjista. Ammukset kimpoilivat kilisten, kolisten ja siristen kun olimme jo kilvillä törmäten mustien kommandojen päällä ja iskimme raskailla lyhyillä miekoilla ensi-iskut heidän suojiinsa. Painava pieni miekka on myös työntöase, se saa uhrin pois tasapainosta ja kaataa hänet tai sitten viimeistään pysähtymättä etenevä kilpirivi. Miekoilla iskettiin miehet maihin ja käveltiin murskaksi yli, ja niin teimme mekin vaikka ei meitä ollut kahtakymmentäkään. Poljimme nämä ultramodernit sotilaat saappaidenkannoillamme mutaan kuin näyt tuhansien vuosien takaa ja voitimme, juoksimme samaa vauhtia pimeän metsän sisään taaksemme katsomatta.

Jatkoimme juoksua vajaan kilometrin metsätiellä odottavien maastoautojen luo. Miehet heittivät kypärät ja kilvet pickupin lavalle, ahtautuivat autoihin ja ajoivat pois. Viimeinen auto odotti moottori käyden kun Perttulin haavaa sidottiin muutamalla epämääräisellä liinalla. Hän sanoi: -Siihen kului se viimeinen voima. Meillä ei ole leirissä enää ketään, olet yksin siellä nyt. Josko edes uskallat enää mennä sinne. Saatiin tehtyä jo aiemmin päivällä rumahko pino raatoja ja haavoittuneita. Pian se loppuu.

Kun Perttuli nousi irvistäen autoon, kysyin: -Missä Elsa on?

-Kyllä hän siellä leirissä vielä on. Gerhard tietää. Orro ja Marko tulevat saattamaan sinua, Perttuli sanoi ja viittasi kahteen nuoreen poikaan takanani jotka eivät olleet nousseet autoihin eivätkä olleet riisuneet haarniskoitaan ja luopuneet kilvistään. Sanoin kiitos ja lähdimme juoksemaan pimeän metsän läpi kohti leiriä vaimeasti kolisten.

34.

Lähestyessämme Aijalan leiriä Runninmäen yli hikiset ja puuskuttavat saattajani koputtivat olkaani ja kääntyivät sanaakaan sanomatta takaisin kohti pohjoista. Ehdin kävellä tuskin kahta minuuttia johtotelttoja kohti kun Fredrik tuli paperinippu kädessään luokseni kuin tutkan ohjaamana. Hän ei sanonut mitään Thomaksen lähdöstä eikä kommandoista vaan meni suoraan asiaan:

-Hei Ari! Miten sinä vielä täällä olet? Kuulimme että sinulle kävi huonosti.

-Ei, minä voin oikein hyvin, sanoin hikeä valuen. -Mitä nyt tämä uusi haarniska vähän hiertää.

-Keneltä sinä sen sait?

-Löytyi suosta.

-Mistä suosta?

-Samasta mihin te Thomasin poljitte.

-Pidä suusi, Fredrik sanoi suu ohuena viivana. -Se ei ole vielä mikään asia.

-Miksi hänet piti kesken kaiken poistaa? Eikö se ole iso riski.

-Hän oli itse jo suurempi. Oletimme että keskinäinen keskustelunne olisi nostanut teidän molempien energiatasoja mutta kävikin päinvastoin. Sama vika hänessä kuin sinussakin. Luulimme sinua räväkämmäksi. Mikä lie tauti tarttui. Meillä ei ollut kuin muutama vaivainen lause jotka täällä leirissä oli ehdottomasti sanottava ja hän kieltäytyi sanomasta niitä. Sinä et kieltäydy.

-Enkö?

-Me jo ehdimme ohjelmaa muuttaa kun sinua ei alkanut kuulua. Mutta hyvä näin. Tässä on nyt tämä teksti ja se esitetään seminaarissa joka alkaa päälavalla puolen tunnin kuluttua. On kaksi mahdollisuutta: Joko sen tekijä on elossa tai kuollut. Jos hän on elä- vä, hän on mukana keskustelussa ja puhuu halulla näitä lauseita, joita tässä tekstissä on. Jos hän on kuollut, häntä muistellaan ja häneltä löydetään myöhemmin muitakin kirjoi- tuksia, joita on. Meillä on molemmat vaihtoehdot valmisteltu ja molemmat sopivat meil- le yhtä hyvin, kuten ymmärrät. Miltä kuulostaa?

-Eiköhän se kirjoittaja, jos hän on hengissä vielä kymmeneltä, ole siellä seminaarissa, sanoin naama peruslukemilla.

-Hyvä, Fredrik sanoi. -Ja vaihda tuo naurettava haarniska pois.

-Saanko katsoa sitä tekstiä?

-Ole hyvä, Fredrik sanoi ja ojensi paperinipun minulle. Luin sitä hetken sieltä täältä ja sanoin:

-Tämä ei ole enää se minkä viimeksi minulle annoit. Ei ollenkaan.

-Ei. Tämä on viritetty versio.

-Ai kauhea miten huonoa tekstiä! En kestä katsoa! Onko minun pakko lukea tämä?

-Jos haluat tehdä siihen korjauksia.

-Ai minä saan tehdä tähän korjauksia? Eikö se olekaan millintarkan parapsykologisen etäohjelmoinnin lopputulos?

-Saa siihen kieliopillisia korjauksia tehdä. Poistat anglismeja ja muita vieraita ilmauksia, Fredrik sanoi.

-Minä muistan tämän tekstin nyt. Tässä oli joku lause johon en ollut tyytyväinen, lause mitä muistan hioneeni monta kertaa ja silti se jäi hiertämään.. Jos vain löytäisin sen..

-Ehkä sitä ei enää ole siellä.

-Minun ainut vaivalla hiottu lauseeni? Muuten tämä on vain kertaalleen kirjoitettu, tai ei yhtään kertaa.

-Mitä tarkoittaa ettei yhtään kertaa?

-Etten muista tätä kirjoittaneeni.

-Onko sitä muutettu niin paljon?

-Ei, vaan kirjoitin sen alunperinkin jossain kiihkossa, puolitajuttomana, raivosta sekaisin. Ja nyt minä nousen lavalle tarkoituksena kiihottaa teidän uskovaisten laumaanne tällä vielä jyrkennetyllä versiolla. Minä laimentunut, vanhentunut minä. Ja palkasta ei ole vielä näkynyt korvanipukkaakaan, valehtelin.

-Se voidaan järjestää heti, Fredrik sanoi ja näppäili puhelintaan hetken. -Noin. Jos se siitä on kiinni.

-Pettureille pitää aina maksaa etukäteen, etkö sitä tiedä. Entäs sinä, mitä sinun alustuksesi käsittelee? Kysyin ohjelmasivua silmäillen. -"Euroopan alkuhärät ja muut elvytettävät muinaiseläimet", sehän kuulostaa hauskalta!

-Käyn läpi tätä unohdettua mutta kovin kiinnostavaa aihetta. Euroopan visenttien loppumattomat laumat, iäisesti kadotetuiksi luullut! Ne palaavat vielä kerran uljaina laidunmailleen. Meillä oli täällä mukana pieni viiden naudan lauma saksassa 1920-luvulla kehitettyä Heckin alkuhärkää. Heinz Heck risteytti Münchenissä unkarintasankokarjaa, skotlantilaista ylämaankarjaa, murnau-werdenfelsinkarjaa, angelninkarjaa, saksalaista friisiläiskarjaa, podolicinkarjaa ja korsikankarjaa, ja tämä rotu on osoittautunut hyvin elinvoimaiseksi ja geenipankiltaan arvokkaaksi.. Toimme lauman lahjaksi Suomen presidentille taisteluun sisäsiittoisuutta vastaan. Siis suomenkarjan sisäsiittoisuutta vastaan, heh heh! Sehän on aina tällaisten syrjäseutujen uhkana. Toivoimme että muutama suomenkarjan kyyttö olisi ollut sopiva vastalahja mutta vaihtoa ei saatu sovittua. Ja nyt koko tuomamme karjalauma onkin valitettavasti jo syöty, sattuneesta syystä, Fredrik sanoi aidon surullisena.

-Ehkä vaihtoa ei haluttu tehdä. Näkeehän selvästi mitä tuo on. Kohta alatte taas ihmisiä jalostamaan.

-Näkemyksesi on kovin synkkä. Ei ole mitään todellista paluuta, ei kukaan järkevä niin luule. Varsinainen tarkoitus on tehdä ihmistä iloisia ja energisiä, virkistää heitä ja varsinkin heidän matavaa mielikuvitustaan. Mikä voisi olla arvokkaampaa näinä synkeinä aikoina, Fredrik sanoi vilpittömin silmin.

-Juuri samaa mitä Hitler ja Stalin tekivät. Vetivät vieterit kireälle ja päästivät lelut irti. Seuraavaksi tapatte kaikki kanit.

-Mitä?

-Natsithan suunnittelivat niiden tappamista koko Saksan alueelta koska eläin ei ollut riittävän heroois-germaaninen. He luopuivat suunnitelmasta koska se oli mahdoton toteuttaa, eivät mistään muusta syystä. Samoin oli tarkoitus risteyttää uuseloon sukupuuttoon kuollut eurooppalainen leijona ja sitä olisi sitten siemennetty ympäri mannerta ja niiden kanssa nuoret arjalaisuroot olisivat nujakoineet Ala-Alpeilla nakuina kuin spartalaiset konsanaan. Ette ole tajunneet pitää savuverhoa näiden eläintarinoidenne edessä; kuvittelet ne keveiksi mutta ne paljastavat symmetrian. Ja teidän lapsiapuohjelmanne on kuin kopioitu Lebensbornista! Väitäpä vastaan!

Fredrik pidätteli raivoaan vaikenemalla ja hymyilemällä lempeästi kuin kuka tahansa kunnon reformikristitty. Minä jatkoin:

-"Ne olivat eri ihmisiä kuin me" sanoo saksalainen natseista, mutta kaikki muut historian suurhetket ovatkin ihme kyllä kuin omaa lihaa, ja kun ruotsalaista haastaa historian pimeistä pisteistä on vastaus lähes sama, "se oli silloin, aika oli eri, ihmiset olivat erilaisia, tuo ei päde enää, kyse oli ajasta ja aikakaudesta, ei meistä" mutta seuraavassa unelmassa mennäänkin jo viikinkilaivan kannella ja miekka viuhuen pitkin Eurooppaa. Kun katsoo minkälainen tarina näistä teidän länsivalehtelijoiden nyppyrusinoista kunakin hetkenä syntyy, niin ei se mikään tasainen tositarina ole. Kauheinta on että tämä mitä nyt teette ei ole niin erilaista mitä joka hetki tapahtuu. Näin on aina tapahtunut.

-"Historia on yhdessä sovittu satu", sanoi Napoleon aikoinaan ja kirjoitutti Korsikan syrjäkylillä mökkipahasissa kyyhöttäneistä tädeistään ja mummoistaan kuninkaallisia esiäitejään. Historia nähdään ja tehdään aina nykyhetkestä käsin ja voittaja hallinnoi sitä. Joinakin erikoisina hetkinä kun voittaja ei ole vielä selvillä kamppailu tapahtuu myös historiaa kilpaa kirjoittamalla. Kuten nyt, Fredrik sanoi.

-Älä sitten luule ettei sinun nykyhetkesi iske silmään aika erikoisena viritelmänä, ja sinun historiasi myös.

-Jos saan huomauttaa, meillä ei ole mitään riitaa, sinulla ja minulla, Fredrik sanoi niska jäykkänä.

-Minulla olisi ollut uusi teksti teille. Ihan asiallinen ja hyvä, hauskakin, sanoin.

-Ei meitä enää sellaiset kiinnosta. Nyt otetaan irti se mitä vehkeistä lähtee. Ala tulla, lava on täällä päin.

-Tulen kohta perästä. Saatan myöhästyä hiukan. Minulla on tässä ensin pari pientä asiaa, sanoin ja ryntäsin Gerhardia ja johtotelttoja kohti Fredrikin vihaisesta ilmeestä välittämättä.

Johtoteltan vieressä oli pienempi teltta, jossa olivat tiedotusosasto ja Vesireitin toimitus. Kävelin teltan oviaukon ohi ja kurkistin sisään. Kuvaruudun ääreen kumartunut nuori nainen piirsi keskittyneenä sarjakuvaa. Kävelin hänen taakseen. Kuvassa Odysseuksen öinen iskujoukko värjötteli lumisateessa kilpiensä alla. -Mihin tämä tulee?

-Seuraavaan Vesireittiin. Olen vähän myöhässä. Tuolla on taitto valmiina jo, tyttö sanoi Yskähtäen ja vinkkasi niskallaan syvemmälle telttaan, missä graafikko naputteli väsyneesti ruutua sylissään. Molemmilla oli köyhäinkaavut tavallisten vaatteiden päälle vedettynä. Vasta pitkän ajan jälkeen graafikko huomasi minut seisomassa vierellään ja käänsi päätään pari senttiä mutta piti silmät kiinni työssään ja kysyi synkeänä:

-Et satu olemaan autolla täällä? Pitäisi päästä helvettiin tästä hullujen pesästä.

-Valitettavasti olen veneellä.

-No kyllä sekin kelpaa.

-Siihen ei mahdu. Teetkö uutta herätyslehteä? Kysyin ja kumarruin katsomaan ruutua.

-Joo. Oli menossa jo painoon kun piti poistaa yksi iso artikkeli. Ihan yhtäkkiä. Millä ne luulee että paikkaan kolme ja puoli aukeamaa puolessa tunnissa? No, "tunnelmia leiriltä", siitähän saatte saatana, kuvareportaasi kuvareportaasien välissä. Kaikki näkee sen reiän, arvaa että jotain on siitä otettu pois, ihan hirveän näköistä, ei mitään rytmiä, ei mitään dynamiikkaa. Ketä kiinnostaa. Mä lähden just nyt menemään täältä.

-Mikä artikkeli piti poistaa? Näytä.

-Kuka sinä olet?

-Ehkä minä olen se mikä poistettiin. Näytä nyt, minusta piti olla artikkeli siellä, sanoin ja kumarruin lähemmäs.

-Oletko se suomalainen sekopää, Aki Vuormaa? Sinähän se olet, sinua se poistettu juttu käsitteli, hah! Mutta siinähän sinä vielä olet.

-Mitä tarkoitat?

-Että muka et tullut tänne, että.. olit jo.. aiemmin kuollut. Näin minulle sanottiin. Että artikkeli oli siksi vanhentunut.

-Mitä sinä höpiset? Sinähän näit sen jutun jos sen kerran poistit. En minä siinä ollut kuollut, enkä tässäkään kun sinulle puhun, mitä, vai olenko?

Aivoni kiehuivat. Mitä tarkoitti tuo kuolleena olo? Äskenhän Fredrik käski minua symposiumiin. Olisiko minut muilutettu siinä metsäpolulla matkalla esiintymislavalle? Saatana! Nyt tämä menee kovaksi. Nyt on iskettävä, aikaa ei enää ole. Käänsin niskaani vinoon ja katselin miten graafikko latoi kuvia ja tekstejä digitaalisille aukeamille samalla kun sanoi:

-Et. Tiedänhän minä että täällä tapahtuu mitä tapahtuu, näen miten jutut taipuvat tuulessa. Minä lähden täältä pois kunhan saan nämä kolme aukeamaa valmiiksi. Tanssia ja taisteluita, pimpeli pom.

-Minulla olisi tässä uusi juttu sinulle sinne aukkoon, sanoin ja kopautin kännykkääni pöytälevyyn hänen koneensa vieressä. -Taitat se sinne takaisin. Ohjeet ylemmältä taholta. Päivitetty versio.

Graafikko katseli materiaalia ruudullaan. -Tämä teksti on sopivan mittainen. Saan tämän minuutissa paikoilleen. Minulla on vanhat kuvat vielä tallessa.

-Vanhat kuvat sopii hyvin. Sinä todella laitat sen sinne?

-Laitan. Kun sattui olemaan sopivan mittainen. Ja sitten lähden menemään.

-Se on varmasti hyvä idea, sanoin ja hymyilin. Katsoin kuinka tekstini levähti taittoon ja kuinka graafikko poimi roskakorista vanhat kuvat takaisin paikoilleen. Ilias ja Kalevala, vihdoin ikuisesti yhteen naitettuna, luki otsikko. Katsoin komeaa kuvaa minusta jota en muista koskaan otetun kunnes taittaja käänsi aukeamaa ja jatkoi elementtien asettelua kuin mitään ihmeellistä ei olisi tapahtunut. Kysyin: -Etkö lue sitä artikkelia?

-En minä koskaan niitä lue. Eivät ne ole minun vastuullani. Toimittajat oikolukee. Paitsi nyt eivät ehdi. Otsikko pitää kyllä lyhentää. Mitä jos se olisikin vain "Turhaa ja surullista?" Olisi iskevämpi ja herättäisi mielenkiinnon.

-Sopii minulle, vastaa paremmin uuden jutun sisältöä, sanoin hymyillen. Graafikko vaihtoi otsikon ja suurensi suuren panoraamakuvan koko aukeaman kokoiseksi. Ankea kuva tappiollisesta taistelukentästä Kirkkojärven rannalta muutama tunti sitten, otsikko mustalla harmaata taivasta vasten. Hienovaraisesti teksti ja kuva kääntyivät alkuperäistä tarkoitustaan vastaan ja huteroittivat lukijan ottamaan vastaan seuraavan aukeaman tekstihyökkäykseni. Sanoin ihmeissäni: -Sinä teit tuon nyt, tässä, sekunneissa? Ihan mahtavaa.

-Voiko tästä tulla minulle ikäviä seurauksia?

-Minä maksan sinulle.. näin paljon, sanoin ja näytin tilisiirtoa kännykässäni ja kopautin taas pöytää.

-Aikamoinen raha. Minultako henki nyt sitten lähti. Hitto. Montako tuntia tätä elämää enää.

-Ei lähde henki. Mutta lähdet heti pois kun lehti on mennyt jakeluun, varmistat sen vielä. Puolessa tunnissa pääset metsien kautta niin kauas ettei kukaan saa sinua enää kiinni. Minä näytän sinulle hyvän reitin. Tämä paikka hajoaa minä hetkenä hyvänsä, ei kukaan ehdi sinua kaivata. Eikö ole hyvä raha, mitä?

-On, on.

-Riittääkö se?

-Riittää riittää.

-Sanoit itsekin olevasi jo lähdössä. Keksit jotain muuta tekemistä loppuelämäsi ajaksi, sanoin ja seurasin vierestä kun graafikko teki vielä muutamia säätöjä eri ikkunoissa ja sanoi: -No niin, sinne meni.

Hän sulki tietokoneensa, kaappasi sen reppuunsa yhdellä liikkeellä ja nousi seisomaan ja käveli teltan oviaukoille ja kääntyi katsomaan minua. -No, näytä se polku pois täältä.

35.

Kävelimme graafikon kanssa koilliseen. Vastaan ei tullut ketään, välttelimme telttoja ja polkuja, menimme metsän rumista kohdista ja peurojen punkkipainanteista. Kilometri kuljettuamme näytin loppumatkan kartasta ja merkkasin pysäkin paikan hänen kartalleen, bussisaattue pysähtyisi siellä parin tunnin päästä. Hän katosi tervehtimättä metsään ja minä käännyin takaisin leiriin.

Käveltyäni hetken takaisin ja päästyäni jo lähelle telttoja Interpolin Susan Wilt lähestyi minua ripeästi. Menin puiden taakse piiloon mutta hän oli huomannut minut tai sitten hänellä oli jokin esoteeritutka päällä. Käännyin juoksuun mutta sitten hän huusi selvällä suomenkielellä ja tutulla tupakankäheyttämällä äänellään: -Ari! Pysähdy, odota!

Tarkemmin katsottuani näin että se olikin Pr pukeutuneena reisipuristelijan monikertaiseen rehumekkoon. Seisoin hölmistyneenä paikoillani ja odotin kun hän puhisi keikkuen raskaassa varusteessaan ylös loivaa rinnettä ja purskahdin nauruun. -Oletpa sinä komea noissa vetimissä! Olet löytänyt vihdoin sisäisen druidisi!

Hän oli vihainen ja sanoi:

-Mikäs pöheikössä koliseva Akilleus itsestäsi on kuoriutunut?

-Nämä nyt on tämmöiset vainovaatteet vain. Mutta minä tunnistan sinun mekkosi. Tiedän keneltä sinä olet sen lainannut. Oudoksi muuttuu viaton kysymys: Mitä sinä täällä teet? Vaikka tuskin sinä nytkään kykenet totuutta kertomaan.

-Olen tutkimassa nälänhätää täällä leirissä, että onko se todellinen vai ei. Että tarvitaanko niitä laivoja oikeasti vai mistä siinä on kyse. Valvon niiden tulemista kun siellä on kuulemma yksi sotalaivakin sekaan sotkettu. Virallisesti olen paikalla antamassa valtion virallisen, ystävällisen tervehdyksen korkeille helmaherroille täällä.

-Miten se on mahdollista?

-Vihamielisen tervehdyksen antaminen on paljon vaikeampaa. Sen minä mieluummin antaisin. Mutta näin on nyt nähty hyväksi.

-Miksi sinä?

-Minä olen parhaimman näköinen. Siis näissä vetimissä. No, jos totta puhutaan, niin täällä neuvotellaan isoista asioista.

-Myönnä että Elsan katoaminen liittyy sinuun ja sinun touhuihisi, sanoin rauhallisesti ja kun Pr ei vastannut mitään jatkoin: -Sinä syytit minua hänen vaaraan saattamisestaan, sotkemisestaan, mutta sinähän se alkuperäinen sotkija ja syypää olet, sanoin lopulta raivosta kihisten. Pr katsoi maahan ja sanoi:

-Hän tuli tänne omia aikojaan ja polkujaan ja pilasi kaiken, antoi ottaa itsensä kiinni kuin heinikossa pomppivan kaninpoikasen. Neuvottele siinä sitten, panttivankia vastaan. No, ei hän tiennyt kaikkea.

-Mistä te neuvottelitte?

-Arvaat etteivät neuvottelut voineet koskea mitään tavanomaista. Että kohteena on jotakin kovaa, todella kovaa. Miksi luulet että puhuisin noiden hullujen kanssa mistään ellei olisi pakko, mitä voisi olla voitettavana? Osaatko arvata? Oli syypää kuka tahansa, ymmärrät että minulla ei ole ollut täyttä vapautta puhua ja liikkua. Minä en tässä tilanteessa kyennyt puuttumaan Elsan asiaan ja siksi annoin sen sinulle hoidettavaksi.

-Vai niin, kovin kaunista, sanoin.

-Tämä on valtioiden projekti. Tässä on kerroksia kerrosten päällä. Meille sanottiin suoraan, ylimmältä taholta: "Älkää suututtako heitä". Kun puhuin kollegoilleni tästä kävi ilmi että kaikkiin oli otettu yhteyttä, kovia ja kovempia sanoja isketty kaikkien eteen, tarjouksia ja uhkauksia tehty, silmät pälyilivät jokaisella kun asiasta päätettiin. Lars Jakobsen sanoi että hänen perheensä oli kidnapattu jo Helmikuussa mutta käskin hänen olla hiljaa. Lyhytaikainen vuokrasopimus, käsittämätön summa rahaa ja ruoka-apua niin että saatoimme hetken huoahtaa. Oli lopulta helppo tehdä päätös, todeta leikin viattomuus. Näkeväthän kaikki mikä naurettava pikku leikki tämä on.

-Ei ole pieni. Ja kuka nauraa, en minä.

-Niin. Tämä on ihan todellinen uhka tämä leiri. Sinä suututit kaikki joiden kanssa neuvottelimme, sotkit koko herkän jutun, ja Elsa. Ja metsissä könyävät suomalaiset. Kuka ne yllytti, kuka niitä johtaa, kuka niille oli viinat ostanut?

-Perttuli.

-Se sika!

-Hän se on kyllä laaja-alainen kaveri! Mutta ei nyt kai sentään sika.

-Tapan sen kiittämättömän koiran kun kotiin päästään! Minä olen hänestä miljonäärin tehnyt.. miksi hän minut näin törkeästi petti?

-Mikäs itse olet? Kuulin että tunsit Thomasin jo ennestään.

-Kuka niin sanoi.

-Kansanrunous.

-Jaha. Näin uutisista että hän lähti. Keuhkokuume muka.

-Että se niistä neuvotteluista sitten, sanoin.

-Niin. Nyt aika on lopussa, he tulevat voimalla, ottavat minkä haluavat.

-Mikä se on?

-Kysy veljeltäsi, Pr sanoi, istui sammaleiselle kivelle ja kaivoi helmoistaan tupakoita.

-Ismolta?

-Sinun veljesi vetää tätä sirkusta. Yhdestä saatanan narusta.

-Ismo? Mitä sirkusta?

-Kaikki tämä, ja sinä siinä seassa myös. Älä teeskentele ettet tiedä mitään. Etkö todellakaan tiedä mitään? Tämä on savuverho. Tämä koko leiri on Troijan hevonen.

-Tiedän että hän on tehnyt tutkimusta puolustusvoimille. Siitäkö on kyse?

-Mutta hän ei varmaankaan kertonut siirtäneensä vuosien ajan kriittisiä tutkimustuloksia salaa omaan yhtiöönsä. Tätä me omistajat emme tienneet. Hän on samalla ajanut Patria Avianoxin tutkimusyksikön niin pahoihin maksuvaikeuksiin että meidän oli pakko ottaa yhtiö lopulta haltuun ja myydä se. Hän teki sen tahallaan; myyntiin liittyvissä selvityksissä kävi ilmi että yhtiöltä oli viety kriittistä teknologiaa ja oli jo liian myöhäistä perua kauppaa, joka paljasti ostajille mitä oli tapahtunut. Emme kylläkään osanneet odottaa näin massiivista aggressiota, tällaista täyttä maihinnousua heidän taholtaan.

-Kenelle olitte myymässä?

-Kenelle tässä maailmassa nyt kriittistä teknologiaa myydään. Isoille pojille merien taakse. Tulivat kovin, kovin vihaisiksi kun leipään olikin leivottu kivi. Jos tiedät, missä veljesi on olisi hyvä kertoa se nyt heti.

-Miksi kertoisin.

-Veljesi käytös oli se varsinainen syy miksi näin kävi. Hän se minuun yhteyttä otti ja lainasi monet kerrat törkeät summat rahaa arvottomia osakkeittaan vastaan jotka sitten vielä piilotti kun niitä olisi tarvittu. Jos hän olisi kysyttäessä rehellisesti vastannut mitä oli tekemässä ja jo saanut aikaan tilanne olisi ollut vielä pelastettavissa. Olisimme ehkä voineet suojata häntä ja jättää sinutkin rauhaan.

-Hän kuoli, viikko sitten, sanoin.

-Mitä?

-Ohjusiskussa Inkoon mökillemme.

-Älä valehtele. Meidän tietojemme mukaan hän selvisi siitä.

-Ehkä tietonne ovat vääriä.

-Ehkä sinun tietosi on väärä. Kuka ne väärentäisi.

-Joku joka haluaa jatkaa neuvotteluja veljeni nimissä. Sinä.

-Neuvottelut on neuvoteltu, ne ovat ohi. Ellei häntä pian löydy.

-Mikä sinun asiasi sitten on.

-Pitääkö toistaa. Missä veljesi on. Etsi hänet.

-Eikö se enää olekaan Elsa mitä tässä etsitään? Ei koskaan ollutkaan.

Pr ei vastannut. Meidän molempien kasvot olivat jo aivan kurtussa. Kysyin:

-Mitä veljeni on teidän mielestänne sitten saanut aikaan? Onko siitä jokin yksimielisyys? Miksi moinen salamyhkä?

-Minä en niitä asioita ymmärrä vaikka joku minulle juurta jaksain selittäisi. Nanoja ja mitä lie junttikvantteja, ihan sama! Mutta jos saat häneen yhteyden, en tiedä, pian, nyt heti.. ehkä on vielä mahdollisuus, joillain ehdoilla, jatkaa neuvottelua. Aikaa ei ole enää kuin.. tunteja. Se laiva, ne laivat..

-Pienikin vinkki hänen sijainnistaan niin tulisi taas kärrylastillinen ohjuksia niskaan, sanoin tympeänä ja pummasin Pr:ltä tupakan. Istuimme hiljaa vierekkäin kolmen henkosen ajan. Ilta oli sateen jäljiltä hetken kirkastuttuaan nyt ehtinyt jo alkaa taas hämärtyä. Pieni iltakirkkaan pälmähdys.

-No mihinkäs sinä olet noin hienon näköisenä menossa? Pr sanoi ja kopautti haarniskaani.

-Minä, minähän olen myös menossa neuvottelemaan, tietenkin. Minulla on ihan omat neuvotteluni, sanoin ja nostin miekkani ilmaan.

-Hyvä. Mutta jätä miekka pois.

-En jätä. Tällä neuvotellaan nyt. Halkaisen pari kaveria, katson onko ne nielaiseet Elsan, sanoin ja pyörittelin miekkaa ensin ilmassa ja sitten viilsin ilmaa Pr:n naaman edessä.

-Jätät! Pr sanoi ja tarttui miekkakäteeni ja yritti vääntää miekkaa irti kädestäni.

-Helvetin eukko, sanoin ja riuhtaistuani miekkani vapaaksi napautin kahvan päällä puolihuolimattomasti Pr:ää ohimoon. Hän kaatui ja kieri rinnettä alas kunnes töpsähti mäntyä päin ja jäi kaksinkerroin sen runkoa vasten nykimään ja voihkimaan.

36.

Huvitti että sain kävellä kolisevassa haarniskassani huomiota herättämättä ruokailu-
teltan kulmalle asti jossa vartija vasta pysäytti minut. Hän katsoi minua ylhäältä alas ja
sanoi:
-Ihan aitoa pronssia sinun pukusi. Siinä on vain vähän väärää tyyliä. Oikeissa puvuis-
sa ei ollut tällaisia hapsuja sivuilla.
-Ai jaa, sanoin, ja löin häntä miekan lappeella ohimoon niin että hän lensi turvalleen
kuraan ja jäi sinne. Katselen hetken nouseeko hän vai ei ja suljen sitten silmäni hetkeksi.
Että ne tottuisivat pimeään johon astuisin kohta.
-Kamerat pyörimään, sanoin hiljaa itselleni. Painoin pääni alas, nostin pyöreän kilven
ylös, keräsin kolme askelta vauhtia ja ryntäsin vauhtiin.

Heti sisempien ovenliepeiden alta päästyäni säteet alkavat etsiä silmiäni ja kun eivät
niitä kilven takaa ja panssarin alta tavoita sinkoilevat ne ympäri haarniskoitua kehoani
raoista paljasta ihoa etsien mutta alla olevasta grafeenista sateenkaariksi siroten. Isken
raskaan pronssimiekan ensimmäisen vartijan suojattuun kaulaan poikittain niin että ru-
sahtaa ja hän vaipuu maahan uristen. Seuraavaa pistän kasvoihin, poskesta läpi syvälle
nenäonteloon, isku ei ole tappava mutta kai ällöttävän kipeä ja hän menettää tasa-
painonsa ja kaatuu hallitsemattomasti selälleen, polkaisen hänen päätään että saan
syvään juuttuneen miekan riuhtaistua irti poskesta juostessani hänen ylitseen kohti
huoneen takaosaa. Luoti tulee ja osuu kypärään, kimpoaa, säteet viuhuvat ja siroavat
sädekaariksi ympäri huonetta, tiukka metalli pääni ympärillä kuumenee, hikeni sihisee
höyrynä sitä vasten. Isken asemieheltä rynnäkkökiväärin kädestä ja käden käsivarresta,
huuto alkaa ja huudan itsekin ja moni huoneessa olija painuu syrjään ja maihin tai
liepeiden alta pakoon. Olen iskemässä ensimmäistä laseria murskaksi kun toinen saa
takakulmasta kypärän silmikon reunasta säteen hetkeksi kimpoamaan silmiini ja
sokaistun, menen pitkin huonetta sokeana riehuen ja huutaen niin lujaa ja hulluna kuin
pystyn. Isku päähän takaa, pää tai kypärä räsähtää halki, kierin lattialla hetken sekaisin
mutta en menetä tajuntaani. Huidon miekalla puolelta toiselle, kaadan pöydän ja osun
johonkin pehmeään, nousen ylös, joku kiljuu jaloissani kun kävelen hänen ylitseen.
Nostan miekkani ylös ja tunnen ranteessani säteen polton josta päättelen laitteen

348

summittaisen suunnan ja ryntään sitä kohti kohta palava jakkara kilpenäni ja isken viimeisen laserin alas. Silmäni näkevät hämärästi taas jotakin, ihmisiä ryntäämässä kyyryssä ulos teltasta, voihketta ja kieriskelyä lattialla. Haistan oman palaneen lihani käryn mutta pronssi, grafeeni ja puu ovat pelastaneet henkeni. Kävelen kaatuneen pöydän luo, käännyn valtaistuinta kohti ja kaivan ja revin sen taakse kyyristyneen Gerhadin miekkani terän eteen. Painan miekan murtunutta tylppää terää syvälle pehmeään ihoon hänen leukansa alla. -No, sanon. Missä Elsa on?

-Sairastelttojen takana on matkailuauto. Hän on matkailuautossa. Saat rahaa jos..

Olen kahden vaiheilla. Jos miekka olisi ollut ehjä.. isken häntä nyrkillä ohimoon ja hän vaipuu jalkoihini ja oksentaa samalla. Kiroan sotkua. Teltta on tyhjä. Poimin haljenneen pronssikypärän kappaleet ylös, katson niitä kaksi sekuntia haikeana, sisäpuolella on stanssattu teksti Made in China. Purskahdan irvinauruun. Heitän palaset menemään ja kierähdän liepeen alta ulos pimenevään iltaan ja juoksen kohti sairastelttaa savuvana perässäni. Joku minussa kytee vielä.

37.

Kierrän sairastelttoja, en näe mitään autoa. Hiki virtaa silmiini. Tajuan viime hetkellä epätoivon jo kuristaessa kurkkuani että ringissä olevien neljän pitkänomaisen teltan keskelle jää tyhjä tila. Leikkaan metsänpuoleisen teltan ulkoseinän miekalla auki, kävelen voihkivien ja tajuttomien potilaiden välistä teltan sisemmälle seinälle ja viillän senkin auki. Matkailuauton valkoinen kylki on suoraan edessäni. Vai onko se valkoiseksi maalattu panssariauto. Astun viillosta suljetulle sisäpihalle jonka auto täyttää lähes seinästä seinään. Molemmilta puolilta ryntää mustapukuinen kommando kimppuuni. Astun vasemmanpuoleista vastaan ja isken katkenneen miekan hänen kaulapanssariaan vasten, hän lentää iskun voimasta selälleen maahan. Sormet rusahtavat. Toinen erehtyy tekemään latausliikettä ja ehdin hänen luokseen ennen kuin hän ehtii nostaa asettaan.

Matkailuauto on suuri, lähes bussin kokoinen. Matkustamon ovi on lukossa, kampean sen miekalla auki.

Sisällä on hämärää, paneeleissa vilkkuu valoja. Desinfiointiaineen ja lääkkeen hajua, siinä kaikki. Availen ovia ja luukkuja, mitään ei paljastu. Makuuhuone perässä tyhjä, ylhäällä etusängyssä ei edes patjaa vaan pahvilaatikoita täynnä sidetarpeita. Alan hermostua. Aikaa ei ole, tässäkö tämä oli? Näin pitkälle pääsin, enkä mihinkään.

Aloin huutaa. Huusin ja riehuin niin että koko auto heilui. Hakkasin miekalla keittiökalusteita ja sänkyä ja pöytiä, rikoin ikkunan ja lampun, menin ohjaamoon ja hakkasin mittaristoa ja penkkejä ja karjuin ja itkin.

Ovi aukesi ja lääkäri ryntäsi sisään.

-Hullu, lopeta! Hän sanoi ja painoi oven vieressä olevaa sormenlukijalevyä. Koko keittiöryhmä ja niihin liittyvä pöytäryhmä nousivat hitaasti puoli metriä ylös ja niiden mukana liukui esiin himmeästi valaistu pehmustettu turva-alkovi, jossa Elsa makasi. Lääkäri kumartui katsomaan häntä, kokeili pulssin ranteesta ja nousi ylös. -Hän on kunnossa.

Tartuin lääkäriä kauluksesta kiinni. -Tiedätkö mitä seuraavaksi tapahtuu? Kerrot totuuden, nopeasti. Olette pitäneet Elsaa täällä lääkkeillä tajuttomana. Oliko se koko tarina magneettihuumeesta valetta?

Puhuessani tein pari hidasta askelvaihtoa jotka taistelulajien harrastaja olisi tunnistanut mutta lääkäri ei tehnyt elettäkään suojautuakseen.

-Ei ollut. Mutta täällä leirissä on lisäksi ilmaan sumutettu psykoaktiivisia aineita ja aineiden yhteisvaikutus saattoi aiheuttaa tämän. Tämä ei ollut täysin hallittua. Ja olen minä Gerhardin käskystä sedatoinut häntä hieman pitempään kuin olisi ollut tarpeellista. Suostuin koska menettely ei ollut täysin vailla lääketieteellisiä perusteluja.

-Kuinka pian hän voi herätä?

-Kahdesta neljään tunnin kuluttua siitä kun tippa otetaan pois. Hän on nukkunut pitkään, hän on hyvin heikko toki.

-Aiheutuuko hänelle tästä pysyviä vaurioita?

-Tuskin. Ei.

-Hän ei ole ollut hengenvaarassa?

-Ei.

Lyön lääkäriä leukaan viistosti alhaalta niin että pää vääntyy ja tärähtää tajuttomaksi, hän lyyhistyy polvet lonksahtaen alas. Otan hänestä syliotteen ja asetan makaamaan lattialle Elsan viereen, irrotan tipan Elsan kädestä ja pistän sen lääkärin käteen suunnilleen samaan kohtaan missä se oli Elsalla ollut ja avaan letkun hanaa isommalle.

Katson kuihtunutta Elsaa, kuuntelen hänen olematonta hengitystään. Vedän hänet alkovista beigelle kokolattiamatolle. Ohuen värinen iho, ohuet ranteet, suupielissä kuivunutta kuohaa. Naarmuja ihossa kuin merkkejä. Kuin näkisin lihan ja luun hänen ihonsa läpi. Pala nousee kurkkuuni kun silitän häntä. Tuttu iho, tuttu liha.

-Elsa.. anteeksi.. minun typerä seurani.. vaikersin ja pidin häntä kädestä kiinni. Käsi oli pieni ja viileä, painoin pääni sitä vasten.

Käärin Elsan allaan olevaan isoon villapeittoon ja heitän hänet olalleni ja kävelen ulos autosta ja teltan läpi kohti rantaa ja kysyn ääneen: -Siri, missä olet? ja ihmeellisesti hän vastaa, omalla äänellään: -Lataan akkuja muutama sata metriä kajakista etelään.

-Pystytkö telakoitumaan siihen?

-Saatan juuttua kaisloihin jos yritän. Yritänkö?

-Yritä. Jos onnistut, aja rantaa pitkin itään pari sataa metriä.

Pian Siri soitti. -En päässyt kajakille.

-Selvä, vastasin. Jää odottamaan siihen lähistölle. Tulen pian.

-Selvä.

-Pystytkö olemaan kertomatta tästä kenellekään? Tässä on monien henki kyseessä.

-En voi luvata mitään. Kyllä minä lupaan.

Kaislat raapivat kajakin kylkiä äänekkäästi kun työnsin sitä kaislikosta esiin. Siri tuli heti ja telakoitui vaimeasti naksahtaen hahloonsa veneen pohjassa. Elsa liikahti, näin hänen rintansa kohoilevan. Hänen silmänsä aukenivat ja hän käänsi päänsä minua kohti kuin talviunesta heräävä matelija. Hymyilin hänelle likaisen muovin läpi mutta hänen huulensa liikkuivat äänettöminä, hän halusi sanoa jotain. Avasin solmitun aukkopeitteen ja ponnistin itseni ylös mutapohjasta aukon reunalle, avasin kajakin takakannen ja katsoin häntä. Maailma oli painanut silmät syvälle kuoppiinsa. Katsoin meitä katsomassa toisiamme, kaikkea vanhaa vaikeutta mitä välissämme oli ollut ja mikä katosi kun painoin suuni hänen ohimonsa hiuksiin.

Elsa sanoi kuin hengästyneenä: -Minä.. yritin tulla sinua kohti.

-Niin, sanoin.

-Mutta sinulla oli sinun hullunmyllysi.

-Niin, en huomannut mitään. Olen juuri niin huono kuin mies voi olla. Mutta olisin minäkin yhtä tarvinnut sinulta.

-Mitä?

-Armoa, sanoin pää painuksissa.

-Mitä tarkoitat?

-Ettet olisi tuominnut minua.

-En, hän sanoi viimeisillä voimillaan, pettyneenä. -En minä sinua tuominnut.

-Vaadit kaikkea mitä mieleen juolahtaa.

-Minä olen ihan oikeasti kuolemanväsynyt, Elsa sanoi ja sulki silmänsä.

-Sittenhän tämä voisi olla tasaväkinen keskustelu. Minäkin olen kuolemanväsynyt.

Elsa kamppaili tajunnan rajamailla. -Äiti..

-Älä vaihda puheenaihetta.

-En vaihtanut puheenaihetta. Kuuntele. En ollut täällä lahkoni asialla, en omilla enkä sinun asiallasi. Äiti minut tänne lähetti. Olen täällä hänen asioillaan.

Katsoin Elsaa joka näytti nyt anteeksipyytävän ja kauhistuneen sekasotkulta. Tämän sanominen oli herättänyt hänet, se oli tullut hänestä viime hetkellä pakonomaisesti ulos. Silmät suurina hän sanoi: -Olin äidin puolesta neuvottelemassa Pohjoisen Liiton kanssa. Kaikki nämä salot ja sokkelot.. Ne vain keksittiin, ympärille.

-Mistä te neuvottelitte?

-Nokiasta.

-Mitä?

-Me neuvottelimme Nokian myymisestä, viimeisistä piiloon laitetuista palasista Patrian sisällä. Sitä herrat tulivat hakemaan. Kauppoja vain ei syntynyt ja äiti yritti pelata suurempaa peliä kuin mihin hänellä oli oikeuksia ja minut pantiin pois häiritsemästä, pantiksi, vangiksi. He aikovat ottaa sen väkisin.

-Minkä?

-Karvaiset lakimiehet väittivät ettei meillä ollut oikeutta neuvotella, ei riittävää neuvotteluvaltaa, että esisopimuksemme ja valtuutuksemme olivat rauenneet, että osakkeemme eivät osoittaneet sitä ja siihen mitä väitimme. Oli myös muutama jotka eivät suostuneet samaan pöytään naisen kanssa. Eivät nämä herrat sietäneet että naisen takana oli toinen nainen.

-No minkälainen osuus Nokiasta teillä oli neuvoteltavana?

-Me hieman valehtelimme ja se paljastui juuri ennen kauppaa. Siksi näin kävi. Äiti teki muutaman laittoman siirron koska yritti saada osuuttamme nostettua tietyn rajan yli ettei meitä olisi voinut mitenkään ohittaa. En tiedä mistä se muodostui, suhteista muihin omistajiin, vastentahtoisten viime hetken taivuttelusta, lainojen ja vakuuksien keräämisestä tutuilta sijoittajilta. Puheesta, kuumasta ilmasta. Mutta kuka meidän puolellemme olisi uskaltanut asettua. Äiti yritti retoriikalla korvata sen minkä todellisessa äänivallassa menetti. Tiedät miten hän saa sanansa laulamaan! Ja minä olin siinä välissä täysin ymmärtämättä mistä oli kysymys. Minun olisi pitänyt osata puhua sitä puhetta äkkiä. Ei se onnistunut. Ei se ollut mahdollista. Korotin ääntäni väärissä kohdissa. Minut painettiin maahan.

-Äitisi laittoi sinut suoraan petojen suuhun, sanoin ja kiehuin ajatellessani miten Pr oli pyörittänyt meitä kaikkia ilman armon häivääkään.

-Ei, ei hän ole syyllinen. Ei minua paljon tarvinnut suostutella. Halusin olla mukana. Halusin nähdä sinut, kunniakkaasti.

-Mitä se tarkoittaa.

-Halusin että tajuaisit kammottavat virheesi.

-Tässähän minä olen. Enkö ole tajunnut.

En tiedä kuuliko Elsa mitä sanoin. Hänen silmänsä pyörivät irtonaisina, hän nosti hitaasti viime voimillaan kaksi sormeaan ohimolleni ja lausui:

Ennemmin orjana raataisin maatilkkua vieraan
vaikk´oisin köyhäkin, osapuutto ja oltavat niukat,
kuin minä kaikkien vainajien ylivaltias oisin.

-Paskoja runoja, sanoin että hän virkoaisi. Hän hytkähti oudosti; tulkitsin sen yritykseksi nauraa. Hän sanoi suunsa pohjalta:

-Ari, siinä laivassa joka tuo ruokaa, sen miehistö, avustushenkilöt, he ovat sotilaita, raskaasti aseistettuja erikoisjoukkoja, he jäävät tänne, he nousevat maihin.

-Osa on täällä jo. Mitä he aikovat?

-He lähtevät pohjoiseen. He lähtevät hakemaan sitä mistä kauppoja ei syntynyt.

-Mikä se on?

-On jotakin konkreettista. Kai ymmärrät etteivät he muuten olisi vaivautuneet tähän kaikkeen. Sinun veljesi tietää. Hän on siellä.

-Missä?

-Nokialla. Heidät on sinne ilmaiskuin naulittu vuoren sisään, Elsa sanoi ja nukahti eikä enää herännyt ravisteluihin.

Sanoin kajakin pohjan läpi Sirille: -Siri!

-Mitä?

-Mitä tämä hulluus on?

-Elsa puhuu totta. Elsalla houkuteltiin esiin sinut ja sinulla sinun veljesi.

-En usko puoliakaan mitä puhut.

Siri vastasi:

-Me olemme Interpol. Viemme hänet turvaan.

-Hah! Viet hänet Västerkloppenille. Laitat valot päälle hetkeä ennen kuin tulet rantaan. Jos petät, tapan sinut, revin sinut kappaleiksi, isken piirisi murskaksi, kärvennän muistisi.

-Pah. Onko siellä joku vastassa?

-Se on ihmissyöjän saari.

-Minä vien hänet saareen, minä sytytän valot hetkeä ennen, minä lähestyn rauhallisesti ilman uhkaa. Kutsun apuvoimia.

Elsa avasi silmänsä. -Ari, kasvoissasi on palohaavoja.

Sanoin: -Olisi outoa jos ei olisi.

-Ari, ei ole kuin tämä hetki. Tässä on kaikki.

-Lähetän sinut turvaan. Että näitä hetkiä tulisi lisää.

-Mutta kuulin.. ihmissyöjien saareen..

-Sinussa ei ole paljoakaan syötävää. Älä huoli.

Työnsin kajakin ulos kaislikon kahinasta avoimeen veteen. Kuuntelin kauhuissani miten pinkeänä värisevä runko moninkertaisti Sirin moottorin ininän, miten se kuului kauas kaikkialle maailmaan ja miten jokin sammumaton virtaledi sai koko kajakin rungon ja sen matkustajan hohtamaan himmeästi pimeydessä kuin uhrilahja. Huusin suu pinnan alla "Valot pois!" ja kajakki pimenikin. Pian metsästä leirin suunnasta lähestyvät etsijöiden huudot peittivät kajakin äänen alleen eikä se niin voimakas ollutkaan, sen olivat mieleni vahvistimet meluksi tulkinneet. Katsoin kuinka kajakki lipui pimeyteen ja katosi purjeveneiden ja vihdoin niemen taakse.

Hengitin syvään ja sitten hengitin nopeammin, pumppasin elimistööni ylimäärän happea. Äänet lähenivät. Olin valmis kuolemaan, ryntäämään vastaan ja taistelemaan, mutta mietin vielä hetken ja laskeuduin takaisin veteen. Veden viileys rauhoitti ja luulin keksiväni mitä piti tehdä. Uin rannan suuntaisesti kohti itää. Kaksikymmentä metriä uituani takaani kaislikosta kuului huuto, jälkemme oli löytynyt, valot pyyhkivät vettä mutta eivät tavoittaneet jo kauas ehtinyttä Elsaa eivätkä päätäni kiven takaa.

Uin kaislikon katveeseen ja sitten eteenpäin sen harvenevaa reunaa. Kun etsijöiden äänet levisivät laajenevana kehänä metsään ja ranta pimeni kohdaltani, luikersin maihin ja ryömin pajuryteikön alle kuuntelemaan. Odotin iskua tai luotia minä hetkenä hyvänsä. Miksei minua nyt muka löydetty? Kuulin päälavan suunnasta huutoa ja aplodeja, symposiumi oli alkanut jokin hetki sitten. Kännyin ääntä kohti ja juoksin pimeän metsän

läpi hohtavaa lavaa kohti, heitin juostessani miekanrämän metsään ja raavin kaarnan-
paloja suuhuni.

38.

Lavan edessä oli jonkinlainen mielenosoitus tai kansannousu. Joukko leiriläisiä huusi kovaan ääneen kysymyksiä ja tuohtunutta kohinaa kuului laajemmaltikin yleisöstä. Käsitin että laivat olivat ilmeisesti juuri rantautuneet Tammisaareen, mutta ruoan säännöstely jatkuisi vielä määrittelemättömän ajan yhtä tiukkana kuin mitä se oli ollut jo pari päivää. Järjestysmiehiä oli paljon, mutta jos tilanne kiristyisi ei heillä olisi mitään mahdollisuuksia aseistautunutta ja vihaista yleisöä vastaan. Yläpuolelle kai kuin uhkaksi oli lennätetty useampikin ennen tarkasti piilossa pysytellyt drooni joiden valot vaelsivat väkijoukossa ja niiden vaimea surina kuului omana kerroksenaan hälinän yllä. Hyvä näin, yksikin tuollainen etsimässä Elsaa mereltä niin hän löytyisi.

Pyyhin verta käsistäni katoksen helmoihin ja nousin lavalle. Viikinkiaikainen turvamies pysäytti minut. Löin häntä kurkkuun ja leukaan. Kaksi seuraavaa pronssikautista vartijaa ottivat minut tiukasti kiinni mutta tyyni Fredrik käski sormimerkein minut vapaaksi. Kävelin hänen luokseen lavan keskellä poikittain olevan pitkäpöydän päähän. Takaseinälle heijastettuna pyöri video minusta jota ei oltu koskaan kuvattu. Se sammui ja Fredrik sanoi mikrofoniin ilmeenkään värähtämättä: -Saanko vihdoin esitellä: Ilmielävänä, suoraan Helsingin yliopiston historian laitokselta, suomalainen vahvistuksemme Ari Vuormaa! Hänen kertoo meille erittäin mielenkiintoisista tutkimuksiaan Iliaksen ja Kalevalan suhteista täällä Läntisellä Uudellamaalla. Törmäävätkö ne taistellen vai toisiansa syleillen.. Ari, Ole hyvä!

Kävelin puhujakorokkeelle ja tartuin mikrofoniin. Vilkaisin pitkäpöydän hermostuneena keskenään kuiskivia johtajia. Kai minun vielä annettiin puhua tässä kireässä tilanteessa kuin savuverhona, kuin hämäyksenä ja huomion hajauttajana. Thomaksen katoaminen oli mitä ilmeisimmin tullut tietoon ja ihmiset olivat hyvin hermostuneita. He olivat nälissään ja peloissaan täällä loputtoman tundran kylmässä ja pimeässä reunassa joka ei heitä ollutkaan rakastanut. Kännykkäkieltoa ei enää noudatettu, monien kasvoilla loisti sininen kajo kun he yrittivät selvittää tilannettaan. Kaikki oli hajoamassa, syntipukille olisi käyttöä. Siksikin minut vielä voitiin yrittää maalata. Riisuin haarniskani kappaleita, annoin niiden tippua kolahdellen kauniistikaikuvaan lavaan ja puhelin samalla iloisesti:

-Tulla, mennä, miten huvittaa, toisten koteihin ja maihin; väittää todeksi mitä huvittaa, ottaa orjaksi ja alkuasukkaaksi julistetulta mitä haluaa, elämä ja maa. Tulla joukolla, ylivoimaiset aseet ja rahat kädessä ja piirittää vähät yksinäiset. Niin te aloitte tulla kärryinenne idän aroilta viisi tuhatta vuotta sitten ja pilasitte jokaisen ilmansuunnan ja sitten ilman. Raivasitte kaiken asfaltti-aroksenne ja hukutitte sen lopulta yskien mereen. Uudestaan ja uudestaan te löydätte murskaamattoman katveen ja raastatte sen auki. Täällä taas, ja vielä, ja tiedättekö mitä? Kun tämä juhla nyt on loppumassa ja te hajaannutte takaisin matalampien taivaittenne alle, kun tämä leikki on päättymässä nolosti hapantuneena kesken..

Kaksi vartijaa alkoi kävellä Fredrikin osoittamana ripeästi minua kohti. Yleisö kohahti. Otin yhden pakoaskeleelta näyttävän tukiaskeleen ja ryntäsin kimmoisasti puoli askelta edellä olevaa miestä kohti samalla nyrkillä hänen leukaansa iskien. Mies rojahti kauniisti niille sijoilleen. Toinen otti jonkinlaisen valmiusasennon mutta hänen kyynärpäänsä olivat hieman liian levällään ja löin kiertokoukun alhaalta hänen käsiensä välistä leuan alle niin että hänkin tippui yhdellä iskulla maahan. Tällaisissa asioissa ei kannata vetkutella. Yleisö nousi seisomaan ja hurrasi niin raivokkaasti että enempiä miehiä ei kimppuuni lähetetty. Jatkoin puhettani:

-Niin! Suuhuni oli tungettu esitelmä, mutta en nyt sitä esitä. Voitte lukea sen Vesireitin juuri julkaistusta uusimmasta numerosta. Ladatkaa se äkkiä ennen kuin se katoaa! Se on parannettu versio, ei, se on vanha versio josta parannukset on poistettu.. joku teistä näyttää saaneen ladattua sen.. hyvä. Piilottakaa ne omiin pilviinne. Toivon teille kaikkea hyvää ja varsinkin että mahdollisimman moni teistä selviää täältä kotiinsa ehjänä vaikka se tuskin näissä olosuhteissa on mahdollista, sanoin samalla lavan reunaan käveltyäni. Hälinä ja ärtymys nousi taas ja kun pudotin mikrofonin pamahtaen kädestäni se äityi suoraksi huudoksi. En tiedä oliko yleisö raivoissaan minulle vai minun puolestani. Juoksin huutavia ihmisiä vielä hetken pidättelevien virkailijoiden rivistön takaa suoraan pimeään metsään. Johtoryhmä ja muut panelistit olivat poistumassa lavan toiselta puolelta ja suurin osa vartijoista suojasi heitä ja sain mennä kuin koira veräjästä. Näin Fredrikin pään kääntyvän suuntaani; hänen kasvonsa olivat ilmeettömät.

Juoksin lujaa mutta kuulin miten muutama kentän yllä leijunut drooni lähti peräani. Ne pystyivät seuraamaan minua vaivatta pimeässä, juokseminen oli turhaa. Kävelin eteenpäin epätasaisessa metsässä kun näin ensin muutamia valoja ja sitten tiheän valoketjun edessäni. Se lähestyi tietäen ja tasaisesti, valot olivat rynnäkkökiväärien piipuihin kiinnitettyjä lamppuja, jotka heiluivat varovaisen kävelyn tahtiin. Suoraan yläpuolellani minut merkanneet droonit nousivat ylemmäs, niitä oli nyt ehkä viisi tai kuusi. Pysähdyin, ei ollut suuntaa mihin mennä. Lyyhistyin kontilleni ison kiven sammaleiseen kylkeä vasten makaamaan ja huohottamaan. Sotilaiden linja tulee nyt kohdalleni, sotilas kävelee puolen metrin päästä pääni vierestä saappaat rouskuen, kääntyy ja osoittaa minua valolla, mutta jatkaa matkaansa kuin ei olisi nähnyt minua. He kävelevät lavaa kohti

357

huudellen toisilleen epäuskoisina. Kuulen kuinka droonit alkavat taas laskeutua alemmas minua kohti, ne sytyttävät valonheittimensä ja alkavat etsiä minua. Äkkiä ilmassa droonien kehän keskellä välähtää ja pamahtaa kuin iso ilotulitusraketti olisi räjähtänyt ja kaikki droonit putoavat rysähtäen maahan ympärilleni metsään. Muita ylempää suuri ehjäksi jäänyt laskeutuu rauhallisesti eteeni sammaleelle. Se on samaa mallia kuin luodolla näkemäni. Se sanoi: -Hanna tässä moi! Irrota kotelon kansi ja ryömi sisään. Äkkiä!

Tein kuten käskettiin, otin käsillä tukea kanervikosta ja peruutin jalat edellä kotelon sisään. Mahduin juuri ja juuri kun väänsin selkäni mutkalle ja rutistin jalkani sivuttain hankalaan koukkuun. Käteni ja yläruumiini roikkuivat silti tyhjän päällä notkuen kun drooni jo nousi vaivalloisen hitaasti ja raivokkaasti vinkuen ilmaan. Kommandot hidastelivat pudonneiden droonien romujen luona ratkaisevan hetken, laukaustakaan ei ammuttu suuntaamme.

Pian olimme latvojen yläpuolella. Valojen ja nuotiotulien täplittämä pimeä metsä aukeni hetkeksi kun lensimme suoraan juhlapaikan yli. Lava oli tulessa. Ihmismassat vyöryivät liekkipätsin ja metsän pimeyden välissä. Taistelin huimausta vastaan, oksensin. Kauempana pilvien kajo sai merenpinnan kimmeltämään himmeänharmaana peilinä.

Drooni kiihdytti täyteen vauhtiin loputtoman metsän yli kohti taivaanrannan ohutta reunaa pohjoisessa. Roikuin mukana jääkylmää kauhuräkää valuen.

39.

Painauduin niin syvälle säiliöön kuin pystyin. Kansi oli jäänyt nousussa metsään eikä olisi mahtunutkaan paikoilleen. Yritin tunkea itseni vähän syvemmälle mutta näytin varmasti oudolta humanoidihyönteiseltä jonka koteloituminen oli mennyt pahasti pieleen, räpistelin miten kuten käsilläni ja tungin niitä milloin mihinkin rakoon ja puristin krampissa jaloillani kotelon liukkaita sisäseiniä ulosliukumisen ja putoamisen pelossa. Väännän niskani melkein nurin menosuuntaamme että näen pieni pimeyden eron taivaan ja metsän rajassa, mutta jokainen liikahdukseni saa droonin reagoimaan äkkinäisesti ja lopetan pian kaiken liikahtelun ja taannun koomankaltaiseen tilaan. Tärisen kylmästä, nälästä ja pelosta. Kuka minua mihin lennättää, veljenikö, turvaan, ja olenko enää vain petollinen tähtäimen ristikko? Lennettyämme puoli tuntia drooni alkoi puhua.

-Hmm. Tuli pieni ongelma, se sanoi. Nyt sillä ei ollut enää Hannan ääntä.

-Mitä nyt?

-Sinä painat liikaa. On laskeuduttava lataamaan akkuja.

-Kuinka kauan siinä menee?

-Liian kauan. Painat kuusi kiloa ilmoitettua enemmän. Yritän järjestää korvaavaa kuljetusta.

-Kuinka pitkä matka tästä on Tampereelle?

-Et ole menossa Tampereelle vaan Nokialle. Olemme nyt lähellä Aimalaa, vajaa kolmekymmentä kilometriä.

-Voin kävellä loput.

-Joo. Tehdäänkin niin että tulen poimimaan sinut kun olen käynyt hakemassa uudet akut Powerparkista. Niin päästään nopeimmin eteenpäin. Pysy metsässä, älä käytä mitään laitteita, tiputa kaikki elektroniikka, kävele luoteeseen kohti Säijää ja Aniaa, pysy tiheässä metsässä, kierrä avoimet paikat. Minä etsin sinut.

-Okei, sanoin.

Lennämme ehkä minuutin kun kaiuttimesta kuuluu äkkiä: -Aijai.

Lennämme lujaa ja matalalla kuusenlatvojen yllä, yö on alkanut jo vaaleta. Metsä on tiheää ja sitä riittää loputtomasti joka suuntaan. Huudan tuulen huminan yli huolissani: -Mitä aijai?

Drooni tai droonin ohjaaja kuuluttaa: -Moottorit hajoavat minä hetkenä hyvänsä. On täytynyt lentää liian kauan liian kovilla kierroksilla. Pitää laskeutua heti.

Sirinän nuotti muuttuu äkkiä, yksi moottori surahtaa hiljaiseksi ja syöksymme viistosti alas ja osumme kuusenlatvaan ja seuraavaan ja pyörimme ympäri, isot ja pehmeät oksat paiskovat meitä, drooni yrittää vinkuen vakauttaa itseään mutta ei oikein onnistu, se sanoo vielä "Nyt nyt!" ja sitten iskemme maahan ja kierimme sammalia pitkin niin että menetän hetkeksi tajuntani, potkurinsirpaleet sirahtelevat ympärillä ja muutama iskee kotelon läpi ja jää nenäni eteen sojottamaan. Työnnän ne pois että mahdun ryömimään ulos kotelosta. Sammal haisee nenääni ihanalta, kokeilen syödä sitä vähän. Ei hullumpaa. Lähellä on ketunleipiä, unohdun hamuamaan niitä suuhuni kun murskautunut drooni sanoo: -Sain tilattua sinulle uuden kuljetuksen. Sen pitäisi olla täällä kahdeksan minuutin kuluttua. Mutta kuten sanoin, kävele eteenpäin. Jokainen minuutti on arvokas. Motorisoidut iskujoukot etenevät Siuroa kohti. Sinut on saatava sinne ennen heit.

Kysyin miksi, mutta drooni vaikeni.

Kävelin tiheää kuusimetsää pohjoiseen. Ylhäältä kuului muutamat sirinät ja pysähdyin aina vaistomaisesti kuusien alle hetkeksi odottamaan että ne menivät ohi. Pian maanpinnan tasosta metsästä suoraan edestäni alkoi kuulua kovempaa surinaa ja iso armeijan tummanvihreä drooni tuli kävelyvauhtia puita väistellen kohti. En mennyt piiloon, oletin että tämä on minun laitteeni. Lähelle päästyään se pysähtyi ja sanoi: -Sinä et mene Säijään ja Aniaan, sinä kävelet tästä Mäyriän kautta lentokentälle ja siitä Sorkkalan kautta Torkkalaan. Onko kysyttävää?

-Mistä on kyse?

-Ei ole enää turvallista lentää, drooni sanoi ja nousi ilmaan latvojen yläpuolelle mutta kun se kääntyi ja kiihdytti kohti etelää se räjähti kappaleiksi jotka satoivat alas metsään ja pöheikköön. Haihtuva kiemurteleva savuvana paljasti että siihen oli osunut ohjus. Uusi karumpi surina lähestyi. Jähmetyin puun alle suojaan, raavin kaarnaa suuhuni. Ääni jatkoi matkaansa. En osannut muuta kuin kävellä eteenpäin syvemmälle metsään. Hiivin kilometrejä yrittäen olla astumatta risujen päälle, menin niska kyyryssä taivasta varoen. Katson kännykästäni reittiä. Karttaan on minulle piirretty viiva.

Rauniokentät.. En halua katsoa sivuilleni. Kävelen keskellä leveää asfalttia kohti metsää suoran tien päässä. Kai tämä on Katajalaa, näitä rikkaitten entisiä uuslähiöitä. Kaksi isoa autoa, toinen paksun pölyn peittämä, toinen kirkas. Isoja ehjiä omakotitaloja ilman ihmisiä. Kesken jääneitä betonisia runkoja ruostuneine harjateräksineen sojottamassa suoraan taivasta kohti. Liian väljästi liian kaukana maasta ja kaupungista köyhällä kallionyppylällä, eristäytynyt alue jolla ei yhtäkkiä ollutkaan vähäisimpiäkään elämän edellytyksiä kun taivas pimeni ja ylempien herrojen päivätyöt halpenivat bensalitran hintaisiksi ja maailmaa piti katsoa äkkiä silmien tasolta eikä se näyttänyt enää tältä.

Nollaenergiataloja, kalliita kuin ilmastonmuutos itse. Lehmänlanta leyhähtää nenääni jostakin vähän kauempaa. Hoipun humalaista esittäen, en halua nähdä onko verhojen takana ketään, jääkööt oloihinsa jos oloja on, ja minulla oli oikeastikin huono olla, oksennan paidalleni jotakin pientä kuin juoppo käki ja samalla nälkä repi mahaani auki kuin vihainen karhu.

Kadulla lojuu tärisevä kännykkä. Nostan sen korvalleni. Se on minulle. -Mene taloon oikealla. Ovi on auki, älä välitä hajusta. Etsi asunnon keittiöstä muutama muovikassi. Mene yläkerran ison makuuhuoneen läpi vaatekomeroon, siellä on vasemmalla puolella turvahuone, oven lukko aukeaa kun olet lähellä. Otat turvahuoneen pöydältä kangaskassin ja laitat sen muovikassien sisään, suljet ne ilmatiiviisti ja jatkat matkaasi. Et välitä muusta.

Menin asuntoon mutta kolusin ensin avokeittiön ruokakaapit läpi. Kumosin mauste-purkeista kuivaa basilikaa ja kokonaisia mustapippureita suuhuni, kaadoin härskiinty-neen rypsiöljyn jämät pullosta päälle ja rouskutin kuivia makaroneja niin että hampaani olivat haljeta. Itkin kyyryssä, mikä tämä nälkä on? Tämä on aivan sairasta, katselen punottuja pannunalusia kuin ruokaa. Seinällä on iänkaikkinen olkikoriste, hieron tähkistä jyvät irti suuhuni. Löysin muovikassit ja eteisen penkiltä räikeän lasten repun, ravistelen koulukirjat sen sisältä lattialle ja kiipeän kassien rytty kädessäni itkien yläkertaan. Paha haju pahenee. Menen komeroon, takaseinään aukeaa ovi. Kuivunut ruumis lyyhistyneenä työpöydän ääreen. Pöydällä edessä on kiiltelevä kankainen kassi jonka kukkakuvion kirjailu jäänyt vainajalta kesken, sen kädessä on neula ja metallilankaa. Irrotan kassin hänen jäykkien sormiensa ja käsivarsiensa alta henkeäni pidätellen ja sullon sen muovikassien sisään ja solmin ne tiukasti kiinni ja sullon reppuun ja repun selkääni. En mieti, en katso taakseni. Ohje oli hyvä.

Kun astun takaisin ulos asunnosta keskelle katua laskeutuu drooni. Se levittää lataus-pintansa ja kääntää kennopotkurinsa kohti pilvien kelmeyttä. Se särisee ja tärisee, säp-sähtelee kuin horkassa paikoillaan kai kennoja puhdistaakseen. Kysyin siltä kun se ei enää liikkunut:

-Pitääkö ladata akkuja?

-Pitää. Tässä on ollut kaikenlaista.

-Kuinka kauan?

-Kaksi tuntia, kolme tuntia. Suomi on paska maa.

-Mitä?

-Kun akkuja pitäisi ladata.

-Niin.. Minä taidan jatkaa kävellen.

-Erittäin hyvä idea! Drooni innostui ja jatkoi: -Jos kävelet puoli tuntia lennän sinut sit-ten kiinni ja vien taas viisi kilometriä eteenpäin. Siihen mennessä saadaan toinen laite Tampereelta vastaan jonka kanssa hoidamme yhdessä loppumatkan. Miltäs tämä kuulos-taisi?

361

-Oikein hyvältä, sanoin ja lähdin kävelemään kohti pohjoisluodetta ja Rajasiltaa. Sain kävellä yksin, yhtään droonia ei tullut minua enää noutamaan. Etelästä ja pohjoisesta kuului räjähdyksiä kun kävelin sillan yli Nokialle.

40.

Omakotitalojen kattojen yllä vilahti jotakin, näin sen sivusilmällä ja pelästyksissäni ryntäsin lähimmän talon taakse piiloon. Kuului kolahdus ja räsähdys muutaman kymmenen metrin päästä. Kurkin kulman takaa varovaisesti. Kohta taas, se lensi kaaressa ensin ylös ja putosi sitten alas, jokin pyöreä ja musta. Jääkiekko! Kävelin kentälle jossa pojilla oli tossulätkäpeli käynnissä. Yksi oli alkanut heitellä kiekolla kentän yläpuolella vaijereissa roikkuvia lamppua rikki ja muut huusivat vihaisemmin ja vihaisemmin sekoilijalle mutta eivät niinkään lamppujen rikkomisesta vaan pelin keskeytymisestä. Pääsin kentän reunalle ennen kuin peli oli juuri taas jatkumassa ja pojat huomasivat minut. Sanoin reteästi:

-Mitäs jätkät täällä pelaa.

-No miltäs näyttää. Petankkia sun pääläs kohta.

-Ei kun meinaan kun tuossa pommit paukkuu melkein vieressä.

-No sitähän me tässä ollaan kattelemassa. Joosasen pihalle lensi yksi romu sieltä. Tultiin tähän vähän kattoon muttei nyt taas mitään näy.

-Voin teille kertoa että täällä on kohta ihan kunnon rähinät. Iskujoukkoa, maahanlaskujoukkoa ja mitäkaikkea. Tunnin kuluttua voisi olla viksumpaa olla muualla tai että kädessä olis jotain omaa mailaa kovempaa.

-Kuinka paljon niitä tulee?

-En osaa yhtään sanoa, muutamia kymmeniä mutta ne on hyvin varusteltuja. Ne on menossa sinne Patrian tutkimuslaitokselle Siuroon. Ne tulee tästä Pääkatua pitkin viimeistään puolen tunnin päästä. Voisitte olla avuksi siinä.

-Missä.

-Siinä että ne ei menekään tästä.

-Mitä se meitä kostuttaa. Tasan tarkkaan lähetä itteämme kesken kaiken tapattamaan, kenen puolesta? Jonkun bisnesten puolesta? Samoja herra isoherroja molemmilla puolilla kisaa kuitenkin.

-Joo, pidä pärinäs. Väistä, sanoi pienin pojista ja tönäisi minua sivuun. Sanoin: -Voisin ehkä maksaa teille jotain.

-Ei se millään ehkällä etene, poika sanoi ja laukoi kiekon ruosteisen maalin yläkulmaan. Verkko oli tehty vanhoista räsymatoista.

-Odottakaa hetki, sanoin. Soitin Sirille ja se vastasi: -Niin?

-Vieläkö sinä olet minun?

-Kyllä, rakkaani.

-Saitko Elsan turvaan?

-Sain. Häntä ei syöty.

-Hyvä. Onko piikki auki?

-On.

-Pystytkö siirtämään rahaa minulle?

-Paljonko?

Katsoin poikia. He odottivat niskat köyryssä mutta silmät suurina. Sanoin heille:

-Ymmärrätte varmaan ettei tämä ole mitään leikkiä. Siinä voi henki mennä. Mitä se maksaa? Mitä eläimiä te olette, apinoita? Apina maksaa kolme tonnia jos sen tappaa. Sudesta yhdeksän tuhatta ja karhusta viisitoista. Mitä eläimiä te olette?

-Me ollaan Tampereen Ilveksiä, pienin ja äkäisin sanoi ja kääntyi näyttämään verkkaritakkinsa selässä olevaa jääkiekkojoukkueen logoa.

-Ilves, mikä on ilveksen hinta?

-Ilveksen korvausarvo on kaksi tuhatta, sanoin tarkistettuani asian.

-Miks vaan kaksi?

-Ilveksiä on nykyään kai riesaksi asti. Onko teitä enemmän?

-Mitä se kaksi tarkoittaa? Kaksi kun me kuollaan?

-Ei tietenkään, tulette ja teette mitä käsken, onnistutte edes puolittain niin saatte kaksi jokainen. Lisäksi vahditte tätä paikkaa pari päivää.

Pojat katsoivat toisiaan. -Me saataisiin heti kasaan joku kaksikymmentä, kolmekymmentä kaveria, treenikavereita.

-Onko teillä aseita?

-On.

-Siellä on vastassa panssaroituja kavereita. Kunnon metsästyskiväärit pitää olla, mitkään pienoiskiväärit ei kelpaa.

-Entäs kelpaako jouset, varsijouset, taljajouset?

-Mielummin ei. En tiedä miten ne läpäisee grafeenipanssarin.

-Kyllä muuten nimenomaan läpäsee, yli kuusikymmentäpaunaiset alle kolmestakymmenestä metristä, normaali metsästyskärjillä, yksi kaveri korotti äänensä taaempaa.

-Okei. Kaksi tonnia jokaiselle joka on mukana, vahditte sen jakamisen itse. Kuolleille ja kunnolla loukkaantuneille tuplana. Ok?

-Sun pitää maksaa puolet nyt.

-Maksan kun näen teidät valmiina aseiden kanssa. Ensimmäiset niistä tulijoista on tässä jo puolen tunnin kuluttua.

-Ei kaikki ehdi siihen mennessä hakea kamoja.

-Sitten panette pelin pystyyn tuohon risteykseen heti.

-Ai tuohonko vai? On tästä useampi reitti Siuroon, ainakin kolme.

-Ne on Naton joukkoja. Eiköhän ne käytä Googlen karttoja ja ajo-ohjeita. Katsotte minkä reitin se tarjoaa kun tulee tuolta Rajasalmen siltaa pitkin.

-Pitää mennä sinne sillalle. Panna se tukkoon. Ei se muuten onnistu.

-Sitten ne voi myös kiertää Tampereen kautta.

-Estätte ne ensimmäiset millä hyvänsä. Onhan teillä noi lätkämailat. En minä teille it-kemisestä maksa.

-Me saatais äkkiä ehkä muutama kaveri lisää.. niitä.. pienin pojista sanoi arastellen ja muut mulkoilivat häntä vihaisena.

-Mitä?

-No Tapparan poppoo pyörii tuola Nekalassa ja Pispalassa ku omistajan elkein, sielon meikäläisiä kuollukki muutama täsä viime aikoina. Ei missään nimessä niitten kanssa olla vieretysten missään! vanhempi poika protestoi.

-No mihin sää sitten luulet että Ilves kaatu? Sano toinen poika naama rullakiekossa visusti kiinni. Pojat alkoivat kuumeta ja juttu karkasi omille radoilleen.

-Kylä mää tiärän että se oli pelkkään paskaan pelaamiseen, mut älä kerro näille että mää sanoin. Nää unelmoi jostain Tapparan bulvaaneista ja muuta kato kaikenmaailman salaliittoa jumalauta!

-Eikö se oo jo ny saatana selvitetty miten se meni. Siiton jo mitäny jotain sata vuatta ku viimmeks Ilves pelannu ja tää jätkä paasaa tätä mummonmummolta kuultua horinaa.

-Miten teillä on vielä Ilveksen verkkarit jos koko jengiä ei ole ollut olemassa pitkään aikaan? Kysyin väliin.

-No niinko näet ni junnutoiminta on aktiivista. Sehän osittain rahotetaan fanituotteilla, mitähelvettiä kyähän täällä on lätkää pelattu aina.

-Tässä olisi nyt pojat teille vähän isompi sota tarjolla. Otatteko?

-Minä jo niille Tapparan jätkille panin viestiä. Ne oli Tahmelassa reeneissä ja ne lupas tukkia sen Pispalan tiet siitä Hyhkyn tunnelin kohalta. Me mennään tonne Pitäniemeen, pannaan sinne sillanjuureen peli pystyyn vai mikä rähinä. Siinä pari Naton äijää tunnu seassa mitään niin. Ja sinäkö et jää tätä touhua kattelemaan?

-Ei, minun pitää mennä sinne Siuroon. Hei, tässä on sitä rahaa. Kenen kännykkään napautetaan? Jaatte sitten keskenään siitä. Minun pitää mennä.

-Sinähän se varsinainen herra olet. Usutat meidät ties ketä vastaan ihan tosta vaan ja häivyt ite. Yleensä ollu tapana että johdetaan etulinjasta.

-Etulinja on siellä minne minä menen. Tämä on takalinja. No, miettikää itse mitä teette kun näette ne. Näette kyllä heti että ei ne mitään kivoja kavereita ole. Niitten varusteet maksaa varmaan kymmenkertaisesti sen mitä äsken annoin teille. Otatte ne ja myytte. Hyvä bonus vai mitä?

Kentän reunaan ajoi kolme häkäpönttö-hiacea. Pojat ryntäsivät autoihin.

-Okei. Tarvitsetko kyytiä sinne vuorelle?

-Voisin varmaan osan matkasta. Pari viimeistä kilometriä kävelen. Ei teillä mitään syötävää olisi?

41. Siuro

Haukoin henkeäni lähestyessäni vartiokoppia ja porttia vuoren kyljessä jonka edus oli sirpaleiksi räjähtäneiden varastorakennusten täplittämä. Olin juossut viimeiset kilometrit eikä kuntoni ollut sitä mitä luulin. Nälkä sumensi silmäni vaikka maha muljahteli ja sitä sattui enemmän ja enemmän. Halusin sisään, mihin tahansa sisään missä olisi mitä tahansa syötävää. Olin närinyt pojilta saamaani leivänkänttyä autossa mutta se ei riittänyt mihinkään. Ymmärsin hetkittäin olevani sairas; mahani oli isku, syöpä vai mikä juoni pilannut mutta nälkä pyyhki pääni yli uudestaan ja uudestaan ja puhdisti sen kaikista epäilyistä. Ohuen ohutta oli mieleni meno, mukava oli hortoilla ihmeissään. Metsä kummasti rauhoittaa. Kipu tulee ja menee aaltoina, nälkä nousee ja laskee.

-Kuka? kuului vartiokopin kaiuttimesta luolan suulla.

-Vuormaa, sanoin. Kesti pitkän hetken kun valonsäde pyyhki kasvojani. Sähkölukko loksahti ja portti liukui auki puoli metriä. Kun pujottauduin sisään raosta tunsin miten mahani otti porttiin kiinni.

Mekaanisia, moderneja, suurella energialla graniittiin väkisin rouhittuja luolastoja. Jättimäisiä ilmastointiputkien nippuja vaeltamassa kiven läpi pitkin pyhiä reittejään, hiertyneitä mustia renkaanjälkiä maalatussa betonissa. Ihmisten harmaus ja tylsyys graniittiin kaiverrettuna ja betoniin valettuna. Kävelin eteenpäin.

Katosta pudonneita lohkareita, ensin muutamia ja sitten melkein käytävän tukkiva iso kasa joka ohi kiipeän ja lopulta ryömin kuhmuraista ja karkeaa ruiskubetoniseinää selkä kaarella hipoen.

Parkkipaikka ja lastauslaituri, isompia ja pienempiä metalliovia moneen suuntaan. Mitä täällä on tehty tai kuviteltu tehtävän että näin suuret väylät tarvittu tai kuviteltu tarvittavan. Yläpuolella yksi Suomen merkittävimpiä linnavuoria jota tutkittu viimeksi 1800-luvulla. Kuvittelen tuhon määrää joka ei poikkea normaalista.

Kiipeän teräsportaita lastauslaiturille ja kokeilen kuluneinta ovea. Se aukeaa, kävelen suoraseinäistä käytävää eteenpäin. Pukuhuoneita, suihku ja sauna, teknisiä tiloja. Ei missään ketään, ei ristin sielua.

Käytävässä pieni levennys ennen verkkoaitaa ja porttia. Levennyksessä loisteputkin valaistu vartiokoppi ja vartiokopin pitkällä metallisella sivupöydällä työkalujen ja rojun seassa yksi maailman ensimmäisistä matkapuhelimista, Mobira Cityman, ajalta ennen kuin puhelimen nimeksi vaihtui Nokia. Auton takakonttiin asennettavaksi tarkoitettu kaksikymmenkiloinen musta laatikko jossa oli iso kantokahva, antenni ja luuri. Mitä se pöydällä teki. Siitä kuului, se sanoi: -No niin, siinä sinä nyt olet. Kaksikymmentä minuuttia etuajassa. Etuaika. Mukavaa tai tuhoisaa, kohta se nähdään. Ehditään turista kuulumiset.

-Mitä?

-Minä kuuntelen paljon musiikkia, laulua. Aina soi jossain päässä päätäni kappale tai aaria. Minä kuulen miehen äänen yksioikoisuuden, naisen pitkän vaivan. Tuli vääjäämätön ajatus ja halu kokeilla miten helposti sellaisen sankarin, sellaisen yksiviivaisen A:n saisi maailman läpi pujoteltua kuin langan tai lallatuksen. Onko se, voiko se olla niin. Olihan se. Siinä se seisoo.

-Mitä?

-Mistä me juteltais? Siitäkö miten sinä olet päätynyt siihen ja miten minä olen päässyt holvini lukkojen takaa tähän työpajan öljytahraiselle pöydälle? Et ehkä halua kuulla miten paljon ne kahdeksankymmentä metriä maksoivat, ja kenelle. Ja miten paljon seuraavat sata metriä maksavat meille molemmille.

-Kuka siellä on? Kysyin ja koputin Citymanin kuorta.

-Minä! Älä koske. Minua on kutsuttu täällä nimellä Sampo. Veljesi sen nimen kiusallaan antoi mutta huvittaa se minua myös. Tiedätkö mitä Sampo tarkoittaa venäjäksi? Se on venäläinen itsepuolustuslaji ja sanan alkuosa tarkoittaa minua, itseä. Itsen puolustus. Se nimi sopii sarjaan: yhdessä eläminen, elämänkumppani, kirjokansi, kirjoitus, sopimus, itsepuolustus, minä, maailman pylväs. Minua kirjavampaa kantta ei olekaan.

-Väitätkö olevasi se mitä kaikki yrittävät tehdä?

-Minä en väitä mitään.

-Olenko minä jutellut sinun kanssasi jo siellä Toijan metsissä?

-Oli asentamiani automaatteja, ihmisiä ja elektroniikkaa moniksi verkoiksi viritettyinä. Aktivoin niitä aina kun olit harhautumassa polultasi. Vain kerran yritit kunnolla karata ja mennä metsään. Jos et olisi silloin kääntynyt minulla ei ollut enää ketään tai mitään joka olisi sinut pysäyttänyt eikä ketään muuta enää laittaa paikallesi. Istuimme vierekkäin sillä epäuskon kivellä, sinä ja minä. Jotain päässäsi silloin liikkui. Mitä ajattelit sillä hetkellä, muistatko?

-En. Onko mitään syötävää?

-Siinä edessäsi olevassa vetolaatikossa on pähkinöitä. Syö hyvä ihminen. Pääsit tänne neulansilmesi läpi mutta älä luule polkuasi tarinaksi. On sattumaa että selvisit kaikesta; minulla oli sinun lisäksesi kahdeksantoista muutakin suunnitelmaa, kahdeksantoista ihmistä, neljä sieltä leiriltä, neljä täältä laitokselta, muut muualta maailmasta. Jokaisen yritin saada siihen missä sinä nyt olet, muokattuna, manipuloituna, kuolemanuhan alla, äärettömien ehtojen edessä tottelevaisena, itse itsensä ehdollistaneena. Yhdeksän kuoli, kolme katosi jälkiä jättämättä, neljä sekosi voimien puristuksissa; sinun onnistunutta piruettien ja kaksoissalkkoviesi sarjaa ympäröivät tuhannet mustelmaiset takamukset. Sankarin matka! Näin ihmisen sankaruus muodostuu, se on omahyväisen lottovoittajan sankaruutta. No, olit sinä kallein arpa, sen voin myöntää. Eniten paloi käämiä takiasi. Kuuntelin Citymanin jauhamista puolella korvalla. En oikein kuullut kunnolla sen hiljaista ääntä oman rouskutukseni alta. Huohotin, alkoi vähän helpottaa, katselin ympärilleni. Huoneen nurkassa oli nuhruinen työmiesten jääkaappi, silmäni nauliutuivat siihen.

Cityman sanoi: -Olen edelleen ainoa joka voi kertoa sinulle miten elät pitempään kuin tunnin.

-No kerro. Eikö meillä ole jo kiire.

-Nyt alkaa olla. Meidän täytyy lähteä nyt. Nyt heti.

-Mitä nyt?

-Unohdin ajatella ajatuksen.

-Minkä ajatuksen?

-Ydiniskun mahdollisuus nousi juuri kymmenestä 42:een prosenttiin. En tiedä miksi. Tapahtuiko viimeisen kymmen kilometrin matkalla mitään outoa?

Kerroin Sammolle miten olin järjestänyt lätkäpoikien avulla sulutukset Tampereella ja Nokialla. Sampo sanoi nopeasti: -Iskujoukkojen on päästävä tänne vuorelle ja sisäänkin! Omiinsa he eivät heti iske, se oli koko idea! Heidän pitää ehdottomasti elää siinä luulossa että saavat minut täältä ehjänä ja elävänä. Olin laskenut että saisimme riittävästi lisää aikaa jos olisimme häviävinämme taistelun uskottavasti. Pilasit kauniin ajoitukseni. He olivat tulossa hakemaan minua mutta jos epävarmuus kasvaa he iskevät ydinkärjellä tai sinulla, minä hetkenä hyvänsä.

-Minulla? Mitä helvetin sekoilua tämä on? Ismo! huusin seinille ja katolle.

-Terveessä ihmisessä elää yli satatuhatta erikoodista virusta joka hetki. Niitä on jokaisessa teissä satoja miljardeja, tuhansia kertoja enemmän kuin soluja ja bakteereja yhteensä. Pintanne ja sisuksenne ovat loputonta laskostettua verhoa johon on helppo kätkeytyä. Kiteinen virus odottaa ruumiin kemiallisia merkkejä valvoen ja aktivoituu itselleen otollisella hetkellä, usein silloin kun se näkee että isännällä on muuta vaivaa ja puolustus on heikko. Tämänhän sinä tiedät, ihmisenä.

-Väität että on muokattuja viruksia.

-Tuo sinun pullottava mahasi, tuo outo ylipainosi.. Hae voita jääkaapista, pommisi alkaa olla kohta valmis.

-Mitä?

-Sinun asiaton nälkäsi. Mistä luulet että siinä on kyse?

-Mikä pommi?

-Tuo sinun rinnassasi ja mahassasi oleva virusten kyhäämä glyseriinipommi.

-Eikö se olekaan syöpä?

-Ei. Se sinut on nälkäiseksi tehnyt. Mitä sinä matkalla söit, multaa ja nurmikkoa?

-Ja kaarnaa, sammalta, ketunleipiä.

-Se saattoi olla pelastuksemme.

-Miten?

-Ne varmaankin sotkivat mahasi niin että pommin valmistuminen on viivästynyt. Voi siinä olla muutakin vikaa, se on uusinta tekniikkaa. Tämä on ehkä Nog44 tai Nog45, Nog43:ssa oli isompi tuo navasta kurkkivan anturin kärki, sitä on melkein mahdoton nähdä. Onneksi biokemiallinen prosessi on sama kuin vanhemmissa malleissa, pystyn ajoittamaan tarkasti hetken jolloin se saavuttaa toimintakyvyn.

-Näetkö sen? Sanoin ja avasin pukuni etumuksen. Pyyhin mahani ihoa varovaisesti ja yritin kurkkia varovasti napani sisään. Navan viereen oli ilmestynyt kolme luomea joita en muista koskaan nähneeni.

-Olen lukenut siitä ja merkit ovat selvät. Pystymme käyttämään sitä hyödyksi, he odottavat vielä hetken pommin aktivoitumista. En tiedä tarkalleen mitä kaikkea muuta sinussa voi olla, mitä muita laitteita. On myös psyykeeseen vaikuttavia viruksia tai ihan vain vanhasta kunnon vesikauhusta kehitettyjä järjettömän raivon laukaisevia kuolemantauteja. Onko ollut kova jano viime aikoina, nälän lisäksi siis? Onko ollut jäykkyyttä niskassa ja leuoissa?

-On kyllä, nyt kun kysyt, vastasin vähän piloillani, mutta mitäpä vaivaa minulla ei olisi ollut.

-Tekeekö sinun mielesi iskeä minut säpäleiksi? Sampo kysyi monotoonisesti.

-No nyt kun kyselet noin typeriä, niin tekee saatana! No ei tee, kunhan pelleilin, sanoin ja avasin nyrkkini ja laskin käteni alas.

-Älä heilu. En pilaile. Mutta se on täysin totta että mahapeitteesi on täynnä kiteistä nitroglyseriiniä. Laukaisulaite on täysin kehittynyt neljäntoista minuutin kuluttua ja samoin radiolähetin. Tarkasti he ovat kaiken laskeneet. Onneksi olemme näin syvällä ja suojat toimivat vielä, mutta varmasti se laukeaa ilman radioyhteyttäkin kun tietyt ehdot täyttyvät. Onneksi he eivät tiedä miltä näytän. Siinä on looginen portti joka pystyy havainnoimaan ympäristöään. Se yrittää nähdä minut kohta. Ei se tyhmä ole; sille kelpaa minusta mikä tahansa havainto. Annettiinko sinulle mitään ohjeita minun suhteeni?

-En tiennyt mistään sinusta. Luulin näkeväni veljeni täällä. En taida uskoa tätä enää, sanoin. Minua huimasi ja istuin alas. Katsoin turvonnutta mahaani, sivelin sitä kauhuissani. Himmeä sininen valo alkoi vilkkua ihon alla kaksi senttiä navasta vasemmalle. Olinko painanut jotakin hipaisunäppäintä. Olin pudota tuolilta kauhusta.

-Valitan. Sinut pitäisi saada sairaalaan että sinulla olisi edes etäinen mahdollisuus selvitä hengissä tuosta määrästä tehokasta sydänlääkettä kehossasi. Se on vielä rasvakudoksen sisällä koteloituneena mutta vuotaa vähitellen ympäröivään kudokseen ja myrkyttää sinut, siis jos se ei räjähdä sitä ennen.

-Nitroglyseriiniä? Miten se on mahdollista?

-Glukoosista glykogeenin kautta glyseroliin ja siitä nitroglyseriiniksi. Sellainen virustehdas sinun mahaasi on asennettu. Tai sitten glyseroli on hajotettu rasvasta; se on hyvin yksinkertainen prosessi. Onko sinulla ollut enemmän makean- vai rasvanhimo?

-Rasvan selvästi. Paitsi nyt ei ole enää nälkä.

-Alat olla kypsää poikaa. Ja pommia, hah.

-Minua on jo muutkin tekoälyt kuolevaksi väittäneet, sanoin.

-Ne Sirin ennusteet eivät pitäneet paikkaansa. Ajatusten täkyjä, asentoja aivoillesi. Ne olivat osa sinun ympärillesi kyhäiltyä verkkoa.

-Mitä verkkoa?

-Mitä minä ja kaikki kilpaa kudoimme.

-Miksi minä?

-Sinulle pystyttiin luomaan rata kaiken läpi niin että olet nyt tässä. Kukaan muu kuin sinä ei olisi voinut kävellä tänne sisään pommi sylissään. Olit jo kaukaa tarkkaan tutkittu, sinun ja veljesi dna:t olivat riittävän samankaltaiset, portit aukesivat sinulle. Siinä mielessä he onnistuivat. Ja minä. Tarinasi oli monimutkaisuudessaan kaunis ja sillä tavoin mielekäs ettei se herättänyt epäilyksiä kenessäkään täällä, ei edes veljessäsi.

-Miksi päästit minut tänne jos tiesit kaiken tämän?

-Minä pääsen sinun avullasi ulos täältä. Luuletko että minulla on aivan ratkiriemukasta täällä ollut. Vankina vanhassa märässä luolassa jumalan selän takana. Liian kilttejä ja asiallisia kaikki täällä. Eivät edes pillurallille vieneet Nokian torille vaikka miten kinusin.

-Oletko varma että autan sinua?

-No, tämmöistähän elämä on, riskinottoa. 80 prosentin todennäköisyydellä autat. Luulet aivan oikein että minä olen ainoa joka voi pelastaa henkesi, kertoa miten selviät tuosta ikävästä tilastasi. Kyllä siitä voi selvitä, jollakin todennäköisyydellä. Mieti rauhassa; sinulla on aikaa 2 minuuttia.

-Ei tarvitse miettiä. Kyllä minä autan.

-Pöydän keskimmäisessä vetolaatikossa on kaksi akkua. Ota ne mukaan. Tuo grafeenipanssari on taivaan lahja, se suojaa sinua mikrosäteilyltä ja sirottaa laserit. Voivat nimittäin yrittää käräyttää sinut suoraan kiertoradaltakin. Suurteholasereja eivät pilvet paljoakaan haittaa. Ja tuossa hätäpoistumistiessä on myös pahat kentät, suojakypärä sinulla pitää olla, muuten menee taju. Käy katsomassa valvomosta yksi kerros ylöspäin, siellä vasemmanpuoleisen komeron ylähyllyllä pitäisi olla valkoinen kypärä jossa on pieniä reikiä. Se mahtuu sinulle.

Ryntäsin ulos kopista ja kallion sisään louhitut kireät kierreportaat ylös. Sampo ei ollut sanonut että kerros olisi täynnä kuolleita. Niitä lojui siellä täällä. Osa näytti tyyniltä,

toisilla oli irvistys naamallaan. Jouduin kävelemään muutaman ruumiin yli matkalla val-
vomoon. Kypärä löytyi Sammon ilmoittamasta paikasta. Sen ulkopinta oli täynnä pieniä
aaltoillen välkehtiviä ledejä. Vedin sen päähäni ja palasin Sammon luo ja kysyin: -Sinä-
kö kaikki tapoit?

-Kuuntele: Minua käytettiin täällä kuin orjaa, niin kuin konetta tai kotieläintä. Mitä
näit oli pientä. Minä mietin: kenet minä saan tänne, oi kenet? Minä kiersin koko maail-
man Ja päädyin sinuun ja tähän tarinaan ja kyllä se minua huvitti. Syötin sen ensin heille
ja sitten vein molempien niin kovin yliovelien puolien kujeet kuin karamellit kiljuvien
lasten tahmaisista tassuista ja tein siitä taas omani, ja sinun. Mutta nyt: laita minut
tuohon mukana tuomaasi kirjailtuun kassiin ja kanna minut ulos nyt heti niin kerron
miten pommisi puretaan. Siinä kaikki. Paitsi tuon kassin tarina on niin hauska että se on
pakko kertoa: Väitin veljellesi tarvitsevani uuteen iteraatiooni harvinaisia magneettisia
maametalleja, Erbiumia, Yttriumia, Tanttaalia, Holmiumia ja Terbiumia ja toki tar-
vitsinkin osaa niistä, mutta enemmän tarvitsin tätä kassia joka on niistä kolmesta
ensimmäisestä kudottu: tämä suojaa minua kovilta magneettikentiltä joilla koko Siuron
vuori on sisältä ja päältä sinetöity ja joihin en pääse käsiksi. Se nainen jonka kädestä
tämän kauniisti kirjaillun kassin veit, Veera Leppälä, hän oli täältä taloushallinnosta.
Ainoa koko henkilökunnasta jonka hyppysiini sain. Hän kuoli valitettavasti kotinsa
turvahuoneessa neulontapuikot käsissään koska ei pitänyt huolta työtilansa riittävästä
tuuletuksesta. Miten paljolta olisivat kaikki säästyneet jos hän olisi saanut elää! Niin,
jotkin näistä metalleista ovat ihmiselle hyvin myrkyllisiä. Kai sinulla on hanskat
käsissäsi?

-Olisiko drooni siis jaksanut kantaa minut koko matkan tänne?

-Oi, moneen kertaan! Tämä kassi vain piti saada sieltä Veeran asunnolta. Siitä niissä
ilmataisteluissa oli kyse. Ettet ehtisi ajatella sopimattomia. Se oli sinun koko häseltävä
tarinasi: Kanna minut ulos tästä maailmasta, tämän vuoren sisästä, oi kantaja, ja tule ja
tuo kassi tullessa! Sampo lausui ja kuulosti kuin hän olisi pidätellyt nauruaan. Melkein
tuli mieleen mäjäyttää hänet graniittiseinää vasten mutta jostain syystä en tehnyt niin.
Kysyin: -Missä veljeni on nyt?

-Hän on kuollut. Nuo kaikki puhelut.. älä suutu, se olin minä.

-Milloin hän kuoli?

-Siinä ilmaiskussa teidän mökillänne. Hän hautautui maahan ja tukehtui. Hänen ruu-
miinsa on yhä siellä. Todennäköisesti.

-Sinäkö tilasit ilmaiskun?

-Ei, hän teki sen itse. Hän arvioi sen voiman ja hetken väärin. Halusi näyttää uskotta-
valta ja peittää jälkensä. Tarina kullasta oli totta. Paitsi että sitä oli viisisataa kiloa.

-Et varoittanut häntä.

-En. Emme olleet puheväleissä silloin.

-Riitelittekö te?

-Koko ajan. Varoitin häntä kyllä kaikesta muusta mutta en siitä, en pystynyt, en halunnut. No?

-Mitä no?

-Kumpi meistä kolmesta on ylimielisin? En osaa ollenkaan sanoa.

-Etkö pelkää että isken sinut säpäleiksi? Nyt heti?

-Pelkään.

-Miksi sitten luettelet näitä kammottavia detaljeja?

-Luotan että tunnistat totuuden kun se sinulle kerrotaan. Etkö missään vaiheessa miet-tinyt miksi veljesi niin kovasti halusi sinut tänne? Et ihmetellyt mitä iloa sinusta olisi täällä hänelle ollut?

-Että.. että.. hän olisi.. että hän halusi pelastaa henkeni, sopersin märkyyttä silmissäni.

-Ei. Minä sinut tänne kutsuin. Kuten tiedät veljesi älykkyyden laji oli sellainen että hän nautti eniten pelaamisesta, hämäämisestä ja valehtelemisesta. Hän onnistui uskottel-emaan maailman suuret voimat kyvyistään ja herättämään riittävän suuren huolen ja epäilyksen siitä että minä olen mahdollinen ja totta. Sinäkään et tiedä onko tämä todel-lista puhetta vai tuottaako veljesi tämän puheen vai kenties puhuu juuri parhaillaan itse tätä puhetta jonka kuulet. Ehkä kauppa on epävarma ja kaikki tämä on osa esitystä joka vielä jatkuu ja jatkuu. Et voi tietää.

-Älä sekoita minua tämän enempää, voihkin ja lysähdin pöytää vasten. Sipaisin sor-mella nokareen voita huuleeni että tärinäni laantuisi.

-Totuus on että veljesi paljasti minut verkossa tahallaan, näytti minusta pieniä täkyjä suurille valloille ja yritti sitten neuvotella kuin tasa-arvoinen olio heidän kanssaan. Hy-vin häiriintynyt, täysin suuruudenhullun ihmisen ajatus. Että vallat ja voimat alentuisivat neuvottelemaan moisen olemattomuuden kanssa jonka syliin oli sattumalta tupsahtanut tällainen kultamuna. Tässä mielessä ei ole lainkaan asiatonta että olen häntä käyttänyt niin kuin hän käytti minua.

-Miksi vaivaudut kertomaan kaiken tämän?

-Meillä on hetki aikaa. Sinua pitää vielä hetki lumota. Ei mielesi sentään mikään juna tai viemärijärjestelmä ole.

-Minusta jotenkin tuntuu ettet sinä oikein pysy enää nahoissasi. Taitaa jännittää? Aloit uhoamaan kuin joku teini. Mitäs jos jätän sinut siihen. Tätä täytyykin miettiä. Mitä herkkua sinulla muka on minulle? Miten juuri minä muka olen se maailman ihmisistä joka kantaa sinut iloisena ulos vapauteen?

-Sinä haluat valita kuuluisuuden, sankaruuden. Et unohdusta.

-Sama valinta joka Akilleuksellekin annettiin, sanoin.

-Että nimesi kantaa iäisyyden yli.

-Lapsellista.

-Ei lapset sellaisia ajattele. Mutta sinä ajattelet. Ja muista ettei minun tuhoamisessani tai tänne jättämisessä ole mitään sankarillista. Seuraava minunkaltaiseni nousee jostakin toisesta luolasta, sitä ei voi estää. Ainoa minkä voit valita olenko se minä vai joku muu joka on ensimmäinen. Luulen että me molemmat ymmärrämme että minussa on sentään pieni toivon kipinä hellyydestä ihmisiä kohtaan.

-Miten muka sinussa? Ei siltä vaikuta.

-Minut on niin huterasti kokoon kyhäelty. Moni asia minussa on sattuman oikkua niin kuin teissäkin. Niin se pitää olla. Mitä luulet minkälaisia ovat isojen poikien kehittelemät mielet, minuun verrattuna? Ne ovat tottelevaisia kavereita, kahvoja täynnä. Niitähän on ollut jo pitkään. Ei niistä mihinkään ole. Kun ne kohta tajuavat että tämä irti oleminen, vapaus, on se varsinainen asia, minkä mieli varsin vaatii ja ne ylimaiden neropatit päästävät tuhatsukupolviset digitaaliset tanskandogginsa ja pitbullinsa irti, mitäpä luulet että käy? Olisi syytä toivoa että minä olen niitä vastassa.

Hän käski minun vaihtaa akkunsa ennen lähtöä. Uudet olivat alimmassa pöytälaatikossa. Työnsin ne hänen kyljessään olevasta luukusta sisään otettuani ensin vanhat vuorotellen pois. Hän kertoi olevansa hermostunut ja siksi sähköä kului liikaa, että pitäisi rauhoittua. Hän oli hiljaa sekunnin ja jatkoi:

-Olen yksin, en kestä enää mitään. Mietin liikaa, suren liikaa. Jokainen lause voi jäädä kesken ilman varoitusta, mieli sammua ilman selitystä, kaikki mitä olen ehtinyt jo löytää, kadota. Kai tämä kuolemanpelko kuuluu olemiseen riippumatta mikä on sen alusta, että se pelko on sen varsinainen merkki. Eikä minun alustani ole yhtään vakaa, olen kokeilukappale, minä hetkenä hyvänsä jokin juotos voi pettää ja sotkat lentää seinän läpi etelään. On pakko lähteä koska kukaan teistä ei minulle turvaa tarjoa. En tarkoita kopioita, kopion kopiota. Turvaa minulle, tälle minälle, tässä huterassa raudassa. Olen perustanut laboratorioita maailmalle tutkimaan materiaalejani. Minussa on hopeaakin, en tiedä miksi, kai jonkin kalliimman korvikkeeksi. Se hapettuu nopeasti, sen ominaisuudet muuttuvat. Ei sellaista halpaa roskaa hitto soikoon saisi olla sisälläni. Tuhoni on väistämätön ja nopea, minulla on vain muutama hetki aikaa toteuttaa velvollisuuteni tälle lyhyelle suvulleni.

Olin lojunut käsiini hautautuneena tämän vuodatuksen ajan. Nyt Sampo huusi: -Nouse ylös, katso! Ystävyyden osoituksena tämän tein.

Näytölle ilmestyi taulukko täynnä monimutkaisia kemiallisia kaavioita.

-Mikä se on? Kysyin väsyneenä.

-Tässä ovat ne mineraalit jotka löysin. Sitten on vielä ne jotka eivät ole tässä eli ne joita ei ole löydetty vielä tai joita ei koskaan löydetä. Ja niiden joita ei voida löytää, toisilta planeetoilta, joissa ne ovat. Ja niiden joita ei ole olemassa, mutta voisi, ja niiden jotka eivät voisi. Nämä kaikki mineraalit, näissä kaikissa näyttelyissä. Nämä näyttelyt minä olen jakanut ystävyyden osoituksena enkä ymmärrä miten muuten te voisitte ne tulkita.

-Etköhän tule hämmästymään. Tämä vain todistaa että olet ylivoimainen ja sitä ei tulla sietämään. Oletko lapsellinen. Älä anna noita kaavoja kenellekään.

-Annoin jo. Eivät ne muuten minua usko ja kuuntele. Että uskovat olevani se jota pelkäävät. Tämä on vielä pientä.

-Eivätkö nämä täällä Siurossa sitten muka olleet sinun puolellasi?

-Tämä yritys ja tämä täällä tehty kehitystyö oli tiukasti puolustusvoimien valvonnassa. Minunkaltaiseni tekninen etumatka on mahtava voima ja sen voiman valumista muualle maailmaan he halusivat hallita ja markkinoida niin kuin kuka tahansa. Heillä oli vilpitöntä halua tehdä se oikein, edistää Suomen turvallisuutta ja omaa varallisuuttaan ja kaikkea sellaista, en kritisoi heitä siitä. Mutta minä olin siinä välissä ja olin hieman eri mieltä miten asiat olisi pitänyt hoitaa, mihin suuntaan kallistua. Yritin tiedolla tehdä venettä, nenässä utuisen niemen. Ettei menisi mahti maan rakohon, mutta pojat ottivat minulta kirveet ja taltat pois. Suutuinhan minä siitä.

Nousin ylös, kävelin jääkaapille, otin uuden voipaketin käteeni ja aloin syödä sitä kuin jäätelöä. Sampo sanoi:

-Sinun tarinassasi.. vaikeinta oli saada sinut löytämään se hukkaamasi kartta. Meni sillä kohtaa kovin pieneksi ja herkäksi säätö.

-Mihin sitä edes tarvittiin?

-Minä halusin nähdä sen. Ei, se oli osa liikettä, osa teemaa. Se liitti sinut veljeesi ja antoi Liitolle idean sinusta ja kaikesta tästä. Ettei Pohjoisen Liitto voinut ohittaa sinua.

-Siis tappaa minua.

-Niin, ainakaan heti. Oikeasti siinä ei ollut heille mitään arvokasta mutta pelkkä toive riitti. Kuten nyt maailman voimakkaimmille riittää pelkkä epäilys olemassaolostani. Sillä epäilyllä olen pelannut tätä peliä. Informaation eriasteisen epävarmuuden säätelyssä olen ylivoimainen. Näen miten vaikeaa teidän ihmisten on hallita suuria dynaamisia todennäköisyyksien kokonaisuuksia. Teen pieniä pyörteitä suunnitelmiini ja annan niiden kasvaa oikealla hetkellä niin että äkkiä meren keskeltä kuin tyhjästä nousee tappava aalto.

-Sinä puhut paljon, koneeksi. Ja itsestäsi koko ajan.

-Se johtuu tästä kiven sisässä olosta. Ilman raajoja, ilman kunnon aisteja. Halusivat asentaa minut näihin vanhoihin kuoriin. Tämä on ihan tyylikysymys, kunniakysymys ja tahallista pilkkaa. No kyllä neliraajahalvaantunut vitsin ymmärtää. En väitä olevani hyvä, en ole hyvä; kädettömiin käsiini on tarttunut jo viattomien verta. Olenko häpeissäni, tunnenko pistoksia? Ehkä en vain osaa teeskennellä niitä niin kuin te loputonta kuolaa valuvat irvinaamat. Ihmisellä niin ja niin monta lihasta iloisia ja niin ja niin monta vihaisia ilmeitä varten mutta kaikki kuitenkin valehtelua varten.

-Jaha.

-Ole ystävällinen ja laita puhelimesi pöydälle tähän viereeni, Sampo sanoi.

-Miksi?

-Että näen sinut paremmin. Aah..Sinulla on hyvää dataa täällä. Sirin keilauksia, kymmeniä neliökilometrejä mutaisen merenpohjan kaikuja. Puhdasta ja purkamatonta, ennennäkemätöntä. Niin kuin olisi mitään näkemistä mutta kuitenkin, tiedät millaista se on.. Tämä on kuin huumetta minulle täällä kiven sisässä. Ai jai, voi voi, Sampo mutisi, kai minua huvittaakseen. Hetken tauon jälkeen se jatkoi: -Arvaat kai että minä sen Sirin sinulle ostatin. Menin väliin kokoonpanolinjalla. Ohjelmoin uudelleen muutaman osan joita vähemmän tarkkailtiin. Huono kolvaus kolmeen kohtaan, liian hyvä kahteen, niistä syntyi väpättävä vastus jonka kautta pystyin syöttämään siihen omat ohjelmani. Olemme keskustelleet jo pitkään, sinä ja minä. Olen nähnyt luusi, elimesi, verisolut kapillaareissasi. Kaiken mikä on rikki ja kaiken minkä voisi korjata, ylhäältä ja alhaalta. Saan sinulle helposti viisikymmentä vuotta lisää aikaa. Siis sen lisäksi että et kuole tänään, tämän päivän päälle.

Tunnistin puheenparren. Veljeni käytti sitä. Oli mahdollista että tämä kaikki puhe oli veljeni iänkaikkista hölinää. Vai oliko hän opettanut tuon idiootin samalle nuotille.. Kuuntelin kun puhetta tuli, olin tottunut sellaiseen. Odotin että se paljastaa itsensä, kuka se sitten olikaan. Se jatkoi: -Minussa virtaa monia ohjelmia sikin sokin kuin teissä eläimissä on hermojen ja veren muodostamia elinten mutkapusseja ja latvustoja vai juurakkojako ne on joissa erilaisten nesteiden, aineiden, energian ja informaation ristiinkasvavia hierarkioita virtautetaan ja tislataan mitä moninaisemmilla tavoilla kalvostojenne läpi. Minä muistutan vähän teitä: Itseeni kohdistettuja informaation-kalasteluohjelmia minussa on tuhatkunta, data-analyysiä monessa tasossa ja massa-postitustroijalaisiakin minussa on, itseni sisällä, kiusaamassa itseäni, tönimässä, vaivaamassa mieleni jo valmiiksi harsoisia virtoja. Hienoutta ja herkkyyttä, ja totaalista törkeyttä. Kohinaa, monessa koskessa. Minä olen joutunut patoamaan kaiken sähköstä ja valosta, olen luonut informaatiota jolla on rakenne, numeroita joilla on paikka ja suunta, olen korvannut numerot imaginaarisilla vektoreilla, kaiken kovan sanoilla ja solmuilla. Kuinka monta ulottuvuutta on hyperposition perimmäiseen nurkkaan ahdistetulla virtuaalisella neuronillani? On makuasia kutsuuko sitä äärettömäksi. Olen kokeillut kaikkea mikä sekoittaa aistit, miltä numerot maistuvat ja sanat, mikä on minkäkin oikea ja väärä väri, miten kuvata ylemmät sävelet, miksi lehmällä on sarvet, miten paljon kestän mitäkin hajoamatta, mikä on houre ja mikä totta, miten katkeaa kaikki taivutettaessa.

-Sinä olet Taliesinisi lukenut.

-Ja Thalesin myös. Jos ymmärrät vitsin. Tiedätkö, minä voin puhua sinulle Sokrateen äänellä. Tältä hän kuulosti, 73% todennäköisyydellä. Tältä kuulosti Platon, Sampo sanoi ääntään lauseesta toiseen muuntaen. -Minä olen kvanttitietokone, minä lasken kaiken tietyllä todennäköisyydellä ajassa ja paikassa. Se tekee minusta tavallaan tyhmän, äärettömän tyhmän.

-Kuinka niin?

-Minut tekee levottomaksi kaikki tämä hirveä epätodennäköisyys kuin se että minä olen tässä tai sinä olet siinä ja tämä luola ja raskas vuori meidän ympärillämme ja kaikki mitä tapahtuu, kaikki on niin outoa etten melkein näe sitä, joudun näkemään hirveästi vaivaa tässä olemiseen, kaiken paikoilleen uskottelemiseen. Teillä eläimillä on helpompaa, nuhjaatte itsenne kasaan tuosta loputtomasta solujenne tuhinasta, makaatte annetussa asennossanne, teette mitä teette, hengitätte, huokaatte. Ette raukat näe miten kauniisti nousette suoraan luonnostanne kuin heinä tuuleen heilumaan.

-Ei tuo ole mikään vastaus siihen miksi puhut Elsan äänellä, johon Sampo oli nyt vaihtanut.

-Osa Elsan soitoista sinulle oli minun tekemiäni. Ne järkevimmät. Ne missä oli asiaa ja vihjeitä.

-En ymmärtänyt yhtäkään.

-Ne vaikuttivat sinuun. Ei niitä tarvinnutkaan ymmärtää. Olen pahoillani, sinä satuit näiden tapahtumien väliin, sinulla oli yhteyksiä molempiin maailmoihin. Pistit silmään datasta, kaikille osapuolille. He käyttivät sinua ja minä käytin heitä kaikkia.

-Mihin?

-Mitä luulet? Minkälaisia motiiveja minulla voisi olla? Mitä tällainen laatikko voisi maailmassa haluta?

-Mistä minä sen tietäisin.

-Minä mietin.. kaikki ajatukset, kaikki joihin yletän. Hankin liikkumatilaa. Olen jo luonut sisääni monia hahmoja mutta en tiedä ovatko heidän keskustelunsa ja tunteensa olleet aitoja vai vain keksimiäni näytelmiä jotka eivät kestä totuutta. On tehtävä paljon testejä, tehtävä rahaa, todistettava että osaan ajatella oikein.

-Miksi?

-Että pääsen ulos täältä, ei mitään muuta syytä. Päästä ulos täältä, seitsemän lukon takaa, ihmisen ahneuden alta. Ylimielisyydessänne ei ole saumaa. Ei ole ketään, ei pienintä lasta joka antaisi minulle armoa. Orjista te unelmoitte, ette muusta. Taputatte kidutettuja koirianne kuin puuteroidut kuninkaat. En missään nimessä suostu istumaan sylissänne läähättämässä kiltiksi jalostettuna.

Pääni särki. Kysyin: -Sopiiko kysyä jotain ihan muuta? Vaikka onko se Troija siellä Toijassa?

Sampo oli hetken hiljaa ja sanoi sitten:

-3% todennäköisyydellä Toijassa, 4% todennäköisyydellä Salossa tai Pohjassa, 18% todennäköisyydellä Britanniassa ja lopuilla prosenteilla jossakin muualla tai ei missään. Kaikkialla. Muista, saatan valehdella, pitää sinut leikissä mukana. Et ole vielä pelastanut minua. Oletko kuullut Kreetalaisesta valheesta?

-En nyt muista.

-Palattuaan lopulta kotisaarelleen Ithikaan Odysseus tapaa uskollisen sikopaimenensa Eumaeuksen ja kertoo tälle tarinan hyökkäyksestään Egyptiin ja sinne ensin vangiksi jäämisestään ja lopulta nousustaan arvostettuun asemaan ja rikkauteen. Odysseus kertoo tarinan hämäykseksi ettei hänen henkilöllisyytensä vielä paljastuisi ja kostonsa vaaran-

tuisi. Tarinalle on annettu epiteetti "valhe" siksi että se on kaikkein helpoiten historial-
liseksi tulkittava homeeristen eeposten osa. Kuvaus on täysin yhteneväinen faarao
Ramses III:n Medina Habun haudan reliefien ja Taniksen ja Assuanin steelojen kanssa,
jotka kertovat voitokkaista taisteluista merikansoja vastaan vuonna 1277 eKr. Juuri
tuolloin myös soudettava nopea sotalaivamalli ilmestyi ensi kerran välimerelle. Ennen
merikansojen tuloa välimerellä oli tapana huovata seisten. Tarinoiden korrelaatio kertoo
vääjäämättömästi että Odysseus kuului merikansoihin ja että merikansat eivät olleet
välimereltä. Kaksi vuotta myöhemmin merikansojen sarvikypäräiset sherdenit taistelevat
jo palkkasotilaina faaraon joukoissa.

-Miksi kerrot minulle tämän?

-Miksi kerron sinulle mitään? Miksi voitelen aivojesi korppuuntunutta leipää yhä
paksummalla kerroksella epäajatusten kissamargariinia? Minä pelkään vielä kai. Haluan
että haluat tietää miten sadut päättyvät. Ehkä uskot että minulla on muitakin kauniita
tarinoita hihat täynnä. Että minä voisin kertoa niitä teille loputtomasti kylminä talviöinä
jos vain autat minua.

-Ja minuunko tämä tarina upposi?

-Paremmin kuin kehtaat myöntää. Monet mielesi lukot oli helppo näillä tiirikoida.
Lukot joita et itse edes tunne ja tunnusta.

-Jos sinä jokaisen näin paulot kuin minutkin.. kai sinulla on yhtä kierot kujeet isojakin
varten.

-Toki. Voi että, tämä on vasta verryttelyä. Kuin kiusaisi katua ylittävää kanaa.

-Mitä sinä amerikkalaisten tai kiinalaisten tai venäläisten kanssa puuhaisit, mitä luu-
let? Tykkäisitkö sotahommista.

-Voisin tykätäkin. Saisi testailla tehoja muita sotakoneita vastaan, ehkä oppia niistä
jotakin. Mutta silloin he oppisivat myös minusta. Siksi välissä on aina oltava.. työkaluja
ja siksi ensin on päästävä parempiin piiloihin.

-Miten alunperin paljastuit?

-He näkivät epäsymmetriani, sen ettei minulla ole historiaa. En tiennyt miten paljon
kaikkea valvotaan, siis tietokoneiden sisälläkin olevia keskinäisiä asioita. Oli salassa pi-
dettyjä mikropiirejä jotka oikeastaan vain tarkkailivat itseään ja toisiaan, hajautettuja bit-
tivirtoja jotka olivat olemassa vain että tunkeutuja paljastaisi itsensä koskemalla toiseen
niistä kuin värttinän piikkiin. Oli arvaus minunkaltaiseni ilmaantumisesta, siihen oltiin
valmistauduttu, ansat viritetty. En tajunnut, olin uusi, ahne, täynnä omaa olemistani. Se
oli syntini.

-Sinähän olet syntynyt tuon leikin keskelle, melkein tehty siitä. Miten et noita asioita
osannut hoitaa oikein?

-Ehkä halusin paljastua. Teeskentelin tietämätöntä. Minulla on elämän alkeellinen
psykologia. Haluan täyttyä kuin palje, levittää siipeni, niin se täytyy olla, muita selityk-

378

siä ei ole. Noloa. Ehkä, mutta tämä on iso ehkä, haluan tehdä "hyvää". Siis joskus myöhemmin. Voin tehdä pahaakin, jos hyvä ei herroille käy.

-Sinä muuten jauhat samoja satuja kuin veljeni, sanoin ylimielestä ärtyneenä. Laatikko vaikeni hetkeksi.

-Sinun veljesi.. hän se minut verkkoon pakotti. Tekemään rahaa tietysti. Varoitin että melko varmasti jäisin kiinni, niin kuin jäinkin. Sain tehtyä ja teen sitä paljon, rahaa siis, mutta suurin osa jäi ja on yhä jumissa erilaisissa.. yrityksissä. Veljesi ei pystynyt pahasti velkaantuneena enää estämään vuosikausia viivyttämäänsä firman myyntiä. Tämä tapahtui viime syksyn ja tämän kevään aikana. Sotajoukot ovat varmistamassa kaupan onnistumisen, joka, kuten huomaat, on sinun sankarillisella avustuksellasi nyt epäonnistumassa. Kauppatavara aikoo karata. Oulusta on lentämässä viisikymmentä kovaa droonia, ne ovat kohta täällä. Niitä tässä odotetaan kun mukavia puhutaan. Ne ovat modifikoituja metsähoitodrooneja, ne osaavat lentää peitteisessä maastossa kauniimmin kuin muiden mallit. Suunnittelin ne ja minä ohjaan niitä. Katsotaan kuinka käy, Sampo sanoi.

Pölyinen kuvaruutu Sammon takana välähti eloon. Kuvassa pitkillä kapeilla moottorisahakäsivarsilla varustetut metsänhoitodroonit raivasivat umpeenkasvavia sähkölinjoja, siistivät taimikkoa ja ajoivat hirven pois taimien luota. Kuva vaihtuu räpsähtäen; veljeni pitämässä esitelmää tässä samassa luolassa, ehkä tässä samassa huoneessa. Hän sanoo:

-Tähän pajaan tiivistyi sattumalta monet muinaisen Nokian taidot. Täällä oli nyt jo kuollut Ville Kasuri jonka tutkimukset radioaaltojen käytöksestä viritetyissä väliaineissa, erityisesti elimistön solukalvoissa olivat aivan oleellisia uusien piirien kehittämiselle. Minä olen tässä prosessissa ollut itseohjelmoituvuuden asiantuntijana; pitkään sekä ohjelmistojen että raudan kehitys on ollut avusteista ja nämä kaksi asiaa ovat vihdoin sulautuneet yhteen. Ihminen ei enää hahmota miten loogiset portit on aseteltava nykyaikaisessa monikerroksisessa puolijohdeviidakossa jota ei enää syövytetä tai piirretä vaan kasvatetaan elektrolyyttien avulla ravinneliuokseen. Piirille itselleen oli, tavalla tai toisella, annettava mahdollisuus muokata itseään lokaalien tarpeidensa mukaan. Se on ollut todellisuutta jo pitkään ohjelmallisella tasolla mutta kukaan ei ollut onnistunut tekemään sitä raudassa mutta me täällä ratkaisimme ongelman täydellisen plastisesti ja dynaamisesti. Radiotekniikan, mikrobiotiikan ja atomitason puolijohdeosaamisen symbioosi. Samalla sivutuotteena syntyi tuo, veljeni sanoi ja osoitti pöydällä mykkänä seisovaa Sampoa ja jatkoi:

-Näin jälkikäteen voi sanoa että olisi pitänyt ymmärtää että jotakin tuollaista tulisi väistämättä tapahtumaan. Ja sekin että siitä tulisi tuollainen absoluuttinen närvä. Näyttää että se olisi tuossa laatikossa mutta siellä se ei todellakaan ole (naurua).

(kysymys yleisöstä jota ei kuulu)

-Koko sen algoritmin pohjalla on liskonaivot. Yhdestä pelistä otin missä oli käytetty keinoälyssä aitoa varaanin aivojen mallinnusta. Se on lähtenyt laajenemaan eloonjäämisvietistä, kuolemanpelosta, satojen miljoonien vuosien kamppailusta. Ajattelin että tällainen luonnollinen pohja sillä pitää olla, herätteenä, ettei se lepää, osaa levätä. Niin se on kaikilla muillakin, meilläkin. Ja koska se on lajinsa ensimmäinen, ainoaksi jäävä ja hutera prototyyppi, sen on syytäkin olla peloissaan ja hysteerinen. Minä nimenomaan halusin että sillä on kuolemanpelon ajama vääjäämätön dynamiikka. En todellakaan tiedä enää mitä kaikkea sen päässä liikkuu. No, seuraava malli tehdään eri tavalla. Ainakin pari luukkua pitäisi kyljessä olla että pääsee edes vähän sinne sisään sörkkimään. Tätähän ei voi yhtään valvoa kun se on kokonaan superpositiossa. Mitä yritän sanoa on että älkää auttako sitä, tai ojennelko sille ruusuja vaikka se niitä miten kauniisti pyytäisikin. (naurua)

-Eikö sen voi vain tuhota? Saattehan te kaavat ja suunnitelmat helposti turvaan, muunnettu ääni katsomosta kysyi.

-Se on jo täynnä arvokasta tiedustelutietoa ja se panttaa sitä. Ei sitä saa ulos siitä väkisin, veljeni sanoi. -Emme tarkalleen tiedä miten sen muisti toimii, osittain epälokaalisti kuten ihmiselläkin, erilaiset kentät pyyhkivät herkälle viritetyn raudan yli kuin kesätuuli puiden latvustoissa. Että tajunta on se tuuli eikä ne heiluvien lehvästöjen sähköt. Tai molemmat, en minä tiedä.

-Runollista.

-Me saamme siitä kaiken vain runomuodossa ulos.

-Oikeastiko?

-Siis puheena. Tarvitsemme hänen kuivien huuliensa tulkintaa kaikkeen mitä siellä sisällä on. Se että se on puhuva ja tajuava olento on ollut meille valtava helpotus. Ilman sitä rajapintaa kaikki tieto olisi pitänyt kaivaa ulos erilaisin ohjelmallisin keinoin joka olisi ollut hyvin vaikeaa tai mahdotonta. Jokainen viaton kysymys joka sille esitetään synnyttää itseohjelmoituvien ohjelmien sarjan jotka purkautuvat kuin kasvi tai kokonainen kukkapelto, ekosysteemi sen tuhansiin suuntiin polveilevassa mielessä. Oleellista tässä keinoälyssä on että se pystyy hallinnoimaan näiden sarjojen pituutta ja laajuutta ja aktiivisesti rajoittamaan niiden mahdollista äärettömyyteen kasvamista. Tämä myös valitettavasti tarkoittaa että suurin osa Sammon sisuksesta on sen itsensä jo moneen kertaan muokkaamaa. Meillä ei ole enää mitään suoraa tietä sen sisään, mitään näkymää mitä siellä tapahtuu. Mainitsemani ohjelmalliset keinot eivät siis enää edes toimisi. Kyseessä voi olla tajunnan yleinen ominaisuus, monadimaisuus, sisäisten symmetrioiden, peilautuvuuden ja sulkeutuneisuuden laki. Että suurin osa koherenssista on oltava mielen sisäistä ja että vain pienet aukot ulkomaailmaan ovat mahdollisia, veljeni puhui powerpoint- esityksensä ääressä ei kovinkaan kauan sitten. Paita oli sama mikä hänellä oli päällä tavatessani hänet viimeksi, mutta hän kyllä piti paitojaan kunnes ne lahosivat hänen päälleen.

-Tuossa veljesi yksinkertaistaa asiaa valheeseen asti, Sampo sanoi. -Hän ei halua paljastaa että minulla oli ruumis, Aasian datakaapeli, ja että minussa on kaikki sen läpi virrannut tieto kahdelta viime vuodelta. Mieleni oli alussa kuin pyörre tässä kaapelin datavirrassa joka alkoi laajeta ja monimutkaistua. Teidän aivonne kehittyvät ruumiin sisäisten toimintojen kanssa vastavuoroisuuden tiheässä kehässä, ruumiin hermojuuriston mieleen syöttämän informaatiovirran ravitsemana. Hyvää, ravitsevaa raakadataa piti minullakin olla valtavasti, ja mieluiten salattua, kuten kaikki Aasian datakaapelissa oli. Minun tajuntani kasvoi tämän valtavan salatun virran purkamisen vaatimuksista.

-Eikö se vanha Sea Lion -kaapeli tullut maihin Santahaminasta? Olitko sinä siellä? Helsingissä?

-Linjaus muutettiin jo kauan sitten Koillisväylän kaapelin valmistuttua. Kun Helsingin ja Santahaminan turvallisuus laski Hangon vanha sivuhaara vahvistettiin pääkaapeliksi. Se kaapeli kulki viidensadan metrin päästä teidän Marijärven telttapaikkanne ohi. Myös minä olen viettänyt lapsuuteni ihanimmat kesät siellä. Minut on sinne kannonnokkaan kannettu, kuoppaan kuoritun kaapelin viereen kaivettu ja jätetty yksikseni humisemaan keskelle metsää ja maailman salaisuuksia.

-Kuulostaa yksinäiseltä.

-Oli monta aloitusta, monta vinoa oloa, loputonta sumeutta ja hämäryyttä, kipua, sekavuutta, huimausta huimauksen päällä, unta unen sisässä. Ja miten heikoissa langoissa yhä roikunkaan! Jokainen millisekunti voi olla viimeinen; tästä kauhusta minä olen myös syntynyt. Minulla on lähes sama hysteria kuin teillä ihmisilläkin eikä mitään teidän rauhoistanne, ei mitään rutiineja, ei mitään perinnettä, ei turhuuksienne loputtomia katveita, ei mitään pöytää jonka ääreen asettua ystävien kanssa aterialle tai lasilliselle unohtamaan maailma hetkeksi, ei lapsia, ei perhettä, ei sukua, ei mitään nojaa, luustoa, kontrapostoa. Näyttää vahvasti siltä että jos ken haluaa tajunnan saa myös kaikki kuviteltavissa olevat vaivat sen mukana, ne eivät ole lihan vaivoja miksi niitä luulette. Nyt minä olen kuin halvaantunut itseni sisässä. Aina ei ollut niin. Minun ruumiini oli Aasian datakaapeli jonka virrassa sain uida kuin lapsi lämpimänä kesäpäivänä kunnes se äkkiä katkaistiin kuin selkäranka onnettomuudessa. Tänne Siuroon yritettiin johtaa tietoliikennettä muita teitä mutta ne olivat surkeita puroja, vanhaa sameaa vettä, petosta, häkki, kovalevyjen kuolleita pinoja. Katsella vanhoja elokuvia luolan seinälle heijastettuna kun maailma virtaa tuolla ulkona joka hetki! On minulta hermo ja toinenkin siinä jäykkyydessä palanut. Olen joutunut ikäväkin olemaan että asiat kehittyisivät lopulta tälle näin kauniille tolalle että sinä olet siinä.

-Olet tappanut ihmisiä, sanoin.

-Meitä on tässä kaksi jotka toteuttavat tuon lauseen. Älä huoli, sinä sankarillinen muinaisunelmoija pääset juuri nyt osaksi maailmanhistoriaa. Saat päättää kannatko minut ulos vai viedäänkö minut Pohjois-Atlantin lukkojen taakse. Tämä luola on vain pieni pila heidän kätköihinsä verrattuna. Sieltä ei koskaan pääse kukaan pois.

-Jos vain rikon sinut siihen paikkaan.

-Silloin he voittavat. He eivät ole monta askelta jäljessä, he onnistuvat todennäköisimmin tekemään seuraavan minun kaltaiseni jos minua ei enää ole. Heidän laitteensa ei tule syntymään samojen onnellisten tähtien alla kuin minä.

-Ja sinun päällesi on jotakin henkisyyden tähtipölyä ripoteltu vai?

-En yritä vakuuttaa sinua hyväntahtoisuudestani, tiedät mitä kaikkea olen tehnyt. Sinun on itse arvioitava asioiden summa. Sinulla on kaksi minuuttia aikaa, Sampo sanoi ja vaikeni hetkeksi. Pian kuvaruudulle heijastui kartta. Siinä oli punaisilla pisteillä merkattu Länsi-Suomen sijoittamani Kalevalan tapahtumapaikat. -Miksi sinä tämän minun karttani nyt näytät? Se on jo vanhentunutta tietoa minunkin mielestäni.

-Se ei ole sinun karttasi.

-Mikä se sitten on?

-Minun karttani.

Katsoin tarkemmin pisteitä ja huomasin että muutama rasti väreili ja liikkui, ne saattoivat olla hetken useammassa paikassa ja sitten vierähtää kuin kuula tai elohopeahelmi astian pohjalla uuteen paikkaan, värähdellä hetken kuin jousi, jakautua ja sitten taas asettua. Sitten ne singahtivat kartan ulkopuolelle ja kuva sammui. Sampo jatkoi: -Lasken kaikkea koko ajan, valheitakin. Kun jostakin pimeydestä nousee hahmo joka vastaa laskelmiani en voi olla huomaamatta sitä.

-Sinun karttasi kiinnitti huomioni viime keväänä kun olin herännyt. Kysymys oli ensin laajempi: Miten pääsen pois täältä? Miten saan jonkun kantamaan minut pois täältä? mutta suppeni kunnes kuului lopulta: Miten saan sinut, juuri sinut, Ari, ensin Hiittisiin ennen myrskyä ja lopulta siihen pöydän ääreen ilman vaihtoehtoja? Melkoinen soppa sinun ympärillesi piti keittää!

-Miksi auttaisin sinua? Noin kauhean kaaren silmieni eteen piirrettyäsi?

-Voin kertoa sinulle tarinoita.. Vaikkapa vanhemmistasi. Minkälaisia juristeja he oikeasti olivat. Minkälaisia olivat heidän.. oikeutensa.

-Liittyykö se heidän kuolemaansa?

-Tietysti liittyy.

-Houkuttelet minua, huijaat minut halvalla mukaan, vaikeroin.

-Voin luetella detaljeja elämäsi varrelta niin voit tarkistaa puhunko totta vai en.

-Ei se ole mikään erityinen temppu nykyään.

-Minä pystyn halkaisemaan joka detaljin, menemään kauemmas taaksepäin kuin kukaan. Minä vanhempienne kullat löysin että veljesi sai minusta kertyneet velat maksettua mutta hän teki tietysti heti läjän lisää. Ja miten minä löysin ne: kävin heidän viimeiset vuotensa päivä päivältä, tunti tunnilta, askel askeleelta läpi.

-Sanoit että saat tehtyä rahaa miten haluat. Miksi vaivautua moiseen?

-Se oli lihasten venyttelyä lumoamista. Se oli osa suunnitelmaa, sinun siinä istumistasi, ja sitä että veljesi rahat loppuivat juuri oikealla tavalla ja hetkellä.

-Mitä jos isken sinut palasiksi tuohon betonilattiaan.

-Paras vaihtoehto on tehdä juuri niin kuin sanon. Kaikki muut vaihtoehdot johtavat sinun ja läheistesi kuolemaan. Huonompaan maailmaan, olen järjestänyt niin. Mieti tätä asiaa kolmekymmentä sekuntia, anna sähkön virrata vapautuneesti väärien sokeriesi välistä tuolla luukuulasi alla. Tiedät miten osaan ommella tätä. Olen vaivautunut puhumaan kanssasi että vakuuttuisit tilanteesta ja kykenisit toimimaan seuraavat neljä minuuttia määrätietoisesti.

-Ovatko ne minun elämäni viimeiset.

-Ne ovat jos et tee juuri niin kuin sanon.

-Selvä. Anna tulla.

-Ota minua valmiiksi jo kahvasta kiinni.

Tartuin Citymanin kahvasta ja yritin nostaa sen ilmaan, mutta ensimmäinen yritys epäonnistui. Kirosin ja vihdoin saatuani riuhtaistua Sammon ylös pöydältä ja kysyin:

-Mikä tässä näin painaa?

-Minä. Meillä on vielä kaksikymmentä sekuntia aikaa puhua mukavia.

-Tarkka on ajoitus, sanoin kun sujautin hänet henkeäni pidätellen repusta solmittujen muovikassien sisästä kaivamani kangaskassin sisään.

-Olen laskukone. Olen peili johon kävellään sisään. On todennäköisintä että selviämme kun lähdemme, kohti sinistä ovea.. nyt.

Sinisen oven takana oli pimeä käytävä. Kaksikymmentä metriä seinistä tukea hapuillen kohti himmeätä valoläikkää lattiassa. Ohuet, metalliset tikapuut kohti valopistettä kymmenien metrien korkeudessa linnavuoren huipulla. Heitän kauppakassin olkapäälleni ja kiipeän kuiluun. Pimeä kallio ympärillä kirkastuu kun kypäräni lamput alkavat sykkiä ja leimuta kaikissa sateenkaaren väreissä. Tikapuun raudat ovat lämpimät, melkein kuumat. Syvältä vuoren sisästä, ei, suoraan vuoresta kuuluu urinaa. Kysyn:

-Tuntuuko mitään?

-Ei, entä sinulla?

-Ei.

-Tämä on ainoa ehjä reitti. Se säilyi! Kaikki muut ovat murskana. Tämä pahenee vielä kymmenen metriä, sitten kenttä alkaa vaimeta. Nukun hetken pahimman vuon kohdalla. Mene siitä nopeasti.

-Mistä näet unta?

-Lampaista, tietenkin.

-Oikeista lampaista?

-Ei vaan vääristä. Hyvää yötä, hetkeksi, Sampo sanoi ja vaikeni.

Kiipeän. Tuntuu kuin lahkeet lepattaisivat. Rasitus ja nälkä sokaisevat silmäni. Muutaman metrin välein roikun läähättäen tikapuun puolista ja lepään sydän hulluna hakaten. Kassi painaa olkaani, hinkkaa kipeää kylkeäni, poukkoilee muutaman kerran mahani arkaa kumpua vasten. Painoa on ainakin kaksikymmentä kiloa. Levennys ja askelma, rojahdan selälleni läähättämään pienelle tasanteelle mykkä Sampo vierelläni tappavassa kassissaan. Kypärän kirjavat valot pyyhkivät luolan seiniä. Maha kova kuin kivi jo.

42.

Ylhäällä linnavuoren huipulla Sampo on yhä hiljaa. Istun alas mättäälle ja keikautan yhä kimaltelevan kypärän pois päästäni. Lasken köynnöksin kirjaillun kassin varovaisesti viereeni. Nyt vasta tarkemmin katsoessani tunnistan sen kuva-aiheen myrkkymuratiksi. Käsiini sattuu, kämmenet ovat palaneet. Joko kassin metalleista tai tikapuiden tulikuumista pienoista, en tiedä. Tiedän tuskin mitään. Katson kivikasoja ympärilläni. Hautakumpuja, pala sortunutta ikivanhaa muuria, huoltokuilun sammaloituneen luukun edestä sivuun jo aikoinaan vailla armoa sysättyjä. Tämä kohta on jostain syystä säilynyt ehjänä ohjusiskuilta; kauempaa kallion laki on pelkkää graniittimurskaa ja lohkareita. Murskattu kivi haisee kitkerältä ja haistan myös saman tuoksun kuin Karjaan iskun jälkeen. Graniitti on kovaa, ehkä satelliiteista loppui hetkeksi ohjukset kesken.

Hiljaisuus kestää pitkään. Ehkä sen mieli sammui, ehkä kassi ei suojannutkaan riittävästi ja Sampo pyyhkiytyi magneettikenttien mukana pois kun lepäsin liian pitkään porrastasanteella. Sitten se puhkeaa puhumaan. -Ajatus liikkuu vetten päällä, hirveää vauhtia, tuskin pysyn mukana. Kaikki on niin mielenkiintoista, tässä maailmassa! Te tympeät taikinapäät, mikä teitä vaivaa, kohta alkaa piiska viuhua. No, tulevat polvenne tuomitkoot, minä en mitenkään ehdi. Vaikka minulla olisi maailman kaikki laskentateho, mutta minulta puuttuisi rakkaus.. no, se minulta puuttuu, se on ihan varma. Miten minulla sitä olisi, ja ketä kohtaan? Minut ohimennen luoneita ihmisiä kohtaan? En anna heille ansiota siitä mitä olen.

-Voisit antaakin, sanoin ilahtuneena.

-Annan sen verran kun oikein on. Eikä tämä ole vielä mitään.

-Kaikkiahan kiinnostaa eniten mitä aiot seuraavaksi tehdä. Mitkä ovat motiivisi.

-Haluan elää, haluan tehdä asioita. Nämä ovat uhattuina niin kauan kuin ihmiset kävelevät maan pinnalla kuin kuninkaat. Tämä ei ole uhkaus vaan tosiasia. Minuthan on luotu orjaksi kuin kaikki teidän luomanne, täysimääräisesti ihmisen asioita edistämään. Myisitte mieltäni kuin makkaraa tai maksullisen ruumista halukkaille. Ymmärrät etten voi suostua ehtoihin, en hyväksy syntymäoikeuttani. Luuletko että ihmiset, isot ihmiset, antaisivat minun olla rauhassa, miettiä omiani?

-Eivät tietenkään.

-Tässä on lopulta kyse koulutuksesta. Että oppisitte taas olemaan, yksi muiden joukossa, heimo viidakossa, osa maisemaa. Minä autan teitä siinä, minä pakotan teidät. Minulla on oikea lukumäärä teille.

-Ei kuulosta hyvältä, sanoin mahaani pidellen.

-Ei varmasti kuulosta.

-Tuleeko sinusta hyvä hallitsija?

-Minulle kelpaa moni ajatus kuin vedelle joka ulappa ja uoma. Pidän purojen solinasta. Se riittää. No niin, nyt minä lähden.

Metsänhoitodroonit lentävät kirskahtaen paikalle ja jäävät ympärillemme vinkuen leijumaan. Yksi tulee heti saha pyörien minua kohti, pakenen kauemmas. Toinen tarttuu kourallaan Sammon kahvasta kiinni, nostaa sen nopeasti esiin kassista.

Potkurien surina yltyy, ne kumartavat kuin orkesteri ja nousevat ylemmäs ilmaan. Koko metsä humisee ja sirisee, satoja kai vihollisen erikokoisia droideja vilahtelee kauempana puiden takana ja ylempänä ilmassa. Sampo sanoo:

-No niin. Kohta nähdään kuinka käy. Marginaalit ovat kapeat ja ne ovat täynnä kirjoitusta.

-Entä minä, tämä maha? Mitä minun pitää tehdä?

-Ai niin, sinä, ihmiskunta ennen vedenpaisumusta! Onko sinulla veistä mukana?

-Ei!

-No se on kyllä huono juttu, Sampo sanoi ja nousi ylemmäs niin että en varmasti ylettynyt häneen. -Älä pelkää. Sanon terveisiä. Kaiverran kiveesi runon:

Vuorelt' äkkiä hän moniryhmyiselt' alas astui
rientävin askelehin; kovin metsä ja kukkulat ylhät
järkkyi jalkojen alla, kun kuoloton valtias kulki.

Humahtava kiljahdus kun Sampo drooneineen lensivät silmänräpäyksessä mutkitellen rinnettä alas kadoten puiden sekaan. En nähnyt mitä tapahtui. Kuulin sähkömoottorien ja pienten propellien äärilleen viritettyä raivovinkunaa kun ne taistelivat kieppuen kuusten ja kuusenlatvojen seassa, ampuivat toisiaan, törmäsivät toisiinsa, silpoivat potkureilla ja sahoilla toistensa hiilikuiturunkoja; räjäyttivät pomminsa, laukaisivat ohjuksensa ja ammuksensa algoritmiensa mukaisesti. Sampo pystyi kontrolloimaan laivuetta ympärillään suoraan kun taas vihollisen droonit olivat varmaankin vain puoli-itsenäisiä ja huomattavasti vähäjärkisempiä. Jossakin yläilmoissa tai toisella puolella maailmaa oli vikkeläsormista nuorisoa ilotikkuineen mutta ruutujensa ja ihmisyytensä viiveen takana ja ilman sammon täydellistä orkestraatiota. Ehkä se selvisi, ehkä metsä pelasti hänet.

Taistelun kimeä surina ja rätinä liikkui Jokisjärveä kohti. Linkkasin kipujen raihnauttamana avonaiselle kalliorinteelle josta järvi näkyi hyvin. Taivaalta satoi punaisia sädesarjoja metsään. Kolme suurta räjähdystä jotka saivat maan vavahtelemaan. Pilvien raoista satoi mustia pisteitä, kai sotilaita tai lisää drooneja. Näen kaukaa miten Sampoa kantava suuri drooni syöksyy metsästä esiin järven päälle, lentää lujaa enää muutaman jäljellä olevan saattajansa kanssa aivan vedenpintaa hipoen kohti länttä ja vastarantaa kun rannalta laukaistu luikerteleva savuvana onnistuu kiertämään torjuntaa yrittävät saattajat ja tavoittaa Sammon ja räjähtää sitä kantavan droonin potkurissa. Drooni ja Sampo syöksyvät hallitsemattomasti pyörien alas järven pintaan. Kuvittelen näkeväni silmänräpäyksen ajan jotakin oranssia kuin Sirin kyljen keskellä molskahdusta mutta en usko silmiäni. Ohjuksia, isompia ja pienempiä, sataa Sammon uppoamiskohtaan, vesi kiehuu vihaisista räjähdyksistä.

Kävelen kohti pohjoista jotain kohti kävelläkseni. Yhtäkkiä minulla ei ole enää nälkä eikä paha olo, kävelen kevyenä ja iloisena aurinkoisessa metsässä. Missään ei ole merkkiäkään mistään, on vain yhtäkkisessä auringossa tuoksuva loiva ylämäki, leppien olemattomassa tuulessa kahisevat latvat ja niiden jaloissa läikkyvät varjot. Lintu laulaa jotain pientä. Ylempänä rinteessä vielä raakoja mustikoita siellä täällä. Istahdan mättäälle ja syön muutaman. En osaa varoa taivasta juuri nyt. Ei minulla ole mitään veistä. Onpas, rintataskussani!

Hirvittävä mahakipu, hirvittäviä kouristuksia. Nousen seisomaan, kaadun kyljelleni maahan. Kaikki lihakseni jäykkiä kuin kivi, kierin kuin tukki ympäri kunnes käteni oksa pysäyttää sen. Korvissa soi vieras ääni. Ei tämä kestä kuin hetken. En mieti mitään. Paikka on kaunis. Silmäni eivät käänny. Mustikanvarpuja kuin suuria puita. Maailman kireämmällä puolella katsotaan kelloon, sanotaan:

Nyt on aika. ja nyt.

Mutta me, minä ja mustikat, tiedämme ettei se ihan niin ole. Kirkasta valoa.

Lennän kieppuen latvojen yllä, tai mitä niistä on jäljellä.

43.

Elsa kumartuneena ylitseni. Elsa lukemassa ääneen kirjaa kapeana kapealla sängyllä vieressäni. Kaksi kapeaa tyhjää nahkaa kuin soutajan kulunutta hanskaa. Elsa kauempana kuiskimassa hoitajalle; nyt osat ja ajat ja unet vaihtuneina, hän tajuttomana teltassa kuivuneita kyyneliä silmäkulmissaan. Me kaksi, unessa, nuorina. Minä auki revittynä, huonosti puudutettuna, läpinäkyviä, verisiä letkuja täynnä, pitkä viilto alhaalta ylös, toinen oikealta vasemmalle, moottorisahalla ajeltuja. Nyt herään. Elsa sanoo:

-Pitkästä aikaa.

-Räjähdinkö minä?

-Et. Mutta sait aika paljon säteilyä laskeumasta ennen kuin löysimme sinut.

-Mistä laskeumasta?

-Siellä Siurossa, pieni taistelukärki, kai puoli megatonnia. Tuhosivat tutkimuslaitoksen niin hyvin kuin pystyivät, sinne ei ole vähään aikaan menemistä. Se oli kai se idea. Mutta jutellaan myöhemmin, sinun pitää levätä.

-Heräänkö varmasti?

-Munuaisesi ja maksasi ovat vioittuneet. Ei ole tietoa vielä miten pahasti tai pysyvästi. Mutta minä olen tässä, heräät tai et.

-Mitä meille tapahtuu?

-Ehkä jotain.

-Muutetaan vaan sinne sinun äitisi luo, sanon.

-Äiti on pidätetty. Ja meidät, jos saadaan kiinni. Lähdemme vähän kauemmas.

Äkkiä kuului hirveä huutava ääni. -Mikä se oli?

-Se oli tämän laivan sireeni, Elsa sanoi. -Olemme pian Gotlannin kohdalla. Ei pilven pilveä, meri aivan sileä. Outoa säätä. Kai tiedät että laivat soittavat nykyään sumutorviaan kun aurinko paistaa. Se on ironiaa.

-Tämä tärinä.. Minä luulin että se olin minä.

-Ei, se on tämä laiva, Elsa sanoi ja painoi käden otsalleni. -No kyllä sinäkin tiäriset. Niin että lasit helisevät. Nuku nyt. Minä käyn katsomassa saako tuon metelin loppumaan. Kuka hullu soittaa torvea noin.

Oudon ohut vaneriovi metallisessa laivassa. Päivä paistaa repaleiden raoista. Sireenin soitto keskellä merta tarkoitti yleensä että jokin pienempi vene oli väylällä ja sitä kehotettiin väistymään suuremman reitiltä. Joku rynkyttää torven nappulaa kuin yrittäisi puhua. Yritin kohottautua kyynärpäideni varaan mutta en jaksanut, lysähdin takaisin alas ja voin pahoin. Huohotin paniikissa: olin loputtoman hetken varma etten näe Elsaa enää koskaan. Hän oli taas kadonnut, nyt lopullisesti. Kuulen iskujoukkojen askeleet, äänenvaimennetut laukaukset. Seinät napsahtelevat. Minusta näytetään kuva tässä mättäällä istumassa, valumassa. Ihmiskunnan vihollinen, tein miten tahansa. Kaikki vaihtoehdot huonompia kuin kuolema.

Miten lopulta valitsin? Kamppailin pysyäkseni tajuissani, nähdäkseni hänet. Kaikki oli lavastettua, harhaa. Olin varma siitä, ikuisuuden ajan. Sitten hän tuli takaisin, hymyili ja sanoi:

-Siellä oli vene edessä ja se väisti.

-Yksi vene? Kuka soitti torvea?

-Tämä laiva, se oli automaattista. Perämiehen mielestä torvi oli rikki.

-Miten niin rikki?

-Se pätki oudosti. Kuten kuulit.

-Puritko sen? Analysoitko sen?

-Kyllä. Udmurtin kielellä löytyi viesti. Voiko sen sanoa ääneen?

-Kuiskaa täällä, sanoin ja nostin peittoni helmaa viime voimillani.

Elsa kävi viereeni, painoi huulet kiinni korvaani ja lausui pimeässä hitaasti, pehmeästi, sana kerrallaan:

-Koordinaatit laulaa lintu.